MICHAELA DIERS

BERNHARD VON CLAIRVAUX

ELITÄRE FRÖMMIGKEIT UND BEGNADETES WIRKEN

ASCHENDORFF MÜNSTER

BEITRÄGE ZUR GESCHICHTE DER PHILOSOPHIE
UND THEOLOGIE DES MITTELALTERS

Texte und Untersuchungen

Begründet von Clemens Baeumker
Fortgeführt von Martin Grabmann und Michael Schmaus
Im Auftrag der Görresgesellschaft herausgegeben von
Ludwig Hödl und Wolfgang Kluxen

Neue Folge
Band 34

D 25

Gesamtherstellung: Druckhaus Aschendorff, Münster, 1991

ISBN 3-402-03929-X

MEINEN LIEBEN ELTERN

INHALT

VORWORT

Diese Untersuchung wurde im Wintersemester 1990/91 vom gemeinsamen Ausschuß der philosophischen Fakultäten der Albert-Ludwigs-Universität Freiburg als Inauguraldissertation angenommen. Die Druckfassung weicht geringfügig von der Dissertation ab.

Bedanken möchte ich mich bei Dorothee Markert für ihre begleitende Lektüre sowie bei Isabella Ulrich für ihre Unterstützung in Fragen der Textverarbeitung. Mein herzlicher Dank gilt Prof. Dr. Dieter Geuenich für seine Ermutigung und Unterstützung und nicht zuletzt für seine Mühen. Besonderen Dank schulde ich ihm für die zugleich tolerante und kritische Begleitung, die beides, Freiraum und Anleitung, und somit jenen fördernden Rahmen bot, der mir diese Arbeit erst ermöglichte.

Für ihre Aufnahme in die angesehene Reihe der „Beiträge zur Geschichte der Theologie und Philosophie des Mittelalters“ möchte ich mich bei den Herausgebern, Prof. Dr. Ludwig Hödl und Prof. Dr. Wolfgang Kluxen, bedanken. Prof. Hödl schulde ich darüberhinaus Dank für wichtige Hinweise in der Schlußphase der Arbeit. Ebenso möchte ich mich bei der Görres-Gesellschaft für den großzügig gewährten Druckkostenzuschuß sowie bei der Aschendorffschen Verlagsbuchhandlung für die rasche und sorgfältige Drucklegung bedanken.

Freiburg, den 24. März 1991

Michaela Diers

0. EINLEITUNG

0.1. Chimaera mei saeculi

Die Äußerung Bernhards von Clairvaux, er sei die Chimäre seines Jahrhunderts,[1] wird als die wohl meistzitierte Aussage des Heiligen zu betrachten sein. Sowohl in der Darstellung Bernhards in Handbüchern und Lexika als auch in Teilen der Bernhardliteratur selbst ist dieser Ausspruch gleichsam zur Kurzformel dessen geworden, was im modernen Verständnis des Heiligen gemeinhin als wesentlich empfunden wird: die Zwiespältigkeit[2] der Gestalt Bernhards. Auffallend erscheint hierbei die Bandbreite der Stellungnahmen, die von allgemein gehaltenen Darstellungen[3] über das Eingeständnis der Unverständlichkeit[4] bis hin zu unterschiedlichsten inhaltlichen Präzisierungen reichen.[5] So besteht nach Bredero eine „offensichtliche Diskrepanz zwischen dem Mystiker und Politiker",[6] und auch Hampe betrachtet die Verbindung von innerlicher Frömmigkeit und tatkräftigem Handeln in der Welt als „zwei Seelen, die Bernhard (...) widerspruchsvoll in seiner Brust vereinte".[7] Nach Fuhrmann belegt Bernhards Zitat, daß Bernhard nicht nur bezüglich der Verbreitung des monastischen Ideals, sondern auch gemäß einem „religiöse(n) Auftrag an den christlichen Ritter"[8] handelte. Friedrich Heer stellt die Selbstcharakterisierung des Heiligen in das

[1] Ep. 250,4, VIII. 147; vgl. 252f.

[2] „In seiner Gestalt liegt etwas Zwiespältiges" (Jordan, Investiturstreit, 83). G. Binding (LdM, 1992ff) beschreibt Bernhard als „sanft und radikal, zerbrechlich und stark, aktiv und kontemplativ zugleich". Ebenso äußert sich Kahl (Bernhard von Fontaines, 190) zum Eindruck des Zwiespalts. In Bernhard durchdringen sich „beeindruckende und abschreckende, zeitgebundene und überzeitliche, sympathische und weniger sympathische Züge in seltsamer Weise – ‚chimärenhaft'".

[3] „Die einzigartige, aber auch problematische Verbindung äußerer Aktivitäten und relig.-theol. Konzentration" hat Bernhard – so Köpf, WdMy, 53f – zu seiner Äußerung veranlaßt. In ihr (Opfermann, LThK II, 241f) bekennt Bernhard sein Wissen „um seine Grenzen im Wirken für Kirche und Welt". Bernhard – so Läpple (Ketzer und Mystiker, 87) – „kennzeichnet die spannungsgeladene und scheinbar widersprüchliche Polarität seiner mönchischen und seiner politischen Existenz".

[4] „Bernhard von Clairvaux zeigt aber in seinem ganzen Verhalten einen unverständlichen Widerspruch. Denn plötzlich kann in diesem weltflüchtigen Mönchsmystiker die Weltflucht in einen erstaunlichen, machtvollen Willen zur Weltbeherrschung umschlagen" (Werner, Mystik, 73).

[5] Vgl. 105f mit weiteren Stellungnahmen zur Chimäre-Problematik.

[6] Bernhard von Clairvaux im Widerstreit, 32.

[7] Das Hochmittelalter, 182.

[8] Deutsche Geschichte, 130.

Zentrum seines Bernhardbildes, die hier als Ausdruck des Zwiespaltes in einem Mann verstanden wird, dessen Handeln sich einerseits den alten Idealen politischer Religiosität verpflichtet weiß, der andererseits aber als Mystiker und Führer der religiös-spirituellen Bewegung seiner Zeit der verinnerlichten Religiosität und daher der Entwicklung des Individuums den Weg bereitet. Bernhard trage somit den Zwiespalt von Romanik und Gotik in seinem Wesen.[9]
Deutlich tritt an der Arbeit Heers die Verbindung zutage, die zwischen dem Eindruck des Zwiespalts und der Bestimmung des Moments der Innerlichkeit an der Religiosität Bernhards besteht. Bei Heer führt das mystische Erlebnis zur „Vergöttlichung der Seele"[10] und formt somit den „ganz innen gewordene(n) Mensch(en)".[11] Heers Augenmerk gilt der innerlichen Frömmigkeit Bernhards und infolge dem Stellenwert Bernhards im Prozeß der Entwicklung zur modernen Individualität.[12] Der auf diese Themenstellung zugespitzte Argumentationsgang, der in seiner pointierten Darstellung Bernhards Frömmigkeit nur ungenau[13] und um wesentliche Aspekte verkürzt[14] wiedergibt, verschiebt das unbestreitbare Moment der Innerlichkeit an Bernhards Spiritualität[15] zu sehr auf ein modernes Verständnis, um es in angemessener Weise beschreiben zu können. Die Folgen, die sich hieraus für eine Beurteilung von Bernhards öffentlichem Wirken ergeben, sind evident. Denn nur schwerlich kann dem Handeln Bernhards in der Welt ein Antrieb aus jener Frömmigkeit erwachsen, deren einziges Ziel der ganz innerlich gewordene Mensch ist, dem selbst „die Außenwelt entgöttert, entheiligt"[16] erscheint. Die Konsequenzen dieses Ansatzes für die Bewertung von Bernhards außerklösterlicher Tätigkeit werden in Heers Aufsatz ‚Der Heilige der Kreuzzüge' deutlich. Aus dem Scheitern des Unterneh-

[9] Aufgang, 182.
[10] Ebd. 228.
[11] Ebd. 232.
[12] Spätere Untersuchungen (vgl. 59, Anm. 154) gelangen hier zu einer differenzierteren Betrachtungsweise, die den spezifisch mittelalterlichen Bedingungen des Prozesses der sich ausbildenden Individualität Rechnung trägt.
[13] Heer beschreibt das mystische Erlebnis als Vorgang, in dem Seele und Bräutigam „ein Leib, ein Geist, ein Sinn" (ebd. 220) werden. Vgl. 52f.
[14] So insbesondere um den Aspekt der Gemeinschaft, der sowohl für die Einbindung des einzelnen in die klösterliche Lebensform (vgl. 82ff) als auch bezüglich dessen Einbindung in die Diesseits und Jenseits sowie den Lauf der Zeiten überspannende Gemeinschaft der zur Himmelsbürgerschaft Erwählten (*ecclesia electorum;* vgl. 11ff u. 315ff) Geltung besitzt. Zu letzterem vgl. den immer noch richtungweisenden Aufsatz ‚Die Ekklesiologie des hl. Bernhard' von Yves Congar.
[15] Zu den bedeutenden Neuerungen in Bernhards Frömmigkeit, vgl: Kahles, Radbert und Bernhard; Leclercq, Die Spiritualität; Manselli, Die Zisterzienser, 29ff; Ohly, Hohelied-Studien,135ff; Schneider, Die Geistigkeit 118ff.
[16] Heer, Aufgang, 232.

mens habe Bernhard gefolgert, daß künftige Kreuzfahrten in das Innen des Menschen zu unternehmen seien.[17] Heers Ergebnis, das durch die Quellen nicht zu stützen ist und dem die Tatsache widerspricht, daß Bernhard die Ausrichtung eines erneuten Kreuzzuges betrieben hat,[18] erklärt sich aus seinem Bernhardbild, das sichtlich zu modern gefaßt ist, um produktive Kategorien zum Verständnis von Bernhards öffentlichem Wirken bereitzustellen.

Obgleich an Niveau und wissenschaftlichem Gewicht nachdrücklich von den Arbeiten Heers geschieden, erscheint auch an jüngeren Untersuchungen zu Bernhard die Bestimmung des Moments der Innerlichkeit in vergleichbarer Weise problembehaftet. Dies gilt selbst für die bedeutenden Arbeiten von Ohly und Köpf, in denen sich innere Frömmigkeit und heilsgeschichtliche Perspektive einander entgegengesetzt finden, so daß von hier kaum der Zugang zu einem Verständnis des öffentlichen Wirkens Bernhards eröffnet wird.[19] Ebenso schreibt Dinzelbacher Bernhard, dessen Liebesglut dem Mittelalter so zentrale Begriffe wie ‚ordo', ‚auctoritates' und ‚modus' hinwegspüle.[20] auf ein zu modernes Verständnis mystischer Innerlichkeit fest. Mit Folgerichtigkeit stellt sich von hier der Eindruck des Zwiespaltes ein, da sich vor dem Hintergrund einer dergestalt beschriebenen inneren Frömmigkeit Bernhards äußeres Wirken um so befremdlicher ausnimmt.

Bezüglich der Chimäre-Problematik bedarf eine weitere Position der ergänzenden Erwähnung. Wenn auch in der heutigen Forschung – wie die umfassenden Untersuchungen Jean Leclercqs belegen[21] – theologische und historische Fragestellungen weit ineinandergreifen, sind es doch eher theologisch motivierte Arbeiten,[22] an denen bisweilen Züge hervortreten, die Spörl bewogen haben dürften, von einer „Verharmlosung" Bernhards durch ein „gutgemeintes, allzu erbauliches Schrifttum"[23] zu sprechen. So beginnt Paulsell seinen Aufsatz über Bernhards Verständnis der Pflichten des christlichen Herrschers wie folgt:

[17] Der Heilige, 329.

[18] Vgl. 357ff.

[19] „Die Eschatologie rückt weit in die Ferne, da Erfahrung sich immer auf die Gegenwart bezieht" (Köpf, Religiöse Erfahrung, 232). Zur Position Ohlys, vgl. 60.

[20] Dinzelbacher, Über die Entdeckung, 193. Dinzelbacher verweist (193, Anm. 64) auf Heer, von dem er wichtige Anregungen erhalten habe. Zum Ordnungsgedanken in der Frömmigkeit Bernhards, vgl. 60f u. 102ff.

[21] Vgl. Leloir, Bibliographie, 215ff.

[22] Wie Bredero (Conflicting interpretations, 65) bemerkt, ist die Problematisierung der Zwiespältigkeit eher ein Kennzeichen der Historiographie des 20. Jahrhunderts. Diese zeuge von einer – im Vergleich zu der noch stark unter dem Eindruck von Bernhards Heiligkeit stehenden Literatur des 19. Jahrhunderts – kritischeren Haltung gegenüber Bernhard.

[23] Bernhard von Clairvaux, 72.

Bernard of Clairvaux has captured the interest of many historiens because he successfully united the contemplative and active lives in his own career.[24]

Deutlich zeigt sich der Entwurf des Gelingens einer unversehrten, in sich geschlossenen Persönlichkeit der Vorbildhaftigkeit des Heiligen, nicht aber jener lebenslangen Klage Bernhards[25] verpflichtet, an der sein Wort von der Chimäre Anteil hat. Eine weitere inhaltliche Bestimmung erfährt der Eindruck des Zwiespalts durch Otto Herding, der die „für modernes Empfinden unerträgliche Nachbarschaft von Gewaltsamkeit und Zartheit"[26] in der Gestalt Bernhards betont. Auch gegenüber dieser Haltung vermag die vorschnelle Harmonisierung des Gegensatzes nicht zu überzeugen, die insbesondere bezüglich Bernhards Kreuzzugsengagement in Bewertungen von Position und Verantwortlichkeit Bernhards[27] führt, denen sichtlich an einer Entlastung des Heiligen gelegen ist. Einen vergleichbaren Eindruck hinterläßt die Interpretation von Bernhards Aggressivität in Leclercqs ‚Nouveau visage de Bernard de Clairvaux',[28] die wiederum zu einem Bernhardbild führt, an dem vornehmlich die Kategorien neu erscheinen, die nunmehr zum Beleg für Bernhards Heiligkeit dienen. Ebensowenig wird der oftmals nicht ohne Bitterkeit vorgetragene Vorwurf des Zwiespaltes zwischen Demut und Herrschsucht[29] durch relativierende Betrachtungen gegenüber einem öffentlichen Auftreten zu entkräften sein, das in der Tat selbstbewußt und machtvoll sowie von höchstem Eifer erfüllt und bisweilen von Unduldsamkeit und Härte gekennzeichnet erscheint.
Die nur auszugsweise wiedergegebene Vielfalt der Positionen belegt das Eigenleben, das Bernhards *‚Chimaera mei saeculi'* zwischenzeitlich

[24] Saint Bernard, 63.

[25] Vgl. 150ff.

[26] Bernhard von Clairvaux und die mittelalterliche Welt, 110.

[27] „Er entwickelte eine Lehre von der begrenzten Gewaltanwendung und sorgte dafür, daß sie auf verschiedene Kriege seiner Zeit dämpfend wirkte" (Schellenberg, Bernhard von Clairvaux, 109). Ebenfalls zu Kreuzzug und politischem Wirken bemerkt Leclerq (Theologische Realenzyklopädie V, 648): „In all diesen Fällen trat er mäßigend und vermittelnd ein." Als besonderes Beispiel der rhetorischen Gewaltsamkeit gelten weder Bernhards Kreuzzugsbriefe noch das Traktat zum Lob auf den Templerorden, sondern die Verteidungsschrift Berengars, der Bernhard in zum Teil unbestreitbar überzogener Polemik angegriffen hatte (vgl. 259ff): „Compared to him, Abelard and Bernard were as lambs" (Leclercq, Saint Bernard's attitude toward war, 3).

[28] Bernhard verdränge seine Aggressivität nicht, sondern verstünde es, diese produktiv in Schrift und Tat umzusetzen (47f). Bernhards Umgang mit seinen Emotionen erweist sich im weiteren als so vorbildhaft, daß er seinen Freunden gegenüber in die Stellung des Psychotherapeuten gelangt (72).

[29] „... und bei aller zur Schau getragenen Demut keineswegs frei von Eitelkeit; uneigennützig und unbestechlich, aber voll rastloser Herrschsucht ..." (Haller, Das Papsttum III, 8). Vgl. auch das Urteil Bernhardis 224f, Anm. 141.

führt. Weitergehend noch scheint Bernhards Äußerung zusehends zum Schlagwort zu geraten, das, indem es die komplexe Persönlichkeit Bernhards auf den Begriff zu bringen sucht, den Zugang eher verstellt als Perspektiven eröffnet. Ob Bernhards Wort von der Chimäre tatsächlich auf die Unvereinbarkeit von innerer Religiosität und äußerem Handeln, von mönchischer Demut und machtvoller Einflußnahme abzielt, ist jedenfalls in dem Sinne fragwürdig, in dem die verwandten Kategorien auf ihre Angemessenheit hin zu hinterfragen sind. Von daher erscheint die erneute Hinwendung zu diesem Themenkomplex berechtigt, der – dem Gewicht entsprechend, den die Problematik von Aktion und Kontemplation in Leben und Werk Bernhards einnimmt – zum Ausgangspunkt und Zentrum der folgenden Untersuchung werden wird.

Der zu beschreitende Weg bestimmt sich in Abgrenzung zu den vorgestellten Positionen. Weder die unproblematisierte Negierung eines Zwiespalts in Bernhards Wesen noch die vorschnelle Ineinssetzung eines sich dem modernen Empfinden aufdrängenden Eindrucks der Zwiespältigkeit mit der Problematik, die Bernhard in seinem Wort von der Chimäre eingestanden hat, vermag zu überzeugen. Neigt die eine Position zu einer eher unkritischen Beurteilung von Bernhards Wirken, so tendiert die andere Position dazu, den Antrieb, den Bernhards Wirken aus seiner Frömmigkeit erfährt, zu unterschätzen. Steht daher die eine Haltung unter dem Bann von Bernhards Heiligkeit, schreibt die andere Bernhard auf eine Scheidung und Unvereinbarkeit der Bereiche fest, die bislang eine konsequente Inbezugsetzung von innerer Frömmigkeit und äußerem Wirken verhindert hat.

Die vorliegende Arbeit folgt Bernhard auf seinem Weg von der Kontemplation zur Aktion, vom Leben in klösterlicher Abgeschiedenheit zum Wirken in der Welt, so daß notwendigerweise die Grenzen der Wissenschaftsdisziplinen überschritten werden müssen. Zahlreich und vielfältig wie das Wirken Bernhards sind die zu bearbeitenden Einzelfragen, die der weitergehenden Bestimmung und Einordnung im Umfeld der Zeitgenossen, in übergeordnete historische Abläufe bedürften.[30] In dieser Untersuchung jedoch gilt es sich aufgrund der Fülle des zu bearbeitenden Materials weitgehend auf Bernhard selbst zu beschränken. Grundlage und Ausgangspunkt bildet die neue kritische Ausgabe der Werke Bernhards,[31] die jene gesicherte Quellenbasis bereitstellt, von der aus die Arbeit unternommen werden kann. Die

[30] Weiterführende Literatur bieten die Anmerkungen. Der Band ‚Bernhard de Clairvaux' (BC) der Commission d'histoire de l'ordre de Cîteaux stellt Informationen über Personen und Sachverhalte bereit, auf die in der Bearbeitung des Briefwerks nicht weiter eingegangen werden konnte.

[31] Vgl. Leclercq, La nouveauté; Rochais, A literary journey; ders., L'édition critique.

Schwierigkeiten einer Untersuchung zu Bernhard von Clairvaux liegen auf der Hand. Zur Problematik einer die Fachdisziplinen übergreifenden Betrachtung tritt die Fülle der Bernhardliteratur,[32] die zwischenzeitlich kaum noch zu überschauen ist. Vielfältig und widersprüchlich wie die Aussagen Bernhards, der immer der höchsten Eindringlichkeit, kaum jedoch einer übergeordneten Systematik verpflichtet erscheint, sind die wissenschaftlichen Positionen. Der Befund des Zwiespalts findet nicht zuletzt in der Forschung selbst seinen Niederschlag. An Bernhard schieden sich[33] und scheiden sich die Geister. Zu komplex jedoch und zu tiefgründig erweist sich seine machtvolle Gestalt, um den Rahmen letztgültiger Urteile nicht zugunsten einer fortwährenden Reflexion zu durchbrechen, zu der die vorliegende Untersuchung beitragen möchte.

0.2. Die Schriften Bernhards

1. In der 51. Hoheliedpredigt nimmt Bernhard auf die Tatsache Bezug, daß er den betreffenden Vers in seiner Schrift über die Gottesliebe anders ausgelegt hat: *Non sane a prudente de diversitate sensuum iudicabor.*[34] Niemand, der vernünftig ist, vermag Bernhard wegen unterschiedlicher Deutungen zu tadeln. Dieser Satz erscheint dem modernen Betrachter nur wenig vernünftig. Immer wieder wird das Verständnis Bernhards durch seine divergierenden Aussagen, durch seine uneinheitliche Terminologie beträchtlich erschwert. Das in der Tat größte Problem, vor dem eine wissenschaftliche Arbeit über Bernhard steht, ist die Auseinandersetzung mit einem Mann, dessen Auffassung von Erkenntnis sich grundlegend vom modernen Verständnis unterscheidet. Erkenntnis ist für Bernhard in dem Maß möglich, in dem sich der Mensch zum Guten wendet. Ihre Grundlage ist folglich nicht die rationale Durchdringung des zu erkennenden Gegenstandes, als vielmehr die Läuterung des Menschen, so daß dieser zu erkennen vermag. In Abgrenzung gegenüber einem rein intellektuellen Erkenntnisinteresse zielen Bernhards Predigten auf die weit umfassendere Bildung des Menschen. Bernhard predigt zum heilsamen Nutzen *(ad propositum ae-*

[32] Vgl. die von Rochais/Manning herausgegebene Gesamtbibliographie der bis 1979 erschienenen Literatur zu Bernhard sowie die Literaturberichte von Altermatt, Die Cistercienser und Bach, Bernhard von Clairvaux. Über Forschungsstand und -diskussionen informieren: Bernards, Der Stand; Bredero, Bernhard von Clairvaux im Widerstreit; ders., Conflicting interpretations; Leclercq, S. Bernard parmi nous; ders., Introduction.

[33] Vgl. 263 den Bericht Johanns von Salisbury.

[34] CC 51,4, II. 86.

dificandi;[35] – *ad audientium utilitatem*[36]). Seine Rede soll der Würde des Gegenstandes angemessen sein *(iuvate me precibus vestris, ut digne loqui possim)* und soll zur Liebe bewegen *(et vestras animas ad amorem aedificet sponsi)*.[37] Vor allem anderen ist Bernhard daran gelegen, an die Herzen seiner Zuhörer und Leser zu rühren, so daß diese sich zum Guten wenden: *nec studium tam esse mihi ut exponam verba, quam ut imbuam corda.*[38] Der Gegenstand von Bernhards Rede ist die Wahrheit Christi; – *et totum quod de ipso est, vere est, quando ipse est non aliud sane quam ipsa Veritas.*[39] Von solcher Tiefe ist diese Wahrheit, daß sie die menschliche Auffassungsgabe übersteigt. Denn alles Himmlische ist seinem Wesen nach Fülle, während der Mensch der Begrenztheit alles Irdischen unterliegt.[40] Sich hingegen von ungesicherter Tugendbasis aus an Glaubensfragen zu wagen, oder gar über Gebühr in Glaubensgeheimnisse eindringen zu wollen, gilt Bernhard als aufblähendes Wissen *(inflans scientia)*.[41] Dies aber zeugt von der schweren Sünde des Hochmuts und somit – wie jede Sünde – von Unvernunft.
Weder an der intellektuellen Durchdringung noch an der systematischen Erfassung seines Gegenstandes ist Bernhard gelegen, sondern an dessen Vergegenwärtigung. Bernhards Theologie hat ihren Sitz im Leben, auf dessen heilsverheißende Gestaltung sie dringt. In immer neuen Variationen kostbaren Bedeutens gilt es daher zum Nutzen des Nächsten aus der Fülle der Wahrheit zu schöpfen. Denn ist auch das Wort der Hl. Schrift in eine Vielfalt von Bedeutungen auffächerbar, so bleibt es sich doch in einer Hinsicht gleich; – immer trifft es den Sachverhalt, immer legt es von der ewigen Wahrheit Zeugnis ab und hält doch zugleich für jeden Menschen in seiner eigenen Not den jeweils passenden Sinn bereit:

Non sane a prudente de diversitate sensuum iudicabor, dummodo veritas utrobique nobis patrocinetur, et caritas, cui Scripturas servire oportet, eo aedificet plures, quo plures ex eis in opus suum veros eruerit intellectus. (. . .) Ita unus quilibet divinus sermo non erit ab re, si diversos pariat intellectus, diversis animarum necessitatibus et usibus accomodandos.[42]

Vor diesem Hintergrund zeugen verschiedene Deutungen nicht von Widersprüchlichkeit, sondern von kostbarer Vielfalt, die in mannigfacher Weise auf den Nutzen der Menschen abzielt. Demgegenüber sind

[35] CC 27,1, I. 181.
[36] Ebd. 10,4, I. 50.
[37] Ebd. 11,8, I. 59.
[38] Ebd. 16,1, I. 89.
[39] Ebd. 72,2, II. 248.
[40] Vgl. 102.
[41] Asc 4,4, V. 140f; vgl. 72 u. 250ff.
[42] CC 51,4, II. 86.

systematische Gesichtspunkte letztlich nachrangig, so daß Bernhard hier wie an anderer Stelle[43] die Entscheidung, welche der Deutungen die angemessenere sei, dem Urteil des Hörers (Lesers) überläßt.
Zweierlei ist somit gegen J. Bernhardt einzuwenden, wenn dieser bemerkt, man müsse, um zu den wesentlichen Gedanken Bernhards vorzudringen, „erst die flimmernde Sphäre eines Erregungszustandes" überwinden.[44]
a. Überwindet man die ‚flimmernde Sphäre' der Texte Bernhards, so überwindet man deren auf die Läuterung des Menschen abzielende Eindringlichkeit und somit das, was Bernhard an seinen Texten wesentlich ist. Gelangt man von hier zu den ‚wesentlichen Gedanken', so können diese in der Tat modernen wissenschaftlichen Ansprüchen nicht genügen. Seine Terminologie ist uneinheitlich, sein Werk besitzt keine übergeordnete Systematik, oft genug sind seine Äußerungen widersprüchlich. Mit Folgerichtigkeit führt dieser Ansatz zu einem negativen Urteil über Bernhard. Seine Bedeutung als Theologe sei nicht allzu hoch zu veranschlagen;[45] als wesentlich an ihm wird seine Emotionalität, d. h. Irrationalität[46] empfunden. An dieser Stelle jedoch erscheint die wissenschaftliche Betrachtungsweise nur wenig wissenschaftlich. Denn daß Bernhard Ansprüche, die nicht die seinigen sind, nicht einzulösen vermag, – daß seine Texte, unterwirft man sie gattungsfremden Kriterien, diesen nicht genügen können, dürfte in der Tat nicht überraschen.
b. Des weiteren ist der zitierten Position J. Bernhardts entgegenzuhalten, daß der besondere Charakter der Texte Bernhards keineswegs mit obigen Kategorien, die den Eindruck der Undiszipliniertheit und ungezügelten Emotionalität suggerieren, zutreffend beschrieben ist. Die Untersuchungen Jean Leclercqs belegen im Gegenteil die höchste Akribie, mit der sich Bernhard um die Gestaltung seiner Texte bemühte.[47] Korrekturen und Präzisierungen sind hierbei vornehmlich von sti-

[43] Vgl. 32.

[44] Bernhardt, Die philosophische Mystik, 98.

[45] „Sein eigentliches Gebiet ist nicht die Theologie gewesen" (Landgraf, Der heilige Bernhard, 58). Angemessener erscheint es, Absicht und Eigenheit dieser Theologie unter dem Begriff der ‚monastischen Theologie' zu erfassen. Jean Leclercq bemerkt hierzu: „Es ist wirkliche Theologie, aber sie ist selten spekulativ mit Hilfe von klaren Distinktionen formuliert." Sie stellt – so Leclercq weiter – „mehr eine Synthese als ein System dar" (Christusnachfolge, 51).
Zur monastischen Theologie, vgl. Beumer, Die theologische Methode, 62ff; Chenu, Théologie, 225ff; Leclercq, Etudes sur le vocabulaire, 213ff; ders., S. Bernard et la théologie monastique; ders., Wissenschaft, 213ff; Köpf, Religiöse Erfahrung, 224ff.

[46] „Bernhard ist ein rein emotionaler, Abälard ein rein intellektualer Typ" (Heer, Der Aufgang, 148).

[47] Leclercq, Aspects littéraire; ders., Saint Bernard écrivain; ders., Sur le caractère littéraire.

listischer Art[48] und zielen daher auf Optimierung der zu Läuterung mahnenden und ermutigenden Wirkkraft der Schriften ab. Insbesondere die Untersuchungen von Dorette Sabersky-Bascho belegen Gewicht und Funktion der von Bernhard verwandten rhetorischen Figuren als „affektive Stilmittel",[49] denen, gemäß ihrer werbenden Qualität, ein „persuasive(s) Moment"[50] innewohnt. Bernhards Schriften wollen wirken. Dies gilt sowohl für die von Bernhard kennzeichnenderweise bevorzugte Textgattung der Predigt[51] als auch für den überwiegenden Teil seiner sonstigen Schriften. Vor allem anderen ist Bernhard an der konsequenten Ausgestaltung des jeweiligen Textes gelegen. Weit stärker als einer übergreifenden Lehre und Terminologie sind Bernhards Texte der inneren Stimmigkeit auf der gewählten Bildebene sowie deren eindringlicher sprachlicher Gestaltung verpflichtet. Immer erweist sich Bernhards Wort seinem Kontext, immer auch dem jeweils angesprochenen Personenkreis verbunden, dessen Eigenheiten und Lebensumständen Bernhards auf Einflußnahme abzielende Anrede Rechnung trägt.[52] Diese wesentlichen Aspekte der Schriften Bernhards werden im folgenden zu berücksichtigen und in deren Interpretation miteinzubeziehen sein.

2. Ein weiteres Element der Predigten Bernhards tritt an den zahlreichen Bitten des Abtes zutage, seine Mitmönche mögen ihn durch ihr Gebet zum Hl. Geist unterstützen, damit dieser ihm die Auslegung der betreffenden Schriftstelle eingebe. Bernhard selbst betont, den Beistand des Hl. Geistes zu benötigen; – *omnino egere (. . .) adiutorio Spiritus Sancti.*[53] Bernhard spricht auf himmlische Eingebung hin,[54] die seine Rede bewirkt, ja, die ihn weitergehend noch auf diese Rede verpflichtet. So weiß Bernhard von einem Mann (der er vielleicht selbst ist) zu berichten, der in seinem Vortrag Eingegebenes zurückgehalten hat, um Stoff für die folgende Predigt zu besitzen. Hierauf schien ihn eine Stimme zu mahnen: *Donec istud tenebis, aliud non accipies.*[55] Ebenso selbstverständlich wie die Verpflichtung des Predigers zur Weitergabe des zum Nutzen der Nächsten Gewährten ist Bernhard die der Gnadengabe gegenüber einzunehmende persönliche Haltung. Nicht anders als derjenige, der sich durch Wunder und Zeichen *(prodigiis ac*

[48] Zum Stil Bernhards, vgl: Leclercq, L'art de la composition; ders., Essais sur l'esthétique; Mohrmann, Le style; dies., Observations.

[49] Sabersky-Bascho, Nam iteratio affectionis expressio est, 6. Vgl. auch dies., Studien zur Paronomasie u. Zum Aufbau der 85. Hoheliedpredigt.

[50] Nam iteratio, 19.

[51] Vgl. Hunkeler, Bernhard als Prediger; Evans, The mind, 37ff.

[52] Vgl. 239ff.

[53] CC 53,3, II. 97.

[54] Zur inspirierten Rede, vgl. 199.

[55] CC 82,1, I. 292.

signiis) hervortut, darf auch der Prediger Ruhm und Glanz der empfangenen Gaben keinesfalls in eitler Überhebung sich selbst anrechnen: *Nam lingua tua quid, nisi calamus scribae?*.[56]
In grundlegender Weise beleuchtet die Textgattung der Predigt den im folgenden zu behandelnden Problemkomplex. Die Predigt zeugt (im Gegensatz zur überkommenen Schrifterklärung in Form des Kommentars) von der Absicht, die Glaubenswahrheiten dem „subjektiven Erleben" zugänglich zu machen[57] und somit sowohl von religiöser Innerlichkeit als auch dem Bestreben, inneres Geschehen nach außen zu tragen. Deutlich kommt dem Moment der Inspiration und Begnadung die vermittelnde, auf äußeres Wirksamwerden verpflichtende Funktion zu. Hierin unterscheidet sich die Gabe der inspirierten Rede nicht von den Gaben der Prophetie oder Krankenheilung, die Bernhard unter dem Aspekt ihrer Zielrichtung nach außen als ‚*foris dona*', d. h. zum Nutzen des Nächsten verliehene Gnadengaben[58] zusammenfaßt. Da Prophet – so Bernhard an anderer Stelle – ‚der Sehende' bedeutet, können auch die Prediger zutreffend als Propheten bezeichnet werden; – *qui et arcana mysteriorum Dei contemplantur et, prout vident mores hominum, adhibent modos curationum.*[59] Kontemplation und Inspiration klingen im Prediger zusammen, um sogleich die Grenze des Selbst zum Nutzen des Nächsten zu überschreiten. Untrennbar finden sich in ihm Momente der Innerlichkeit mit denen der äußeren Wirksamkeit verbunden. Erscheint daher die Kluft zwischen der von neuer Innerlichkeit zeugenden Mystik Bernhards und seinem öffentlichen Wirken kaum überbrückbar, eröffnen sich von Bernhard dem Prediger aus Perspektiven zu einem Verständnis des auch auf die Welt einwirkenden Abtes, denen im weiteren nachzugehen sein wird.

[56] CC 13,7, I. 73.
[57] Ohly, Hohelied-Studien, 136.
[58] Vgl. 113.
[59] Div. 95,1, VI.I. 353.

1. GEISTLICHE ELITE

1.1. Die Lücken in den Mauern des himmlischen Jerusalem

Bernhards Ausführungen über das himmlische Jerusalem führen in das Zentrum seines christlichen Welt- und Menschenbildes. Denn die himmlische Stadt beschreibt den Ausgangs- und Zielpunkt des Menschengeschlechtes, dessen Geschichte sich als Zeit sehnsuchtsvoller Erwartung zwischen Beginn und verheißenes Ende spannt. Anfang und Existenzgrund des Menschengeschlechtes liegen im dramatischen Geschehen um die himmlische Stadt begründet: *Propter hoc enim et ipse creavit homines ab initio, ut repleantur ex his loca vacua et ruinae Ierusalem restaurentur.*[1] Durch den Fall der hochmütigen Engel wurden Lücken in das himmlische Gemäuer gerissen, und da nach diesem Sturz die Anzahl der Engel zur Neuerrichtung des Gebäudes nicht ausreichte, erschuf Gott den Menschen.[2] Den Menschen kommt es somit zu, als lebendige Bausteine *(vivi et rationales lapides)*[3] die entstandenen Lücken zwischen den Engeln zu schließen, so daß die himmlische Stadt in vollendeter Schönheit *(perfectione sui atque integritate)*[4] wiedererstrahlt. Diese Notwendigkeit der Menschen zum Wiederaufbau Jerusalems bindet die Lebenden in die Sorge der Engel, der Heiligen und derjenigen Verstorbenen ein, die bereits in Sicherheit und selig sind, aber dennoch sehnsüchtig auf die endgültige Vollendung warten. Nicht nur um der Menschen, sondern auch um ihrer selbst willen *(propter seipsos, quorum ordines instaurandos ex nobis toto desiderio praestolantur)* steigen daher die Engel auf die Erde hinab.[5] Besorgt und voller Eifer nehmen sie an der Erfüllung des persönlichen Heilsschicksals der Menschen Anteil:

Putatis quantum desiderant cives caeli instaurari civitatis suae ruinas? Quomodo solliciti sunt est veniant lapides vivi, qui coaedificentur eis? Quomodo discurrunt medii inter nos et Deum, fidelissime portantes ad eum gemitus nostros, et ipsius nobis gratiam devotissime reportantes?[6]

Nicht minder besorgt zeigen sich die Heiligen über das Gelingen der Lebenden, da erst am Ende der Zeiten, wenn sich die Zahl der Erwähl-

[1] Adv. 1,5, IV. 164.

[2] Dom. kal. 1,3, V. 306. Zur augustinischen Tradition dieser Auffassung, vgl: Congar, Die Lehre, 77; ders., Église et cité, 174ff.

[3] Com. Mich. 1,4, V. 296.

[4] CC 62,1, II. 155.

[5] Com. Mich. 1,4, V. 297.

[6] Vig. nat. 2,6, IV. 209.

ten erfüllt haben wird, auch ihr Heilsschicksal in Vollendung überzugehen vermag.[7] Nicht weil sie Bestrafung, sondern weil sie vollkommene Glückseligkeit begehren, verlangen die Märtyrer nach dem Gericht. Denn erst in der leiblichen Auferstehung erhalten sie ihre Körper zurück, die als Unterpfand gegenseitiger Verbundenheit *[(v)adia tenemus et obsides]* noch in Händen der Lebenden sind.[8] Ebenso sehnsüchtig erwarten die bereits verstorbenen Mitbrüder Bernhards die Ankunft der Lebenden, um so im gemeinschaftlichen Gelingen zu persönlicher Vollendung zu gelangen: *In illam enim beatissimam domum nec sine nobis intrabunt.*[9] Doch nicht nur die Verstorbenen und die himmlischen Mächte, die ganze Schöpfung, die mit Adam gefallen und der Vergänglichkeit anheimgegeben ist, sehnt jenen Zustand zukünftigen Heils herbei,[10] der sich erst mit der Wiederherstellung des Menschen verwirklichen wird:

Nec sane reparabitur hereditas, donec reparentur heredes. Unde et iuxta Apostoli testimonium, INGEMISCIT QUOQUE ET PARTURIT USQUE ADHUC. Nec soli utique huic mundo, sed et angelis, et hominibus spectaculum facti sumus.[11]

In umfassendster, d. h. die Zeiten übergreifender sowie Himmel und Erde umspannender gegenseitiger Heilsverwiesenheit gilt daher alles Sehnen und Hoffen der Bewährung der Lebenden. In diesen heilsgeschichtlichen Ablauf, der sich in der Gegenwart des einzelnen im Ringen um das persönliche Heilsschicksal aktualisiert, sehen sich Bernhard und seine Mitbrüder gestellt. Auf die Sehnsucht der Heiligen und Engel nach den Menschen antworten sie mit dem sehnsüchtigen Streben nach diesseitiger Teilhabe und jenseitiger Gemeinschaft mit den Engeln und Heiligen:[12]

Festinemus, obsecro, dilectissimi, festinemus: tota nos multitudo curiae caelestis exspectat (. . .) Nam etsi corpora inferius, sed corda sursum.[13]

Während die körperliche Existenz die Mönche noch an die Erde bindet, sind ihre Herzen bereits dem Himmel zugewandt. Das himmlische

[7] Vig. apost. 1,2, V. 185. Zum Heilszustand der Verstorbenen vor der Auferstehung der Leiber, vgl. grat. IV,9, III. 172; fest. omn. sanct. 2, 4–8, V. 345–348. Vgl. auch: 87, Anm. 26.

[8] Vig. nat. 2,5, IV. 208.

[9] Fest. omn. sanct. 3,1, V. 349.

[10] Vig. nat. 2,4, IV. 207, vgl. auch: dom. kal. 2,1, V. 307; CC 59,5, II. 138. Dem Seufzen und Sehnen der Schöpfung verleiht Bernhard hier, wie im folgenden Zitat, unter Verwendung von Röm 8,22 Ausdruck. Vgl. hierzu: 94.

[11] Vig. nat. 2,5, IV. 208.

[12] *Hoc enim primum desiderium, quod in nobis Sanctorum memoria vel excitat vel incitat magis, ut eorum tam optabili societate fruamur, et mereamur convices et contubernales esse spirituum beatorum,* . . . (fest. omn. sanc. 5,5, V. 365).

[13] Vig nat. 2,6, IV. 209.

Jerusalem, das Ziel heiligen Verlangens von sehnsuchtsvoller Heftigkeit *(vehementia quadam sacri desiderii)*,[14] die jenseitige Stadt, *quae est mater nostra*,[15] ist noch fern, und die Mönche sind gezwungen, die Heimat von weitem zu grüßen *(desideratam patriam gemitibus et suspiriis a longe)*.[16] Denn noch ist der Mensch in ein Leben *in saeculo nequam* eingebunden, das einer Verbannung *in deserto* und *in tenebris*[17] gleichkommt. Entsprechend stellt sich das Erdenleben als *peregrinatio*;[18] d. h. als mühe- und gefahrvolle Zeit der Verbannung dar, in der es die Schlacht um das eigene Seelenheil siegreich zu schlagen gilt. Zu eben dieser Schlacht formieren sich Bernhard und seine Mitbrüder. In Läuterung und Nachfolge unterziehen sie bereits auf Erden ihr Selbst jener Gestaltung zum Heil, die sie einst als lebendige Bausteine die Lücken im himmlischen Gemäuer schließen lassen wird.[19] Höchste Anstrengungen zur persönlichen Vervollkommnung gilt es daher zu unternehmen. Denn nicht allen Menschen wird es am Ende der Zeiten möglich sein, Eingang in die himmlische Stadt zu finden; – *pauci sunt qui salvantur.*[20] Diese wenigen, die zum Heil bestimmt sind, bilden die *,Ecclesia praedestinatorum'*,[21] die Kirche der zur Himmelsbürgerschaft Erwählten, die in einem ihren Verdiensten entsprechenden Rang in das himmlische Gemäuer eingefügt werden,[22] so daß Jerusalem in Glanz und Unversehrtheit neu zu erstehen vermag.

1.2. Die drei Stände der Kirche der Erwählten

In der 91. Predigt de div. nimmt Bernhard Strophe 4,13, des Hohenliedes zum Anlaß seiner Ausführungen über die drei Stände der Kirche.[23] *EMISSIONES TUAE PARADISUS*, – mit diesen Worten drückt das

[14] Qui hab. 7,5, IV. 416.
[15] Div. 19,6, VI.I. 164.
[16] CC 59,4, II. 137.
[17] Div. 12,3, VI.I. 129; vgl. auch: asc. 6,1, V. 151; dom. VI 2,5, 212; adv. 7,1, IV. 196.
[18] Epiph. 1,1, IV. 192.
[19] Vgl. 58.
[20] Vig. nat. 3,3, IV. 213.
[21] CC 62,1, II. 154.
[22] Ebd. 62,2, II. 155.
[23] Zum Thema der drei Stände bei Bernhard und seinen Zeitgenossen, vgl: Altermatt, Christus, 55; Beinert, Die Kirche, 254ff; Congar, Die Ekklesiologie, 89; ders., Die Lehre; ders., Les laics; Kilga, Der Kirchenbegriff, 150ff; Wolter, B. v. Cl. und die Laien, 171ff. Sommerfeldt (The social theory, 38ff) gelangt aufgrund der einseitigen Quellenauswahl zum Ergebnis der Wertschätzung, die Bernhard jedem Stand entgegenbrachte. Weitere Passagen in den Predigten Bernhards: div. 9,3, VI.I. 119 sowie der Predigtabschnitt nat. And. 1,3, V. 429, in dem Bernhard das Thema am Bild der für

himmlische Jerusalem seine Freude über das noch auf Erden pilgernde Jerusalem aus. Dieses zum Eingang in die himmlische Stadt bestimmte Jerusalem besteht aus drei Ständen *(emissiones):*

Prima coniugatorum paenitentium in mundo, secunda conversorum continentium in claustro, tertia praelatorum praedicantium et orantium pro Dei populo.[24]

Wie sich bereits in der Verknüpfung mit den Attributen frommer Lebensführung andeutet, umfassen die drei Stände der Erwählten keineswegs die Kirche in ihrer Gesamtheit: *Tres ex omni populo liberantur: Noe, Daniel et Iob.*[25] Diese drei alttestamentarischen Gestalten[26] verweisen auf die *tres ordines Ecclesiae,*[27] die drei Stände der zur Himmelsbürgerschaft Vorherbestimmten. Allen drei Ständen ist das Ziel gemeinsam, die einem gefährlichen Meer gleichende Welt *(praesens saeculum amarum fluctuans)*[28] zu überqueren. Grundlegend verschieden jedoch sind die Wege, auf denen ein jeder Stand zum himmlischen Ufer hin aufbricht.

Bernhards Erläuterungen zum Weg der Eheleute nehmen im Rahmen seiner Ausführungen zu den drei Ständen der Kirche den geringsten Raum ein.[29]. Diesem Stand kommt es zu, die ihm auferlegte Gebote zu halten,[30] ein Leben voll Reue über die begangenen Sünden zu führen[31] und Almosen zu geben.[32]. Im besonderen Maß zeichnet sich der Weg der Eheleute durch die mit ihm untrennbar verbundenen Gefahren aus, die es – *praesertim diebus istis, quibus malitia nimis invaluit* – fast unmöglich erscheinen lassen, den tödlichen Fluten zu entgehen *(inter undas huius saeculi, voraginem vitiorum et criminalium peccatorum foveas declinare).* Denn das Leben der Eheleute in der Welt kommt dem Weg des Iob gleich, der das Meer durch eine Furt *(vado)* zu überqueren sucht.[33] Dieser Weg führt nicht zielgerichtet *(nullae viae compendia)* zum himmlischen Ufer, sondern verzweigt sich in Irr- und Abwegen. Er ist von höchster Gefährlichkeit und letztlich von nur geringer Aussicht auf

das Himmelreich zu fangenden Fische des Meeres (Laien), Flusses (Kleriker) und des Teiches (Mönche) verdeutlicht.

[24] Div. 91,1, VI.I. 341.

[25] Sent. II. 174, VI.II. 56.

[26] Eine Ausnahme bildet die in vig. nat. Dom. 6,9, IV. 241 vorgenommene Zuordnung. Hier bezeichnet Ephraim die Prälaten, Benjamin das gläubige Volk und Manasses die Mönche.

[27] Abb. 1,1, V. 289.

[28] Ebd. 1,1, V. 288.

[29] *... coniugatorum videlicet ordinem, magis succincte transcurro, tamquam minus ad nos pertinentem* (ebd. 1,1, V. 289).

[30] Div. 9,3, VI.I. 119.

[31] Ebd. 91,1, VI.I. 341f.

[32] Ebd. 91,2, VI.I. 342.

[33] Abb. 1,1, V. 288.

Erfolg: *quod tam multos in eo perire dolemus, tam paucos videmus, sicut necesse est, pertransire.*[34]
Der Weg, den der Stand der Kleriker einzuschlagen hat, ist in Noe vorgezeichnet. Da die Aufgabe der Kleriker die Sorge für die Überquerenden ist *(ordinare gradientes, pericula vestigare ac declinare),* durchkreuzen sie das Meer auf einem Schiff *(navi),* so daß es ihnen möglich wird, ungehindert dorthin zu gelangen, wo ihr Beistand benötigt wird. Ihr Schiff fährt bis zum Himmel empor und bis in die tiefste Finsternis hinab, denn sie widmen sich ihrer Aufgabe gemäß sowohl dem Erhabensten als auch dem Verwerflichsten: *Sed quae poterit navis inveniri, quae tam immanes sustineat fluctus, et tanto secura possit esse discrimine?* Auch der Weg, den die Kleriker nehmen, steckt daher voller Gefahren für das persönliche Seelenheil. Die Bedingungen, daß die Überfahrt dennoch zu gelingen vermag, führt Bernhard weiter am Bild des Schiffes aus. Dieses bedarf dreier stabiler Flanken, die Bernhard – nach 1 Tim 1,5 – als Liebe aus reinem Herzen, einem guten Gewissen und ungeheucheltem Glauben bestimmt. So gehört es zu den unabdingbaren Voraussetzungen der erfolgreichen Ausübung des Amtes, daß der Kleriker nicht dem Eigennutz[35] *(proprium commodum, vel honorem saeculi),* sondern allein Gott und dem Wohl der ihm anvertrauten Seelen dient.[36] Weiter ist vom Kleriker, der den ihm Untergebenen zum Vorbild dienen soll, eine untadelige Lebensführung zu verlangen,[37] die nicht geheuchelt sein darf *(ne videlicet foris humilis, intus elatus in corde suo),*[38] sondern ihre Entsprechung in einem geläuterten, tugendhaften Innen besitzen muß.[39]
Dem letzten der drei Stände der Kirche bildet der Stand der Mönche, der – wie Daniel, *vir desideriorum*[40] – das Meer der Welt auf einer Brükke *(ponte)* überquert. Auch dieser Weg birgt gewisse Gefahren in sich, über die an anderer Stelle noch zu berichten sein wird.[41] In diesem Zusammenhang bleibt festzuhalten, was Bernhards vergleichende Be-

[34] Ebd. 1,1, V. 289. Im Predigtabschnitt nat. Dom. 1,7, IV. 249f hebt Bernhard ebenfalls die Gefahren für Iob hervor: *ipse magis inter medios laqueos ambulat, ut magnum videatur, si a malo declinat.*

[35] Daß sich hiermit weder Simonie noch generell das Verlangen nach weltlichem Besitz und Einfluß vereinbaren läßt, ist Bernhard selbstverständlich. Vgl. hierzu: div. 42,3, VI.I. 257f; CC 10,3, I. 49f; ebd. 23,12, I. 146f; ebd. 77,1, II. 262; laud. Virg. 4,9, IV. 54f; con. Paul. 1,3, IV. 327 u. 1,6, 332. Über Bernhards Verhältnis zum Stand der Kleriker, vgl. Lackner, Über das Priesterideal. Vgl. 325ff.

[36] Abb. 1,6, V. 292.

[37] Ebd. 1,6, V. 292f.

[38] Ebd. 1,7, V. 293.

[39] *Minister Christi sic debet conversari, ut ex moribus exterioris hominis qui videtur, existimetur compositio interioris animi qui non videtur, ...* (div 32,1, VI.I. 218).

[40] Abb. 1,1, V. 289.

[41] Vgl. 82ff.

trachtung der drei Arten des Überquerens bezüglich des Weges der Mönche unmißverständlich zur Darstellung bringt: *quod iter brevius et facilius, etiam et securius esse nemo qui nesciat.*[42]

In der Predigt auf Palmsonntag verleiht Bernhard dieser hierarchischen Stufung innerhalb der drei Stände der Kirche wiederum auf bildhafter Ebene sinnfälligen Ausdruck. Hier nun ist es der Einzug Christi am Palmsonntag, der über sich hinaus auf den himmlischen Einzug am Ende der Zeiten verweist.[43] Wiederum treten die drei Stände der Erwählten auf, die Bernhard in charakteristischer Weise um die Gestalt Christi gruppiert. Den Klerikern kommt es zu, die Zweige von den Bäumen zu schneiden; die Eheleute breiten ihre Kleider vor dem einreitenden Christus aus. Der Stand der Mönche aber trägt als Lasttier Christus in die heilige Stadt, denn allein die Mönche haben ihre ganze Person, ja selbst ihre Körper dem Dienst an Christus hingegeben: *Silendum mihi est, ut elationem caveatis.* Diese besondere Heilsnähe des Mönchsstandes muß nun, da sie ihre eindringliche Darstellung auf der gewählten Bildebene gefunden hat, in der Tat nicht mehr ausgesprochen werden: *Cui tamen in processione illa Iesus propinquior, cui de tribus ordinibus salus vicinior, facile, credo, potestis advertere.*[44]

1.3. Hierarchische Stufungen innerhalb des Mönchsstandes

Innerhalb der hierarchisch gestuften Ordnung der Kirche nimmt der Mönchsstand aufgrund seiner besonderen Heilsnähe den obersten Rang ein. Dies bedeutet jedoch nicht, daß sich alle Mönche durch die gleiche Nähe zum Heil auszeichnen. Bernhard betont vielmehr nachdrücklich die Unterschiede zwischen den Mönchen, die durch die unterschiedliche Erfüllung der für den Mönchsstand verbindlichen Kriterien zur frommen Lebensführung bestehen. Den Ausgangspunkt dieser wertenden Differenzierung bildet die für Bernhard untrennbar mit der monastischen Lebensform verbundene Forderung nach geistigen Fortschritten, nach stetiger Vervollkommnung. Bereits ein Nachlassen in diesem Streben, ein Innehalten auf dem Weg der Tugenden betrachtete Bernhard als eine ernste Gefährdung des Seelenheils:

Ambulare, proficere est. (...) Ergo non ambulantem, sed sedentem a mortis tenebris comprehendi periculum est.[45]

[42] Abb. 1,2, V. 289.

[43] *Nec mireris quod praesenti processione caelestem dixerim repraesentari* ... (ram palm. 1,3, V. 44).

[44] Ebd. 1,4, V. 45.

[45] CC 49,7, II. 77

Ein Mönch, dessen Ringen um Läuterung sich *in statione, non in processione* befindet, ist für Bernhard bereits *in regressione* begriffen; – *quoniam in via vitae non progredi regredi est.*[46]
Zwar werde der Mensch gewarnt, übergerecht zu sein,[47] ein Übermaß an Wissen zu erstreben, jedoch niemals davor, über Gebühr gut zu sein *(nemo esse bonus plus quam oportet potest).*[48] Ihr Urbild besitzt die sich hieraus ergebende Notwendigkeit zu stetiger Vervollkommnung der Gutheit in der Jakobsleiter, auf der, wie Bernhard betont, nie ein Engel stehend oder sitzend, sondern allein in hinauf- oder hinabführender Bewegung gesehen wurde:

Aut ascendas necesse est, aut descendas: si attentas stare, ruas necesse est. Minime pro certo est bonus, qui melior esse non vult, ut ubi incipis nolle fieri melior, ibi desinis etiam esse bonus.[49]

Grundlegend unvereinbar mit dieser Forderung sind Lauheit und Mißstände innerhalb des Mönchsstandes, die Bernhard, nachdem er zuvor die Fehlverhalten der Kleriker getadelt hat, als besonders schmerzlich *(quod magis doleo)* anprangert.[50] Manche Mönche würden der Gemeinschaft durch ihren Hochmut unerträglich.[51] Andere Mönche zögen, anstatt um ihr Seelenheil Sorge zu tragen, durch die Lande und kümmerten sich um weltliche Geschäfte. Mit besonderer Erbitterung äußert sich Bernhard über die Eitelkeit der Mönche *(in habitu ornari, non armari appetunt milites Christi),* die in ihrer Putzsucht selbst noch die Frauen überträfen.[52] Nachdrücklich tritt Bernhard solchen Mißständen in Wort und Tat entgegen. Von hier nimmt sein umfassendes Wirken für eine Reform des Mönchsstandes ihren Ausgang, das der Behebung von Mißständen in Klöstern von jeglicher Ordenszugehörigkeit,[53] im

[46] Pur. 2,3, IV. 340
[47] Vergleichbaren Inhalts ist Brief 254 (um 1136), den Bernhard zum Lob und Ansporn der Reformtätigkeit des Abtes Guarinus in seinem Kloster verfaßte. Wiederum ist Bernhards vordringliches Anliegen die Betonung der Notwendigkeit zum Voranschreiten in den Tugenden. Der inhaltliche Widerspruch zu ep. 91 tritt demgegenüber in den Hintergrund: *Porro vera virtus finem nescit, tempore non clauditur. (...) Numquam iustus arbitratur se comprehendisse; numquam, dicit: ‚Satis est'...* (254,2, VIII. 157). Auch hier belegt Bernhard seine Forderung mit den hinauf- und hinabsteigenden Engeln auf der Jakobsleiter (254,5, VIII. 159). Als weiteres Argument tritt hinzu, daß sich Christus zur Zeit seines irdischen Lebens immer in Bewegung befand (254,4, VIII. 158).
[48] Ep. 91,2, VII. 240; 1130.
[49] Ep. 91,3, VII. 240.
[50] Laud. Virg. 4,9, IV. 55.
[51] Ebd. 4,10, IV. 55.
[52] Ebd. 4,10, IV. 56.
[53] Vgl. Bouton, Bernard et les chanoines réguliers; ders., Bernard et les monastères bénédictins non clunisiens; Petit, Bernard et l'ordre de Prémontré; Giraudot u. Bouton, Bernard et les Gilbertins; de Warren, Bernard et l'ordre de Saint-Victor.

besonderen aber der Ausbreitung und Förderung des Zisterzienserordens gilt.[54] Untrennbar mit diesem Reformwerk verbunden ist Bernhards wertende Differenzierung der Orden gemäß der Strenge der Lebensführung und der hieraus resultierenden Befähigung des einzelnen zum Voranschreiten im persönlichen Läuterungswerk. Das diesem Problemkomplex innewohnende Motiv der Konkurrenz[55] der Orden tritt deutlich zutage, welches insbesondere bei Bernhards Auseinandersetzung mit dem Cluniazenserorden[56] in eine Konfrontation von bisweilen überzogener Polemik führt. In diesem Sinne greift Bernhard den Orden von Cluny sowohl in seinem Traktat ,*Apologia*'[57] als auch in ep. 1 an seinen Vetter Robert in aller Schärfe an, wobei in letzterem Schreiben die spürbare persönliche Enttäuschung über den Verlust des Verwandten an den Orden von Cluny dem Konflikt eine zusätzliche Schärfe verleiht. Der Prior von Cluny habe sich als *lupus rapax* im Schafsfell in Clairvaux Eintritt verschafft und derart verkleidet den Zugang *ad oviculum* (Robert) erschlichen. Die folgende Argumentation, die Bernhard dem Prior in den Mund legt, zeugt in rhetorisch meisterhaft gestalteter Weise von der Umkehr aller Werte, die dem Leser sinnfällig die Unerhörtheit des Geschehens vor Augen führt:

> *... et novi Evangelii praedicator commendat crapulam, parsimoniam damnat, voluntariam paupertatem miseriam dicit, ieiunia, vigilias, silentium manuumque laborem vocat insaniam; e contrario otiositatem contemplationem nuncupat, edacitatem, loquacitatem, curiositatem, cunctam denique intemperantiam nominat discretionem.*[58]

Ganz der *seductor,* als den Bernhard ihn darstellt, erklärt der Prior von Cluny die Tugend für tadelnswert, erhebt das Tadelnswerte in den Rang der Tugend und vermag auf diese Weise den unreifen Jüngling zu umgarnen. Dieser wird sogleich nach Cluny geführt, um dort unter

[54] Vgl. Dimier, Les fondations manquées; ders., Saint Bernard et ses abbayes-filles; ders., Le monde claravallien; Winkler, Die Ausbreitung.

[55] Zu Recht zeigt Bredero in der sich an die Ausführungen Dimiers (Outrances) anschließenden Diskussion an dieser Stelle eine Verbindung zu Bernhards Vorgehen gegen Abälard auf (668). Bernhards Überzeugung von der Vorrangstellung seines Ordens geht bisweilen durchaus mit der Herabminderung der anderen Orden einher. Ebenso tritt das Element der Konkurrenz an Bernhards Ausführungen zu der Frage nach dem Klosterübertritt und deutlicher noch an seiner diesbezüglichen Praxis zutage. Vergleichbare Motive lassen sich im Konflikt mit Abälard feststellen, in dem Bernhard nicht nur die Theologie Abälards angreift, sondern im besonderen die Gefahren von Abälards zunehmenden Einfluß und seiner wachsenden Schülerschar betont. Vgl. 254ff.

[56] Vgl. Bouton, Bernard et l'ordre de Cluny; Bredero, Das Verhältnis; ders., Cluny et Cîteaux, ders., The controversy; Knowles, Cistercians and Cluniacs; Lang, The friendship.

[57] III. 61–108.

[58] Ep. 1,4, VII. 4.

Schmeicheleien und übertriebenen Gunsterweisen in die Gemeinschaft aufgenommen zu werden: *O Iesu bone! Quam multa facta sunt pro unius animulae perditione!*[59]

Sowohl die Gegenüberstellung der Lebensformen in ep. 1 als auch eine vergleichbare Belegstelle aus Bernhards Traktat ‚*Apologia*'[60] machen die zusätzliche Bedeutungsdimension deutlich, mit der Bernhard beide Texte versieht. Neben dem Anliegen, auf die Reform von Mißständen hinzuwirken, gilt es nicht minder, vor dem dunklen Hintergrund der Verfehlungen in Cluny[61] die tugendhafte Lebensführung im Zisterzienserkloster um so heller erstrahlen zu lassen.

Jedoch noch in einer weiteren, ebenfalls Bernhards wertende Differenzierung der klösterlichen Lebensformen verdeutlichenden Hinsicht, ist die Affäre um Robert von Interesse. Es handelt sich hierbei um das heikle Problem des Übertritts eines Mönches in einen anderen Orden. Im Falle Roberts wird die Problematik zusätzlich durch die Tatsache kompliziert, daß Robert, lange vor seinem Eintritt in Clairvaux, bereits als Kind dem Kloster Cluny geweiht worden war[62]. Bernhard trägt der Besonderheit dieses Falles Rechnung, seine vordringlichen Einwände gegen den Übertritt Roberts jedoch sind von grundsätzlicher Art. Wessen Gelöbnis, so Bernhard, sei wohl verbindlicher, das des Vaters oder das des Sohnes – *praesertim cum filius aliquid maius devoverit?*[63] Bernhards zentraler Kritikpunkt am Verhalten Roberts ist folglich der Rückschritt, den er durch seinen Übertritt vollzogen hat:

> *(Q)uis (. . .) non argueret inoboedientiae, non indignaretur apostasiae, quod de tunicis ad pelliceas, de oleribus ad delicias, quod denique ad divitias de paupertate transieris?*[64]

Hätte sich Robert zu einer strengeren Lebensform und somit zum persönlichen Fortschritt entschieden, so hätte der Übertritt gefahrlos geschehen können: *(s)i ut artius, ut rectius, ut perfectius viveres, securus esto, quia non retro aspexisti.* Der Wechsel vom Zisterzienserkloster zur Le-

[59] Ep. 1,5, VII. 5.

[60] *Ecce enim parcitas putatur avaritia, sobrietas austeritas creditur, silentium tristitia reputatur. Econtra remissio discretio dicitur, effusio liberalitas, loquacitas affabilitas, cachinnatio iucunditas, mollities vestimentorum et equorum fastus honestas, lectorum superfluus cultus munditia, cumque haec alterutrum impendimus, caritas appellatur* (apol. VIII,16, III. 95).

[61] Daß die Vorwürfe Bernhards die Verhältnisse in Cluny nicht realitätsgerecht wiedergeben, ist selbstverständlich. Vgl. Talbot, Die cluniazensische Spiritualität, 48; Tellenbach, Das Reformmönchtum, 378. Wichtige Einblicke in die cluniazenische Lebensführung bietet: Zimmermann, Ordensleben und Lebensstandart, 196ff. Zum Reformwerk des Petrus Venerabilis, vgl. Constable, Monastic policy; Knowles, The reforming decrees.

[62] Ep. 1,6, VII. 5.

[63] Ep. 1,8, VII. 6f.

[64] Ep. 1,3, VII. 3.

bensform der Cluniazenser jedoch kommt für Bernhard einem Rückfall und Abstieg und daher einer schweren Gefährdung für das persönliche Seelenheil gleich; – *hoc procul dubio retro aspicere est, praevaricari est, apostatare est.*[65]

Selbst wenn die These Bredero zutreffen sollte, daß Bernhards Traktat *,Apologia'* sowie der Brief an Robert auf die Wirren innerhalb des Klosters von Cluny um den Abt Pontius Bezug nehmen, so kommt den Äußerungen Bernhards doch eine weit grundsätzlichere Bedeutung zu, als es die Ausführungen Bredero vermuten lassen.[66] Denn Bernhards wertende Differenzierung der Klöster nach der Strenge ihrer Lebensführung fügt sich nicht nur nahtlos in seine Vorstellung vom Mönchsleben als einem stetigen Voranschreiten in den Tugenden, sondern erweist sich auch als bestimmend bezüglich der Haltung, die Bernhard gegenüber Mönchen aus anderen Gemeinschaften einnimmt, die in den Orden der Zisterzienser eintreten wollen. In seinem Jahre später[67] verfaßten Traktat *,De praecepto et dispensatione'* nimmt Bernhard wiederum zu dieser Problematik Stellung:

Forte vult aliquis de Cluniacensibus institutis Cisterciensium sese stringere paupertatem, eligens prae illis nimirum consuetudinibus magis Regulae puritatem.

Bernhard fährt fort, daß er wegen dem zu erwartenden Ärgernis für die zurückbleibende Gemeinschaft sowie der Gefahr, der Wankelmütigkeit mancher Mönche Vorschub zu leisten, keinesfalls einem Mitglied dieses Ordens zum Übertritt raten werde, zumal wenn dieser gegen den Willen des zuständigen Abtes geschehe.[68] Unverkennbar ist Bernhards Ton im Vergleich zur *,Apologia'* und dem Brief an Robert gemildert, da er die polemische Stilisierung der cluniazensischen Lebensführung zum Gegenbild der im Zisterzienserkloster verbindlichen Werte unterläßt. Aber auch wenn sich Bernhard an dieser Stelle gegen den Übertritt ausspricht, so hält er in dessen Bewertung als Entschei-

[65] Ep. 1,9, VII. 8.

[66] Daher kann hier Bredero (Das Verhältnis, 53) nicht gefolgt werden, wenn er bemerkt, daß die Meinungsverschiedenheit, der Bernhard in diesen beiden Schriften Ausdruck verleiht, „nicht in einer Rivalität zwischen den beiden Orden begründet (war). Diese hielt er für zu verschieden, um sie vergleichen zu können". Daß Bernhard sehr wohl verglichen hat, belegen allein die Komparative, die Bernhard in diesem Zusammenhang zahlreich zu verwenden pflegt. Im übrigen ist Lortz (Einleitung, XXXV) zuzustimmen, der in Teilen der Literatur zur *Apologia* die Tendez sieht, „den Gegensatz Cluny-Cîteaux auszugleichen". Diese Tendenz ist auch bei Lang, The friendship, spürbar.

[67] Der Brief an Robert entstand Ende 1124; Bernhards *Apologia* 1125 (Bredero, Das Verhältnis, 53). Obiges Traktat wurde 1142 (Bredero, 51) verfaßt.

[68] Prae. XVI,46, III. 285.

dung zu Armut und Reinheit der Regel[69] dennoch an seiner wertenden Sichtweise fest, gemäß der die zisterziensische Lebensform als strenger und somit unter dem Aspekt der Notwendigkeit zum persönlichen Fortschritt als höherwertig ausgewiesen ist. Bernhards Ausführungen im Rahmen des Traktats *,De praecepto et dispensatione'* gelten der Frage nach Klosterübertritten vor dem Hintergrund der Forderung zur *,stabilitas loci'*.[70] Deutlich ist in diesen Darlegungen sowohl die Konfliktträchtigkeit der Problematik für das Zusammenleben der Orden als auch Bernhards Schwierigkeit spürbar, seine Überzeugung von der Höherwertigkeit der eigenen Lebensform mit dem Gebot der Benediktsregel übereinzubringen. Entsprechend zeigt sich Bernhard um eine ausgewogenere Darstellung der anderen Orden bemüht, die er letztlich jedoch nicht glaubhaft in eine Haltung persönlicher Toleranz umzusetzen vermag, da dieser sein Verständnis des Mönchslebens als stetige Vervollkommnung sowie die hieraus resultierende wertende Differenzierung der Lebensformen entgegensteht.[71] In den weiteren Ausführungen zur Frage des Übertritts versieht Bernhard diesen mit zahlreichen Einschränkungen und zu erfüllenden Bedingungen, die den bindenden Vorgaben der Benediktsregel[72] sowie dem der Fragestellung innewohnenden Konfliktpotential Rechnung tragen. Keinesfalls, so Bernhard, darf der Übertritt eines Mönches aus einem Kloster mit geordneten Zuständen in den Orden von Cîteaux *sine licentia sui senioris* geschehen, auch wenn der Mönch vom Wunsch nach einer strengeren Lebensform bewegt wird. Ist der Übertritt jedoch vollzogen, so sollte der Mönch nicht *ad inferius bonum* zurückkehren, zumal er ja sein Kloster *prae meliori* verlassen hat; – *nam ad inferiora iam vel remissiora, me consulente, nequaquam apostatabit,* es sei denn, daß – gemäß der Benediktsregel – der Mönch aus einem dem aufnehmenden Kloster bekannten anderen Kloster stamme, und dessen Abt die Erlaubnis zum Übertritt verweigere.[73] Bernhard rät sodann einem jeden Mönch, der eine der Regel entsprechendere Lebensführung wünscht, diese im getreuen Be-

[69] Die Rückkehr zur Reinheit der Regel ist das vornehmliche Reformanliegen der Zisterzienser. Vgl. van Damme, Novum monasterium; Lackner, The monastic life; Leclercq, The intentions; Mikkers, Die Rolle; Spahr, Die Regelauslegung.

[70] Zu den Konflikten im 12. Jahrhundert um diese Problematik, vgl: Fina, Ovem suam requiere; Leclercq, Documents sur les ,fugitifs'.

[71] Dieser Text, der kaum zu Vereinbarendes zu verbinden sucht, erscheint daher in seinen Kernpunkten widersprüchlich. So hält Bernhard einerseits an seiner wertenden Differenzierung fest, wie die unter Anm. 68 zitierte Aussage sowie die wiederum zahlreich verwendeten Komparative belegen. Andererseits jedoch betont Bernhard den jeweiligen Eigenwert der auf verschiedenen Wegen der Benediktsregel folgenden Orden: *in diversis monasteriis diversis et observantiis Deo serviatur* (de prae. XVI, 47, 285). Vgl. auch: prae. XVI,48, 286.

[72] Holzherr, Die Benediktsregel, cap. 61; 287ff.

[73] Prae. XVI,45, III. 284.

folgen der Bräuche des heimatlichen Klosters zu verwirklichen.[74] Die Halbherzigkeit von Bernhards Empfehlung wird jedoch im weiteren deutlich, wenn sich Bernhard der Möglichkeit zuwendet, daß ein Mönch entgegen seinen dargelegten Argumenten in den Orden von Cîteaux übertreten sollte:

Ceterum qui inquietus est et ita credere non potest, sed magis credens et cedens stimulanti conscientiae exit et quaerit ubi solvat quod suo in loco, suo utique iudicio voverat quidem, sed non solverat, sicut non laudo quod egreditur, ita ut regrediatur non consulo, si tamen ad remotum ignotumque monasterium migraverit.

Denn diese Aufnahme von Mönchen erfolge nun wiederum gemäß der Regel,[75] wobei – wie Bernhards Auslegung zu ergänzen ist – das entsprechende Kapitel der Benediktsregel nicht die Aufnahme von Mönchen, die zur strengeren Lebensform wechseln wollen, sondern die Aufnahme von reisenden Mönchen zum Inhalt hat.[76] Unverrückbar jedoch steht für Bernhard fest, daß, ist der Übertritt zur strengeren Lebensform vollzogen, keine Rückkehr möglich ist:

Qualis denique emendatio erit si, ut aliis scandalum tollas, alios scandalizas? Quamquam profecto et tolerabilius scandalum illud sit, et venialius, quod factum est intentione proficiendi in melius, quam quod facere cogitas ad deterius apostatando.[77]

Die festgestellte Halbherzigkeit in den Ausführungen Bernhards findet in einer zwiespältigen Praxis ihre Entsprechung. In der Tat schickte Bernhard verschiedentlich Mönche an ihre Heimatklöster zurück.[78] In vielen Fällen[79] jedoch gewährte er Mönchen, die um einer strengeren Lebensführung willen nach Clairvaux kamen, Aufnahme. Daß dies bisweilen unter Übertretung der im Traktat ‚*De praecepto et dispensatione*'

[74] Ebd. XVI,47-48, III. 285f.

[75] Ebd. XVI,49, III. 286f.

[76] Holzherr, Die Benediktsregel, cap. 61, 287ff.

[77] Prae. XVI,50, III. 287.

[78] Vgl. ep. 84, VII. 18; Frühjahr 1125; ep. 86, VII. 223f; 9. Sept. 1123 o. 1124; ep. 101, VII. 256f, ?; ep. 396, VIII. 372; vor 1126; ep. 400, VIII. 256f; um 1138.

[79] Letzter Aufschluß über die Anzahl der aufgenommenen Mönche wird kaum zu erlangen sein. Erhellend in diesem Zusammenhang ist ep. 261 (VIII. 170f; ?), die belegt, daß der Übertritt von einem Benediktinerkloster weit unproblematischer war als der Übertritt vom eng mit Bernhard verbundenen Orden der Templer. In diesem Schreiben berichtet Bernhard Papst Eugen vom Fall eines Tempelritters, dessen Wunsch zum Übertritt in ein Zisterzienserkloster von Ordensbrüdern Bernhards geteilt wurde. Diese wagten jedoch die widerrechtliche Aufnahme nicht. Statt dessen schoben sie den Tempelritter einem Benedktinerabt unter, um von hier aus den Übertritt in den Zisterzienserorden ermöglichen zu können. Als Bernhard von diesem Plan und seiner erfolgreichen Umsetzung erfährt, erwirkt er den Ordensausschluß des ehemaligen Tempelritters und verwendet sich in besagtem Schreiben für den Benediktinerabt, der unwissentlich in die Angelegenheit verstrickt wurde.

zur Norm erhobenen Bedingungen geschah,[80] mag zum Beleg für Bernhards Überzeugtheit von Höherwertigkeit und vorzüglicher Heilsnähe der zisterziensischen Lebensform dienen. Strittige Übertritte geraten folglich leicht zum über Heil oder Verdammnis des betreffenden Mönchs entscheidenden Streit, dessen Gewicht für Bernhard die Verbindlichkeit einschränkender Rechtssetzungen in den Hintergrund treten läßt.[81]
So entfallen in ep. 3 die relativierenden Normen sowie der diplomatischere Ton des ungefähr zwanzig Jahre später verfaßten Traktats, während das Kriterium der strengeren Lebensweise in allein bestimmenden Rang rückt. Wiederum nehmen Bernhards Darlegungen zur Frage des Klosterübertritts ihren Ausgang in der Betonung der Notwendigkeit zur ‚*stabilitas loci*' sowie zum unbedingten Gehorsam gegenüber den Oberen. Von hier aus stellt sich Bernhard die Frage, wie diese Haltung *[(v)ideor nempe contraria loqui rei quam facio]* mit seiner Aufnahme von Mönchen aus anderen Klöstern *(qui de aliis monasteriis, fracto stabilitatis voto et contempto seniorum imperio, ad nostrum Ordinem veniunt)* zu vereinbaren sei. Die Antwort hierauf, so Bernhard weiter, sei kurz, aber gefährlich, da sie mit Gewißheit Murren und Ärgernis erregen werde. Um der Wahrhaftigkeit willen könne er sie dennoch nicht verschweigen:

Hac ergo illos ratione suscipimus, quoniam non putamus esse malum, si vota labiorum suorum, quae in locis suis poterunt quidem promittere, sed nequaquam persolvere, Deo qui ubique est, ubicumque poterunt, reddant, et solius ruptae stabilitatis damna reliquorum regularium praeceptorum integra observatione compensent.

Bernhard schließt seine Ausführungen mit heftigen Angriffen gegen diejenigen, die hieran Anstoß nehmen und den zum Übertritt bereiten Mönch *(hominem quaerentem salutem suam)* verurteilen. *Immo uni invidens, duos tibi reddis infensos;* – denn ein solche Haltung sucht nicht nur den Mönch um die Gnade seines Herrn, sondern auch den Herrn um seinen zum Dienst bereiten Diener zu betrügen.[82]
Die in obigem Schreiben formulierten Argumente finden in mehreren konkreten Einzelfällen Verwendung, in denen der Streit um übergetretene Mönche entbrannte. Die Empörung der betroffenen Äbte ist noch in den Antwortschreiben Bernhards spürbar, der unter Aufbie-

[80] Anselme Dimier rechnet die unter Anm. 85; 88; 97 u. 99 zitierten Vorkommnisse in seinem Aufsatz ‚Outrances et roueries de Saint Bernard' letzterer Kategorie zu. Auch Dimier führt das Verhalten Bernhards auf seine Überzeugung zurück, daß die zisterziensische Lebensform der sicherste Weg zum Heil sei, „se croyait en droit d'inventer n'importe quelle raison pour conserver un sujet qui lui paraissait apte à mener cette nouvelle vie" (Dimier, 667).

[81] Vgl. 232f.

[82] Ep. 7,18, VII. 44f; Dez. 1124 o. Beginn 1125.

tung seines ganzen rhetorischen Könnens die Äbte zu beschwichtigen und zugleich die Unabänderlichkeit und Rechtmäßigkeit des jeweiligen Übertritts darzulegen sucht. In zwei Fällen sieht sich Bernhard gezwungen, Vermittlungsdienste befreundeter Äbte in Anspruch zu nehmen, um den entstandenen Streit zu schlichten. An Peter von Celle ergeht ein Schreiben mit der Bitte, den betreffenden Abt zu trösten und ihm Bernhards Argumente zu übermitteln.[83] In ep. 66 bittet Bernhard Abt Gaufred von St. Médard, das beigefügte Schreiben an Alvisus, den Abt des Benediktinerklosters von Anchin zu übergeben und sich zugleich im persönlichen Gespräch für Bernhard zu verwenden.[84] Der Grund für das Zerwürfnis geht aus ep. 65 an Abt Alvisus hervor. Bernhard hatte dessen Mönch Godwin in Clairvaux aufgenommen. Nachdem dieser dort verstorben war[85] und sich Abt Alvisus vom Tod des einstigen Sohnes bewegt und daher versöhnlich gezeigt hatte,[86] bekennt Bernhard, durch sein Verhalten schweres Unrecht *(grandi iniuria)* an Abt Alvisus begangen zu haben. In meisterhafter rhetorischer Gestaltung versteht es Bernhard im weiteren, in das Schuldbekenntnis eine Rechtfertigung seines Verhaltens einzuflechten, die den Übertritt des Mönchs aus einer Schar von Frommen *[(q)uis vero scit, si de vestra abundantia nostram Deus voluerit supplere inopiam . . .?]* als ein Geschehen ausweist, von dem niemand wissen könne, ob es nicht doch dem Willen Gottes entsprochen habe.[87] Ebenfalls von heftigem Streit um einen übergetretenen Mönch zeugen Bernhards Briefe an den Benediktinerabt Hildegarius.[88] In ep. 67 macht Bernhard auf die schweren Beschuldigungen des Abtes hin geltend, noch nie von dessen Kloster erfahren und somit die Bestimmung der Benediktsregel eingehalten zu haben.[89] Desweiteren führt Bernhard an, daß der Abt Mönch Benedikt als Arzt[90] verwendet und daher mit weltlichen Dingen beschäftigt habe, so daß dieser vor der Verdammnis und nicht vor der Gemeinschaft geflohen sei. Keinesfalls zeigt sich Bernhard zu einer Rückgabe bereit; – *(n)ec intrare compulimus, nec exire cogemus.*[91] Offenbar hatte sich Abt

[83] Ep. 293, VIII. 210f; nach 1147; vgl. Dimier, Transitus, 61.

[84] Ep. 66, VII. 162; vor 1131.

[85] Dimier (Outrances, 666) macht darauf aufmerksam, daß dies der einzige Fall an Konflikten um Übertritte ist, in dem Bernhard ein Fehlverhalten eingesteht. Kennzeichnenderweise erfolgt Bernhards Entschuldigung zu einem Zeitpunkt, da die Frage nach Rückgabe des Mönchs irrelevant ist.

[86] Ep. 65,1, VII. 159; vor 1131.

[87] Ep. 65,3, VII. 160f.

[88] Vgl. BC 234; Dimier, Outrances, 663f; ders., Transitus, 51–54.

[89] Ep. 67,1, VII. 163f; vor Mai 1225–1126 nach van den Eynde, Les premiers écrits, 408; um 1120 nach Dimier.

[90] Vgl. 158, Anm. 49

[91] Ep. 67,2, VII. 164f.

Hildegarius mit der Erklärung Bernhards nicht zufriedengegeben, so daß ein zweites Schreiben notwendig wurde. Nicht ohne Schärfe setzt sich Bernhard hier mit dem Vorwurf geheuchelter Unkenntnis *(simulata ignorantia)*[92] auseinander, um sodann das Argument zu widerlegen, er verhalte sich in einer Weise gegen den Abt, wie er es für sich selbst nicht wünsche. In unverkennbarer Ironie bedient sich Bernhard wiederum des Argumentes der strengeren Lebensform und versichert, jederzeit seine Zustimmung zu geben, *(s)i quis de nostris ad vos maioris perfectionis gratia et artioris vitae desiderio convolaverit.*[93]
Auf das Kriterium der strengeren Lebensform nimmt Bernhard ebenso in seinem Schreiben an den befreundeten Benediktinerabt Leonius[94] Bezug, das den Übertritt des Mönches Thomas als einen dem göttlichen Willen entsprechenden Fortschritt, darstellt:

Quem ergo Dominus vocavit, vide ne revoces; quem Deus erexit, tu inclinare noli; nec ponas ei offendiculum, cui Deus manum porrigit ascendenti.[95].

Im selben Sinne äußert sich Bernhard gegenüber dem die Rückgabe des Mönchs fordernden Bischof von Arras. Dem unabänderlichen Ratschluß Gottes gemäß sei Thomas in Clairvaux eingetreten; – *ego quis sum qui prohibeam Spiritum Dei, (. . .). Thomas paupertatem elegit, ego eum ad divitias deliciasque remittam?*[96] Der bekannten Argumentationsmuster bedient sich Bernhard auch im Fall der Kanoniker von Eaucourt,[97] die ohne Erlaubnis ihres Abtes *ob tenorem artioris vitae, ab institutionibus beati Augustini ad observantias sancti Benedicti Dei adiutorio* nach Clairvaux übergetreten waren. Keinesfalls, so Bernhard, stehe es den ehemaligen Mitbrüdern zu, dies verhindern zu wollen; – *nisi forte, quod Deus avertat, quae vestra, non quae Iesu Christi sunt, quaerere studeatis.*[98]
Setzte sich Bernhard in den vorangegangenen Beispielen bisweilen über die Bestimmungen der Benediktsregel hinweg, so scheint im Fall des Benediktiners Drogon[99] Bernhards Eifer die Grenze der Redlichkeit deutlich zu überschreiten. An den ehemaligen Abt des in das Zisterzienserkloster von Pontigny übergetretenen Mönchs sendet Bernhard ein in warmherzigem Ton verfaßtes Trostschreiben. Hätte Drogon ihn um seinen Rat bezüglich des Übertritts ersucht, hätte er nicht zuge-

[92] Ep. 68,2, VII. 166f; vor Mai 1225–1126.
[93] Ep. 68,3, VII. 167.
[94] Vgl. BC 215f u. 238f.
[95] Ep. 382,2, VIII. 348; um 1150.
[96] Ep. 395, VIII. 370.
[97] Vgl. Dimier, Outrances, 662f; ders., Un premier témoin; Leclercq, Lettres, 29ff; Vacandard, Leben I. 140f.
[98] Ep. 4, VII. 23f; 1120 oder weniger später.
[99] Vgl. Dimer, Outrances, 665; ders., Transitus, 56f; Leclercq, Drogon; van den Eyne, Le premiers écrits; BC 170f.

stimmt; wäre er nach Clairvaux gekommen, so hätte er ihn nicht aufgenommen. Sofort habe er getan, was er konnte und sich an den Abt von Pontigny gewandt; – *(e)t nunc super hoc quid tibi ultra possum facere, Pater?*[100] Bernhard fährt fort mit der Mahnung, sich in den göttlichen Willen zu fügen *(nequaquam velle resistere supernae dispositioni),* sowie tröstenden, den gerechten Ärger *(iustae indignationis)* des Abtes beschwichtigenden Worten. Bernhard schließt mit dem Hinweis auf den Fall seines Vetters Robert,[101] in dem ihm selbst Vergleichbares widerfuhr, um dem Abt sodann ein ebenso vorbildliches Verhalten anzuraten:

Fraudulenter tibi et non fideliter consulo, si idipsum a me ipse non exigo. Nam cum unus noster non solum religione professus, sed et carne propinquus, Cluniaci, me invito, et susceptus sit, et detineatur, doleo quidem, sed sileo, orans et pro illis ut velint ablatum reddere, et pro illo ut velit sponte redire; . . .[102]

In ep. 32 erweckt Bernhard den Eindruck, sich bei Abt Hugo von Pontigny für die Rückgabe des Mönchs Drogon verwendet zu haben. In der Tat hatte sich Bernhard in einem nicht erhaltenen Schreiben mit dem Abt von Pontigny in Verbindung gesetzt, worauf er in ep. 33 bezug nimmt. Bernhard sieht sich hier genötigt, Mißverständnisse bezüglich seiner Haltung zum Übertritt Drogons auszuräumen. Er habe Abt Hugo vor den zu erwartenden Folgen der Aufnahme warnen, keineswegs jedoch die Rückgabe fordern wollen:

Non tamen ad hoc illa vobis praedicere studui, quo vel suaderem, vel consulerem, vel certe, ut scribitis, censerem illum debere reddi, quippe qui ipsius iamdudum ferventissimum desiderium novi, et ei potius, quod nunc illud adimpleverit, debeo congratulari.

Vom Erzbischof von Reims und dem befreundeten Abt *(familiarissimo nobis abbate)* sei er gedrängt worden, sich für die Rückgabe Drogons zu verwenden. Er habe sodann ein Schreiben mit der Absicht verfaßt –

ut a me, si fieri posset, omnem depellerem suspicionem, tales, prout scivi, dictare curavi, quibus et ipsis satisfacerem, et vos contra eorumdem imminentes calumnias, vobis illas non tacendo, praemunirem.[103]

Sein im Brief an Abt Hugo angekündigtes Vorhaben, Drogon zu seinem Entschluß zu gratulieren, löst Bernhard in ep. 34 ein, nicht ohne jedoch Drogon warnend daraufhinzuweisen, daß gewisse Pharisäer Anstoß an seinem Entschluß nehmen *(Pharisaei scandalizati sunt in hoc verbo quod fecisti).*[104] Wiederum finden die bekannten Motive der Notwen-

[100] Ep. 32,1, VII. 86; kurz vor Nov. 1124 nach van den Eyne, 379–384.
[101] Vgl. ep. 1, 18ff.
[102] Ep. 32,3, VII. 87f.
[103] Ep. 33,1, VII. 88f; zur selben Zeit wie ep. 32.
[104] Ep. 34,2, VII. 91; zur selben Zeit wie ep. 32.

digkeit des persönlichen Voranschreitens und der hieraus folgenden Rechtmäßigkeit des Übertritts zu einer strengeren Lebensform Verwendung:

Nemo quippe perfectus, qui perfectior esse non appetit, et in eo quisque perfectiorem se probat, quo ad maiorem tendet perfectionem.[105]

Untrennbar sind diese Motive mit einer hierarchischen Differenzierung der klösterlichen Lebensformen[106] verbunden, wobei Bernhard in diesem Schreiben den Abstand zwischen dem Herkunftskloster Drogons und dem Orden der Zisterzienser selbstbewußt mit dem Abstand Welt – Kloster gleichsetzt; *et tu, velut e saecularibus unus, monasterium tamquam saeculum deserens.*[107]
Die vorangegangenen Kapitelabschnitte belegen den vorzüglichen Rang, den Bernhard dem Stand der Mönche innerhalb der dreigeteilten ‚*ecclesia electorum*', dem Orden der Zisterzienser innerhalb der verschiedenen Ordensgemeinschaften zuspricht. In den folgenden Kapiteln werden die Gründe für die besondere Heilsnähe zu erarbeiten sein, die Bernhard in seinem Orden verwirklicht sieht. Zugleich werden die wesentlichen Elemente der Mystik Bernhards zu behandeln sein, die in ihren Kernpunkten Lebenslehre ist, d. h. Anweisung zu einem Leben, das machtvoll auf diesseitige Teilhabe am Himmlischen und jenseitige Erfüllung dringt.

[105] Ep. 34,1, VII. 90.
[106] Es sei an dieser Stelle auf die ungleich duldsamere Haltung gegenüber anderen Orden von Bernhards Zeitgenossen und Ordensbruder Otto von Freising aufmerksam gemacht. Zwar unterschieden sich die Mönchsorden in ihren Bräuchen, manche lebten unter Menschen, andere hingegen suchten die Abgeschiedenheit: *Eque tamen omnes vitae et conscientiae puritate ac sanctimonia caelesti et angelica in terris vita degunt* (Chronica, VII,35, 560). Entsprechend versinnbildlichen die verschiedenfarbigen Gewänder keine Unterschiede des Wertes, sondern kennzeichnen vielmehr die Verschiedenartigkeit der Lebensformen, von denen eine jede in der ihr eigentümlichen Weise tugendhaft erstrahlt: – *Sicut enim intus variis rutilant virtutum fulgoribus, ita foris diversorum utuntur colorum vestibus* (Chronica, VII,35, 564).
[107] Ep. 34,1, VII. 90.

2. DER MENSCH IN DER NACHFOLGE

2.1. Descendere – Ascendere

Die Frage nach den charakteristischen Merkmalen der zisterziensischen Lebensform, nach den Tugenden, deren jeder Mönch zu einem heilsgemäßen Leben bedarf, führt in das Zentrum der Christologie Bernhards:

Venit namque Dominus propter nos, non solum redimendos sanguinis effusione, sed et docendos verbis, et exemplis nihilominus instruendos.[1]

Das Wirken Christi auf Erden umfaßt nicht nur das heilsgeschichtliche Werk der Erlösung, sondern soll zugleich durch die vorbildhafte Qualität des Lebens Christi dem Menschen den Weg weisen, der zur Rettung seines Seelenheils zu begehen ist. Denn, so Bernhard weiter, weder sei es von Nutzen, im Kerker eingeschlossen zu sein und den Weg zu wissen, noch den Kerker verlassen zu können, aber des Weges unkundig zu sein. Ist daher das Heilswerk Christi - indem es die historische Schuld des Menschengeschlechts einlöst und den rechten Weg weist - zweifach, gilt dennoch Bernhards besonderes Interesse der Vorbildfunktion Christi. Auch hier zeigt sich Bernhard wiederum als der Prediger, dessen vorrangiges Bestreben dem Nutzen der ihm anvertrauten Seelen gilt.[2] Entsprechend ist Bernhards Christologie über weite Strecken Lebenslehre, - Lehre über das Leben Christi, die zugleich Lehre über das Leben in Christo ist. Dieses Grundanliegen des Wirkens Christi findet Bernhard bereits in der Menschwerdung ausgedrückt. Denn daß sich Christus in seinem Erlösungswerk der Knechtsgestalt des Menschen bediente, zeugt von der göttlichen Fürsorge, die den Weg Christi auf eine der menschlichen Natur angemessene Weise gangbar zu machen sucht. Sollte sich der Mensch vor der herrschaftlichen Gestalt des majestätischen Gottes fürchten, so nimmt ihm die erbarmungswürdige Stimme des wimmernden Jesuskindes *(miseranda magis est quam tremenda)* alle Furcht: *Parvulus factus est, tenera membra Virgo Mater pannis alligat; et adhuc timore trepidas?*[3] Zugleich aber eröff-

[1] Circum. 3,1, IV. 282.

[2] Déchanet, La christologie 63.

[3] Nat. Dom. 1,3, IV. 246.
Eine Steigerung dieses Motivs läßt sich in der besonderen Vermittlerfunktion erkennen, die Bernhard der Jungfrau Maria zuspricht. Auch hier soll dem Menschen die Furcht vor der Herrschergestalt Christi genommen werden: *Sed forsitan et in ipso maie-*

net erst die Menschwerdung die Möglichkeit zur Nachfolge, da es dem Menschen keinesfalls entspreche, die herrschaftliche Gestalt Gottes nachzuahmen: *Potestas subiectionem, maiestas exigit admirationem, neutra imitationem.*[4] In beiden Fällen trägt daher die Menschwerdung Gottes der besonderen Natur des Menschen Rechnung, so daß es ihm ermöglicht und erleichtert wird, den Weg des Heiles zu beschreiten. Zu zahlreichen Gelegenheiten fordert Bernhard seine Mönche auf, diesem Weg, der der Weg Christi ist, zu folgen. Auf Grund der Vorbildhaftigkeit Christi kommt es dem Mönch zu, sich das Leben Christi in umfassender Weise zu eigen zu machen;

ut conversationis eius valeat vestigia sequi, ut possit aemulari virtutem, ut normam tenere vitae et morum queat apprehendere disciplinam. In his quippe maxime opus est adiutorio quo valeat abnegare semetipsam, et tollere crucem suam, et sic sequi Christum.[5]

Im vorangegangenen Kapitel wurde deutlich, daß Bernhards Auffassung von der Vorzüglichkeit des Zisterzienserordens die Bestimmung des Mönchslebens als Streben nach stetiger Vervollkommnung zugrundeliegt. Erst im Kontext der *‚imitatio Christi'* wird diese Überzeugung in ihrer vollen Tragweite verständlich.

Dominus et Salvator noster Iesus Christus, volens nos docere quomodo in caelum ascenderemus, fecit ipse quod docuit, ascendit scilicet in caelum.[6]

Zwei Aspekte an der Gestalt Christi sind es, die Bernhard in besonderem Maß bewegen. Steht auf der einen Seite jener Christus, der durch einen beispiellosen Akt der Selbstentäußerung und Verdemütigung Mensch geworden ist *(descendere)*, so zeigt sich auf der anderen Seite die Herrlichkeit jenes Christus, der in seine himmlische Heimat entrückt wurde *(ascendere)*, hiermit auf das engste verknüpft.

O humilem, et sublimem! O opprobrium hominum, et gloriam angelorum! Nemo illo sublimior, neque humilior.[7]

Diese beiden Aspekte der Gestalt Christi sind nicht nur untrennbar miteinander verbunden,[8] sondern verweisen steigernd aufeinander.

statem vereare divinam, quod, licet factus sit homo, manserit tamen Deus. Advocatum habere vis et ad ipsum? Ad Mariam recurre. Pura siquidem humanitas in Maria, non modo pura ab omni contaminatione, sed et pura singularitate naturae (nat. B.M. 1,7, V. 279).

[4] Nat. Dom. 1,2, IV. 245.

[5] CC 21,2, I. 122.

[6] Div. 60,1, VI.I. 290.

[7] Fer. IV, 1,3, V. 58.

[8] Man hat sich daran gewöhnt, die Christusfrömmigkeit Bernhards mit der Veränderung des Bildes vom himmlischen König zum menschgewordenen Gottessohn zu identifizieren (vgl. Lortz, Geschichte der Kirche, 347; Lekai, Geschichte und Wirken, 159). Dies vermag jedoch nur einem Teil der Christologie Bernhards gerecht zu werden.

Gerade aus diesem Spannungsverhältnis bezieht Bernhards Darstellung des Lebens Christi ihre kraftvolle Wirkung, so daß jedes der beiden Mysterien vor dem Hintergrund des jeweiligen Widerpartes seine eindrucksvolle Gestalt gewinnt.
In den Motiven der *,descensio'* und der *,ascensio'* Christi findet sich der Prozeß stetiger Vervollkommnung in den Tugenden vorgebildet. Der Weg, auf dem der Mönch voranzuschreiten hat, ist der Weg der Tugenden des herabgestiegenen Christus, die Richtung, die dieser Weg nimmt, entspricht dem Aufsteigen des himmelfahrenden Christus. Vor diesem Hintergrund werden die elitebildenden Merkmale der zisterziensischen Lebensform aus der Christologie Bernhards und seinen Ausführungen zur Nachfolgethematik zu entwickeln sein. Bevor jedoch dieses Thema behandelt werden kann, sind weitere Elemente der Christologie Bernhards zu erarbeiten. Bereits in der Einleitung wurde auf den Synthese-Charakter der Theologie Bernhards hingewiesen.[9] Im besonderen Maß trifft diese Aussage auf die Christologie Bernhards[10] zu. Sie ist in ihrem Kern Lebenslehre; als Lehre vom wahren Menschen reicht sie in das Gebiet der Anthropologie hinein; als Lehre vom Wirken des Heils in der Welt ist sie eng mit der Heilsgeschichte verbunden. Keiner dieser Themenbereiche ist letztlich ohne die übrigen Aspekte der Christologie Bernhards in seiner vollen Tragweite zu verstehen. Es wird daher im folgenden notwendig sein, diese Bereiche zu erarbeiten, die es weiter ermöglichen werden, in den Tugenden der *,imitatio Christi'* Eliteeigenschaften zu erkennen.

2.2. *Würde und Fall des Menschen*

Maledicta descensio, de divitiis ad paupertatem, de libertate ad servitutem, de requie ad laborem descendere.[11]

Sowohl die Erlösungsbedürftigkeit des ganzen Menschengeschlechtes als auch die Notwendigkeit für jeden einzelnen, sich aus seiner Ver-

Bereits J. Leclercq betonte die Tatsache, daß Bernhard über das Mysterium der Himmelfahrt mehr Ansprachen als über die Leiden Christi hinterlassen hat (Leclercq, Wissenschaft, 69; vgl. auch ders., Le mystère de l'ascension). Die besondere Bedeutung der *Descendere-Ascendere*-Thematik erarbeitete McGinn in seinem wichtigen Aufsatz: Resurrection and ascension. Zur grundlegenden Bedeutung dieses Themas für die Mystik, vgl. WdMy 35ff (Aufstiegsschema; U. Köpf).

[9] Vgl. 8, Anm. 45.

[10] Zur Christologie Bernhards, vgl. Adam, Lehrbuch, Bd. 2, 79ff; Altermatt, Christus; Bach, Die Dogmengeschichte, Bd. 2, 113ff; Bosch, Christ and Christian faith; Castrén, Bernhard, 239ff; Landgraf, Dogmengeschichte, Bd. 2, 113ff; Richstaetter, Christusfrömmigkeit, 97ff.

[11] Div. 42,2, VI.I. 256.

derbtheit durch einen stufenweisen Aufstieg in den Tugenden zu erheben, gründen im Abstieg, im Fall des ersten Menschen. Um so tragischer nimmt sich dieser Sturz vor dem Hintergrund der von Bernhard nachdrücklich betonten Tatsache aus, daß der Mensch seiner Natur nach als ein Geschöpf von außerordentlicher Würde geschaffen war.[12] Als Herr war er über die Schöpfung gesetzt worden und als Himmelsbürger pflegte er den vertrauten Umgang mit Gott und den himmlischen Mächten.[13] *Misericordia, veritas, iustitia* und *pax* bildeten die Tugenden, mit denen der Mensch - gleichwie mit einem Heilsgewand *(vestimento salutis)* - umkleidet war.[14] Leib und Seele, aus denen Gott *[(q)ualis artifex, qualis unitor rerum]* den Menschen zusammengefügt hatte,[15] standen noch nicht im Widerstreit, sondern ergänzten sich in hierarchisch geordneter Harmonie.[16] Der Mensch, *[(n)obilis illa creatura],*[17] war von Gott *ad imaginem et similitudinem suam*[18] geschaffen worden, und in dieser Bezugnahme auf Gen 1,26 gründet die hohe Würde, die Bernhard dem Menschen zuspricht.[19] Denn die Erschaffung des Menschen *,ad imaginem et similitudinem Dei'* stellt nicht nur eine enge Verbindung zwischen dem Menschen und seinem Schöpfer her, sondern bezeugt auch eine enge Verwandtschaft der Seele mit dem WORT *(ut hoc imago, illa ad imaginem sit)*. Während Jesus *veritas, sapientia* und *iustitia* verkörpert, ist die menschliche Seele, obgleich nicht selbst *,imago',* dennoch zum Erfassen der Tugenden und zum Streben nach ihnen befähigt *(earumdem capax, appetensque)* und daher *,ad imaginem'* geschaffen. Der menschlichen Seele kommt somit eine außerordentliche Würde zu: *Celsa creatura, in capacitate quidem maiestatis, in appetentia autem rectitudinis insigne praeferens.*[20] Und selbst wenn die Seele, indem sie die ewigen Dinge nicht erstrebt, das Element der Rechtheit [an die Stelle der Geradheit *(recta)* tritt die Krümmung *(curva)* der Seele] verlieren sollte, so bleibt ihr dennoch die innere Größe, die ewigen Dinge in sich aufnehmen zu können, als unverlierbares Zeichen ihrer einstigen Würde. Selbst im gefallenen, sündhaften Zustand bleibt der Mensch somit ein würdevolles Geschöpf, so daß der hl. Bernhard

[12] Schaffner, Die ,nobilis Deo creatura'.
[13] CC 35,5, I. 252.
[14] Ann. Dom. 1,6, V. 17.
[15] Nat. Dom. 2,1, IV. 252.
[16] Ebd. 2,2, IV. 252.
[17] Div. 42,2, VI.I. 256.
[18] Ebd. 45,1, VI.I. 262.
[19] Zum umfassenden Themenkreis der Gottebenbildlichkeit, vgl. LThK IV. (H. Gross; F. Mussner; F. Lakner), 1087ff sowie den von Leo Scheffczyk herausgegebenen Sammelband: Der Mensch als Bild Gottes. Zur Auffassung der Zeitgenossen Bernhards, vgl: Hödl, Zur Entwicklung; Javelet, Image.
[20] CC 80,2, II. 277f.

nicht zögert, die Verwandtschaft des Menschengeschlechtes mit den Engeln zu betonen. Denn als einzige der von Gott geschaffenen Kreaturen sind sowohl Menschen als auch Engel vernunftbegabt und zugleich fähig, des Heiles teilhaftig zu werden.[21]
Die genaue Bestimmung des Verlustes, den der Mensch im Sündenfall erfuhr, ist auf Grund Bernhards uneinheitlicher Verwendung der Begriffe *,imago'* und *,similitudo'* schwierig. Während die Rechtheit des Menschen in obiger Predigt der *,imago'* zugeordnet wird, ist sie an anderer Stelle ein Element der *,similitudo': Rectus itaque Deus rectum fecit hominem similem sibi.*[22] In CC 81, II. S. 284ff hingegen besteht die *,similitudo'* des Menschen in: 1. der substantiellen Einfachheit (Sein und Leben sind für den Menschen dasselbe), 2. der Unsterblichkeit der Seele und 3. der Willensfreiheit. Diese dreifache *,similitudo'* bestimmt Bernhard in CC 82 als letztlich unverlierbar, auch wenn sie durch die Sündhaftigkeit des Menschen eine ,Verdunklung' erfährt [die Schrift spreche von der Unähnlichkeit des Menschen, *non quia similitudo ista delata sit (. . .), sed quia alia superducta*].[23] In den Predigten, die im weiteren zitiert werden, ist es hingegen die *,similitudo'* des Menschen, die durch den Sündenfall verloren geht. Ebenso verhält es sich in Bernhards Traktat *,De gratia et libero arbitrio'*.[24] Die *,similitudo'* (hier bestehend aus *liberum consilium* und *liberum complacitum*) ist verlierbar, während die *imago (liberum arbitrium)* als unzerstörbares Zeichen der menschlichen Würde weiterbesteht.[25]
Bernhard selbst nimmt auf die divergierende Bestimmung der Begriffe *,similitudo'* und *,imago'* Bezug, und bemerkt hierzu:

In libello, quem de gratia et libero arbitrio scripsi, diversa fortassis de imagine et similitudine disputata leguntur, sed, ut arbitror, non adversa. Legistis illa, ista audistis: quaenam magis probanda, vestro iudicio derelinquo.[26]

In zweierlei Hinsicht ist diese Aussage Bernhards bedeutsam. Betont Bernhard zu diesem Thema zwar Verschiedenes, jedoch nicht einander Widersprechendes *[diversa (. . .) non adversa]* verfaßt zu haben, so trifft dies dahingehend zu, daß sich trotz terminologischer Unterschiede die Grundhaltung Bernhards deutlich abzeichnet. Der Mensch, ursprünglich *,ad imaginem et similitudinem Dei'* geschaffen, verliert im Sün-

[21] Com. Mich. 1,4, V. 296; vgl. auch: dom kal. 3,1, V. 311; fest. Mart. 1,3, V. 401.
[22] CC 24,5, I. 157.
[23] Ebd. 82,2, II. 293.
[24] Vgl. besonders: IX,28, III. 185f.
[25] Vgl. zu diesem Problemkreis die detailierte Untersuchung von Standaert, La doctrine de l'image. Vgl. auch: Altermatt, Die Christologie, 19ff; Bell, The image; Hummel, Mystische Modelle 156ff; Köpf, Religiöse Erfahrung 72ff; Schindle, Das monastische Leben 33ff.
[26] CC 81,11, II. 291.

denfall einen Teil der ihm verliehenen Würde (meist die *similitudo*). Er behält jedoch seine Fähigkeit, des Heils teilhaftig zu werden *(capax Dei)*.[27] Die Wiederherstellung des Menschen in seiner ungeteilten Würde und Größe ermöglicht Christus, der zugleich das Erlösungswerk vollbringt und den Weg zum Heil weist. Stellt Bernhard weiter dem Urteil des Lesers bzw. Hörers anheim, welche der Varianten ihm angemessener erscheine, wirft dies ein bezeichnendes Licht auf die Funktion, die den Texten Bernhards zukommt. Bernhard, der Prediger, sucht den Zugriff auf den Menschen, er will zur Umkehr mahnen, zum Fortschreiten auf dem Weg des Guten ermuntern. Seine Texte sind weit mehr der möglichst eindringlichen Ausgestaltung des jeweiligen Predigtgegenstandes verpflichtet als der Ausbildung einer übergreifenden, terminologisch und inhaltlich geschlossenen Theologie. Mögen daher auch die Aussagen vielfältig sein *(diversa)*, so stehen sie vor dem Hintergrund dessen, was sie bewirken wollen, doch keineswegs zueinander im Gegensatz *(non adversa)*. Folgerichtig stellt es Bernhard dem Leser bzw. Hörer frei, welche der Aussagen er sich zum Nutzen seines Seelenheils zu eigen macht.
In kunstvoller Gestaltung, die sich um innere Stringenz und bildhafte Geschlossenheit der jeweiligen Predigt bemüht, führt Bernhard das Thema ‚Würde und Fall des Menschen‘ in immer neuen Varianten vor Augen. Der Mensch, ursprünglich mit dem Gewand der Tugenden umkleidet,[28] zieht von Jerusalem nach Jericho hinab, fällt dort unter die Räuber, die ihn all seiner Kleider berauben:

Ad imaginem nempe et similitudinem Dei factus est homo, in imagine arbitrii libertatem, virtutes habens in similitudine.[29]

In der Predigt *‚In nativitate Domini‘* geht wiederum die *‚similitudo‘* des Menschen infolge des Sündenfalles verloren, wobei sie hier jedoch eine von den vorangegangenen Predigten abweichende Bestimmung erfährt. War im Paradies die Einheit von Körper und Seele mit dem göttlichen Siegel der Erschaffung *‚ad imaginem et similitudinem‘* versehen, so zerreißt dieses Siegel im Sündenfall. Bestand die *‚similitudo‘* zu Gott darin, daß dieser den Menschen gerade, wahrhaft und gerecht *[(r)ectum (. . .) veracem quoque et iustum]* schuf, sind nun, da das Siegel zerbrochen ist, auch die Merkmale der Gottähnlichkeit verloren;

et sic, mutata similitudine divina, comparatus est miser homo iumentis insipientibus et similis factus est illis.[30]

[27] Vgl. Standaert, La doctrine, 102.
[28] Vgl. 31, Anm. 14.
[29] Ann. Dom. 1,7, V. 19.
[30] Nat. Dom. 2,3, IV. 253.

In der 35. Predigt auf das Hohelied stellt sich der Sündenfall des Menschen ebenfalls als ein Wandel der anerschaffenen *,similitudo'* zur Ähnlichkeit mit dem Tier dar: *Ecce quomodo de grege facta est egregia creatura.* Könnten die Lasttiere sprechen, so Bernhard weiter, würden sie angesichts des gefallenen Menschen sagen: *ECCE, ADAM FACTUS EST QUASI UNUS EX NOBIS.*[31] Denn der Mensch *mutavit istam gloriam Dei in similitudinem vituli comedentis fenum.*[32] An dieser Stelle nimmt die Predigt eine Wendung, wie sie auch für die übrigen zitierten Predigten kennzeichnend ist. Auf das engste zeigt sich der Fall Adams mit dem Erlösungswerk Christi verbunden. Bernhard bringt dies zum Ausdruck, indem er die Heilstat Christi nach Vorgabe der gewählten Bildebene gestaltet und so die tiefe wechselseitige Beziehung zwischen beiden Ereignissen der Heilsgeschichte sinnfällig vor Augen führt. In CC 35 nimmt diese Verbindung einerseits darin ihren Ausgang, daß der gefallene Mensch dem grasfressenden Kalb ähnlich geworden ist (in Anlehnung an Ps 105,20: *ET COMMUTAVERUNT GLORIAM SUAM CUM EFFIGIE TAURI COMEDENTIS FAENUM*), andererseits im Johannesevangelium 1,14: *ET VERBUM CARO FACTUM EST*, in Verbindung mit Jesaja 40,6: *OMNIS CARO FOENUM.*[33] Ist auf der einen Seite Jesus, das Wort, Fleisch geworden (und alles Fleisch ist Gras), muß auf der anderen Seite - so Bernhard weiter - der gefallene Mensch wegen seiner Schwachheit in einem Stall liegen, wegen seiner Ungezähmtheit wird er an die Krippe gebunden und wegen seiner Ähnlichkeit mit dem Vieh hungert er nach Gras.[34] Deshalb wurde Christus als Gras in der Krippe den dem Vieh ähnlich gewordenen Menschen zur heilsamen Speise vorgelegt: *fenum positum in praesipio, appositum nobis tamquam iumentis.*[35] Im Bild des Grases verschränken sich die Themenkreise Menschwerdung Gottes und Sündenfall, so daß im zugleich von eigenwilliger Schönheit und von kunstvoller innerer Geschlossenheit der Predigt zeugenden Motiv der ,Graswerdung' sinnfällig die Bedeutung der Heilstat Christi für die unter dem Bann des Unheils stehende Menschheit vor Augen geführt wird.

In der Predigt auf Maria Verkündigung stellt sich, wie gezeigt, der Sündenfall als Verlust des Heilsgewandes der Tugenden dar. Auch hier erweist sich der Fall des Menschen eng mit dem Erlösungswerk Christi verknüpft:

[31] CC 35,3, I. 251.
[32] Ebd. 35,4, I. 251; Gen 3,22.
[33] Ebd. 35,4, I. 251f.
[34] Ebd. 35,5, I. 252.
[35] Ebd. 35,4, I. 251.

Et vide, si non propter has quattuor partes vestimenti, quod amiserat primus et vetus homo, in totidem quoque divisa sunt secundi et novi hominis vestimenta.[36]

Dem verlorenen Gewand der vier Tugenden entspricht das viergeteilte Gewand Christi, so daß nun die Entblößung Christi am Kreuz ermöglicht, daß sich der Mensch mit den Tugenden neu umkleidet. Zerbrach weiter im Sündenfall das Siegel der Erschaffung *'ad imaginem et similitudinem'* und daher die Einheit von Körper und Seele, so harrt auch dieser Zustand auf Erlösung:

Sed quid erit, Domine Deus? Numquamne reparabitur opus tuum, et qui ceciderit non adiciet ut resurgat? Non est qui reficiat, nisi qui fecit.

Daher zeugte der Schöpfer ein kräftigeres Siegel *[robustius (...) sigillum]*, Jesus, seinen Sohn, *qui non ad imaginem (...) factus, sed est ipsa imago.*[37] Adam, dem ersten und alten Menschen, entspricht Christus, der zweite und neue Mensch. Auf den Sturz des ersten Menschen ins Unheil erfolgt eine erneute, zweite Schöpfung zum Heil, die dem Menschen berechtigten Anlaß zu optimistischer Sicht in die verheißene Zukunft gibt.

2.3. Alter Adam – Neuer Adam

In der Predigt auf die Geburt Christi bringt Bernhard die Gaben des Christuskindes im Bild der in Christus entspringenden Heilsquellen zum Ausdruck, denn Christus, so Bernhard, ist eine nie versiegende Quelle *(fons est, qui numquam poterit exhauriri).*[38] Nachdem Bernhard die Quelle der Barmherzigkeit *(misericordia)*, des Heilswissens *(sapientia salutaris)* und der Gnade *(gratia)* als Gaben für die erlösungsbedürftige Menschheit bestimmt hat,[39] hält er in seinen Ausführungen inne:

Putas inveniri poterit quartus fons, ut paradisum recuperemus quattuor fontium irrigatione amoenissimum?[40]

Gemäß der Verbindung, die zwischen Sündenfall und Menschwerdung Christi besteht, richtet Bernhard seine Darstellung der Heilsgaben am Bild der vier Paradiesquellen aus, so daß im folgenden die *'fons caritatis'* die drei genannten Gaben zur Vierzahl der Heilsquellen ergänzt. Läßt sich daher auch hier wiederum eine die Verbindung betonende Verschränkung beider Themenkreise feststellen, so belegt Bernhards

[36] Ann. Dom. 1,7, V. 19.
[37] Nat Dom. 2,4, IV. 253f.
[38] Ebd. 1,5, IV. 247.
[39] Ebd. 1,5-6, IV. 248.
[40] Ebd. 1,6, IV. 248.

weitere Ausgestaltung des Quellen-Bildes den Unterschied, der zwischen dem ersten verlorenen Heilszustand und dem zweiten in Christus verheißenen zukünftigen Heil besteht. Denn, so Bernhard, das irdische Paradies sei auf immer verloren, stattdessen aber besäßen die Menschen nun die Hoffnung auf das ewige Himmelreich;

paradisum habemus multo meliorem et longe delectabiliorem, quam primi parentes habuerunt, et paradisus noster Christus Dominus est.[41]

Dieser Steigerung entsprechend findet sich in Christus eine weitere fünfte Quelle *(fons vitae),* die für die Zukunft ewiges Leben in Aussicht stellt. Nahm Bernhards Predigt in den Gaben des Christuskindes ihren Anfang, schließt sich nun der Argumentationsgang, indem die Heilsquellen in bezug zu den Verwundungen des gekreuzigten Christus gesetzt werden:

Fortassis etiam propter hos quattuor fontes, quattuor in locis vulneratus est adhuc vivens in cruce . . .

Die fünfte Quelle aber entspringt der durch einen Lanzenstoß geöffneten Seite des toten Christus,[42] so daß im Bild der *‚fons vitae'* Bernhard der lebensspendenden Kraft des Kreuzestodes sinnfälligen Ausdruck verleiht. In diesem Zusammenhang jedoch ist jener Zuwachs an Heil bedeutsam, den Bernhard in Christus verwirklicht sieht und entsprechend in der fünften Quelle des Erlösers versinnbildlicht. Schöpfungs- und Erlösungswerk stehen in engster Beziehung, unterscheiden sich aber dennoch an einem wesentlichen Punkt. Der Tag der Kreuzigung entspricht zwar dem sechsten Schöpfungstag,[43] dem Tag, an dem Gott den Menschen schuf, so daß Erschaffung und Erlösung des Menschen aufeinander verweisen. An anderer Stelle jedoch betont Bernhard den Unterschied, der zwischen Schöpfungs- und Erlösungswerk besteht: *Multum quippe laboravit in eo Salvator, nec in omni mundi fabrica tantum fatigationis auctor assumpsit.* Denn während der Schöpfer sprach und die Schöpfung erstand, mußte der Erlöser Schmähungen und Leiden auf sich nehmen, um sein Heilswerk zu verwirklichen.[44] Das Element der Steigerung, das zwischen Schöpfung und Neuschöpfung besteht, ist unverkennbar. Diesem Sachverhalt wird im weiteren nachzugehen sein.

In den zitierten Predigten Bernhards gründet die enge Verbindung zwischen Sündenfall und Erlösungswerk in der exegetischen Methode der

[41] Ebd. 1,6, IV. 249.
[42] Ebd. 1,8, IV. 250.
[43] Resur. 1,8, V. 83.
[44] CC 20,3, I. 115.

typologischen Deutung.[45] In immer neuen Variationen setzt Bernhard die Untat des ersten alten Menschen zur Heilstat des zweiten neuen Menschen in Bezug. Der Fall des Menschengeschlechtes in Adam findet an der Wiedererrichtung des Menschengeschlechtes in Christus, dem neuen Adam,[46] seine Entsprechung. Die Motivkreise verweisen aufeinander, erhellen sich wechselseitig, so daß sich der Sinn eines jeden aus dem jeweilig anderen erschließt. Diese Vorgehensweise gründet in der – bereits im Wort Christi: *NON VENI SOLVERE, SED ADIMPLERE* (Mt 5,17) angelegten – christlichen Tradition, das Neue Testament als Erfüllung des Alten Testaments zu deuten. Gilt Bernhard das Alte Testament als Beginn der Weisheit *[sapientiae (. . .) initium]*, so stellt das Neue Testament deren Erfüllung *(consummatio)* dar.[47] Lag die Wahrheit der an das Volk der Juden gerichteten Vorschriften Gottes noch im schattenhaften Dunkel, erhellt sich nun deren Sinn in Christus, so daß an die Stelle der jüdischen Gesetzestreue *ad litteram* die christliche Erfüllung der Gebote Gottes *secundum spiritum*[48] zu treten vermag. Bereits auf der Ebene des derart bestimmten Verhältnisses von Altem zu Neuem Testament zeichnet sich das Element des Fortschritts, der Zunahme und des Voranschreitens des Heils deutlich ab.[49] In der gleichen Weise aber, in der das Alte Testament von seiner Erfüllung durch das Neue Testament zeugt, beinhaltet nunmehr das Neue Testament eine Verheißung auf die Zukunft:

De creatione instruit nos vetus Testamentum, et promittet reconciliationem. Reconciliationem exhibet novum Testamentum, et spondet confirmationem.[50]

Das Neue Testament ist zugleich Erfüllung und Verheißung und nimmt in der nun dreigeteilten Abfolge der Zeiten die mittlere, zentrale Stellung ein. Die Typologie ist somit untrennbar mit dem Moment

[45] Vgl. Auerbach, Figura; ders., Typologische Motive; Grundmann, Geschichtsschreibung 72ff; Kölmel, Typik und Atypik, 279ff; Lubac, Exégèse Médiévale, Bd. 2,2, 60ff; Ohly, Vom geistigen Sinn, 14; ders., Probleme der mittelalterlichen Bedeutungsforschung, 42ff; ders., Synagoge und Ecclesia; ders., Halbbiblische und außerbiblische Typologie.

[46] Der besonderen Bedeutung, die die Beziehung ‚alter – neuer Adam' in der Christologie Bernhards einnimmt, entspricht in Bernhards Mariologie das Gewicht, das Maria als neuer Eva zukommt. Neben ihrer vermittelnden Funktion als Fürbitterin (vgl. 28f, Anm. 3) betont Bernhard ihren wichtigen Anteil am Erlösungswerk Christi, so daß sich in Maria die historische Schuld Evas einlöst (vgl. CC 85,8, II. 312f; ann. Dom. 2,1, V. 30; dom inf. 1,2, V. 263; nat. B.M. 1,6, V. 278; laud. Virg. 2,3, IV. 22f). Vgl. hierzu: Barré, S. Bernard, docteur marial; Delius, Geschichte der Marienverehrung, 160ff; Riegler, Die Bedeutung; Stebler, Bernhards Marienminne; Warner, Maria, 77ff.

[47] CC 1,2, I. 4.

[48] Div. 67, VI.I. 302f.

[49] Vgl. Campenhausen, Die Entstehung der Heilsgeschichte.

[50] Div. 92,1, VI.I. 347.

der Zeit verbunden,[51] einer Zeit, deren Dreiteilung auf die drei Personen der Trinität verweist. Denn die Geschichte besteht als dreifaches Werk der Trinität *(triplex Trinitatis operatio)* aus drei aufeinander folgenden Stufen: *creatio caeli et terrae, reconciliatio caeli et terrae, confirmatio caeli et terrae,* wobei die erste Stufe dem Vater, die zweite dem Sohn und die dritte dem Hl. Geist entspricht. Erfolgte die Schöpfung durch den Vater *in principio temporis,* so vollbrachte Christus die Wiederherstellung *in plenitudo plenitudine temporis,* während sich die Festigung *post omne praesens tempus*[52] vollziehen wird. Das Wiederherstellungswerk steht daher in der Mitte der Zeitenfolge, die dreigeteilte Zeit zentriert sich um die bestimmende Gestalt Christi, so daß sich in Christus sowohl das Vergangene als auch das Verheißene typologisch spiegelt und aus dieser Perspektive auf seinen Sinn hinterfragt werden kann.[53] Den Rahmen, der diese dreigeteilte Abfolge der Zeiten umspannt, bildet die Heilsgeschichte.[54] Dieses sich von modernen Vorstellungen deutlich unterscheidende Verständnis von Sinn und Ordnung der Zeiten findet seinen komprimierten Ausdruck in der Darstellung, die Bernhard der Geschichte im folgenden zukommen läßt: *Est (. . .) historia hortus, et ipsa tripertita.* Bereits das Bild des Gartens verweist auf den Ursprung der Geschichte im Schöpfungswerk Gottes und weiter noch auf die besondere Gestalt dieses Schöpfungswerkes, in dem sich die Zeiten in gottgewollte Ordnung und Schönheit fügen. Dem Bild des Gartens entsprechend erfolgte somit der Beginn der Geschichte *(creatio)* als Aussaat und Anpflanzung *(tamquam horti satio sive plantatio).* Das Versöhnungswerk erfüllte sich zu dem Zeitpunkt, als der Himmel den Gerechten hinabregnete *(rorantibus caelis desuper et nubibus pluentibus iustum),* als sich die Erde öffnete und der Erlöser emporsproß *(germinavit Salvatorem),* wobei sich hier sowohl die Natur des Gottmenschen als auch sein Versöhnungswerk zwischen Himmel und Erde im Bild des gleichermaßen dem Himmel und der Erde entstammenden Christus kunstvoll verdichtet. Dieses Versöhnungswerk ist gleichsam das Sprossen der Saat *(germinatio satorum vel plantatorum)* und zielt daher auf jenseitige Ernte, d. h. auf die Erfüllung und das Ende der irdischen Geschichte (hier: *reparatio*) ab, an dem die Guten aus der Mitte der Bösen *tamquam fructus de horto* verlesen werden.[55]

[51] Vgl. Ohly, Synagoge, 315ff.

[52] Div. 92,1, VI.I. 346f.

[53] Vgl. Ohly, Synagoge, 323f.

[54] Zur Heilsgeschichte, vgl. Brincken von den, Studien; dies., Die lateinische Weltchronistik; Brunner, Abendländisches Geschichtsdenken, 450ff; Claasen, Res gestae; Goetz, Endzeiterwartung; Grundmann, Geschichtsschreibung, 72ff; ders., Die Grundzüge, 418; Spörl, Grundformen, 19ff. Vgl. 325, Anm. 70.

[55] CC 23,4, I. 141.

Gründet die Geschichte im Schöpfungswerk Gottes, so strebt der Verlauf der Geschichte auf seine Erfüllung am Ende der Zeiten hin. Dieses Streben aber ist – wie das Bild der Pflanzungen Gottes nahelegt – durch Wachstum, durch ein Anwachsen des sich von der Saat zur Frucht entwickelnden Heils gekennzeichnet. Die hier zutage tretende Geschichtsauffassung Bernhards beinhaltet in der Tat eine gewisse Fortschrittsvorstellung,[56] die sich zwar als Vorstellung vom Voranschreiten des geistigen Heils deutlich vom modernen Fortschrittsbegriff abhebt, aber dennoch – innerhalb des eschatologischen Rahmens – von Optimismus und dem Glauben an einen Fortschritt in der Geschichte zeugt. Aus eben diesem Fortschrittsglauben erklärt sich nun auch die Tatsache, daß Bernhard in der eingangs zitierten Predigt dem Paradies in Christus einen höheren Stellenwert beimißt, daß er der typologischen Deutung der vier Paradiesquellen eine weitere fünfte Quelle hinzufügt.

Mit besonderer Deutlichkeit kommt diese Fortschrittsvorstellung in der folgenden Beschreibung des mittleren Zeitalters zum Tragen, – des Zeitalters, das von der Himmelfahrt Christi bis zur Vollendung der Welt reicht und somit auch die Gegenwart Bernhards umfaßt.[57] In diesem unter konsequenter Verwendung variierter Lichtmetaphern gestalteten Predigtabschnitt tritt Christus als Morgenröte *(aurora)* in den Lauf der Geschichte ein. Diese Morgenröte aber war während der Zeit, in der Christus auf Erden lebte, noch ziemlich dunkel *(subobscura satis)*. Erst nachdem Christus unter- und wiederaufgegangen war *(occumbens et rursum exoriens)*, – d. h. nach Kreuzestod und Auferstehung[58] – vertrieb er mit seinem lichteren Erstrahlen *(solaris suae presentiae lu-*

[56] Bereits Spörl betonte den der dreigeteilten Heilsgeschichte innewohnenden Fortschrittsgedanken (vgl. Das Alte und das Neue, 336ff, sowie: Grundformen, 25). Besonders deutlich findet sich dieses Thema bei Ohly (Synagoge und Ecclesia) herausgearbeitet.

[57] *Hesternum quidem ab initio saeculi usque ad Dominicam ascensionem, hodiernum vero diem exinde usque ad saeculi consummationem, porro aeternum intellige post communem omnium resurrectionem* (fest. Mart. 1,10, V. 406).

[58] Der Widerspruch zu der in der vorangegangenen Anmerkung zitierten Äußerung muß hingenommen werden. Während Bernhard dort den Beginn des zweiten Zeitalters bei der Himmelfahrt ansetzt, umfaßt dieses in CC 33 – wenn auch unter Einschränkung des Bildes von der Verdunklung – die Lebzeit Christi. Im übrigen sind bei Bernhards Ausführungen zur Geschichte dieselben Schwierigkeiten festzustellen, wie sie bereits bei der Bestimmung der Begriffe *,imago'* und *,similitudo'* zu beobachten waren. Auch bezüglich des hier behandelten Themas ist Bernhards Lehre uneinheitlich. Das dargestellte Geschichtsbild wird in anderem Kontext durch weitere, eher pessimistische Äußerungen Bernhards zum Ablauf der Geschichte zu ergänzen sein (vgl. 324ff). An dieser Stelle sei jedoch bereits darauf hingewiesen, daß Bernhards Geschichtsentwurf immer dann optimistische, den Fortschritt betonende Züge aufweist, wenn er sich um die Gestalt Christi zentriert.

mine clariori) die Morgenröte, und es wurde Morgen. Die Zeit aber, die auf diesen Morgen in Christus folgt, ist durch das allmähliche Steigen der Sonne, die wachsende Ausbreitung des Lichts und dessen wärmender Strahlen gekennzeichnet:

Sane ex tunc elevatus est sol, et sensim demum infundens suos radios super terram, coepit paulatim clarior apparere fervidiorque sentiri.[59]

Während aber die Erde noch besteht, wird die Sonne ihren Zenit nicht erreichen. Denn der Höchststand der Sonne *[(o) vere meridies, plenitudo fervoris et lucis, solis statio, umbrarum exterminatio, desiccatio paludum, faetorum depulsio!]* wird erst dann erlangt sein, wenn die irdische Zeit zu ihrem Ende gekommen ist. Da aber die lichtspendende und wärmende Kraft der Sonne in der auf Christus folgenden Geschichte zunimmt und sie ihre Strahlen vervielfacht und ausbreitet *(multiplicet et dilatet),*[60] finden der Lauf der Sonne und der Lauf der Geschichte aneinander ihre Entsprechung, so daß der steigende Sonnenstand auf den Anstieg des Heils in der Abfolge der irdischen Zeit verweist.
Diesem Voranschreiten des Heils im Verlauf der Geschichte entspricht der qualitativ höhere Stellenwert, der dem himmlischen Paradies am Ende der Zeiten im Vergleich zum irdischen Paradies am Beginn der Geschichte zukommt.[61] Denn das Leben im paradiesischen Urzustand war durch Handeln und Betrachtung *(actione et meditatione)* gekennzeichnet, wobei das Handeln ohne Leid und Mühe *[sine passione (. . .) sine labore]* erfolgte. Im himmlischen Paradies hingegen entfällt der Bereich der Aktion, so daß der Mensch allein die selige Betrachtung zu genießen und daher die göttliche Weisheit vollendet *(plenius perfectiusque)* zu erfassen vermag.[62] In der Terminologie seiner Schrift ‚*De gratia et libero arbitrio*' bringt Bernhard das Element des Fortschritts zum Ausdruck, indem er Adam vor dem Fall neben der vollen Willensfreiheit nur einen minderen Grad *(inferiorem utriusque libertatis gradum)* der Freiheit von Sünde *(libertas a peccato)* und der Freiheit von Not *(libertas a miseria)* zuordnet,[63] während dem Menschen im himmlischen Jenseits die Fülle beider Freiheiten gewährt werden wird.

[59] CC 33,6, I. 237.
[60] Ebd. 33,7, I. 237.
[61] Entsprechend trifft die bei Linhardt (Die Mystik, 112) und bei Gilson-Böhrer (Christliche Philosophie, 326) zu lesende Feststellung, Bernhards Mystik ziele auf die Wiederherstellung des paradiesischen Urzustandes ab, nur teilweise zu. Auch hier divergieren Bernhards Aussagen, wobei die in obigen Ausführungen dargelegte Variante die bestimmendere ist. In div. 16,4, VI.I. 147 hingegen bewirkt das Läuterungswerk im Menschen die Wiederherstellung *in antiquum*, die Rückführung *ad ingenitam naturae suavitatem*.
[62] Div. 2,6 VI.I. 83.
[63] Grat. VII,21 III. 182.

Bernhards Ausführungen über den Verlauf der Zeiten wohnt unverkennbar ein optimistischer, den Fortschritt in der Geschichte betonender Zug inne. Diesem im Erlösungswerk gründenden Fortschritt in der Heilsgeschichte entspricht auf dem Gebiet der Anthropologie der Zuwachs an Würde für den Menschen, den Bernhard aus der Natur des Gottmenschen folgert.

Bereits im vorangegangenen Kapitelabschnitt wurde der besondere Stellenwert deutlich, den Bernhard dem Menschen als *,nobilis Deo creatura'* zukommen läßt. Diese anerschaffene Würde erfährt nun in Christus eine zusätzliche Steigerung.[64] Zeichnete sich der Mensch durch seine Verwandtschaft mit den Engeln aus,[65] so erwächst ihm in Christus eine weitere, besondere Würde, die ihm sogar einen gewissen Vorzug gegenüber den Engeln verleiht: *Commune quidem habes quod factus es; quod frater es, speciale.*[66] Denn im Mysterium der Menschwerdung ist Christus zum Bruder des Menschen geworden. Seine Herabkunft vom Himmel, in der er sich in die Gestalt des Knechts entäußerte *(exinanivit se formam servi accipiens),*[67] bedeutet für die Menschen, daß die Knechte nunmehr Freunde heißen *[(s)ervi nominantur amici].*[68] Kam Christus um der Menschen willen, um seine auf der Erde verstreuten Schafe zu suchen, so ist dies als wunderbarer Gnadenerweis Gottes *[(m)ira quaerentis Dei dignatio],* zugleich aber auch als hohe Würde für den Menschen *(magna dignitas hominis sic quaesiti)*[69] zu betrachten. Denn die Menschwerdung Gottes in einem aus Liebe zum Menschen vollzogenen beispiellosen Akt der Herablassung und Erniedrigung be-

[64] Der Mensch in seiner besonderen Würde nimmt ebenso wie die Verwirklichung dieser natürlichen, zu ursprünglicher Gutheit erschaffenen Anlagen in der Nachfolge Christi einen zentralen Stellenwert im Denken Bernhards ein. Von daher können dem Werk Bernhards durchaus humanistische Züge zugesprochen werden, wenn man, wie Richard W. Southern in seinem Aufsatz ,Medieval Humanism', sich um eine Humanismusdefinition bemüht, die nicht an höchstmöglicher Nähe zum antiken Vorbild, sondern an den Gegebenheiten des mittelalterlichen Welt- und Menschenbildes orientiert ist. Folgendes zentrales Kriterium eines derart bestimmten Humanismusbegriffes entspricht in der Tat der Lehre vom Menschen und dessen Bildung (vgl. 45ff), wie sie in Bernhards Schriften vorzufinden ist: „. . . but we may expect a humanist to assert not only that man is the noblest of God's creatures, but also that his nobility continues even in his fallen state, that it is capable of development in this world, that the instruments exist by which it can be developed, and that it should be the chief aim of human endeavour to perfect these instruments. (31). Vgl. hierzu auch: Stiegman, Humanism in Bernard. Zum Humanismus des 12. Jahrhunderts, vgl: Knowles, The humanism; Leclercq, L'humanism; Steinen von den, Humanismus; vgl. auch WdMy (von Brockhusen), 241f.

[65] Vgl. 31f.

[66] Div. 19,5, VI.I. 164.

[67] Nat. Dom. 1,2, IV. 245.

[68] CC 15,2, I. 83.

[69] Adv. 1,7, IV. 166.

deutet umgekehrt für den Menschen die Erhöhung seiner niederen Natur *[exaltationem (. . .) humanae conditionis].*[70]
Hat aber Christus in der Menschwerdung dem Menschen ähnlich, zum Bruder des Menschen gemacht, so gilt es nun für den Menschen, sich Christus ähnlich und somit zum Bruder Christi zu machen. Zwar hat Christus sein Heilswerk für die ganze Menschheit vollbracht, und die natürliche Würde des Gottesgeschöpfes ist dem Menschen angeboren. Damit sich aber das Erlösungswerk Christi in der persönlichen Erlösung des Menschen vollendet, damit das würdige Geschöpf Gottes zum ewigen Heil würdig wird, ist nun das Zutun des Menschen notwendig. Denn die Bedeutung, die das Erlösungswerk Christi für den Menschen hat, ist von zweifacher Art: Christus eröffnet den Zugang zum Heil und weist zugleich den Weg, der zum Heil hin beschritten werden muß. Dem Wandel, dem sich Christus aus Liebe zum Menschen unterwarf, muß somit der Wandel des Menschen zum Guten folgen. Der Weg aber, auf dem dieser Wandel zu vollziehen ist, ist der Weg Christi. An dieser Stelle verengen sich Zuversicht und Hoffnung – Motive, die immer dort anklingen, wo Bernhard über Christus spricht – auf eine kleine Gruppe, auf wenige, denen berechtigterweise aus der Erlösungstat Christi die Hoffnung auf persönliche Erlösung erwächst. Dies tritt deutlich zutage, wenn Bernhard nun – in unverkennbarer Orientierung an der dreigeteilten Geschichte – auch die Geschlechter der Menschen einer Dreiteilung unterwirft. Denn während das erste Geschlecht der Menschen (vor Christus) weder von Gott gesucht wurde, noch Gott suchte, wird das zweite Geschlecht (nach Christus) zwar von Gott gesucht, sucht aber selbst Gott nicht; – *(q)uaesivit igitur nos, et acquisivit in generatione secunda, ut essemus iam populus acquisitionis.*[71] Das dritte Geschlecht entstammt der Mitte des zweiten Geschlechtes, aber zeichnet sich vor diesem dadurch aus, daß es von Gott gesucht wird und sich zugleich auf die Suche nach Gott begibt. Es ist das Geschlecht der zur Himmelsbürgerschaft Erwählten, das dritte Geschlecht in der Abfolge der Menschengeschlechter, an dem sich die Verheißungen für die dritte Epoche in der Abfolge der Zeiten erfüllen werden. Es ist weiter das Geschlecht derer, die ihr Leben in der Nachfolge Christi bestreiten, und in dieser Tatsache gründet die hohe Würde, zu der sie bestimmt sind. Denn sie haben ihr Leben jenem Wandel unterworfen, der, damit sich das Erlösungswerk Christi auch an ihrem persönlichen Schicksal erfüllt, unabdingbar notwendig ist. *SICUT PORTAVIMUS IMAGINEM TERRENI hominis, PORTEMUS IMAGINEM CAELESTIS;* – in

[70] Ebd. 3,1, IV. 175.
[71] Lab. mess. 3,2, V. 223.

Anlehnung an 1 Kor 15,43 setzt Bernhard wiederum Adam und Christus zueinander in Bezug:

Duo homines sunt, vetus et novus: Adam vetus, Christus novus. Ille terrenus, iste caelestis; illius imago vetustas, istius imago novitas.[72]

Bernhards Augenmerk gilt in diesem Zusammenhang weniger dem heilsgeschichtlichen Verhältnis ‚Adam – Christus' als vielmehr dem Wandel, der sich im Menschen zu einem gottgefälligen Leben vollziehen muß.[73] Bestimmte die *‚vetustas'* Adams und somit die Sünde das alte Sein des Menschen, so erwächst ihm aus der *‚novitas'* in Christus die Anleitung zu Veränderung und Umgestaltung – die Möglichkeit, ein neues heilsgemäßes Selbst zu erringen. Von hier aus nimmt ein Prozeß der Veränderung zum Guten seinen Ausgang, dem sich der Mensch zu unterwerfen hat. Immer wieder erhebt Bernhard diese Forderung nach Umgestaltung und immer wieder sucht er die Art und Weise, in der diese Umgestaltung zu vollziehen ist, zum Nutzen seiner Mönche zu beschreiben. Auch in diesem Zusammenhang verwendet Bernhard das Bild der in Ordnung gefügten Natur, das hier nun nicht den Lauf der Heilsgeschichte, sondern den Verlauf der persönlichen Entwicklung des Menschen zum Heil zum Ausdruck bringt. Der Lebenswandel des einzelnen Menschen ist somit als Garten *(bonae conversationis hortus)* zu betrachten, der, um nicht zu verdorren, durch die erwähnten Gnadenquellen des Erlösers bewässert werden muß.[74] *Sarculus disciplinae* und *paupertatis et vilitatis stercora*[75] verweisen an anderer Stelle auf die Notwendigkeit zur Bearbeitung und Pflege, die der Mensch seinem inneren Garten angedeihen lassen muß, damit die Saat zur heilbringenden Frucht heranreifen kann. In der 63. Predigt auf das Hohelied variiert Bernhard das Thema des inneren Gartens, der nun (in Anlehnung an Hoheliedvers 2,15) zum inneren Weinberg wird: *Viro sapienti sua vita vinea est, sua mens, sua conscientia,* denn nichts findet sich beim Weisen, das ungepflegt und brachliegend *(incultum desertumve)* wäre. Das Leben des Törichten *(stultus)* hingegen, der weder die Pflanzungen zum Guten in sich anlegt noch seinem Inneren die angemessene Bearbeitung zukommen läßt, ist gänzlich von Dornen und Disteln überwuchert. Alles in ihm liegt vernachlässigt und beschmutzt *(inculta et sordida)* darnieder. *Non est vinea stulto,* da – so Bernhard weiter – nur dort ein Weinberg existieren kann, wo Leben ist. *(N)am stultus quod vivit, mortem potius quam vitam esse censuerim*, denn ein unfruchtbares Leben *[(q)uomodo vita cum sterilitate?]*, gilt ebenso als tot

[72] Div. 69,1, VI.I. 303.
[73] Vergleichbaren Inhalts ist der Predigtabschnitt adv. 5,3, IV. 189f.
[74] Nat. Dom. 1,6, IV. 248.
[75] Sollem. 2,2, V. 192.

wie ein vertrockneter Baum. Der Törichte vernachlässigt die Güter seiner Natur und die Gnadengaben Gottes *(bona naturae et dona gratiae)*. Sowohl die natürliche Würde des Gottesgeschöpfes als auch die Möglichkeit zur Erlösung läßt er verkommen, so daß er, da er ein nutzloses Leben führt, bereits im Leben tot ist.[76] Anders hingegen verhält es sich bei den Weisen,

quorum cum omnia interiora culta sint, omniaque germinantia, omniaque fructificantia et parturientia spiritum salutis.[77]

Neben der im Begriff des kultivierten Inneren wirksamen Ordnungsvorstellung tritt wiederum im Bild des organischen Wachstums das Element des Fortschritts deutlich zutage; – ein Fortschritt, der sich nunmehr auf der Ebene des einzelnen Menschen als Vervollkommnung im geistlichen Leben, als Voranschreiten in den Tugenden vollzieht.[78] Die hervorragende Stellung, die den Mönchen in diesem Prozeß zukommt, ist Bernhard selbstverständlich. Denn als Fortgeschrittenere und Stärkere *(provectiores et firmiores)* sind die Mönche ein Weinberg, *quae iam floruit,*[79] und daher auf die Frucht verweist, die er am Ende der Zeiten tragen wird.
Der Wandel im Menschen und der Wandel in der Geschichte vollziehen sich in unverkennbarer Analogie. Beginnt in Christus, der die historische Schuld Adams einlöst, eine neue Epoche der Heilsgeschichte, so entsteht in der Umgestaltung des Menschen nach dem Bild Christi ein neuer Mensch. Nicht weniger als dem historischen Wandel in Christus wohnt dem Wandel im Menschen ein Moment qualitativer Veränderung, eine Veränderung zum Guten und daher ein Moment des Fortschritts inne. Diese Umgestaltung des Menschen zielt – wie die Geschichte selbst – auf ihre Erfüllung am Ende der Zeiten ab und gibt als Prozeß stetiger Vervollkommnung – der Zunahme an Heil im Lauf der Geschichte entsprechend – begründeten Anlaß zu einer optimisti-

[76] CC 63,2, II. 162, vgl. 377ff.
[77] Ebd. 63,5, II. 164.
[78] Der Themenkreis Wachstum und Fortschritt nimmt im Werk Bernhards eine exponierte Stellung ein. Bereits Vacandard schrieb: „Vorwärts! *Semper ad anterioria*, das ist der Wahlspruch, der beständig auf seinen Lippen wiederkehrt" (Leben I. 78). Vgl. auch Delfgaauw, La doctrine, 125ff. Auf unterschiedlichster Bildebene führt Bernhard dieses zentrale Anliegen immer wieder vor Augen. Behandelte Bernhard in obiger Predigt das Läuterungswerk anhand des Bildes vom Garten bzw. Weinberg, so beschreibt er dies in CC 27 als ein Raumschaffen in der Seele für Gott. Es gilt den Seelenraum zu weiten, so daß er für die göttliche Größe aufnahmefähig wird: *crescit quidem et extenditur, sed spiritualiter; crescit non in substantia, sed in virtute; crescit et in gloria* (CC 27,10, I. 189). Sowohl im organischen Wachstum in CC 63 als auch im Anwachsen des Seelenraums in CC 27 macht Bernhard somit die Notwendigkeit zum Voranschreiten in den Tugenden sinnfällig deutlich.
[79] CC 63,7, II. 166.

schen Sicht in die verheißene Zukunft. Da sich der Prozeß der Umgestaltung zwar erst in der Zukunft erfüllt, jedoch zu Lebzeiten begonnen und vorangetrieben werden muß, läßt sich an den nach Vervollkommnung strebenden Menschen bereits auf Erden gleichsam ein Abglanz des zukünftigen Erstrahlens feststellen.[80] Denn indem sich alles Streben dieses dritten Geschlechtes auf die Um- und Neugestaltung des Menschen gemäß dem Bilde Christi richtet – indem es somit das Gebot der mittleren auf das ewige Heil abzielenden Zeit zu erfüllen sucht und den Fortschritt in Christus durch ein Voranschreiten in den Tugenden nachvollzieht, weist es über die eigene Gegenwart hinaus. So sind die Menschen dieses dritten Geschlechts Erdenengel und Himmelsbürger *(angeli quidem terreni, aut potius caeli cives)*,[81] an denen sich bereits zu ihren Lebzeiten das dritte verheißene Zeitalter spiegelt. Der elitäre Charakter, der diese Gruppe kennzeichnet, ist unverkennbar. Es sind nur wenige, die ihr angehören. Ihre Lebensführung hebt sie aus der Gemeinschaft der übrigen Menschen hervor. Nicht nur, daß sich an ihnen die ursprüngliche Bestimmung des Menschen zur unverbildeten Gutheit in einem immer höheren Grad verwirklicht, – in ihren Reihen entsteht ein neuer Mensch, der in sich das Bild Adams niederringt und in der Umgestaltung nach dem Bild Christi ein neues Selbst, ein neues Leben gewinnt. Sind somit die Nachfolger Christi als Elite ausgewiesen, sind folglich die kennzeichnenden Merkmale ihrer Lebensform Eliteeigenschaften. Bevor jedoch auf die Tugenden der *‚imitatio Christi‘* weiter eingegangen werden kann, wird zuvor die Struktur des Prozesses, gemäß dem sich der Mensch nach dem Bild Christi umgestaltet, näher zu beleuchten sein.

2.4. Bildung des Menschen

2.4.1. Verähnlichung

Kapitelabschnitt 2.2. behandelte Berhards Darstellung der Erschaffung des Menschen *‚ad imaginem et similitudinem Dei‘* und weiter die unheilvollen Folgen, die der Fall des ersten Menschen für das ganze Menschengeschlecht beinhaltete. Verlor der Mensch im Sündenfall die Ähnlichkeit zu Gott,[82] so stellt sich nun die Rückführung des Menschen zum Heil als Wiedererlangung der Ähnlichkeit zu Gott in einem Prozeß der Verähnlichung dar. Abschnitt 2.3. verdeutlichte die enge Bezie-

[80] Vgl. 42.
[81] Lab. mess. 3,5, V. 225.
[82] Um den hier darzustellenden Sachverhalt nicht zu komplizieren, wird im folgenden vom Verlust der *‚similitudo‘* (vgl. 30ff) ausgegangen, zumal diese Variation bei Bernhard den breiteren Raum einnimmt.

hung zwischen Sündenfall und Erlösungswerk unter besonderer Hervorhebung des Elements der Steigerung, das zwischen beiden heilsgeschichtlichen Ereignissen besteht. Dem entspricht, daß die Umgestaltung des Menschen als Prozeß der Verähnlichung zwar auf die im Sündenfall verlorene Ähnlichkeit zurückverweist, jedoch auf himmlische Vollendung und somit auf einen Endzustand abzielt, der auf einer höheren Stufe als der paradiesische Urzustand anzusiedeln ist.[83] Neben diesen beiden Bedingungen, die das Wiederherstellungswerk des Menschen in den Lauf der Heilsgeschichte einbinden, ist ein weiteres Element des Denkens Bernhards hervorzuheben, das insbesondere in seinen Ausführungen zur Verähnlichung des Menschen und seiner Bestimmung des mystischen Erlebnisses als des irdischen Gipfelpunktes dieser Verähnlichung zum Tragen kommt. *Et certe de ratione naturae, similis similem quaerit;*[84] – gleichsam durch natürliche Verwandtschaft *(vicinitate naturae)*[85] wird Ähnliches von Ähnlichem angezogen, bedarf Unterschiedliches der Ähnlichkeit, um zueinander in Beziehung treten zu können. Es handelt sich hierbei – wie Bernhard betont – um ein Gesetz der Natur, d. h. um eine Kategorie der Verknüpfung, der eine besonders einleuchtende Qualität innewohnt. Unter Zuhilfenahme dieser Kategorie begründet Bernhard die Natur des Menschen als eines zugleich geistigen und körperlichen Wesens. Denn die Notwendigkeit der leiblichen Existenz ergibt sich aus der Stellung, die dem Menschen als Haupt der Schöpfung zukommt *(eum qui constititus est super universam huius creaturae corporeae molem, ex parte aliqua ei similari)*.[86] Auch folgende Äußerung Bernhards, die er an den Beginn seiner Predigt über die Geburt Christi stellt, erweist sich deutlich von jenem Denkschema bestimmt: *Nec mirum, si facimus nos breve verbum, quando et Deus Pater Verbum fecit abbreviatum.*[87] Die innere Schlüssigkeit dieser für modernes Empfinden nur wenig überzeugenden Verknüpfung gründet in besagtem Gesetz der Ähnlichkeit. Die Kürze des Wortes (der Predigt) entspricht der Verkürzung des Wortes (Jesus) in der Menschwerdung. Die Betonung der Kürze des Vortrags stellt somit eine Beziehung der Ähnlichkeit zwischen Predigt und Predigtgegenstand her – sie verleiht der Predigt den Charakter besonderer Angemessenheit und folglich den Worten Bernhards besonderes Gewicht. Auch dem sehr zu Recht immer wieder betonten biblischen Stilideal Bernhards wird vor dem Hintergrund des Gesetzes der Ähnlichkeit eine über den stilistischen Aspekte hinausreichende Bedeutung zuzuordnen sein. Denn Bernhard

[83] Vgl. 40f.
[84] CC 82,7, II. 297.
[85] Ebd. 69,7, II. 206.
[86] Nat. Dom. 2,1, IV. 252.
[87] Ebd. 1,1, IV. 244.

verähnlicht sein Wort dem der Bibel. Wie durchwebt sind seine Texte mit den Worten der Hl. Schrift, so daß deren Inspiriertheit auch die Rede Bernhards überstrahlt und diese als begnadet ausweist.[88]
Das Prinzip der Verknüpfung von Ähnlichem wurzelt tief im Denken Bernhards[89] und kommt insbesondere bei den Ausführungen zur Umgestaltung des Menschen in einem Prozeß der Verähnlichung zum Tragen. In der 31. Predigt auf das Hohelied stellt Bernhard diese Beziehung zwischen dem Gesetz der Ähnlichkeit und der Entwicklung des Menschen sowohl zum himmlischen Heil als auch zur Befähigung, dieses himmlische Heil bereits auf Erden partiell zu erfahren, her. Bernhards Predigt nimmt ihren Ausgang in der Reflexion über die Bedingungen, unter denen das Erscheinen Gottes für den Menschen steht. Obwohl Gott seinem Wesen nach unwandelbar ist, erscheint er dennoch den irdischen Menschen in verschiedenartiger Gestalt *(non sub una specie),* denn auf Erden kann er nicht, wie er ist, geschaut werden *(nondum videtur sicuti est).* Erst in der verheißenen Zukunft wird der unwandelbare Gott dem nunmehr himmlischen Menschen unwandelbar erscheinen. Erst im Jenseits *videtur sicuti est,* wenn in die fortwährende Schau keinerlei Wechsel mehr Eingang findet *[stat (. . .) illa visio, qui nulla eam interpolat vicissitudo].*[90] Diese Schau Gottes kann keinesfalls von einem noch im sterblichen Leib weilenden Menschen erlangt werden, sondern bleibt allein denjenigen vorbehalten, die am Ende der Zeiten sagen können: *SCIMUS QUIA, CUM APPARUERIT, SIMILITER EI ERIMUS, QUIA VIDEBIMUS EUM SICUTI EST* (1 Joh 3,2). Die Fähigkeit zur ewigen Schau gründet in der Ähnlichkeit zwischen Schauendem und Geschautem. Die Ursache für die unterschiedliche Schau Gottes liegt somit im unterschiedlichen Grad an Ähnlichkeit, der den irdischen vom bereits himmlischen Menschen scheidet. Bernhard erläutert im folgenden diesen Gedanken, indem er diese verschiedenen Grade der Ähnlichkeit anhand der Fähigkeit des Auges, Sonnenlicht wahrzunehmen, differenziert. Denn ebenfalls wie Christus kann auch die Sonne nicht wie sie ist, sondern allein über die von ihr beleuchteten Gegenstände *[sicuti est, sed tantum sicuti illuminat (. . .) aerem, montem, parietem]* wahrgenommen werden. Besäße gar der Mensch nicht jenes Augenlicht des Körpers *(lumen corporis),* das durch seine Helligkeit und Durchsichtigkeit dem Licht ähnelt *(ingenita serenitate et perspicuitate, caelesti lumine simile esset),* so wäre er völlig unfähig, das Sonnenlicht wahrzunehmen. In dieser Ähnlichkeit zum Licht gründet auch,

[88] Zum biblischen Stil, vgl. 198, Anm. 5. Zur inspirierten Rede, vgl. 199.
[89] Vgl. Gilson, Die Mystik, 139; Köpf, Religiöse Erfahrung 116ff u. 204ff. Zum Ursprung des Prinzips im frühen Griechentum und seiner Entwicklung bis zum Frühmittelalter; vgl. Schneider, Der Gedanke.
[90] CC 31,1, I. 219.

daß allein das Auge zu sehen vermag, während die anderen Körperteile des Menschen *(ob multam utique dissimilitudinem)* hierzu nicht imstande sind. Wird das Auge durch Krankheit getrübt, so geht ihm mit der Ähnlichkeit *(ob amissam similitudinem)* auch die Fähigkeit zu sehen verloren. Das gesunde Auge *(serenus aliquatenus)* vermag das Licht, jedoch nur in abgemilderter Form, wahrzunehmen. Wäre das Auge völlig rein (was es seiner Natur nach nicht ist), so könnte es wegen seiner vollkommenen Ähnlichkeit *(propter omnimodam similitudinem)* das Sonnenlicht in seiner vollen Helligkeit schauen. Der Grad an Lichthaftigkeit des Auges bestimmt somit dessen Befähigung, Licht wahrzunehmen.[91] Dasselbe Kriterium der Ähnlichkeit strukturiert nun die Bedingungen, unter denen der Mensch zur Schau Gottes gelangen kann. Bernhard treibt seinen Argumentationsgang weiter, indem er im folgenden Christus als Sonne der Gerechtigkeit *(Solem iustitiae)* an die Stelle der in ihrer wörtlichen Bedeutung verstandenen Sonne setzt. Denn dem Gesetz der Ähnlichkeit entsprechend vermag der Erleuchtete *(illuminatus)* Christus, allerdings in abgeschwächter Form,[92] schon auf Erden zu schauen, da er ihm zu einem gewissen Grad bereits ähnlich ist *(tamquam iam in aliquo similis)*. Jedoch die wahre Gestalt der göttlichen Sonne zu erfassen, ist selbst dem Erleuchteten nicht gegeben, da noch keine vollkommene Ähnlichkeit besteht *(tamquam nondum perfecte similis)*. Erst am Ende der Zeiten wird die Ähnlichkeit so weitgehend sein, daß der Mensch zur vollkommenen Schau befähigt und das wahre Antlitz Gottes enthüllt werden wird.[93]
Bernhards Ausführung über das Auge sind sowohl zu einem Verständnis des Läuterungsprozesses als auch des mystischen Erlebnisses bedeutsam. In beiden eng verknüpften Themenkreisen nimmt das Element der Steigerung im Prozeß der Veränderung zum Guten, der sich hier als Prozeß der Verähnlichung darstellt, einen zentralen Rang ein. Dementsprechend ergeht an den heilsuchenden Menschen Bernhards stetige Mahnung, sich Gott zu nähern *(accedendum ad eum)*. Jedoch

[91] Zur Lichthaftigkeit des Auges, vgl. Schleusener-Eichholz, Das Auge im Mittelalter, 129ff. Zur Lichtsymbolik, vgl. Blumenberg, Licht als Metapher; Duby, Die Zeit, 170ff; Koch, Über die Lichtsymbolik.

[92] Der abgeschwächten Wahrnehmbarkeit Christi entspricht Bernhards Darstellung der Menschwerdung als eines Aktes, in dem Christus sein Erstrahlen für das menschliche Auge ertragbar macht *(claritatem suam infirmis oculis temperavit)*. Jesus begab sich in den Leib des Menschen gleichwie in *laterna quadam* (adv. 1,8, IV. 167), so daß – um im Bilde Bernhards zu bleiben – der Lampenschirm des Leibes die Helligkeit des göttlichen Erstrahlens abmildert. An anderer Stelle umwölkt der menschliche Leib die göttliche Majestät. *Sol ille supercaelestis* wird in der Menschwerdung durch die Wolke des Fleisches (*nube carnis;* asc. 4,1, V. 137) abgeschwächt, und Christus somit für die Menschen erfaßbar gemacht.

[93] CC 31,2, I. 220.

nicht als ein im örtlichen Sinne zu verstehendes Nahen *(nec locis)* darf dieses Streben begriffen werden, sondern vielmehr als Annäherung in geistiger Klarheit *[claritatibus (. . .) non corporis sed spiritualibus]*, d. h. als Streben nach einer Ähnlichkeit zu Gott, die das Erstrahlen Gottes in einer der menschlichen Natur angemessenen Weise nachzuvollziehen sucht. *Qui itaque clarior, ille propinquior; esse autem clarissimum pervenisse est,*[94] – und selbst wenn dieses klarste Erstrahlen der verheißenen Zukunft angehört, so ist doch derjenige, dessen Lebenswandel heller erstrahlt, Gott ähnlicher und befindet sich folglich in einem Zustand besonderer Gottesnähe, der bereits auf Erden Gültigkeit hat. Schon das irdische Dasein eines solchen Menschen ist somit durch das Streben nach Verähnlichung und durch das stufenweise Erlangen[95] eines jeweils höheren Grades an Ähnlichkeit gekennzeichnet. Denn es ist unabdingbar notwendig, daß das Ende der irdischen Existenz und der Beginn des jenseitigen Lebens einander angehören *(vitae praesentis finem futurae cohaerere principio)*, auf daß keine störende Unähnlichkeit *(dissimilitudo)* den Übergang zu hindern vermag, der sich – so Bernhards Erklärung – wie das Zusammennähen zweier an ihren jeweiligen Enden zusammenpassender Gürtel vollzieht.[96]

Jedoch nicht nur das zukünftige Heil, auch die mystische Vermählung zwischen Braut und Bräutigam,[97] die geistige Umarmung zwischen Christus und der menschlichen Seele, in der die verheißene Einigung bereits auf Erden partiell Wirklichkeit zu werden vermag, steht unter dem Gesetz über das Verhältnis von Ähnlichem. *Tanto profecto sibi* (Bräutigam) *carior illa, quanto similior erit;*[98] – d. h. je größer das Maß an Ähnlichkeit ist, zu dem sich die Braut umgestaltet, desto größer ist das Maß an Liebe, in dem sich der Bräutigam ihr zuwendet. Die Bedeutung, welche die Ähnlichkeit der menschlichen Seele hier einnimmt, ist jedoch noch weitergehend. Erst vor dem Hintergrund eines Höchstmaßes an Ähnlichkeit wird das mystische Erlebnis überhaupt ermöglicht. Denn untrennbar ist die Beziehung zwischen dem Grad an Ähnlichkeit der Braut und ihrer Befähigung, Gott in sich aufzunehmen: *eo (. . .) nubilem quo similem.*[99] Das Erlebnis der mystischen Vereinigung bedarf somit einer bestimmten Qualität der Lebensführung, und dementsprechend sind es auch hier nur wenige, die dieses Erleb-

[94] Ebd. 31,3, I. 221.

[95] *Nemo repente fit summus; ascendendo, non volando apprehenditur summitas scalae* (nat. And. 1,10, V. 433).

[96] Sollem. 2,6, V. 195.

[97] Vgl. Davy, Le thème; Fassetta, Le mariage; Knotzinger, Hohelied; Ohly, Hohelied-Studien 136ff. Vgl. unter ‚Brautmystik' auch: LThK II (H. Riedlinger), 659 u. WdMy (P. Dinzelbacher), 71f.

[98] CC 85,10, II. 314.

[99] Ebd. 85,12, II. 315.

nis zu erfahren vermögen. Während sich die Bedeutung der Menschwerdung und der Rückkehr Christi zum Jüngsten Gericht auf das ganze Menschengeschlecht erstreckt, kann sich die mittlere Ankunft Christi im mystischen Erlebnis – *in quo soli eum in seipsis vident electi,*[100] – nur dort verwirklichen, wo der Mensch sein Leben dem Prozeß der Verähnlichung unterzogen und folglich seine Seele für Christus empfänglich gemacht hat.

Eine weitere sich aus den Bemerkungen Bernhards über das Auge ergebende Konsequenz ist an dieser Stelle nochmals hervorzuheben. Bezüglich des Auges betonte Bernhard, daß es die zur uneingeschränkten Wahrnehmung des Lichtes notwendige Klarheit nicht besitze. Ebenso verhielt es sich mit dem Erleuchteten, der, da er auf Erden völlige Ähnlichkeit nicht erlangen kann, auch der vollen Schau Gottes entbehren muß. Denselben Sachverhalt führt Bernhard in CC 38 anhand des Hoheliedverses 1,7, aus, in dem der Bräutigam zur Braut spricht: *SI IGNORAS TE, O PULCHERRIMA INTER MULIERES, EGREDERE.* Die Braut hatte zuvor für sich beansprucht: *INDICA MIHI, QUEM DILIGIT ANIMA MEA, UBI PASCIS, UBI CUBAS IN MERIDIE.* Auf diese Forderung hin erfolgt nun die Zurechtweisung durch den Bräutigam, der die Braut wegen ihrer Anmaßung und mangelnden Selbstkenntnis tadelt, denn –

sive minus attendens prae excessu suo, quod esset in corpore, sive frustra sperans, etiam manentem in corpore ad illam se posse inaccessibilem accedere claritatem.[101]

Die geistlich gesinnte Seele ist zwar schön, da sie nach dem Geist und nicht nach dem Fleisch lebt, doch vollendete Schönheit bleibt ihr, da sie noch im Fleisch lebt, versagt *(ex eo tamen quod adhuc in corpore vivit, citra perfectum adhuc pulchritudinis proficit).* Folglich ist sie nicht gänzlich schön, sondern schön unter den Weibern, *id est inter animas terrenas.*[102] Vollkommene Schönheit und folglich vollkommene Schau wird die Braut erst in der himmlischen Zukunft erlangen. Tröstend spricht daher der Bräutigam zur Braut: *simillima mihi, videbis me sicuti sum. Tunc audies: TOTA PULCHRA ES, AMICA MEA, ET MACULA NON EST IN TE.*[103] Diese Aussagen Bernhards entsprechen den aus CC 31 gewonnenen Erkenntnissen. In beiden Predigten sucht Bernhard nachdrücklich den auf Erden möglichen Grad an Heilsnähe von der Heilsnähe, die sich im Jenseits verwirklicht, zu scheiden. Aufgrund der im Dies-

[100] Adv. 5,1, IV. 188.
[101] CC 38,3, II. 16.
[102] Ebd. 38,4, II. 16.
[103] Ebd. 38,5, II. 17; Hl 4,7. Auch im Predigtabschnitt CC 25,3, I. 164 behandelt Bernhard – in Anlehnung an die Worte der Braut: *NIGRA SUM, SED FORMOSA* (Hl 1,4) – das Thema der auf Erden nicht zu erlangenden vollkommenen Ähnlichkeit.

seits nicht zu vollendenden Ähnlichkeit muß sich die Braut – *etsi ex parte iam similis, ex parte tamen dissimilis,* – damit zufrieden geben, *ex parte cognoscere.*[104] Diese Aussage besitzt letztlich auch gegenüber dem mystischen Erlebnis Gültigkeit, selbst wenn sich in dieser partiellen Vereinigung eine Beziehung besonderer Nähe und Verbundenheit zwischen Braut und Bräutigam herstellt. Dennoch erscheint der Bräutigam auch im mystischen Erlebnis nicht in seiner unwandelbaren Gestalt *[(n)on (. . .) sicuti est, quamvis non omnino aliud hoc modo exhibeat, quam quod est].* Denn weder hat die mystische Schau ewigen Bestand, noch erscheint der Bräutigam in der Fülle, die ihm wesenhaft zu eigen ist. Er zeigt sich vielmehr in einer der geistigen Erscheinungsformen, die Teil seiner Fülle ist, und in diesem Sinne zeigt er sich auch im mystischen Erlebnis nicht anders *quam quod est.*[105] Auch wenn nun diese mystische Schau einem unermeßlichen Gnadenerweis durch den Bräutigam und folglich einer außerordentlichen Erhöhung für den empfangenden Menschen gleichkommt, so ist sie dennoch nicht mit jener Fülle identisch, die für das Jenseits verheißen ist.[106] Die *‚similitudo perfecta‘*[107] und damit die Schau der Fülle ist allein der himmlischen Zukunft vorbehalten, sie bedarf aber bereits zu Lebzeiten des Menschen der Vorbereitung in einem Prozeß der Verähnlichung und Läuterung, dessen höchster auf Erden verwirklichbarer Grad die *‚imperfecta perfectio‘*[108] darstellt. In diesem Begriff findet sich prägnant das Wesen der auf Erden zu vollziehenden Umgestaltung des Menschen ausgedrückt, denn er verweist auf das dem Menschen gesetzte Maß und zugleich auf das Streben, dieses Maß im höchstmöglichen Grad zu erfüllen. Man wird diesen Begriff als letztlich gemeint zugrunde legen müssen, wenn Bernhard an anderer Stelle noch auf Erden weilende Menschen mit der Bezeichnung *‚perfecti‘* belegt.[109] Denn auch der Patriarch Noe wurde zu seinen Lebzeiten als gerecht bezeichnet: *iustus in*

[104] CC 38,5, II. 17.

[105] Ebd. 31,7, I. 223.

[106] Die hier erfolgte Interpretation von CC 31,2, entspricht den Ergebnissen, zu denen Gilson (Die Mystik, 139ff) anhand desselben Predigtabschnittes gelangt. Demzufolge betont auch Gilson, daß der Mensch aufgrund seiner mangelnden Ebenbildlichkeit *(similitudo)* Gott nicht in seiner wahren Gestalt schauen kann (139). Im weiteren Verlauf seiner Untersuchung spricht Gilson mehrmals davon (200ff), daß die Grundbedingung des mystischen Erlebnisses die Ebenbildlichkeit zwischen dem erkennenden Subjekt und dem erkannten Objekt sei. Diese Ebenbildlichkeit jedoch vermag sich erst im Jenseits zu verwirklichen. Es wird im weiteren zu belegen sein, daß die Ähnlichkeit zwischen Erkennendem und Erkanntem Vorbedingung des mystischen Erlebnisses ist, jedoch bezüglich der partiellen Erscheinungsform des Bräutigams, die nicht die Fülle der jenseitigen Gestalt Gottes ist.

[107] CC 82,8, II. 297.

[108] Qui hab. 10,1, IV. 443.

[109] Vgl. u. a.: div. 17,6, VI.I. 154; CC 62,6, II. 159; asc. 6,6, V. 153.

generatione sua, id est prae omnibus sui temporis suaeque generationis. Ebenso verhält es sich mit der Braut, die schön genannt wird; – *sed interim inter mulieres, et non inter caelestes beatitudines.*[110]

Aus einem weiteren Grund erweist sich der Begriff ‚*imperfecta perfectio*' als besonders kennzeichnend für die Haltung Bernhards, denn er scheidet deutlich das irdische vom himmlischen Dasein und hebt doch zugleich die wenigen Erwählten aus der Masse derjenigen hervor, die einen solchen Zustand der Vollkommenheit nicht zu erlangen vermögen. Bernhards Konzeption der Umgestaltung des Menschen in der Verähnlichung zu Gott muß in der Tat unter einem doppelten Aspekt gesehen werden. Sind Bernhards Ausführungen einerseits durch die stetige Betonung der Notwendigkeit zu persönlichem Fortschritt, d. h. zur Erlangung eines immer höheren Grades an Ähnlichkeit bestimmt, so zeigt sich Bernhard auf der anderen Seite bemüht, die Grenze, auf die er den Prozeß der Verähnlichung zutreibt, zu wahren. Denn bei aller erstrebten Nähe zu Gott wird im Begriff ‚*similitudo*' nachdrücklich zwischen Mensch und Gott geschieden; – bei allem Streben nach Vervollkommnung findet sich im Begriff ‚*imperfecta perfectio*' eine deutliche Grenze zwischen dem auf Erden möglichen und dem sich im Jenseits erfüllenden Grad an Vollkommenheit gesetzt.

Die Gründe treten zutage, die am Beginn dieser Arbeit zur Ablehnung der Art und Weise führten, in der Heer von der ‚Vergöttlichung der Seele' in der Mystik Bernhards spricht.[111] Dieser Position sind jedoch folgende Äußerungen Bernhards aus dem Traktat über die Gottesliebe zugute zu halten. So bezeichnet Bernhard hier in der Tat das mystische Erlebnis als ‚*Dei et deifica visio*'[112] An anderer Stelle des Traktats bemerkt Bernhard über den mystischen Einklang von göttlichem und menschlichem Willen: *Sic affici, deificari est.* Bernhards weitere Erläuterung belegt jedoch, daß auch diese Aussage vor dem Hintergrund der allerdings bis zur äußersten Grenze vorangetriebenen Ähnlichkeitsthematik zu verstehen ist. Denn in diesem Zustand gleicht der vom göttlichen Willen erfaßte Mensch einem bis zum Höchstmaß an Ähnlichkeit mit dem Feuer erglühten Stück Eisen *(quomodum ferrum ignitum et candens igni simillimum fit).*[113] Wenn überhaupt bei Bernhard von einer Vergöttlichung der Seele im mystischen Erlebnis gesprochen werden

[110] CC 38,4, II. 16f.

[111] Vgl. 2.

[112] dilig. IV,12, III. 129.

[113] Ebd. X,28, III. 143. In die gleiche Richtung weisen die weiteren von Bernhard an dieser Stelle angeführten Beispiele. Das mystische Erlebnis gleicht dem Eingehen eines winzigen Wassertropfens in eine große Menge Wein, so daß der Tropfen zu verschwinden scheint *(deficere a se tota videtur).* Auch bezüglich der vom Licht gänzlich durchstrahlten Luft, so daß diese als Licht erscheint, bedient sich Bernhard der einschränkenden Formulierung ‚*videatur*'.

kann, dann im Sinne Gilsons, der betont, daß für Bernhard „der Begriff der Gottebenbildlichkeit darum so wichtig ist, weil mit Hilfe dieses Begriffes eine mystische Vergöttlichung des Menschen gedacht werden kann ohne ein Ineinanderfließen der beiden Substanzen“.[114] Hinzu tritt das Übergewicht derjenigen Belegstellen, in denen Bernhard weit deutlicher als in seiner Schrift *‚De diligendo Deo‘* um die Betonung der dem menschlichen Dasein gesetzten Grenzen bemüht ist. Trotz der zitierten Äußerungen Bernhards bleibt somit festzuhalten, daß die geistige Vereinigung von Braut und Bräutigam im mystischen Erlebnis aufgrund des Gesetzes der Ähnlichkeit notwendigerweise *ex parte*[115] bleibt. Dem Begriff der ‚Vergöttlichung der Seele‘ aber wohnt die Gefahr inne, daß diese wichtigen Aspekte der Mystik Bernhards übergangen werden. Er ist letztlich zu unpräzise (und daher zu mißverständlich), um den elaborierten und differenzierten Chrakter der Mystik Bernhards zu erfassen, der sehr zu Recht gerade im Vergleich zu manchem seiner spätmittelalterlichen Nachfolger immer wieder betont wird.[116]

2.4.2. Gestaltende Erziehung

Im vorangegangenen wurde die Struktur des Prozesses der Umgestaltung als Streben nach einem steigenden Maß an Verähnlichung bestimmt. Der Weg, der zu dieser Verähnlichung begangen werden muß, ist der Weg der Nachfolge Christi:

Similis eris illi, cum videris eum sicuti est; esto et nunc similis ei, videns eum sicut propter te factus est.[117]

Denn die Wiederherstellung der Seele muß sich als tätige Hinwendung in der Gleichgestaltung nach dem himmlischen Vorbild *(conversio eius ad Verbum, reformandae per ipsum, conformandae ipsi)* vollziehen, so daß die Forderung nach Umkehr zum Heil der Forderung: *ESTOTE IMITATORES DEI* gleichkommt.[118]

Die im folgenden darzustellenden Betrachtungen variieren das Thema der Verähnlichung des Menschen. Auch Gilson spricht in diesem Zusammenhang von zwei unterschiedlichen Motivkreisen, dem der „fortschreitenden Verähnlichung“ und dem der „einheitsschaffenden Um-

[114] Gilson, Der Geist, 107, Anm. 16; vgl. auch: Gilson, Die Mystik 166ff; Hummel, Mystische Modelle, 116 u. 141; Kleineidam, Die Nachfolge Christi, 444.

[115] Vgl. auch: CC 41,3, II. 30.

[116] Vgl. Auerbach, Passio 167; Lüers, Die Auffassung 111f; Wechßler, Deutsche und französische Mystik 41. Zu Bernhards Bedeutung für die Frauenmystik, vgl. Köpf, Bernhard.

[117] Dom. kal. 1,2, V. 305.

[118] CC 82,2, II. 299; 1 Kor 6,17.

gestaltung".[119] Im weiteren betont Gilson die Schwierigkeiten, die Motive voneinander abzugrenzen und so zu einer systematischen Einteilung der Mystik Bernhards zu gelangen.[120] Ist dies auch grundsätzlich zutreffend, so läßt sich dennoch bei beiden Motivkreisen eine unterschiedlich akzentuierte Darstellung des Themas der Umgestaltung und Läuterung des Menschen feststellen. Bei seinen Ausführungen zur ‚fortschreitenden Verähnlichung' betont Bernhard den Prozeßcharakter des Geschehens. Entsprechend steht hier der Begriff der *‚similitudo'* im Vordergrund und desweiteren der Versuch, diesen durch Komparation bzw. durch hervorhebende und abschwächende Beifügungen aufzufächern und somit zu einer differenzierten Darstellung des Prozesses zu gelangen. Im Motiv der ‚einheitsschaffenden Umgestaltung' tritt das Beispiel, das Christus den Menschen gab, in das Zentrum des Interesses. Bernhards Aussagen gruppieren sich hier um den Begriff der *‚forma'* und dessen Ableitungen.
Wiederum nehmen Bernhards Ausführungen im Heilsplan Gottes ihren Ausgang, gemäß dem diejenigen, *QUOS PRAESCIVIT (...) ET PRAEDESTINAVIT CONFORMES FIERI IMAGINI FILII SUI,*[121] bereits seit aller Ewigkeit zur Himmelsbürgerschaft erwählt sind. Dieser Gruppe der Erwählten gilt letztlich das Erlösungswerk, in dem der eingeborene Sohn Gottes *(Unigenitus)* Mensch geworden ist, um der Erstgeborene *(primogenitus)* unter Mitbrüdern zu werden.[122] *Christianus sum, frater Christi sum,* – betont Bernhard und beschreibt somit die Grundlage seiner auf Erfüllung drängenden Hoffnung. Denn als Bruder Christi *heres sum Dei, coheres Christi,*[123] d. h. einer derjenigen, die am Ende der Zeiten dem Erstgeborenen unter Brüdern folgen, die an Sohnes Statt angenommen werden *[post ipsum adoptantur],*[124] so daß sie gemeinsam mit Christus das Himmelreich auf ewig erben werden. Keinem Menschen – so Bernhard – ist Gewißheit darüber gegeben, ob er sich dem

[119] Gilson, Die Mystik, 140.
[120] Ebd. 150.
[121] Oct. pasch. 1,1, V. 112f; Röm 8,29. Vgl. ebenfalls: CC 23,15, I. 149; ebd. 78,3, II. 267f; div. 4,5, VI.I. 97; ded. 5,7, V. 393.
Die auch im weiteren Verlauf dieses Kapitels festzustellende zahlreiche Verwendung von Pauluszitaten belegt den weitreichenden Einfluß von paulinischem Gedankengut, insbesondere bezüglich Bernhards Ausführungen zur Umgestaltung und Neuschöpfung des Menschen in Christus und weiter zum Thema der Gotteskindschaft. Vgl. hierzu: Frischmuth, Die paulinische Konzeption. Zur paulinischen Auffassung der Nachfolge Christi, vgl. Heitmann, Imitatio Dei, 11ff; Tillmann, Die Idee der Nachfolge, 90ff. Zur besonderen Bedeutung des Paulus für Bernhard, vgl. auch: 144ff, 343 u. 348.
[122] CC 21,7, I. 126.
[123] Ebd. 15,4, I. 85.
[124] Oct. pasch. 1,1, V. 113.

Kreis der Vorherbestimmten zuzählen darf, denn es steht geschrieben: *NESCIT HOMO SI SIT DIGNUS AMORE AN ODIO.*
Damit aber der Mensch nicht im Übermaß von seinen Zweifeln geängstig werde;

data sunt signa quaedam et indicia manifesta salutis, ut indubitabile sit eum esse de numero electorum, in quo ea signa permanserint.

Dieses Zeichen zukünftigen Heils besteht in der Bestimmung der Erwählten zur Gleichgestaltung nach dem Vorbild des Sohnes *(conformes fieri imaginis Filii)* - einer Bestimmung, die sich zwar erst im Jenseits erfüllen wird, jedoch bereits zu Lebzeiten auf einen immer höheren Grad an Verwirklichung dringt. Wer daher sein Leben in der Nachfolge Christi führt, wer weiter in seinem Vorsatz unverrückbar verharrt und in seinem Bestreben nach Vervollkommnung voranschreitet *[in ea forma (. . .) perseveret atque proficiat]*, an dem ist bereits auf Erden das Zeichen zukünftigen Heils *[salutis indicium (. . .) et argumentum praedestinationis]*[125] zu erkennen. Die Bedeutung, ja die Untrüglichkeit, die Bernhard diesem Zeichen der Vorherbestimmung beimißt, ist evident. Bernhard und seinen Mitbrüdern erwächst hier ein Indiz für die Berechtigung der Hoffnung auf persönliche Erwähltheit. Denn das Leben in der Nachfolge Christi ist nichts anderes als die Lebensform, die den Orden der Zisterzienser auszeichnet. Folgerichtig betont Bernhard, daß das Leben in dieser Gemeinschaft als vorzügliche und sicherste Annäherung *[(p)raecipua sane et certissima propinquatio]* an den himmlischen Hafen und weiter als Vorbereitung zur jenseitigen Erfüllung *[exitus praeparatio (. . .), vocationis videlicet iustificationis divinae]*[126] zu betrachten ist. Denn allein die Nachfolge ist das sicherste Kennzeichen *(imitatio valdissimum mihi argumentum est)*, daß sowohl das Erlösungswerk Christi als auch die anerschaffene Würde dem Menschen zum heilsamen Nutzen gereichen *(in meam transeunt utilitatem)*.[127] Alles Streben nach persönlicher Vollendung im himmlischen Heil kommt somit der Verwirklichung eines Lebens in der Nachfolge Christi gleich. Denn damit sich das persönliche Heil am dritten Tag, d. h. in der dritten Phase der Heilsgeschichte, erfüllt, ist es notwendig, das Selbst gemäß dem Vorbild Christi, des zweiten neues Leben einhauchenden Tages, umzugestalten;

interior noster homo renovatur de die in diem, et renovatur in spiritu mentis suae ad imaginem eius qui se creavit.[128]

[125] Sept. 1,1, IV. 345; Eccl 9,1. Der Predigtabschnitt asc. 2,5, V. 129 ist vergleichbaren Inhalts.
[126] Qui hab. 7,6, IV. 416.
[127] Fer, IV. 1,12, V. 65.
[128] CC 72,11, II. 232f.

Das Wiederherstellungswerk,[129] dem sich der Mensch in der Nachfolge Christi unterzieht, kommt in der Tat einer zweiten Schöpfung[130] gleich, in der der Mensch eine tiefgehende Wandlung, eine erneute Erschaffung zum Guten hin erfährt. Daher sind alle Anstrengungen der Braut darauf gerichtet, sich mehr und mehr dem himmlischen Vorbild gleichzugestalten *(magis magisque conformari (...) formae, quae de caelo venit),*[131] denn der Sinn und heilsverheißende Zweck der vom Himmel herabgekommenen *,forma'*[132] besteht für den Menschen darin, an ihrer Gestalt seine Verunstaltung zu überwinden: *per formam reformari deformem.*[133]

Erst die Menschwerdung Gottes ermöglicht die Wiederherstellung des im Sündenfall entarteten Menschen. Denn während die Herrlichkeit der göttlichen Majestät dem Menschen unzugänglich ist, offenbarte sich die Herrlichkeit des göttlichen Willens in Christus und somit in einer sanften und fürsorglichen Form: *Non me opprimet gloria ista (...) ego potius imprimar illi;* – die Herrlichkeit des menschgewordenen Christus erdrückt nicht, sie ist vielmehr dem menschlichen Erfassungsvermögen zugänglich und eröffnet somit die Möglichkeit zur Nachfolge und Teilhabe: *REVELATA FACIE SPECULANTES, IN EAMDEM IMAGINEM TRANSFORMAMUR DE CLARITATE IN CLARITATEM, TAMQUAM A DOMINI SPIRITU.* Wiederum wird das Gesetz über das Verhältnis von Ähnlichem bedeutsam. Denn in der Versenkung, in der stetigen Vergegenwärtigung des himmlischen Vorbilds sowie im Prozeß des dauernden Strebens, das eigene Leben mit dem Leben Christi in Einklang zu bringen, vollzieht sich eine Angleichung zwischen dem Subjekt und dem Objekt von Betrachtung und Nachfolge. *Transformamur*

[129] Zum Begriff der *,reformatio'* bei Augustinus, vgl: Wittmann, Ascensus, 195ff. In seiner grundlegenden Bedeutung für die Theologie des 12. Jahrhunderts, vgl. Constable, Renewal and reform, 37ff; Ladner, Die mittelalterliche Reform-Idee; ders., Terms and ideas, 1ff; ders., The idea.

[130] Wie schon an der Beschreibung Christi als Tag, der Leben einhaucht und somit auf die Schöpfung des Menschen zurückverweist, deutlich wurde, kommt an dieser Stelle wiederum die typologische Beziehung zwischen Schöpfungs- und Erlösungswerk zum Tragen. Auch dem Begriff der *,forma'* wohnt dieser Bezug inne, da er (vgl. McGinn, Christology, 14) auf den augustinischen Begriff der *,formatio'* als der Bezeichnung für die Schöpfungstätigkeit Gottes zurückverweist. Bernhard selbst stellt diese Beziehung zwischen Schöpfungsordnung und innerer Ordnung des Menschen her, wenn er das Wiederherstellungswerk Christi (hier bezüglich der Willensfreiheit) wie folgt beschreibt: *Venit ergo ipsa forma, cui conformandum erat liberum arbitrium, quia ut pristinam reciperet formam, ex illa erat reformandum, ex qua fuerat et formatum. Forma autem, sapientia est, conformatio, ut faciat imago in corpore, quod forma facit in orbe* (grat. X,33, III. 189).

[131] CC 27,7, I. 187.

[132] Zum inhaltlich divergierenden Gebrauch des Begriffes *,forma'* bei Bernhard, vgl. Standaert, La doctrine, 116ff.

[133] Grat. XIV,49, III. 201.

cum conformamur;[134] – in der Gleichgestaltung gemäß der *‚forma'* des menschgewordenen Christus verwirklicht sich die Umgestaltung des Menschen, so daß der Mensch, der den Weg der Nachfolge beschreitet und den Prozeß der Gleichgestaltung vorantreibt, sich in steigendem Maß nach dem himmlischen Vorbild umgestaltet.
Auch von hier führt ein Weg zum mystischen Erlebnis, der jedoch aufgrund der uneinheitlichen Terminologie Bernhards nicht exakt zu bestimmen ist. Während die Verwendung der Begriffe *‚conformare'* und *‚transformare'*[135] in CC 62,5, keine inhaltliche Abstufung aufweist, bezeichnet *‚conformare'* an anderer Stelle[136] einen höheren Grad der Einigung: *digeror cum transformor, unior cum conformor.* Weiter beschreibt *‚conformitas'* in der 85. Hoheliedpredigt die Höchststufe der Läuterung,[137] von der aus es der Braut erlaubt ist, an die Vermählung mit dem Bräutigam zu denken *(cogitare de nuptiis).*[138] In der 83. Hoheliedpredigt hingegen *[(t)alis conformitas maritat animam Verbo]* ist die *‚conformitas'* Teil der Vermählung. Ebenso verhält es sich bei der in diesem Kontext häufigen Verwendung von 2 Kor 3,18, wobei das Pauluszitat – je nach Kontext – sowohl zur Charakterisierung der Vorstufe des mystischen Erlebnisses als auch des Erlebnisses selbst dienen kann.[139] Die uneinheitliche Terminologie Bernhards muß hingenommen werden, zumal diese dem Vergleich der Predigten entstammende Feststellung der Eindringlichkeit und Tiefe der jeweiligen Schilderung von Läuterungsvorgang und mystischem Erlebnis und somit Ziel und Zweck der Predigten Bernhards nicht entgegensteht.[140] So beschreibt Bernhard[141] in der 69. Hoheliedpredigt das mystische Erlebnis wie folgt:

(C)um semel revelata facie gloriam Dei speculari anima poterit, mox illi se conformari necesse est, atque in eamdem imaginem transformari.

Denn – so Bernhard weiter – wie man sich für Gott bereitet, so erscheint er. Daher offenbart er sich dem Heiligen heilig, dem Unschuldigen unschuldig.[142] Das mystische Erlebnis ist somit wiederum als die Erfahrung eines Aspektes der wesenhaften Fülle Gottes zu bestimmen, als partielle Anverwandlung, in der diese Erscheinungsform der Herr-

[134] CC 62,5, II. 158.
[135] Vgl. Anm. 134.
[136] CC 71,5, II. 217.
[137] Ebd. 85,11, II. 315.
[138] Ebd. 85,12, II. 315.
[139] In CC 62,5, (vgl. Anm. 134) charakterisiert 2 Kor 3,18 den Prozeß der Gleich- und Umgestaltung; in CC 67,8, II. 198f das mystische Erlebnis.
[140] Vgl. 33f.
[141] Seine persönliche Erfahrung des mystischen Erlebnisses führt Bernhard in CC 74,5–7, II. 242ff aus.
[142] CC 69,7, II. 206.

lichkeit *,revelata facie'* wahrgenommen werden kann. Ganz in diesem Sinne bemerkt Bernhard an anderer Stelle, daß das mystische Erlebnis nicht als bildhafte Vision, sondern als geistige Verbindung im Innern des Menschen verstanden werden muß: *Facies est non formata sed formans;*[143] – der Bräutigam erscheint nicht im Bilde, sondern wirkt selbst bildend.

Die weitreichende Bedeutung, die das Leben in der Nachfolge Christi für Bernhard besitzt, ist unverkennbar. Christus weist den Weg, an seiner Gestalt vermag der Mensch die Verunstaltung seines Selbst in der Sünde zu überwinden *(ostenderet nobis per quam ambularemus viam, formam apponeret cui imprimeremur).*[144] Die Herrlichkeit des menschgewordenen Christus erdrückt nicht, sondern – wie Bernhard betonte[145] – *ego potius imprimar illi.* Die Menschen in der Nachfolge werden in die vom Himmel herabgekommene *,forma'* eingedrückt und erfahren somit eine Prägung im umfassendsten und tiefgreifendsten Sinne. Als Erwählte, die dazu bestimmt sind, die Lücken in den Mauern des himmlischen Jerusalem zu schließen[146] verleihen sie bereits auf Erden ihrem Selbst jene Gestalt, die sich im Jenseits vollenden wird. Nach Art der Steine werden sie von vier Seiten behauen *(quadrantur quattuor modis).* Denn ebenso wie der Stein, damit er zum Baustein wird, der Bearbeitung bedarf, müssen auch die Erwählten umfassend (d. h. in den vier Kardinaltugenden) geläutert werden,[147] damit sie am Ende der Zeiten *sine sonitu mallei*[148] in das himmlische Gebäude eingefügt werden können. Diesen verheißenen Endzustand vorzubereiten, ist das erklärte Ziel der Lebensform, die Bernhard und seine Mitbrüder gewählt haben. *In schola Christi sumus,* und in dieser Schule *verus Magister docet*[149]. Wie jede Schule zielt auch die Schule Christi auf die Bildung des Menschen ab. Deren Bildungskonzeption reicht jedoch weit über die Vermittlung intellektueller Erkenntnis[150] hinaus. Denn das Anliegen der *,schola Christi'* ist die Gleichgestaltung des Menschen nach dem Vorbild Christi, die Prägung des Menschen gemäß der *,forma'* Christi,

[143] Ebd. 31,6, I. 223.
[144] Asc. 3,4, V. 133.
[145] Vgl. 56. Denselben Ausdruck benutzt Bernhard bezüglich der Tugenden des hl. Victor: *In his forma est cui imprimamur, . . . (nat. Vict. 1,3, VI.I. 31).*
[146] Vgl. 13.
[147] Div. 99, VI.I. 365 Die Bearbeitung bewirkt, daß der Mensch *humiliter, temperanter, iuste* und *fortiter* lebt, so daß sich hier die vier Kardinaltugenden vereint finden. Vgl. 63f.
[148] div 102,2, VI.I. 370.
[149] Ebd. 121, VI.I. 398. Zu Bernhards Auffassung vom Kloster als Schule, vgl: Gilson, Die Mystik 98ff; Köpf, Religiöse Erfahrung 176, Anm. 399.
[150] An anderer Stelle (249ff) wird zu zeigen sei, daß hier der vornehmliche Grund für Bernhards Konflikt mit Abälard anzusiedeln ist.

d. h. gestaltende Erziehung in einem Prozeß, der auf tiefgreifende Veränderung abzielt. Die Zisterzienserschule bildet nach dem himmlischen Vorbild. Bernhard und seine Mitbrüder erfahren in ihr eine umfassende Bildung zum Heil; – *(f)ormabuntur, et nemo in eis informis relinquitur.*[151]

Auch in diesem Kontext bleibt festzuhalten, daß sich die Vollendung des Prozesses der Gleichgestaltung in der verheißenen Zukunft vollzieht: *Adveniens enim Salvator reformabit corpus humilitatis nostrae, configuratum corpori claritatis suae.* Diese jenseitige Gleichgestaltung in Herrlichkeit setzt die diesseitige Gleichgestaltung in Demut voraus: *si tamen prius fuerit cor reformatum et configuratum humilitati cordis ipsius.*[152] Erst dann wird der nun im Herzen einwohnende Christus an der Herrlichkeit der in himmlischer Gestalt erstrahlenden Erwählten offenbar werden: *nunc latet in corde, tunc quasi de corde ad corpus procedet.*[153] Wiederum wahrt Bernhard die Grenze zum Zukünftigen und sieht doch in berechtigter Hoffnung sich und seine Mitbrüder für diese Zukunft bestimmt. Denn wenn auch kein Mensch Kenntnis davon besitzen kann, ob er in Zukunft für würdig befunden werden wird, so bedeutet doch die himmlische Vollendung für denjenigen, der sich schon in seinem irdischen Dasein zu einem immer höheren Grad an Vollkommenheit läuterte, nur ein weiteres ‚*procedere*' auf einem Weg, den er bereits beschritten hat. Bleibt auch die völlige Gewißheit dem Menschen versagt, so bezeugen doch alle Zeichen zukünftigen Heils die Erwähltheit derjenigen, die auf dem Weg Christi zu einem immer höheren Grad an Vollkommenheit voranschreiten, d. h. die Erwähltheit Bernhards und seiner Mitbrüder.

Ermöglichten Bernhards Ausführungen zum Problem der ‚*similitudo*', den Begriff der ‚Vergöttlichung der Seele' einschränkend zu differenzieren, so eröffnet Bernhards Forderung nach Bildung gemäß der ‚*forma Christi*' die Möglichkeit zu einer angemessenen Beurteilung des Moments der Innerlichkeit in Bernhards Spiritualität. Deutlich treten die Unterschiede zum modernen, die Konzeption des Individuums implizierenden Begriff der Innerlichkeit zutage.[154] Der Bildungsprozeß des Menschen ist von Christus, dem vom Himmel herabgekommenen Vorbild, bestimmt. Dennoch zielt dieser Prozeß auf Selbstfindung und

[151] CC 49,7, II. 78.

[152] Adv. 4,4, IV. 184; vgl. ebenso: adv 6,1, IV. 191; div. 1,4, VI. I. 76; ebd. 2,6, VI.I. 84; fest. omn. sanct. 5,9, V. 368.

[153] Div. 82,1, VI.I. 322.

[154] Zum umfangreichen Themenkomplex der sich im 12. Jahrhundert verstärkt ausbildenden Individualität des Menschen, vgl: Benson, Consciousness of self; Dinzelbacher, Vision, 243 ff; Lukes, Individualism; Morris, The discovery, bes. 152ff; Ullmann, The individual; (zahlreiche Literaturangaben bei Benson u. Dinzelbacher).

Selbstverwirklichung ab, wobei sich das Selbst des Menschen nicht über dessen individuelle Anlagen, sondern aus der anerschaffenen Würde des Gottesgeschöpfes und daher aus den in der Heilsgeschichte vorgegebenen Kriterien herleitet. Das persönliche Heilsschicksal ist untrennbar mit dem geschichtlichen Verlauf des Heils verbunden, so daß beides einander nicht entgegengesetzt werden kann.[155] Trifft es auch zu, daß in Bernhards Hoheliedkommentar neben die Deutung der Braut als Kirche die Deutung der Braut als Seele des einzelnen und somit neben die überkommene historische Bedeutungsdimension die auf das individuelle Heil bezogene Dimension des Bedeutens tritt, so ist dies doch keineswegs als Verlagerung „in die Geschichtslosigkeit der seelischen Erfahrung in der Begegnung mit Gott"[156] zu verstehen. Heilsgeschichtlicher Verlauf setzt vielmehr die Bedingungen und eröffnet zugleich die Perspektiven für das im Diesseits stufenweise zu verwirklichende und im Jenseits zu vollendende Selbst. Auf das engste bleibt der Mensch hierbei auf die Gemeinschaft verwiesen. Untrennbar ist für Bernhard das Gelingen des Läuterungswerkes des einzelnen Mönchs mit dessen Einbindung in die klösterliche Gemeinschaft verbunden.[157] Untrennbar ist die Verbindung mit der Gemeinschaft der Erwählten, die den Lauf der Zeiten, ja Himmel und Erde umspannt, so daß die letzte Vollendung des Selbst der vollendeten Gemeinschaft und somit der vollendeten Geschichte bedarf.[158] Auch dort, wo Bernhard über die Seele des Menschen, über ihr Ringen um Läuterung und ihre Sehnsucht nach ewiger bzw. partieller Teilhabe am Heil spricht, bleibt der heilsgeschichtliche Rahmen von ungebrochener Verbindlichkeit.

Der Prozeß der Bildung des Menschen zielt auf das Voranschreiten in den Tugenden Christi ab. Die Tugenden aber sind geordnete Affekte *(ordinatae affectiones)*.[159] Unter dem Aspekt der in dieser Weise definierten Tugenden vollzieht sich der Bildungsprozeß des Menschen als Prozeß der stetigen Hinordnung zum Heil. Abschließend ist somit auf den Ordnungsgedanken in der Frömmigkeit Bernhards zu verweisen,[160] in dem sich wiederum der Entwicklungsprozeß des Menschen in ein Sy-

[155] „Wo die Mystik mächtig wird, die auf die Heilsgeschichte nicht der Welt, sondern der Seele sieht, wird typologisches Denken keinen Raum mehr haben, . . ." (Ohly, Synagoge und Ecclesia, 325).

[156] Ohly, Hohelied-Studien, 156.

[157] Vgl. 82ff.

[158] Vgl. 11ff, 315ff u. 333ff.

[159] Grat. IV,17, III. 178, vgl. Köpf, Religiöse Erfahrung, 140.

[160] Der Gedanke der Ordnung bleibt oft unausgesprochen, ist aber dennoch – wie am Bild der Seele als Garten oder als kultivierter Weinberg deutlich wurde (vgl. 43f) – in hohem Maße wirksam. Vgl. zu diesem Themenkomlex den erhellenden Aufsatz von Standaert, Das Prinzip der ‚Ordinatio'.

stem von Werten eingebunden findet, das objektiv verbindlich und nicht subjektiv bestimmt ist[161] und folglich die Spiritualität Bernhards an einem weiteren Punkt von der im modernen Sinn verstandenen Innerlichkeit scheidet.
Erst vor dem Hintergrund dieser wichtigen Elemente des Denkens Bernhards kann in der Tat von der Innerlichkeit seiner Mystik gesprochen werden. Der Prozeß der Läuterung erfaßt die ganze menschliche Seele, der ganze innere Mensch bedarf der tiefgehenden Prägung durch die *‚forma Christi'*. Die Ausrichtung der Frömmigkeit Bernhards auf den Gottmenschen hebt zugleich den Menschen selbst in das Zentrum der Betrachtung. Damit die Herrlichkeit des Bräutigams in ihr Wohnung zu nehmen vermag, muß sich die Seele – um ein Bild Bernhards zu benutzen[162] – weiten. Das Innere des Menschen muß – je nach Bildebene – gereinigt, geläutert oder geformt werden. Es bedarf der Kultivierung und der Pflege, so daß seine Pflanzungen zum Guten wachsen, blühen und letztendlich Frucht tragen können. In diesem Sinne also, in dem alles Bestreben des Menschen darauf gerichtet ist, sich für die diesseitige Teilhabe des Selbst am Himmlischen und für dessen jenseitige Erfüllung zu bereiten, ist in der Tat die tiefgehende Innerlichkeit der Mystik Bernhards hervorzuheben.

2.5. Die Elite der Demütigen

In den vorangegangenen Abschnitten wurde der anthropologische und heilsgeschichtliche Kontext erarbeitet, in den sich Bernhards Christusfrömmigkeit eingebunden findet. Deutet Christus *(verus homo),* der frei von Sünde und die Fülle der Tugend ist, auf die verlorene anerschaffene Gutheit des Menschen zurück, – wohnt weiter der Gestalt Christi *(secundus homo)* der Rückbezug auf Adam, den ersten Menschen, inne, so bestimmen diese anthropologischen und heilsgeschichtlichen Voraussetzungen der Erlösungstat Christi zugleich Wert und Unwert des Menschen. Denn in dem Maß, in dem sich der Mensch dem ‚wahren Menschen' gleichzugestalten vermag, erlangt er jene hohe Würde des Gottesgeschöpfes zurück, die auf den Zustand unversehrter Gutheit zurückverweist, zugleich aber auch Vorbereitung und Zeichen jenseitiger Vollendung ist. Umgekehrt bedingen diese Kriterien den Unwert desjenigen, der in der Sünde verharrt. Denn die ererbte Sündhaftigkeit des Menschen bewirkt, daß dieser gleichsam zum Nichts wird *(quodam-*

[161] „Bernhard ist subjektiv, aber nicht subjektivistisch (...). Beim Abt von Clairvaux bleibt das subjektive Lebensgefühl noch ganz in die Welt des Objektiven eingebettet" (Nigg, Vom Geheimnis, 209).
[162] Vgl. 44, Anm. 78.

modo redactos in nihili).[163] Christus jedoch eröffnet den Weg aus dem Nichts zum Leben. Entsprechend bestimmt sich der Wert des Menschen aus dessen Grad an Frömmigkeit, d. h. aus dem Grad, in dem er sein Leben an den objektiven Gegebenheiten des ewigen Heilsplanes auszurichten weiß. Mit Folgerichtigkeit ist daher derjenige, der im Unheil verharrt, ein Nichts, einer, der bereits im Leben tot ist.[164] Die Frommen hingegen werden durch ihren Glauben und durch ihre Lebensführung vom Nichtsein zum Sein geführt *(ad esse de non esse)*.[165] Ist Christus der ‚wahre Mensch', so befinden sich die Nachfolger Christi in stetiger Annäherung an das, was gemäß der Anthropologie Bernhards die natürliche Anlage und Würde des Gottesgeschöpfes ausmacht. Ist Christus weiter der ‚zweite Adam', dessen Erlösungswerk das zentrale Ereignis in dem durch das Element des Fortschritts bestimmten Lauf der Heilsgeschichte ist, so verwirklicht sich der Geist fortschreitenden Heils in der Überwindung des alten Menschen, so daß ein neuer Mensch zu erstehen vermag. Von umfassender Bedeutung ist folglich das Herausragen derjenigen, die in der Nachfolge Christi stehen. Nicht nur an Frömmigkeit übertreffen sie ihre Mitmenschen. In ihren Reihen gelangt ein neuer, im Einklang mit seiner wahren Natur stehender Mensch zur Verwirklichung. Ihr Leben fügt sich in die Ordnung der Geschichte und zielt auf Vollendung am Ende der Zeiten ab. Beides muß mitbedacht werden, um die tiefgehende Bedeutung zu erfassen, die das Leben in der Nachfolge für Bernhard besitzt. Denn erst in der Nachfolge – *Quam pauci post te, o Domine, ire volunt*[166] – vermag der Mensch jenen besonderen Wert zu erlangen, der die Wenigen vor den Vielen auszeichnet. In der Bildung gemäß dem Vorbild Christi entsteht in der Tat eine Elite. Das Kriterium ihres Hervorragens bildet der Grad an Vollkommenheit, in dem sie ihr Selbst bereits auf Erden in die vom Himmel herabgekommene *‚forma'* einzufügen versteht. Die Tugenden, die der menschgewordene Gottessohn vorlebte und die für das Leben in der Nachfolge verbindlich sind, müssen folglich unter einem doppelten Aspekt gesehen werden. Ordnen sich in ihnen die Frommen dem himmlischen Vorbild und somit dem göttlichen Willen unter, so bezeugt dies zugleich die übergeordnete Stellung, die den Frommen gegenüber denjenigen zukommt, die im Eigenwillen und daher in der Sünde verharren. Jeder Tugend, die sich aus dem Leben Christi ableitet, wohnt daher der Aspekt des Elitemerkmals inne. Vor diesem Hintergrund werden im weiteren die Tugenden der *‚imitatio Christi'* näher zu beleuchten sein.

[163] Ep. 18,2, VII. 67.
[164] Vgl. 377ff.
[165] Ep. 18,2, VII. 67.
[166] CC 21,2, I. 122.

2.5.1. Christus, die Fülle der Tugend

Durch ein Leben in den Tugenden wird es dem Menschen ermöglicht, die Gnade des Erlösungswerkes durch jenes persönliche Streben zu ergänzen, das – damit sich das Schicksal des Menschen im ewigen Heil erfüllt – unabdingbar notwendig ist. Entsprechend zentral ist die Bedeutung, die Bernhard den Tugenden zuspricht. *(V)irtus, mater est gloriae,*[167] die Tugenden sind *sedes et fundamentum perpetuitatis.*[168] Sie allein bilden den wahren Reichtum des Menschen.[169] Denn indem der Mensch seine Lebensführung den Tugenden unterwirft, versieht er sein Inneres mit jener gottgewollten Ordnung,[170] die auf jenseitige Erfüllung abzielt, jedoch bereits auf Erden den Wert des Menschen bestimmt. Trotz der zentralen Stellung, die den Tugenden in der Theologie Bernhards zukommt, kann auch hier nicht von einer widerspruchsfreien, in sich geschlossenen Tugendenlehre Bernhards gesprochen werden,[171] sondern wiederum von Ausführungen zu den Tugenden, die ihre Gestalt am jeweiligen Predigtgegenstand gewinnen.

Zu verschiedenen Gelegenheiten bedient sich Bernhard des überlieferten Musters der Kardinaltugenden.[172] Deutlich tritt in der Predigt div. 50 der Bernhards Tugendverständnis zugrundeliegende Ordnungsgedanke zutage. Bernhard unterscheidet vier *‚affectiones‘* des Menschen, die je nachdem ob sie in geordnetem oder ungeordnetem Verhältnis zueinander stehen, als Tugenden bzw. Leidenschaften ausgewiesen

[167] Nat. Vict. 1,1, VI.I. 30.

[168] CC 27,3, I. 183.

[169] Adv. 4,2, IV. 183.

[170] Vgl. 60f.

[171] Diese Schwierigkeit betont auch Ries (Das geistliche Leben), der – wenn auch unter der Einschränkung, daß Bernhard theologische Fragen „mehr aphoristisch“ behandle (226) – dennoch den Versuch einer systematischen Darstellung der Tugendlehre Bernhards unternimmt.

[172] Zur christlichen Tugendlehre des Mittelalters, vgl. Dittrich, Geschichte der Ethik Bd. 3; Fichtenau, Askese und Laster; Gründel, Die Lehre des Radulfus Ardens (mit zahlreichen Literaturangaben, vgl. u. a. 231) Schulze, Die Entwicklung; Zöckler, Die Tugenlehre u. LThK X (J. Gründel), 395ff.
Bernhard sind die überlieferten Tugendgruppen geläufig. Zu den Kardinaltugenden (Affekttugenden), vgl. Gründel s. o. 255ff; Mähl, Quadriga Virtutum; Pieper, Das Viergespann. In der Verwendung Bernhards: vgl. Ries, Das geistliche Leben, 213ff; Kern, Das Tugendsystem 20ff. Zu den Verstandestugenden (Gründel, 290ff): Kern 29ff. Zu den theologischen Tugenden [LThK X (K. Rahner), 76ff]: Kern 19f; Ries 117ff. Zu den sieben Gaben des Hl. Geistes [Tillmanns, Die sieben Gaben; LThK IV (F. Dander), 478ff]: Kern 26ff; Ries 247ff. Zu den von den Seligpreisungen der Bergpredigt [LThK IX (J. Schmid), 639ff] abgeleiteten acht Tugenden, vgl. 66.

sind: *affectiones ordinatae virtutes sunt; inordinatae perturbationes.*[173] Gereinigt und geordnet *[(p)urgatae (. . .) et ordinatae]* bilden die vier Gemütszustände die Krone der Tugenden und somit den Schmuck der Seele.[174] Nimmt Bernhard auch an weiteren Stellen[175] auf die Kardinaltugenden Bezug, so ist es doch die Gestalt Christi, die im Zentrum der Ausführungen Bernhards zu den Tugenden steht. Gelebte Tugend wird zu Maßstab und Richtschnur für eine Tugendlehre, die ihren Sitz im gemäß dem himmlischen Vorbild nachzubildenden Leben hat.
In der 70. Hoheliedpredigt ordnet Bernhard Christus – nach Ps 44,5, – die Tugenden der Wahrheit, Sanfmut und Gerechtigkeit zu,[176] die im Kontext des auszulegenden Hoheliedverses 2,16 von Lilien versinnbildlicht werden. Bernhard hält sodann inne und betont, daß die Fülle der Tugendenlilien Christi die angeführten Tugenden beim weitem überschreitet:

Abundat et superabundat talibus: quis illa enumeret? Nempe quot virtutes, tot lilia. Quis finis virtutum apud Dominum virtutum? Quod si plenitudo virtutum in Christo, et liliorum.[177]

Christus – wie Bernhard an anderer Stelle bemerkt – *omnes virtutes habuit;*[178] das Kreuz seiner Leiden gilt es als die Fülle der Tugenden *(plenitudo virtutum)* zu betrachten.[179] Alles, was den menschgewordenen Gottesohn auszeichnet, jegliche Begebenheit seines irdischen Lebens besitzt daher höchste Bedeutsamkeit für die Seele des heilsuchenden Menschen. Entsprechend läßt Bernhard Christus dem um die Gnaden-

[173] Div. 50,3, VI.I. 272. Folgende schematische Darstellung verdeutlicht die Zuordnung dieser Predigt:

Virtutes	Affectiones	Perturbationes
prudentia (1+2)	1. timor	desperatio (1+3)
temperantia (2+3)	2. laetitia	dissolutio (2+4)
fortitudo (3+4)	3. tristitia	
iustitia (1+4)	4. amor	

[174] Div. 50,2, VI.I. 271.

[175] In cons. I, 9–11, III. 404ff betont Bernhards die enge Beziehung (*suavissimum quemdam concentum complexumque,* 404) zwischen den Kardinaltugenden und sucht die einzelnen Tugenden aus der Wechselbeziehung, in der sie zueinander stehen, zu entwickeln. In div. 52,3, VI.I. 275f führt Bernhard die Kardinaltugenden als die Tugenden Marias aus. In der unter Anm. 147 zitierten Predigt bilden sie die vier Seiten, an denen der Mensch als lebendiger Baustein behauen werden muß. Unter einem weiteren Gesichtspunkt erfolgt die Bearbeitung des Themas in Predigtabschnitt nat. Ben. 1,12, V. 12. Hier nun entsprechen die Kardinaltugenden der vierfachen Saat des Glaubens, den die Apostel *(prudentia),* die Märtyrer *(fortitudo),* die Bekenner *(iustitia)* und die heiligen Jungfrauen *(temperantia)* zum Heil des Menschengeschlechtes aussäten.

[176] CC 70, 5-6, II. 210ff.

[177] Ebd. 70,7, II. 212.

[178] Grad. hum. IX,25, III. 36.

[179] Resur. 1,13, V. 90.

gaben des Erlösers bittenden Menschen antworten, daß er ihm sein ganzes Leben von der Kindheit bis in den Tod gegeben habe:

In vita mea cognosces viam tuam, ut sicut ego paupertatis et oboedientiae, humilitatis et patientiae, caritatis et misericordiae indeclinabiles semitas tenui, sic et tu eisdem vestigiis incedas, non declinas ad dextram neque ad sinistram.[180]

Allein Christus ist der Weg, sein ganzes Leben dient dem Menschen zum Vorbild des tugendhaften Wandels. Allein Christus ist folglich das Maß, aus dem sich der persönliche Fortschritt des Menschen, der bereits erlangte Grad an Vollkommenheit bestimmt: *Omnis itaque virtus nostra tam longe est a virtute vera, quam longe est ab ea forma.*[181] An nichts mangelt es Christus, dem vom Himmel herabgestiegenen Vorbild. Diese Fülle zu verdeutlichen und sie zugleich in immer neue kostbare Variationen des Bedeutens aufzufächern, ist das wesentliche Kennzeichen der Darstellung, die Bernhard Christus auch in seiner beispielgebenden Funktion zukommen läßt. Höchstmögliche Nähe zur biblischen Bezugsstelle und innere Schlüssigkeit auf der gewählten Bildebene entsprechen weit mehr dieser auf Wirkung, auf Beeinflussung zum Guten angelegten Darstellungsform als das Bemühen um eine übergeordnete Systematik. Trotz der Vielfältigkeit der Ausführungen Bernhards zu den Tugenden Christi bleibt jedoch die Tugend der Demut in der zentralen Bedeutung, die ihr Bernhard immer wieder beimißt, hervorzuheben. Alle Stationen des Lebens Christi legen Zeugnis von jener Tugend ab, die den Gottessohn, der sich in die Gestalt des Menschen erniedrigte, in besonderer Weise kennzeichnet. In der Geburt als *parvulus* hat sich die Größe Gottes in die Gestalt des hilflosen Kindes verkürzt.[182] Indem sich Christus, der seiner Natur nach frei von Sünde ist, der Beschneidung unterwarf, gab er ein eindringliches *humilitatis exemplum.*[183] Die Leiden der Passion belegen mit größtem Nachdruck den Geist der Demut, in dem der Unschuldige fremde Schuld auf sich nahm, in dem er sich freiwillig zum Gespött der Menschen *(opprobrium hominum)*[184] erniedrigte. Jedoch nicht nur der Lebensweg Christi zeugt von der Tugend der Demut. Bereits in der Menschwerdung *[(i)n descensu Domini nostri Iesu Christi, id est in humilitate conversationis eius]*[185] wird die Demut Christi offenbar, der als Sohn des allmächtigen Gottes in die Niedrigkeit der Knechtsgestalt herabstieg. Zu seinen Lebzeiten besaß Christus alle Tugenden: *Sed cum omnes habuerit, prae omnibus tamen unam, id est humilitatem, nobis in se commendavit.*[186] Da selbst Chri-

[180] Die pent. 2,5, V. 168.
[181] Adv. 4,5, IV. 185.
[182] Laud. Virg. 3,14, IV. 45.
[183] Circum. 2,1, IV. 274.
[184] Fer. IV, 1,3, V. 58.
[185] Resur. 3,1, V. 103.
[186] Grad. hum. IX,25, III. 36.

stus sich erniedrigte, kommt es um so mehr dem Menschen zu, Christus auf dem Weg der Demut zu folgen: *Studete humilitati, quae fundamentum est custosque virtutum.* Denn daß sich der Menschenwurm hochmütig aufbläht, während sich die göttliche Majestät in Menschengestalt entäußerte, stellt eine unerträgliche Anmaßung dar: *Intolerabilis impudentiae est, ut ubi sese exinanivit maiestas, vermiculus infletur et intumescat.*[187] Auch bezüglich der Demut ist Bernhards Darstellung der Tugenden Christi Schwankungen unterworfen, die sich jedoch aus den spezifischen Merkmalen der Texte Bernhards ergeben und somit keineswegs im Gegensatz zur zentralen Bedeutung der Demut stehen. So führt Bernhard in der Predigt ‚*In adventu*' die Tugendfülle Christi anhand der Seligpreisungen der Bergpredigt aus. Wiederum ist die Predigt von der Forderung, dem Beispiel Christi zu folgen, bestimmt. Denn da Gold die Gottheit Christi, Silber aber seine Menschheit versinnbildlicht, müssen die Tugenden des Menschen – die Flügel sind, mit denen er sich ins Himmelreich aufschwingt – silbern glänzen.[188] *Magna quidem penna est paupertatis, qua tam cito volatur in regnum caelorum*; – gemäß der Vorgabe des biblischen Textes entfällt die Tugend der Demut, stattdessen nimmt nunmehr die Armut den zentralen Rang im Gefüge der Tugenden ein. Denn allein – so Bernhard weiter – die auf die Armut folgende Verheißung *(QUONIAM IPSORUM EST REGNUM CAELORUM,* Mt 5,3) ist im Präsens *(praesenti tempore)* abgefaßt, während sich die übrigen Verheißungen *(in ceteris dicatur HERIDITABUNT, CONSOLABUNTUR et similia)*[189] auf die Zukunft beziehen.[190] An anderer Stelle führt Bernhard die Tugenden Christi gemäß Jes 11,2 aus. Dem biblischen Kontext entsprechend entfallen sowohl ‚*humilitas*' als auch ‚*paupertas*'. Statt dessen verdeutlicht Bernhard an den sieben Gaben des heiligen Geistes die Tugendfülle Christi[191] und setzt diese zugleich als Versinnbildlichung des umfassenden Erlösungswerkes Christi *[(e)x omnibus ergo quae salvandis fuerant populis necessaria, nihil*

[187] Nat. Dom. 1,1, IV. 245.

[188] Adv. 4,4, IV. 185.

[189] Ebd. 4,5, IV. 185.

[190] Dieser Predigtabschnitt verdeutlicht die Berechtigung, mit der Ohly von der „Philologie des Mittelalters" (Vom geistigen Sinn, 3) als eines Aspektes der mittelalterlichen Bibelexegese spricht. Bernhard bemerkt zur Hl. Schrift: *Ego enim, ut verum fatear, iam olim mihi persuasi, in sacri pretiosique eloquii textu ne modicam vacare particulam* (CC 72,6, II. 229). Kein Bibelwort, nicht die unscheinbarste Silbe, ist für Bernhard ohne Bedeutung. Entsprechend stellen für Bernhard auch die Tempora der Verben, der Numerus des Subjekts (vgl. CC 48,8, II. 72) und weiter Probleme der korrekten Übersetzung (vgl. dom. kal. 4,3, V. 316f) Fragen dar, die es zu ergründen, aus denen es die angemessene Bedeutung zu erschließen gilt.

[191] Der Siebenzahl wohnt in ihrer übertragenen Bedeutung der Verweis auf Vollkommenheit inne. Vgl. Meyer, Die Zahlenallegorese; Ohly, Der Prolog, 210.

penitus defuit Salvatori][192] zu den Geschehnissen des Sündenfalls in Bezug.[193]
Erwies sich in den beiden vorangegangenen Predigtabschnitten die Bestimmung der Tugenden Christi vom jeweiligen Bezugspunkt in der Hl. Schrift abhängig, so belegen die folgenden unterschiedlichen Zuordnungen der Demut das Gewicht, das Bernhard auf eine in sich schlüssige Gestaltung der gewählten Bildebene legt. Nach der bereits zitierten Predigt, in der Bernhard das Kreuz Christi als die Fülle der Tugend interpretiert, ergibt sich folgendes Schema des an seinen vier Enden *virtutum gemmis* verzierten Kreuzes.[194]

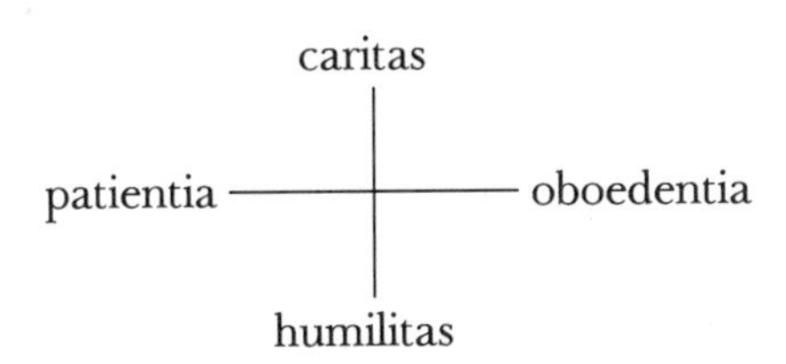

Ebenso wie sich im Kreuz die Passion des Herrn vollendet, schmücken die sich im Leiden offenbarenden Tugenden das Siegeszeichen des Kreuzes *(trophaeum crucis)* in vollendeter Form. Wiederum kommt der Demut als *radix virtutum*[195] eine hervorgehobene Stellung zu. Denn in ihr wurzelt in gleicher Weise die Fülle der Tugend, wie der Baum[196] seine Lebenskraft aus den im Erdreich verborgenen Wurzeln gewinnt. An anderer Stelle führt Bernhard wiederum die Notwendigkeit zu einem tugendhaften Leben am Bild der mit vier Tugenden versehenen

[192] Ann. Dom. 2,5, V. 33.

[193]

1. *timoris spiritus*	– fehlte Adam	*In his (..) Mediator*
2. *spiritus pietatis*	– fehlte der Schlange	*noster reconciliavit*
3. *spiritus scientiae*	– fehlte Eva	*homines Deo.*
4. durch *consilio*	befreite Christus die Menschen	
5. durch *fortitudo*	*de manu adversarii.*	
6. *intellectus*	sind Brot und Wasser, die Christus	
7. *sapientia*	zur geistlichen Speisung reicht.	

(ann. Dom. 2, 3-4, V. 32f.).

[194] Zu diesem Motiv, vgl. Kraft, Die Bildallegorie; Zöckler, Das Kreuz Christi 269f.

[195] Resur. 1,3, V. 76f. Das Motiv der Demut als Wurzel aller Tugenden geht auf Gregor den Großen (vgl. Gründel, Die Lehre, 262) zurück. Zur Demut, vgl. auch. LThK III (J. Gewiess; O. Schaffner), 223ff.

[196] In der Predigt auf die Geburt des hl. Andreas erläutert Bernhard die Freuden des Kreuzes, indem er das Kreuz als Lebensbaum ausdeutet. Der Stamm des Kreuzes Christi *vitam germinat, fructificat iucunditatem.* Denn das Kreuz ist kein Baum des Waldes, *arbor salutifer est*, der als Gewächs, das alle anderen Bäume an Fruchtbarkeit weit überragt, *in horto* gepflanzt wurde. Er steht auf dem kostbaren Erdreich des Herrn, d. h. seinem Leib, und schlägt in ihm - durch die Nägel, mit denen man Christus am Kreuz befestigte - Wurzeln.

Kreuzbalken aus. Die Zuordnung der Tugenden *(continentia, patientia, prudentia, humilitas)* bestimmt sich erneut aus dem Kontext der Predigt.[197] Bernhard deutet hier das Kreuz als Schild aus, das vor dem vierfachen Angriff des Feindes schützt *(ut eius cornua quattuor quadrifaria hostium tela repellant),* den Bernhard aus Ps 90,5–6[198] ableitet. Der vierte Angriff durch den Mittagsdämon erfolgt aus der Höhe. Die Verfehlung, die diesem Überfall entspricht, ist der Geist eitler Selbstüberhöhung – *superbia scilicet spiritus.* Zur Abwehr dieser schweren Sünde dient die Tugend der Demut, die Bernhard folgerichtig dem oberen Ende des Kreuzes zuordnet. Denn die Höhe des senkrechten Kreuzbalkens überragt – wie Bernhard betont – das Haupt des Menschen und dient deshalb zur stetigen Mahnung, *ut non eleveris in superbiam, non exaltetur cor tuum.*[199]

2.5.2. Nachfolge

Das Leben Christi dient dem Menschen zum Beispiel für eine tugendhafte, auf ewiges Heil abzielende Form der Lebensführung. Dementsprechend zeigt sich Bernhards Darstellung der Tugenden Christi von dem Bestreben bestimmt, das Vorbild, das Christus gab, zum persönlichen Nutzen seiner Mitbrüder auszudeuten. Die sich aus den Seligpreisungen der Bergpredigt ergebenden Tugenden,[200] die Tugenden der sieben Gaben des Hl. Geistes,[201] die Ausdeutung der zwischen Geburt und Beschneidung liegenden Tage auf die umfassende Läuterung des Menschen in acht Tugendtagen[202] und weiter das siebenfache Beispiel, das Christus gegen den Aussatz des Hochmutes gab,[203] – beschreiben in immer neuen inhaltlichen Ausformungen den Weg, der für den heilsuchenden Menschen in Christus vorgegeben ist. Der Weg Christi ist somit als Weg der Läuterung verbindlich, das Bestreben nachzufolgen jedoch reicht weit über die Nachahmung der Tugenden Christi hinaus. So läßt Bernhard Christus in der bereits zitierten Predigt auf Pfingsten betonen, daß er sein ganzes Leben dem Menschen gegeben habe;

ut (. . .) vita mea instruat tuam, mors mea destruat tuam, resurrectio mea praecedat tuam, ascensio mea praeparet tuam.[204]

[197] Nat. And. 2,8, V. 439.
[198] *SCUTO CIRCUMDABIT TE VERITAS EIUS; NON TIMEBIS A TIMORE NOCTURNO; A SAGITTA VOLANTE IN DIE, A NEGOTIO PERAMBULANTE IN TENEBRIS, AB INCURSU, ET DAEMONIO MERIDIANO.*
[199] Nat. And. 2,7, V. 439.
[200] Vgl. 66.
[201] Vgl. 66f.
[202] Circum 3,5ff V. 285ff.
[203] Resur. 3,1ff V. 103ff.
[204] Die pent. 2,5, V. 168.

Nicht nur in der diesseitigen Lebensführung, auch im Übergang zum jenseitigen Leben gilt es den Weg Christi zu beschreiten. In diesem umfassenden Sinn ist die Nachfolge Christi zu verstehen, wenn Bernhard in der Predigt auf den neunzigsten Psalm die Tage von Karfreitag bis Ostersonntag in bezug auf die Gegenwart und die in Aussicht stehende Zukunft derjenigen interpretiert, die Christus auf seinem Weg folgen. Am Karfreitag erlitt Christus *propter nos tribulationem et dolorem.* Diesem ersten Tag entspricht das Niederringen der Anfechtungen und das Streben nach Läuterung zu Lebzeiten *(in die tribulationis nostrae, in die crucis nostrae)* des Menschen. Am Karsamstag hielt Christus im Grab Sabbatruhe. Der zweite Tag, der auf den irdischen Tod folgt, an dem die Versuchungen der Welt weder Leib noch Seele etwas anhaben können, ist durch das Ruhen der Erwählten und die Erwartung der Auferstehung gekennzeichnet. Diese erfolgt am dritten Tag, dem Tag, an dem Christus zum Himmel aufstieg und an dem auch seine Nachfolger in den Himmel aufsteigen werden.[205] Denn am Ostersonntag, wie Bernhard in einer anderen Predigt gleichen Inhalts schreibt, erschien Christus als Erstling der Entschlafenen: *primitiae dormientium novus homo apparuit mortis victor.*[206] Der Weg, den Christus nahm, führte in den Himmel. Hierin gründet die Notwendigkeit, diesen Weg bereits zu Lebzeiten durch die Nachfolge in den Tugenden zu beschreiten. Auf Erden nachzufolgen jedoch bedeutet, sich das Kreuz Christi zu eigen zu machen *(tollere crucem nostram).*[207] *Persistamus in cruce, moriamur in cruce;*[208] – denn damit der neue Mensch im Selbst erstehen kann, muß zuvor der alte sündhafte Mensch durch Läuterung abgetötet und überwunden werden. Ebenso wie die Kreuzigung Christi von einem Werk des Erbarmens mit den Menschen zeugt, stellt die Abkehr des Menschen von den Lastern, sein Durchbohrtwerden von der Reue, einen Akt des Erbarmens, nunmehr mit sich selbst, dar: *compunctus cum eo, qui prior pro eo punctus est, moriens et ipse quodammodo pro salute sua, nec parcens iam sibi ipsi.*[209] Vollzieht sich die Läuterung des Menschen am ersten der drei Tage zum Heil, so wird auch sein persönliches Schicksal am dritten Tag, dem Tag der Auferstehung, zur Vollendung gelangen. Hierin besteht die besondere Bedeutung, die dem Kreuzestod des hl. Andreas – nicht nur in seiner wörtlichen, sondern auch in der auf die Abtötung in der Askese übertragenen Bedeutung – zukommt. Denn der hl. Andreas erlitt sein Martyrium freudig und voll Zuversicht, daß auf die Ähnlichkeit im Tod die Ähnlichkeit in jenseitiger Herrlichkeit

[205] Qui hab. 16,2, IV. 482f.
[206] Resur. 1,8, V. 84.
[207] Nat. And. 2,5, V. 437.
[208] Resur. 1,8, V. 84.
[209] Qui hab. 11,9, IV. 455.

folgen werde: *complantari similitudini mortis eius, ut compatiens etiam conregnaret.*[210] Aus der Ähnlichkeitsbeziehung[211] zwischen Kreuzigung und Läuterung des Menschen ergibt sich die berechtigte Hoffnung, daß sich auch der weitere Weg des Menschen in Ähnlichkeit zum Weg Christi vollziehen wird. Die auf Erden mitleiden, sind folglich – wie Bernhard immer wieder in bezug auf Röm 8,17 betont – zur Mitherrschaft in der himmlischen Zukunft bestimmt. Denn Christus, so Bernhard, wird keineswegs dulden, daß der Gefährte im Leiden nicht zum Gefährten in jenseitiger Herrlichkeit wird: *Quia ergo si compatimur, et conregnabismus.*[212]
Ebenso wie der Weg Christi führt der Weg der Nachfolge in den Himmel. Es ist der Weg, den zu begehen Bernhard seinen Mitbrüdern in immer neuen mahnenden und ermutigenden Variationen anrät. Denn es ist der Weg, der im besonderen Maß die Lebensform, die Bernhard und seine Mitbrüder gewählt haben, auszeichnet. Entsprechend findet sich im Leben des Zisterziensermönchs Humbert, auf den Bernhard die Totenklage hält, dieser Weg der Nachfolge in vorbildhafter Weise verwirklicht: *Plane in semitis Domini posuit vestigia, non retraxit pedem, donec cursum itineris consummaret.* Ebenso wie Christus arm war, *pauper et iste fuit.* Lebte Christus unter Drangsalen, *et hic in laboribus multis.* Wurde Christus gekreuzigt, *et iste multis et magnis crucibus affixus.* Ebenso wie Christus von den Toten auferstand, *iste resurget.* Fuhr Christus in den Himmel auf, *et iste creditur ascensurus.* Denn die gänzliche Übereignung des Selbst an das himmlische Vorbild ist Anlaß zu berechtigter Hoffnung und zu an Gewißheit grenzender Zuversicht, daß sich diesseitige Nachfolge in jenseitiger Nachfolge erfüllen und vollenden werde: *Ascensurus plane, cum Rex gloriae propter nos descendet, sicut prius ascenderat.*[213]

2.5.3. Demut – Hochmut

Der Mönch Humbert wird gewiß aufsteigen *(ascensurus plane),* wenn sich die irdische Zeit in der zweiten Ankunft des Herrn erfüllt. Denn bereits zu Lebzeiten war Humbert dem Weg der Demut, d. h. dem Weg des vom Himmel herabgestiegenen Christus, gefolgt, so daß er

[210] Nat. And. 2,5, V. 437.
[211] Die Beziehung zwischen den drei Tagen von Karfreitag bis Ostersonntag und den drei Tagen, die das Heilsschicksal des Menschen kennzeichnen, erstellt Bernhard ebenfalls über das Element der Ähnlichkeit: *Nihilominus quoque et in nobis simile quoddam triduum posse videbitur assignari* (qui hab. 16,2, IV. 482).
[212] Dom kal. 1,2, V. 305.
[213] Ob. Hum. 1,5, V. 444. Zu Humbert, der 1148 in Clairvaux gestorben war, vgl. BC 724.

auch im Aufstieg, d. h. auf dem Weg des himmelfahrenden Christus, seinem Herrn folgen wird. Humbert, der sich auf Erden erniedrigte, wird am Ende der Zeiten erhöht werden. Der Abstieg Humberts im Geist der Demut Christi kommt somit ebenso einem Aufstieg gleich wie umgekehrt der falsche Aufstieg des Menschen im Geist eitler Selbstüberhebung einem Abstieg gleichkommt. Grundlegend für Bernhards Ausführungen zur *descendere-ascendere*-Problematik ist der enge Zusammenhang, der zwischen der Tugend der Demut und dem Laster des Hochmuts besteht. Um die Bedeutung der Demut (des Abstiegs, der in Wahrheit ein Aufstieg ist) in ihrer vollen Tragweite zu erfassen, ist ihr folglich Bernhards Sicht des Hochmuts (des Aufstiegs, der in Wahrheit ein Abstieg ist) voranzustellen.

INITIUM OMNIS PECCATI EST SUPERBIA (Prd 10,15); – diese Aussage besitzt für Bernhard in zweierlei Hinsicht Gültigkeit. Sowohl im Rahmen der Heilsgeschichte als auch in der Geschichte des Heils jedes einzelnen Menschen steht am Beginn aller Sünde der Hochmut. In den Lauf der Heilsgeschichte fand die Sünde erst durch den Hochmut Eingang. Denn der Stolz[214] verwandelte den höchsten Engel zum Teufel *[(a)ngelorum primum in diabolum commutavit],*[215] als Luzifer sprach:

> *IN CAELUM ASCENDAM, SUPER ASTRA DEI EXALTABO SOLIUM MEUM; SEDEBO IN MONTE TESTAMENTI, IN LATERIBUS AQUILONIS; ASCENDAM SUPER ALTITUDINEM NUBIUM, SIMILIS ERO ALTISSIMO.*[216]

Immer wieder führt Bernhard diese Worte der Hl. Schrift an,[217] um die Schwere der Sünde Luzifers zu verdeutlichen. Denn Luzifer unternahm den Aufstieg *(ASCENDAM)* in eine Höhe *(IN MONTE),* die ihm nicht gebührte, er maßte sich eine Ähnlichkeit zu Gott an *(SIMILIS ERO ALTISSIMO),* die ihm nicht zustand. Jener verkehrte Aufstieg, durch den Luzifer auf sündhafte Weise die Ähnlichkeit zu Gott erstrebte,[218] bewirkte den sofortigen und unwiderruflichen Sturz Luzifers in die Verdammnis. Auf ewig währt die Verwerfung des Teufels, denn immer wieder sucht sich der Teufel zu erheben und immer wieder stürzt er aus der angemaßten Höhe herab: *superbia eius ascendit semper, semper humiliatur.* Oftmals wurde im vorangegangenen die Bedeutung betont, die Bernhard dem Voranschreiten in den Tugenden, dem persönlichen Fortschritt, beimißt. Nichts unterstreicht das Gewicht, das

[214] Zur Sünde des Stolzes, vgl. Bloomfeld, The seven deadly sins; Haluska, Von den sieben Hauptsünden, 364f; Hempel, Superbia; Zöckler, Das Lehrstück.

[215] Adv. 1,3, IV. 163.

[216] Div 60,3, VI.I. 292; Is 14, 13–14.

[217] Vgl. u. a.: asc. 4,3, V. 140; CC 17,5, I. 101; qui hab. 11,4, IV. 451.

[218] CC 17,5, I. 101.

diesem zentralen Motiv Bernhards zukommt, mehr als die Bewegung, zu der der Teufel verdammt wurde – das Kreislaufen. Der Teufel, der sich immer erneut hochmütig erhebt, der immer sogleich gedemütigt wird, *in circuitu ambulat.* Wer aber im Kreis läuft, geht voran ohne voranzukommen: *proficiscitur quidem, sed proficit nihil.*[219] Immer wieder bricht der Teufel auf, weiter und weiter ist er gezwungen zu laufen, jedoch ohne Fortschritte zu machen. Zeugt der falsche Aufstieg Satans und der bösen Geister von Vermessenheit, so belegt ihr Verharren in der Anmaßung den Geist der Verstocktheit: *converti nolerunt a via praesumptionis, inciderunt viam obstinationis.*[220] Dieser Geist böswilligen Verharrens, der taub gegen alle Mahnungen zum Guten den sündhaften Zustand auf ewig fortschreibt, findet seinen sinnfälligen Ausdruck im die Verstocktheit symbolisierenden Kreis, den die Natter bildet. Ihr eines Ohr drückt sie gegen den Boden, das andere verstopft sie mit der Schwanzspitze, *ne audiat.*[221] Hochmütig und verstockt verharrt Satan in der Sünde und somit in jenem Teufels-Kreis,[222] aus dem es kein Entrinnen, keine Erlösung gibt.

Ebenso wie der Sturz Luzifers erfolgte auch der Sturz Adams durch Hochmut. Luzifer, der den Berg des Nordens vergeblich zu ersteigen suchte, zeigte – angetrieben vom Neid auf die Bestimmung des Menschen zum Heil[223] – Adam einen ähnlichen Berg *[(s)imilem (. . .) montem].* Er versprach den Menschen *ERITIS (. . .) SICUT DII, SCIENTES BONUM ET MALUM,* und führte sie zum Berg des aufblähenden Wissens *(inflans scientia).* Dessen Ersteigen jedoch ist verderblich und kommt einem Abstieg gleich: *Perniciosa etiam haec ascensio, immo descensio magis est de Ierusalem in Iericho.*[224] Von hier nimmt für Bernhard eine Tradition des Unguten ihren Ausgang, die vom Sündenfall bis hin zur Gegenwart reicht. Denn die Söhne Adams türmen *usque hodie*[225] mehr und mehr der eitlen Kenntnisse auf den Berg des Wissens und wirken so am die Weltenzeit überspannenden Bau Babels mit.[226] Falscher Auf-

[219] Qui hab. 12,1, IV. 457.

[220] Ebd. 11,4, IV. 451.

[221] Ebd. 13,2, IV. 465.

[222] Den Hintergrund hierfür bildet die vielschichtige Symbolik des Löwen, der auf Christus verweisen kann, im Falle des Kreislaufens jedoch den Teufel versinnbildlicht. Nach dem Physiologus (8) zieht der Löwe um seine Opfer, damit sie nicht mehr fliehen können, einen Kreis und verschlingt sie. Das Motiv des kreislaufenden Löwen klingt auch bei Bernhard an, denn der Teufel *CURCUIT QUAERENS QUEM DEVORET* (qui hab. 12,1, IV. 450; 1 Pet 5,8). Zum Löwen als Symbol des Teufels, vgl. Schmidtke, Geistliche Tierinterpretationen, 208 u. 331ff.

[223] Vgl. adv. 1,3, IV. 163; qui hab. 7,13, IV. 421f.

[224] Asc. 4,4, V. 140; Gen 3,5.

[225] In Bernhards Ausführungen zum aufblähenden Wissen zeichnen sich die Gründe für seinen Konflikt mit Abälard ab. Vgl. 250ff.

[226] Ebd. 4,5, V. 141; vgl. 252f.

stieg und angemaßte Ähnlichkeit zu Gott führten und führen ebenso zum Fall, wie sie einst Luzifer aus dem Himmel stürzten. Denn sowohl der Teufel als auch Adam strebten auf dem falschen Weg des Hochmuts in die Höhe und stürzten folglich hinab in die Tiefe: *uterque ascendere praepostere voluit: hic ad scientiam, ille ad potentiam, ambo ad superbiam.*[227]

Hoc quippe est superbia, hoc initium omnis peccati, cum maior in tuis es oculis quam apud Deum;[228] – ebenso wie die Sünde durch den Hochmut in die Welt gelangte, steht am Beginn der Sünde des einzelnen Menschen der Geist des Hochmuts. Maßten sich bereits Luzifer und Adam eine Stellung an, die ihnen nicht zukam, so überragt auch die Selbsteinschätzung des Hochmütigen den Wert, den er bei Gott, d. h. in Wahrheit besitzt. *(A)mor propriae excellentiae*[229] ist das wesentliche Kennzeichen des Hochmütigen, der an die Stelle der Gottesliebe die eitle Selbstliebe setzt. Aufgrund seiner Selbstherrlichkeit wird ihm die himmlische Herrlichkeit verschlossen bleiben. Denn aus Gott entspringt die Quelle der Gnade, die – wie es der Natur der Quelle entspricht – in die Täler[230] herabfließt und die Steigungen der Berge meidet. Grundlegend geschieden sind daher für Gott die Hochmütigen von den Demütigen: *DEUS SUPERBIS RESISTIT, HUMILIBUS AUTEM DAT GRATIAM.*[231] An anderer Stelle weist Bernhard darauf hin, daß bereits einmal die Mauern des himmlischen Jerusalem durch den Hochmut erschüttert wurden. Kein zweites Mal wird deshalb der Hochmut eingelassen werden, denn Gott findet allein an der Demut gefallen: *Sola (...) placet humilitas, sive in angelo, sive in homine.* In Demut muß sich daher der Mensch für die jenseitige Gemeinschaft mit Gott vorbereiten: *Vide ut sub ipso inveniaris; alioquin non poteris esse cum ipso.*[232] Der Hochmütige jedoch verweigert Gott nicht nur die gebührende Unterordnung, sondern sucht sich über Gott zu erheben: *Vult enim Deus fieri voluntatem suam, et superbus vult fieri suam.*[233] Der Hochmütige will, daß sein Wille geschehe, und begibt sich somit auf einen

[227] Div. 60,4, VI.I. 292.

[228] CC 37,6, II. 12.

[229] Grad. hum. IV,14, III. 27.

[230] Das Tal versinnbildlicht die Tugend der Demut. Es bietet fruchtbaren Boden für das Wachstum des Seelenheils (nat. Ben. 1,4, V. 3). Christus, dem die Fülle der Lilien, d. h. die Fülle der Tugend zu eigen ist (vgl. 64) bezeichnet sich als *lilium (...) convallium, id est humilium coronam* (CC 47,7, II. 65). Aber auch andere Ausdeutungen sind möglich. So verweisen in div. 61, VI.I. 293 die Täler auf die Laster, von denen aus es die Berge der Tugend zu erklimmen gilt.

[231] Vig. nat. 4,9, IV. 226; 1 Pet 5,5.

[232] Dom. kal. 2,3, V. 308f.

[233] Vig. nat. 4,9, IV. 226.

Weg, der notwendigerweise in Sünde, der unabwendbar in ewige Verdammnis führt.
Cupidi siquidem sumus ascensionis: exaltationem concupiscimus omnes; – dem Menschen wohnt, als dem edlen Geschöpf, zu dem Gott ihn schuf, ein natürlicher Drang in die Höhe inne.[234] Der Aufstieg jedoch, den Luzifer und Adam unternahmen, führte nicht in die Höhe, sondern in den Abgrund. Denn in Ewigkeit *(aeterna lege)* gilt: *OMNIS QUI SE EXALTAT HUMILIABITUR, ET QUI SE HUMILIAT EXALTABITUR.*[235] Mit derselben Notwendigkeit, in der die Sünde des Hochmuts in die Tiefe führt, führt die Tugend der Demut in die Höhe. *Oportet namque humiliter sentire de se nitentem ad altoria;* denn wer sich über sein Selbst *(supra se)* erhebt, stürzt sogleich vom Selbst hinab *(cadet a se),*[236] so daß an die Stelle der auf jenseitige Erfüllung zielenden Selbstverwirklichung die Fremdbestimmung durch die Sünde tritt. Allein in Demut vermag der Mensch zu seiner erhabenen Bestimmung aufzusteigen; – *quia haec via, et non alia praeter ipsam.* Wer anders in die Höhe zu streben sucht, *cadit potius quam ascendit,*[237] sein Aufstieg kommt einem Abstieg gleich. Der Mensch muß sich folglich vor dem falschen Aufstieg, der bereits den Weg Luzifers und Adams kennzeichnete, hüten.

Quid tamen agimus? Ascendere sic non expedit, et ascendendi tenemur concupiscentia. Quis docebit nos ascensum salubrem?

Allein Christus weist den richtigen Weg, der in die Höhe führt – den Weg der Demut. Satan erstieg den Berg der Macht, Christus *(d)escendit de monte potentiae*. Adam erstieg den Berg des Wissens, Christus *descendit de monte scientiae*. Denn wer – so Bernhard weiter – erscheint unwissender als das Jesuskind an der Mutterbrust, wer ohnmächtiger als der gekreuzigte Christus?
Christus, der sich so tief erniedrigte, daß er nicht tiefer herabzusteigen vermochte, konnte zugleich den Berg der Güte nicht höher ersteigen *[non (. . .) altius in montem bonitatis ascendere]*. Während Luzifer und Adam wegen ihrer angemaßten Größe erniedrigt wurden, offenbart die Niedrigkeit, in die sich Christus begab, seine Größe: *Nec mirum si descendendo Christus ascendit, quando priorum uterque cecidit ascendendo.*[238] Ebenso untrennbar wie beim Fall Luzifers und Adams ist auch im Wirken Christi das Motiv des Absteigens mit dem des Aufsteigens verbunden. Der Aufstieg Christi jedoch vollzieht sich in der dem verkehrten Aufstieg entgegengesetzen Richtung – durch das Herabsteigen im

[234] Asc. 4,3, V. 140.
[235] Ebd. 2,6, V. 130; Lk 14,11; 18,14.
[236] CC 34,1, I. 246.
[237] Asc. 2,6, V. 130.
[238] Ebd. 4,6, V. 142.

Geist der Demut. Diesem Zusammenhang gemäß ordnet Bernhard in der Predigt div. 60 den dreigestuften Abstieg des menschgewordenen Gottessohnes dem ebenfalls in drei Stufen unterteilten Aufstieg des himmelfahrenden Christus zu. Der dritten Stufe des Abstiegs, in der sich Christus vom Kreuz in den Tod erniedrigte, entspricht die erste Stufe der Himmelfahrt - Christi Auferstehung von den Toten. Christi Abstieg ans Kreuz bewirkt die zweite Stufe des Aufstiegs, durch die Christus, der am Kreuz Unrecht erlitt, richterliche Machthoheit erlangt. Der ersten Stufe des Abstiegs, in der sich Christus vom Himmel in das Fleisch des Menschen begab, entspricht das Thronen Christi zur Rechten des Vaters, d. h. die dritte Stufe des Aufstiegs, die Christus über alle Himmel und Engelschöre in die höchsten Höhen führt:

Sic per incarnationis suae mysterium descendit et ascendit Dominus, relinquens nobis exemplum ut sequamur vestigia eius.

Descendamus per viam humilitatis[239] ist die Folgerung, die Bernhard für sich und seine Mitmönche aus der Darstellung des Weges Christi zieht, denn der Weg der Demut führt notwendigerweise in die Höhe. Christus wuchs im Abstieg *(per descensum quomodo cresceret)*. Christus, der sich bis in den Tod erniedrigte, ist auferstanden, in den Himmel aufgefahren und sitzt zur Rechten des Vaters: *VADE, ET TU FAC SIMILITER.*[240] Der Weg der Nachfolge ist nicht mit dem Weg Christi identisch, aber er ist ihm ähnlich. Beide Wege unterliegen der gleichen ewigen Ordnung, gemäß der derjenige, der sich erniedrigt, erhöht werden wird. Ebenso wie der Weg Christi führt der Weg der Nachfolge in den Himmel. Denn am Ende der Zeiten wird Christus die Demütigen *(populum humilem)* erhöhen, während er die Hochmütigen erniedrigen wird *(oculos superborum humiliabit)*.[241] Ebenso wie der Weg Christi ist auch der Weg der Nachfolge in Grade unterteilbar, wobei die jeweilige Stufe des Abstiegs auf die ihr entsprechende Stufe des Aufstiegs verweist. In diesem Sinne führt Bernhard die Predigt div. 60 fort, indem er den vom Menschen zu begehenden Weg der Demut als dreigeteilten Abstieg beschreibt und jeder Stufe des Abstiegs die ihr zugehörige Aufstiegsstufe beiordnet.[242] Ist der Weg Christi dem Luzi-

[239] Div. 60,2, VI.I. 291f.
[240] Asc 2,6, V. 130; Lk 10,37.
[241] Nat. Dom. 5,5, IV. 269.
[242]

Descensio	*Ascensio*
3. *tolerantia iniuriarum*	1. *innocentia operis*
2. *patientia subiectionis*	2. *munditia cordis*
1. *contemptus dominationis*	3. *fructus devotionis*

(div. 60,4, VI.I. 292).
Die Zuordnung der Abstiegsgrade erfolgt - ebenso wie die Zuordnung der Abstiegsgrade Christi in div. 50,2, - in umgekehrter Zahlenfolge.

fers und Adams entgegengesetzt, so nimmt auch für den Menschen der Weg der Demut die dem Weg des Hochmuts gegenläufige Richtung. Bernhard führt diesen Gedanken in seinem Traktat *‚De gradibus humilitatis et superbiae‘* aus, in dem er zu den zwölf Demutsgraden der Benediktsregel[243] zwölf Grade des Hochmuts in Bezug setzt.[244] Die Art und Weise wie Demuts- und Hochmutsgrade einander zuzuordnen sind, sieht Bernhard in der Jakobsleiter[245] vorgebildet, auf der die Engel sowohl vom Himmel herab- als auch hinaufsteigen. Ebenso ist die Wegstrecke der Demut mit der des Hochmuts identisch, so daß der Mensch zu seiner Läuterung *reciprocis gressibus* dieselben Stufen der Demut hinaufsteigt, die er zuvor im Geist des Hochmuts hinabgestiegen war. Dem zwölften Grad des Hochmuts entspricht folglich der erste Grad der Demut, dem elften Grad des Hochmuts der zweite Demutsgrad usw.[246] Der Läuterungsprozeß des Menschen ist somit durch die aufwärtsstrebende Skala der Demut bestimmt, die zugleich die hinabführende Skala des Hochmuts ist, so daß jede Demutsstufe, die der Mensch erlangt, zugleich den Grad an Vervollkommnung aufzeigt, zu dem er seine Läuterung vorangetrieben hat.

Bernhards Ausführungen zur *descendere-ascendere*-Thematik belegen nachdrücklich die zentrale Bedeutung, die der Demut im Prozeß der Läuterung des Menschen zukommt. Sie unterstreichen weiter das Element des Fortschritts als zentrales Merkmal des Läuterungs- bzw. Verdemütigungsprozesses. Ist der Weg der Demut der Weg Christi, des neuen und wahren Menschen, so vollzieht sich in der Nachfolge auf dem Weg der Demut der Prozeß der Vervollkommnung des Menschen, in dem jene Gutheit zu einem immer höheren Grad zu erstehen vermag, die auf die ursprüngliche Unverderbtheit des Menschen zurück- und auf dessen jenseitige Erfüllung vorverweist. Jede Demutsstufe bezeichnet zugleich den Grad, in dem jene innere Haltung des Menschen überwunden wird, die den Eigenwillen über den Gotteswillen stellt[247] und somit in Sünde und Entartung führt. Im Geist der Demut ersteht der neue Mensch, im Geist der Demut fügt sich der Mensch unter den göttlichen Willen und stellt so im steigenden Maß jenen Einklang zwischen Gott und Mensch wieder her, der durch Hochmut zerbrochen war.[248] Aus dem Grad an Demut bestimmt sich folglich das Maß, zu dem sich der Mensch gemäß seiner gottgewollten Bestimmung zum Heil geläutert hat, bestimmt sich der Wert, den der

[243] Vgl. Die Benediktsregel, cap. 7, 109ff.

[244] Vgl. Farkasfalvy, St. Bernards's spirituality, 248ff.

[245] Vgl. 17.

[246] Grad. hum. IX,17, III. 37.

[247] Vgl. 73f.

[248] *Porro humilitas Deo nos reconciliat, Deo facit esse subiectos.* (nat. Dom. 4,2, IV. 265).

Mensch vor Gott, d. h. in Wahrheit besitzt. Die Tiefe des Abstiegs beschreibt die Höhe des Aufstiegs. Es handelt sich bei der Demut in der Tat um das zentrale Kennzeichen einer Elite, die in dem Maß als fortgeschritten ausgewiesen ist, in dem sie sich verdemütigt hat.

Bernhards Verständnis der Demut macht deutlich, wie problematisch die Anwendung des Begriffs vom ‚demütigen Mönch' auf ihn ist. Weder das zentrale Gewicht der Demut in Bernhards Theologie noch die Ernsthaftigkeit seiner stetigen Mahnungen zur Demut sollen bezweifelt werden. Als schwierig jedoch erweist sich, dem Begriff des ‚demütigen Mönchs' die Bernhards Auffassung von der Demut angemessene Bedeutung zu unterlegen. Keinesfalls ist ‚demütig' im Sinne Bernhards mit jener Haltung des unterwürfigen Duldens identisch, die der moderne Betrachter mit diesem Begriff verbinden mag. Wohnt der modernen Verwendung vom ‚demütig' ein gewisses passives, ja negatives Moment inne, so setzt der Demutsbegriff Bernhards den handelnden, sich aktiv zum Guten läuternden Menschen voraus. Denn nicht jeder, so Bernhard, der gedemütigt wird, ist deswegen auch demütig. Dementsprechend beschreibt das Begriffspaar *‚humiliatio – humilitas'* den Unterschied zwischen dem Zustand des Erleidens von Demütigungen und dem freiwilligen Bekenntnis zur eigenen Niedrigkeit, das allein die *‚humiliatio'* zur Tugend der *‚humilitas'* erhöht.[249] Im Gegensatz zur Demütigung, die dem Menschen zugefügt wird, ist der Geist der Demut frei und fröhlich *(laeta et absoluta)*.[250] Die Tugend der Demut setzt nicht das duldende Verharren des Menschen, sondern vielmehr einen freien Willensakt voraus, in dem der Mensch die Haltung zu seinem Selbst in Übereinstimmung mit der Niedrigkeit bringt, die sein Selbst vor Gott, d. h. in Wahrheit besitzt. Auf die Freiwilligkeit als Basis der Demut verweist in der Interpretation Bernhards auch Lk 14,11: *OMNIS QUI SE HUMILIAT EXALTABITUR*. Denn die Verwendung des Reflexivums mache deutlich, daß allein die Demut, die aus der Freude und dem freien Willen *(non ex tristitia nec ex necessitate)* des Menschen entsteht, die Erhöhung in der Zukunft zur Folge haben wird.[251]

Die im Sinne Bernhards zu verstehende Tugend der Demut setzt die Entscheidung des Menschen zum Guten voraus. Ihr wohnt ein aktives, ja ein dynamisches Moment inne, denn sie strebt auf Vollkommenheit in einem Prozeß der sich stetig steigernden Verdemütigung hin. Sie ist weiter mit jenem doppelten Sinn versehen, der den Grad an Demut zugleich das Maß an Vervollkommnung beschreiben läßt, zu dem sich

[249] *... necessaria illa humilitate* (...) *adhibe voluntatem, et fac de necessitate virtutem, qui nulla est virtus sine convenientia voluntatis* (CC 42,8, II. 38).

[250] Ebd. 34,3, I. 247.

[251] Ebd. 34,4, I. 248.

der Mensch geläutert hat. Dies alles muß mitbedacht werden, wenn in einer angemessenen Weise von Bernhards Verständnis der Demut, von Bernhard als dem demütigen Mönch gesprochen werden soll.

2.6. *Schlußbemerkungen*

I. Das vorangegangene Kapitel befaßte sich mit der Darstellung zentraler Elemente der Christologie Bernhards. Insbesondere der Vorbildfunktion, die das Leben Christi für das Leben des heilsuchenden Menschen besitzt, trat hierbei in das Zentrum des Interesses. Denn der Mensch der seine Ähnlichkeit (Ebenbildlichkeit) zu Gott verlor, vermag diese allein in der Verähnlichung (Gleichgestaltung), in der umfassenden Bildung gemäß dem himmlischen Vorbild wiederzuerlangen. Indem der Mensch den alten Adam nach dem Vorbild Christi, des neuen Adam, in sich niederringt, ersteht in seinem Selbst jene natürliche Gutheit, die sich auf den Zustand ursprünglicher Unversehrtheit rückbezieht und zugleich über diese hinaus auf zukünftige Erfüllung hinweist. Dieser auf stetige Steigerung angelegte Prozeß der Läuterung vollzieht sich bereits auf Erden, findet aber erst im Jenseits seine Vollendung. Schon zu Lebzeiten vermögen folglich die wenigen Erwählten einen dem Grad ihrer Vervollkommnung entsprechenden Teil jener Gutheit zu verwirklichen, die Zeichen der Frömmigkeit, zugleich aber auch Zeichen menschlichen Gelingens ist. Bernhard, *monachus et Ierosolymita,*[252] und seine Mitbrüder haben ihr Selbst jener Lebensführung unterworfen, die sie nicht nur bereits im Diesseits hervorragen läßt, sondern auch zur Hoffnung auf jenseitige Erfüllung berechtigt. Denn Bernhards vordringliches immer wieder vor den Mitbrüdern geäußertes Anliegen ist die Mahnung zur Läuterung, zum Voranschreiten in den Tugenden. Seine Predigt ist im gleichen Maß Vergegenwärtigung des Lebens Christi als auch Anleitung zur Nachfolge auf dem Weg, der allein zum Heil des Menschen führt - dem Weg Christi.

II. Führt allein der Weg Christi zum Heil, so ist umgekehrt das Leben in der Nachfolge Kennzeichen des heilsgemäßen Lebens. Nur wenige führen dieses Leben. Die Tugenden Christi sind ihnen Lebensnorm, die stetige Vervollkommnung anmahnt, zugleich aber als Auszeichnung gilt. Wie bereits der Demutsbegriff Bernhards, so ist auch sein Begriff von der Nachfolge mit einem doppelten Sinn versehen. Als auf Erden nicht vollendbarer Weg macht er dem Menschen seine Entfernung vom himmlischen Vorbild deutlich und gibt ihm so begründeten Anlaß, sich demütig auf seine Niedrigkeit zu besinnen. Als Stufenleiter

[252] CC 52,2, II. 112.

der Läuterung, die teilweise schon durchschritten wurde, ermöglicht er den selbstbewußten Blick auf das Erreichte. Als Weg ist die Nachfolge Christi stetige Mahnung zum Voranschreiten. Als Kennzeichen des heilsgemäßen Lebens ist sie Elitemerkmal. Nicht Unvereinbares steht hier nebeneinander, sondern ein und dasselbe unterliegt einer doppelten Perspektive, die wechselnd die zurückgelegte und die zurückzulegende Wegstrecke ins Auge faßt. Diesen doppelten Aspekt der Nachfolge in seiner grundlegenden Bedeutung für die Spiritualität Bernhards macht der Predigtabschnitt asc. 4,13, in kunstvoller Dichte deutlich. Hatte Bernhard im vorangegangenen Teil der Predigt die unheilvollen Aufstiege des Teufels beschrieben,[253] so setzt er diesen nun die heilsamen Aufstiege Christi entgegen, indem er verschiedene Begebenheiten aus dem Leben Christi unter dem Aspekt des Hinaufsteigens in die Höhe aneinanderreiht.[254] Die letzte Szene der Folge bildet die Kreuzigung, in der Christus das Kreuz ersteigt. Das Kreuz Christi ist doppeldeutig. Es bezeugt sowohl die Erniedrigung als auch die Erhöhung Christi, es ist Zeichen der Schmach und Zeichen des Sieges zugleich. Eben dieser doppelte Sinn wohnt auch der Nachfolge inne, in der der Mensch das Kreuz Christi auf sich nimmt:

Sequere etiam ascendentem in crucem, exaltatum a terra, ut non solum super te, sed et super omnem quoque mundum mentis fastigio colloceris, universa quae in terris sunt deorsum aspiciens et despiciens, sicut scriptum est: CERNENT TERRAM DE LONGE. Nulla te mundi oblectamenta inclinent, nullae adversitates deiciant. Absit tibi gloriari nisi in cruce Domini tui Iesu Christi, per quem tibi mundus crucifixus est . . .[255]

Bernhard beschreibt den Menschen in der Nachfolge (Kreuz) und zugleich den Rang (Höhe des Kreuzes), den dieser Mensch in der Welt einnimmt. Indem der Mensch den alten Adam in sich kreuzigt, bekennt er seine Verderbtheit, die der Läuterung bedarf. Indem er aber das Kreuz ersteigt, ist er in besonderer Weise seinem Herrn nahe. Zwar noch vom Himmel entfernt, ist er doch zu Lebzeiten bereits von der Erde erhöht. Beiden Aspekten der Nachfolge trägt Bernhard Rechnung. Mit einer Leichtigkeit, die den modernen Betrachter immer wieder überrascht, fügt er, was eben noch widersprüchlich erschien, zueinander, so daß sich das Bekenntnis zu persönlicher Niedrigkeit nahtlos mit der Gewißheit über den eigenen Wert verbindet. Ernstzunehmende Demut, aber auch erstaunliches Selbstbewußtsein bilden somit

[253] Asc. 4,4–4,5, V. 140ff.

[254] Ebd. 4,7–4,12, V. 143ff.
Die Aufstiege Christi sind: 1. das Ersteigen des Ölberges, 2. des Berges der Bergpredigt, 3. des Esels am Palmsonntag, 4. des Kreuzes.

[255] Ebd. 4,13, V. 148; Is 33,17.

gleichermaßen die kennzeichnenden Merkmale jener Gemeinschaft, die in der Nachfolge Christi steht – der Elite der Demütigen.

III. Abschließend sind an dieser Stelle zwei Konsequenzen aufzuzeigen, die sich aus dem vorangegangenen Kapitel in bezug auf die Chimäre-Problematik ergeben.

a. Das Moment der Innerlichkeit in der Religiosität Bernhards erwies sich weit stärker in einen Rahmen von übergreifender Geltung eingebunden, als es die moderne Verwendung des Begriffes ‚Innerlichkeit' nahelegt. Ausgang und Ende des Menschengeschlechtes im heilsgeschichtlichen Verlauf bilden die normsetzenden Grundlagen des Läuterungsprozesses, den der einzelne in der Nachfolge Christi vollzieht. Im weiteren werden die Verbindungen aufzuzeigen sein, die von Bernhards Konzeption der inneren Läuterung zum äußeren Handeln führen.[256] In der Läuterung überwindet der Mensch die Sünde, d. h. die Entartung seiner Natur in der Trennung von Gott. Der in der Läuterung Vorangeschrittene stellt die Nähe zu Gott als seine natürliche Bestimmung zu einem immer höheren Grad wieder her. Es wird nachzuweisen sein, daß hier eine besondere Kompetenz zu erstehen vermag, die Bernhard auf das heilsame Wirken zum Nutzen des Nächsten verpflichtet. Für das eigene Heilsschicksal verantwortlich ist Bernhard doch zugleich in übergreifende Verantwortung gestellt. Diese gilt dem Mitbruder, dem Mitmenschen, ja der den Zeitenverlauf sowie Himmel und Erde umspannenden Gemeinschaft, an der die im gegenwärtigen Abschnitt der Heilsgeschichte Ringenden Anteil haben.[257] Das sich hieraus ergebende Wirken ist für Bernhard in der Tat problematisch,[258] jedoch keineswegs im Sinne jener grundsätzlichen Unvereinbarkeit von innerer Frömmigkeit und äußerem Wirken, die er in seinem Wort von der Chimäre bekannt haben soll. Diese Entgegensetzung schreibt vielmehr die Gestalt Bernhards auf einen Widerspruch fest, der in zu moderne Kategorien gefaßt ist, als daß er Bernhard zutreffend charakterisieren könnte. Denn Bernhards Wirken bleibt – gleich ob im Kloster oder in der Welt – doch immer jener Wahrheit verpflichtet, die einzig für ihn Gültigkeit besitzt. Diese ewige, auf umfassende Durchsetzung dringende Wahrheit aber, die die Wahrheit Jesu Christi ist, kennt die Grenze der Klostermauer nicht.

b. Eine weitere Konsequenz in bezug auf die Chimäre-Problematik ergibt sich aus dem dargestellten Demutsbegriff Bernhards. Geht man davon aus, daß Bernhard seine Kompetenz zum außerklösterlichen Wirken aus dem Läuterungs- und Begnadungsgrad, zu dem er vorangeschritten ist, erlangt, so kann die Opposition zwischen „mönchisch –

[256] Vgl. 105ff.
[257] Vgl. 11ff u. 311ff.
[258] Vgl. 150ff u. 162f.

demütige(r) Bescheidenheit und seinem geplant - kräftigen Eingreifen in der Welt“[259] nicht aufrechterhalten werden. Denn der Grad an Verdemütigung beschreibt zugleich den Grad an Gottesnähe und somit menschlichen Gelingens, der die unverzichtbare Grundbedingung jener Kompetenz ist, aus der Bernhard zu wirken vermag. Bilden daher Handeln und Demut keinen Gegensatz, so kann aus deren Verbindung jedoch nicht auf die von Demut zeugende Sanftmut und Milde des handelnden Bernhard rückgeschlossen werden[260]. Sowohl der Gegensatz ‚Demut - Handeln‘ als auch die vorschnelle Ineinssetzung beider Komponenten können Bernhard nicht gerecht werden, denn beiden Aussagen liegt ein falscher, um das elitäre Moment verkürzter Begriff der Demut zugrunde. Der Aspekt des Elitären jedoch erwies sich in den vorangegangenen Kapiteln als zentraler Bestandteil der Spiritualität Bernhards und wird sich auch im weiteren als zentrales Kriterium der außerklösterlichen Tätigkeit Bernhards erweisen.

[259] Auch Lortz, von dem diese Formulierung übernommen wurde (Einleitung, XXIII) ist nicht der Meinung, daß sie zuträfe, sondern benutzt sie vielmehr, um das moderne Unbehagen an Bernhard zu charakterisieren.

[260] Besonders im religiös motivierten Schrifttum (vgl. 3ff) mit eher erbaulicher Zielsetzung ist diese Tendenz zu beobachten. So gelangt P. Blanchard in seinem Aufsatz ‚Saint Bernard docteur de l'humilité (292) zur folgenden Charakterisierung Bernhards: „Bernard ne se drape pas dans sa dignité, ses privilèges, ses prérogatives d'Abbé. Il n'étale pas, dans une comportement de suffisance orgueilleuse, ses dons, ses talents, ses lumières, son génie, il n'affirme pas sa supériorité en écrasant les autres. Il vit d'humilité.“

3. DER MENSCH IN DER KLÖSTERLICHEN GEMEINSCHAFT

3.1. Einzelner – Gemeinschaft

In der Predigt ‚*Ad abbates*' unterteilte Bernhard die ‚*ecclesia electorum*' in drei Menschenklassen, die der Eheleute, der Kleriker und der Mönche.[1] Jedem dieser drei Stände kam ein eigener Weg zu, auf dem es das Meer der Welt zu himmlischen Ufern hin zu überqueren galt. Für die Eheleute entsprach dieser Weg einer Furt, die Kleriker überquerten auf einem Schiff das Meer der Welt, während der Stand der Mönche den Weg zum Himmel auf einer Brücke durchschritt. Bernhard betonte, daß dieser Weg der Mönche die im Vergleich zu den beiden anderen Wegen weitaus kürzere und weniger gefahrvolle Art des Überquerens darstellt. Dennoch birgt auch dieser Weg – wie Bernhard fortfährt – gewisse Gefahren in sich. Denn die Enge der Brücke *[pontis (...) angustia, et arta via quae ducit ad vitam]* macht eine bestimmte Ordnung des Überquerens erforderlich. Entsprechend sieht Bernhard das gemeinschaftliche Durchschreiten der Brücke durch ein dreifaches Fehlverhalten bedroht. Ein Mönch könnte zum Vorangehenden aufschließen wollen *(aequare se alteri)*, ein Mönch könnte zurückschauen oder sogar auf der Brücke stehenbleiben und sich setzen wollen. Die Enge des zu durchschreitenden Weges jedoch läßt keine der drei Möglichkeiten zu. Daher müssen sich die Mönche vor dem hochmütigen Wunsch hüten, zum vollkommeneren Mitbruder aufschließen zu wollen. Zugleich aber muß das Bestreben des Mönchs darauf gerichtet sein, mit dem Vorangehenden Schritt zu halten, so daß dieser nicht enteilt, sondern vielmehr zum Ansporn für die Nachfolgenden dient. Weiter verbietet sich ein Zurückblicken beim Durchschreiten des Weges. Denn derjenige, der zurückblickt, wird alsbald stürzen und von den Fluten des Meeres verschlungen werden. Ebenso muß der Mönch, der inmitten des Weges stehenbleibt, notwendigerweise fallen. Denn durch die Enge des Übergangs wird er für diejenigen zum Hindernis, die weiter voranschreiten wollen. Folglich stürzt er, *ab his qui sequuntur impulsus et eversus.*[2]

Deutlich belegt der zitierte Predigtabschnitt die Einbindung des einzelnen in das Ordnungsgefüge der mönchischen Gemeinschaft. Sowohl den Besonderheiten des einzelnen als auch den Erfordernissen der Ge-

[1] Vgl. 14ff.

[2] Abb. 1,2, V. 289f.

meinschaft trägt der Charakter dieser Einbindung Rechnung. Stehen auf der einen Seite die Eigenheiten der einzelnen *(etsi propria cuique tolerantia, propria quoque nonnumquam in terrenis agendis sententia, sed et diversa interdum dona gratiarum, nec membra omnia actum eumdem videntur habere),* so ersteht auf der anderen Seite die Gemeinschaft durch die Tugend der Eintracht *(multiplicitatem colligat et constringat caritatis glutino et vinculo pacis).*[3] In der Gemeinschaft verbindet sich Vielfältiges über das Element der Ordnung zur Einheit, so daß sich in ihr eine Vielzahl einzelner Menschen zu einem hierarchisch gefügten Ganzen vereint.[4]
Dementsprechend trägt der Mönch in zweifacher Hinsicht Verantwortung, - seine Sorge hat sowohl dem eigenen Seelenheil als auch dem Heil der Gemeinschaft zu gelten. Ist sein Bestreben darauf gerichtet, dort, wo einst die Sünde wohnte, Raum für Christus zu schaffen, so zielt dies auf das Innere des einzelnen Menschen, aber auch auf das Innere der Gemeinschaft ab:

Itaque, fratres, toto cum desiderio et digna gratiarum actione studeamus et templum aedificare in nobis, primo quidem solliciti, ut in singulis, deinde ut in omnibus simul inhabitet.

Denn die Sorge Christi gilt dem einzelnen wie der Gemeinschaft: *nec singulos dedignatur, nec universos.*[5] Er selbst gab als *communitatis amator et commendator*[6] zu Zeiten seines irdischen Daseins das Vorbild zum gemeinschaftlichen Leben:[7] *disciplina, communi vita, communibus studiis delectatur.*[8] Folglich leben diejenigen in seinem Sinne, die nicht nur als einzelne, sondern auch als Gemeinschaft in der Nachfolge stehen.

[3] Sept. 2,3, IV. 352.
[4] Duby beschreibt die zisterziensische Gemeinschaft als „Gruppe von Individuen" (Der heilige Bernhard, 76). Vgl. auch: Wisser, Individuum und Gemeinschaft.
[5] Ded. 2,3, V. 377.
[6] Oct. epi. 1,3, IV. 311.
[7] Zum apostolischen Leben der Mönche: div. 22,5, VI.I. 173; ebd. 27,3, VI.I. 200; ebd. 34,6, VI.I. 233; CC 42,2, II. 34; sollem. 1,3, V. 189 und 3,6, V. 201; nat. And. 2,1, V. 434. Auch wenn Bernhard in den angeführten Belegstellen sich und seine Mitbrüder immer wieder dem Vorbild der Apostel unterordnet, sind dennoch Äußerungen Bernhards festzuhalten, die selbstbewußt auf den besonderen Wert der zisterziensischen Lebensform hinweisen. Zwar führen die Mönche ein Leben in der Nachfolge der Apostel, doch sie besitzen ihnen gegenüber auch einen Vorzug *(praerogativam): quod illi ad visum et ad verbum, vos ad auditum et nuntium credidistis.* Somit sind die Mönche den Aposteln, zwar nicht an Verdiensten, jedoch an Mühen und Arbeit, *aliquatenus coaequati* (div. 22,2, IV.I. 171). An anderer Stelle setzt Bernhard wiederum das Mönchsleben zum Leben der Apostel in bezug. Wie die Apostel, so haben auch die Mönche alles verlassen um nachzufolgen; - *veritatem enim dicam, esse hic aliquos qui plus quam navem et retia reliquere* (lab. mess. 3,7, V. 226).
[8] Asc. 6,13, V. 158.

Trägt die Gemeinschaft als geordnetes Ganzes den verschiedenen Anlagen und Verdiensten ihrer Mitglieder Rechnung, so ist diese Bezugnahme auf den einzelnen jedoch nachdrücklich vom Geist der *‚singularitas'* zu scheiden, der eine schwere Verfehlung innerhalb des Gemeinschaftslebens darstellt. Bereits die eingangs zitierte Predigt machte die Folgen dieses Fehlverhaltens deutlich. Durch seinen Eigensinn stellt sich der einzelne außerhalb der klösterlichen Ordnung. Er wird der Gemeinschaft zum Ärgernis und bringt sich weiter selbst zu Fall. Wiederum verdeutlicht Bernhard die Schwere des Vergehens anhand der Geschehnisse des Engelssturzes:[9] *Sed forte superbiam quidem in eo facile advertistis, non autem singularitatem.* Denn Satan, *prima illa singularitas,* will auf dem Thron des Nordens Platz nehmen. Satan will sich setzen, obgleich doch alle Engel des Himmels stehen.[10] Während alle anderen Engel in den ihnen zukommenden Rängen verbleiben, durchbricht der Teufel die himmlische Ordnung: *Tu pacis inimice, sedebis? . . . offendis caritatem, quia scindis unitatem, rumpis vinculum pacis.*[11] Durch seinen Eigensinn spaltet Satan die Einheit, zerreißt das Band des himmlischen Friedens. Er stellt sich außerhalb der Ordnung und steht folglich allein: *VAE enim SOLI, QUIA, SI CECIDERIT, NON HABET SUBLEVANTEM.* Und so vermag Satan, *solitudinis et solitariae praesumptionis amator,* der sitzen wollte, nun nicht einmal mehr zu stehen und stürzt wie ein Blitz vom Himmel herab.[12]

VAE SOLI; – diese Warnung besitzt im gleichen Maß demjenigen gegenüber Gültigkeit, der die klösterliche Ordnung durchbricht und somit allein steht. Anstatt den rechten, geraden Weg zum Heil zu begehen, liebt er die dunklen Winkel, sucht Verstecke und begibt sich auf Abwege.[13] Nichts jedoch ist der Gemeinschaft so sehr verhaßt wie Unruhe in ihrem Innern *(murmur et dissensio in congregatione).*[14] *Vae autem homini illi, per quam unitatis iucundum turbabitur;*[15] – mit entsprechender Eindringlichkeit mahnt Bernhard daher seine Mitbrüder, das Laster des Sondergeistes *(nequissimum vitium singularitatis)* zu meiden. Denn der Einzelgänger liebt die abgeschiedenen Winkel des Eigenwillens *(angulos propriae voluntatis).*[16] Das Wesen des Gemeinschaftslebens ist

[9] Vgl. 71.

[10] Die Engel sind ihrer Natur nach dienstbare Geister. Ihnen gebührt es zu stehen, während die Würde des Sitzens allein ihrem Herrn zukommt. Denselben Gedanken führt Bernhard an anderer Stelle (dom. kal. 5,6, V. 322) aus, indem er das Sitzenwollen Luzifers vom Stehen der Menschen, der Engel und vom Stehen Christi abhebt.

[11] Oct. pasch. 2,2, V. 119.

[12] Dom. kal. 5,6, V. 322; Prd 4,10; vgl. ebenso: grad. hum. X,31, III. 40f.

[13] Dom VI. 1,3, V. 208.

[14] Div. 93,2, VI.I. 350.

[15] CC 29,3, I. 204.

[16] Dom VI. 1,3, V. 208.

es jedoch, den Gemeinwillen dem Eigenwillen vorzuziehen *(voluntates aliorum tuis voluntatibus anteponas).*[17] Indem der Einzelgänger aber im Eigenwillen verharrt, begeht er jene schwere Sünde, der sich bereits der erste Einzelgänger schuldig machte, – die Sünde des Hochmuts. *Erraverunt plane, et errant a via veritatis, qui in solitudinem superbiae recedentes,*[18] denn ebenso wie bei Luzifer führt auch beim Menschen die hochmütige Absonderung von der Gemeinschaft notwendigerweise ins Unheil. Gleichwie ein Körperteil nicht getrennt von seinem Leib existieren kann, so wird auch von demjenigen, der sich von der Gemeinschaft trennt, der Geist des Lebens weichen.[19]
VAE SOLI; – bezog sich diese Warnung im vorangegangenen auf den einzelnen Mönch, der die Ordnung der klösterlichen Gemeinschaft stört, so ergeht sie nicht weniger an denjenigen, der das Wagnis unternimmt *inter saeculi turbas* allein Buße zu tun. Unabwendbar wird dieser den Schlichen des alten Feindes erliegen, der selbst unsichtbar ist, aber dennoch alles sieht. Allein in der Schlachtenreihe des Klosters *(in acie multorum pariter pugnantium)* kann erfolgreich gegen den Widersacher gestritten werden. Denn in der Gemeinschaft stehen dem einzelnen gleichgesinnte Mitbrüder zur Seite; im Kampf erprobte Mönche vermögen vor den Schlichen des Feindes zu warnen. *Congregatio enim pro fortitudine sua terribilis est, ut castrorum acies ordinata;*[20] – furchterregend ist die Stärke dieser Gemeinschaft, denn ihre Schlachtenreihen ziehen geordnet zum Kampf gegen den Widersacher. Allein als Teil diesen kampferprobten Reihen vermag der einzelne in jener Schlacht zu bestehen, deren Ausgang über sein persönliches Schicksal entscheidet. Diese Schlacht hingegen allein schlagen zu wollen oder gar inmitten der Schlacht die Ordnung der Truppe zu stören, führt notwendigerweise ins Verderben.

3.2. Acies Ordinata

In der dritten Parabola beschreibt Bernhard die dramatischen Geschehnisse um einen jungen, unschwer als Novizen zu erkennenden Krieger,[21] dessen Unerfahrenheit im Kampf ihn beinahe den Mächten des Bösen unterliegen läßt. Seinen sinnfälligen Ausdruck findet dieser

[17] Vig. nat. 3,6, IV. 216.
[18] Sollem. 1,4, V. 190. An anderer Stelle (div. 1,2, VI.I. 74) setzt Bernhard Einsamkeit und Hochmut wie folgt in bezug: *Solitudo haec superborum est, qui solos sese reputant, solos appetunt reputari.*
[19] Com. Mich. 1,6, V. 298.
[20] Circum. 3,6, IV. 287.
[21] Timmermann, Studien, 21ff.

Kampf um Läuterung in dem Krieg, der zwischen Jerusalem und Babylon herrscht. Führt auf der einen Seite König David die machtvolle Schlachtenreihe der Tugenden in diszipliniertem Aufzug *[aciem (...) virtutum terribilem et ordinatum]*, so steht diesem auf der anderen Seite das wild tobende Heer der Laster *(vitiorum tumultuosum exercitium)* unter der Führung Nebukadnezars gegenüber. Der ungeduldige Novize, dem vor allem daran gelegen ist, sich Ruhm in der Schlacht zu erwerben, durchbricht die geordnete Aufstellung seiner Truppe:

(C)astrorumque suorum dedignans disciplinam, sociis contemptis, solitaria quadam praesumptione longe prae ceteris progrediebatur, aestuans et anhelans ad faciendum sibi nomen.

Dergestalt von der schützenden Schlachtenreihe entfernt, macht der junge Novize in den gegnerischen Truppen den als Krieger personifizierten *spiritum Fornicationis* aus. Weder die Warnung seines Kriegsherrn ‚*VAE SOLI*' noch die mahnenden Zurufe von *Prudentia* und *Discretio* vermögen ihn zum Einhalten zu bewegen. Denn in den gegenüberliegenden Reihen ermuntern bereits *Superbia* und *Vana Gloria* listig zum Kampf, so daß der Novize sein Pferd, d. h. seinen Körper, mit den Schlägen des Fastens und den Sporen nächtlicher Gebete antreibt und auf den Krieger *Fornicatio* einstürmt. Dieser gibt vor zu fliehen, so daß der Novize tiefer in die gegnerischen Reihen und unversehens in einen Hinterhalt gerät. *Fornicatio, Gastrimargia* und die übrige *vitiorum turba* ringen nun den Novizen nieder. Inmitten der Schlacht fällt er und wird, nachdem die Feinde ihn mißhandelt haben, in den Kerker der Verzweiflung *(in carcerem desperationis)*[22] geschleppt.[23] König David jedoch schickt *Timor* und *Oboedentia,* denen es gelingt, den gefangenen Novizen aus dem feindlichen Verlies zu befreien, so daß sich dessen Schicksal, nachdem er der Obhut der Tugenden (sieben Gaben des Hl. Geistes) unterstellt wurde, doch noch im Heil erfüllt.[24]
Das Erdenleben der Mönche *tempus militiae est.*[25] Das dramatische Geschehen in diesem auf Tod oder Leben geführten Kampf vergegenwärtigt der zitierte Text Bernhards auf anschauliche Weise. Er stellt eine der zahlreichen Variationen zu diesem Thema dar, in denen Bernhard immer wieder die Gefahren des Kampfes sowie die Notwendig-

[22] Zur ‚*desperatio*' als schwerer Sünde, die gleichsam den Endpunkt eines Weges der Verfehlungen beschreibt, vgl. auch: CC 37,6, II. 12; ebd. 38,1, II. 14f; qui hab. 1,2, IV. 386 u. 10,1, IV. 442f; sent. III. 101, VI.II. 167. Zu diesem Thema, vgl. Ohly, Desperatio; ders., Judas; Kretzenbacher, Zur Desperatio.

[23] Para. III. 1–2, VI.II. 274f.

[24] Ebd. III. 3–4, VI.II. 275f.

[25] Div. 5,4, VI.I. 102. Zum Mönchsleben als geistlichem Kriegsdienst, vgl. Auer, Militia Christi; Gammersbach, Benedikt; Halász, Die geistliche Schule, 55ff; Reuter, Die Lehre, 45f; Wang, Der ‚Miles Christianus', 21ff.

keit, wohl gerüstet in die Schlacht zu ziehen, möglichst eindringlich vor Augen führt. Denn das irdische Dasein des Menschen kommt einem Leben *in tabernaculis* gleich. Es beschreibt somit den ersten Abschnitt eines dreigestuften Zustandes der heiligen Seelen. Sind diese zuerst *in corpore corruptibili* gefangen, so erwarten sie nach dem leiblichen Tod *sine corpore* die Erfüllung der Zeiten, um dann *in corpore iam glorificato,* in die ewige Herrlichkeit überzugehen. Dem ersten Zustand der Seele entspricht das Leben *in tabernaculis,* dem zweiten das Leben *in atriis,* während der dritte Zustand die Erfüllung *in domo Dei* beschreibt. Befindet sich die vollendete Seele *in beatitudine,* so verharrt sie zuvor *in requie,* zu Zeiten ihres irdischen Dasein jedoch steht sie *in militia,*[26] inmitten der Schlacht, die die Entscheidung über ihre Zukunft bringen wird.

Eia ergo, fratres, viriliter interim in tabernaculis militemus, ut suaviter deinde in atriis quiescamus, ut novissime in domo sublimiter gloriemur.[27]

Diesen Kampf um das Seelenheil gilt es sowohl im Menschen selbst als auch im Rahmen der Gemeinschaft zu führen.

Wie in ein Kriegszelt ist der Mensch in seinen irdischen Körper gestellt. In seinem Innen tobt das Fleisch wider den Geist *[(v)icinia (. . .) lucta et intestina seditio, bellum non civile, sed domesticum].*[28] Wie der Mensch in diesem Kampf zu bestehen vermag, welche Fehlverhalten er zu meiden hat, macht die zitierte Parabola am Beispiel des jungen Novizen deutlich. Bernhard verwendet hier die aus dem vorangegangenen Kapitelabschnitt bekannten Motive der ‚*acies ordinata*' und der ‚*singularitas*', um die Notwendigkeit der Einbindung des Menschen in das Gefüge der Tugenden zum Ausdruck zu bringen. Das bestimmende Element des Textes ist wiederum der Gedanke der Ordnung. Die Reihe der Tugenden steht geordnet gegen das sich wild gebärdende Heer der Laster *(vitiorum tumultuosum exercitium).*[29] Allein geordnet kann der Angriff des Feindes abgewehrt werden. Der Feind ist furchterregend. Furchterregend sind aber auch die Kampfesreihen der Guten, denn sie

[26] Fest. omn. sanct. 3,1, V. 349.
In diesen Überlegungen gründet Bernhards Konzeption von den Erdenheiligen: *Sunt enim Sancti de caelo, et Sancti de terra;* (fest. omn. sanct. 5,1, V. 361). Während die himmlischen Heiligen den Kampf bereits bestanden haben [entsprechend bemerkt Bernhard über den hl. Victor (nat. Vic. 1,5, VI.I. 36): *O miles emerite, qui christianae militiae duris laboribus angelicae felicitatis requiem commutasti!*] stehen die Erdenheiligen noch mitten in der Entscheidungsschlacht. Trotz dieses Unterschiedes sind beide Gruppen als heilig anzusehen, die himmlischen Heiligen *secundum consummationem,* die irdischen Heiligen *iuxta (. . .) praedestinationem* (fest. omn. sanct. 5,2, V. 386).

[27] Ded. 4,6, V. 388.

[28] Fest. omn. sanct. 5,8, V. 366.

[29] Para. III,1, VI.II. 274.

sind geordnet. Geordnet stehen die sieben Gaben des Hl. Geistes gegen die Laster.[30] Geordnet steht die Truppe der Mönche gegen das Böse. Geordnet steht auch die Kirche gegen das Heer Pharaos in jenem heftigen Kampf zwischen Gut und Böse, als den Bernhard die Verfolgungen der Urkirche beschreibt. Pharao, der die Kirche vernichten will, beschließt: *„civili et intestino quodam bello omnia turbabo"*. Hierzu entsendet er Schismatiker und Häretiker: *Dixit, et mox terribilis illa hactenus Ecclesiae acies ordinata, facta est non terribilis, quia deordinata.*[31] Derart in Verwirrnis gebracht, stürzt die Kirche in schwere Bedrängnis. Der Mönch, der beim Aufmarsch der klösterlichen Truppen außer Tritt gerät, strauchelt und fällt. Der junge Novize, der aus der Reihe der Tugenden vorprescht, gerät in die Hände des Feindes. Gleich auf welcher Ebene die Schlacht zwischen Gut und Böse geschlagen wird, – das Bild der *‚acies ordinata'* mahnt eindringlich zur Ordnung als der grundlegenden Voraussetzung des Sieges. Die Bedeutung dieses Sachverhalts für den im Innen des Menschen zu bestehenden Kampf führt Parabola III vor Augen. Auch hier erweist sich das Streben nach Ordnung als grundlegendes Prinzip der inneren Läuterung und somit der Prozeß der Läuterung als Prozeß der Hinordnung zum Heil.[32] Nichts anderes besagt der folgende Predigtabschnitt, der nunmehr eine zur Schlacht wohlgerüstete Seele beschreibt. Wie in einem großen Heer stehen in ihr die Schlachtenreihen der Tugenden *(virtutum acies)* zum Kampf bereit. In umfassender Weise *[(in affectionibus ordinatio, (. . .) in moribus disciplina, (. . .) in orationibus armatura, (. . .) in actionibus robur, (. . .) in zelo terror]* ist sie zum Kampf gerüstet, so daß sie zahlreiche Schlachten siegreich zu schlagen vermag. Denn sie gleicht einem machtvollen Heer in geordnetem Aufzug (*TERRIBILIS UT CASTRORUM ACIES ORDINATA,* Hl 6,7) und tritt folglich dem Feind in der einzig siegverheißenden Form entgegen.[33]

Auch bezüglich der Notwendigkeit, das irdische Dasein kämpfend zu bestreiten, führt Bernhard das Beispiel Christi an. *(I)mitemur arma regis nostri;* – wie Christus schultern die Mönche das Kreuz, um so über alle Widersacher zu triumphieren.[34] *(V)ult benignus dux devoti militis vultum et oculos in sua sustolli vulnera,* so daß er neuen Mut faßt und die Schrecken des Kampfes tapfer erträgt.[35] Trotz dieser Belege bleibt festzuhal-

[30] Die Tugenden in Parabola III entsprechen den sieben Gaben des Hl. Geistes. Dasselbe Motiv liegt – wenn auch in anderer inhaltlicher Ausformung – dem Predigtabschnitt div. 14,1 (VI.I. 134) zugrunde: *Ordinata procedit acie adversus septem peccati gradus Spiritus septiformis.*

[31] Para. IV,4, VI.II. 279.

[32] Vgl. 60f.

[33] CC 39,4, II. 20.

[34] Nat. And. 2,6, V. 437f.

[35] CC 61,7, II. 153.

ten, daß Bernhard Christus als kriegerisches Vorbild nur vereinzelt heranzieht. Bernhards Christusfrömmigkeit gilt weniger dem herrschaftlichen Himmelskönig als vielmehr dem menschgewordenen Gottessohn. Dessen unkriegerische Gestalt jedoch eignet sich schwerlich zum Vorbild des irdischen Kriegsdienstes. Daß Bernhard dennoch (in einem etwas bemüht wirkenden Argumentationsgang) aus den armseligen Geburtsumständen Christi auf dessen kriegerische Vorbildfunktion rückschließt, mag als Beleg dafür gelten, welches Gewicht die Thematik des irdischen Kriegsdienstes für Bernhard besitzt.[36] Bernhards Argumentation nimmt in der Frage ihren Ausgang, warum Christus, dem alles Gold und Silber gehört, die Armut für sich gewählt hat, warum der Engel, der die Geburt Christi verkündet, gerade die Armut so sehr betonte. Denn der Engel sprach: *HOC (...) VOBIS SIGNUM: INVENIETIS INFANTEM PANNIS INVOLUTUM.* Die Windeln Christi sind zum Zeichen gesetzt und weisen folglich auf eine andere, verborgene Bedeutung hin: *Agnosco certe, agnosco Iesum magnum sacerdotem sordidis opertum vestibus, dum altercaretur cum diabolo.* Das in Windeln liegende Christuskind deutet auf die Vision des Zacharias zurück, in der ein Hohepriester in schmutzigen Kleidern wider den Teufel streitet. Sowie aber Christus, der streitende Hohepriester, über seine Feinde erhöht wurde, wechselte er sein Kleid und umgab sich mit der Herrlichkeit eines Strahlengewandes;

exemplum dedit nobis, ut et nos eadem faciamus. Utilior siquidem in conflictu lorica ferrea quam stola linea, licet oneri illa sit, haec honori.

Wiederum erwächst aus diesseitiger Nachfolge die Hoffnung auf Nachfolge auch im Jenseits. Denn in der verheißenen Zukunft werden jene Glieder, die ihrem kämpfenden Haupt folgten, im Gewand von himmlischer Kostbarkeit erstrahlen.[37]

Bezeichnete im vorangegangenen das Leben *in tabernaculis* die Zeit des Daseins im irdischen Körper, in der es für jeden einzelnen das Böse in sich niederzuringen gilt, so verweist im folgenden das Leben *in tabernaculo* auf das gemeinsame Streiten der einzelnen im Rahmen der klösterlichen Gemeinschaft. In der bereits zitierten Passage[38] der Predigt zur Kirchweih des Klosters Clairvaux betonte Bernhard die Notwendigkeit, Christus eine Wohnstätte nicht nur im Innern des einzelnen Men-

[36] Zur ritterlichen Herkunft und zum militärischen Geist Bernhards, vgl. Charrier, Le sens militaire; Chaume, Les origines; Coueton, Saint Bernard; Duby, Der heilige Bernhard, 79ff u. 85f; Evans, The mind, 1ff; Leclercq, Monks and love, 88ff; ders., Agressivité; von den Steinen, Bernhard von Clairvaux; Vacandard, Leben I, 53ff.
Zum Einfluß Bernhards auf die Ritterdichtung, vgl. Allgaier, Der Einfluß; Cleland, Bernardian ideas; Kuhn, Rittertum; Schwietering, Der Tristan Gottfrieds.

[37] Nat. 4,1, IV. 263f; Lk 2,12; Zach 2,1-3.

[38] Vgl. 83, Anm. 5.

schen, sondern ebenso im Innern der Gemeinschaft zu bereiten. Erfüllt dies der einzelne, indem er in seinem Haus (Körper) einen Innenraum (Seele) schafft,[39] der durch die Eintracht der Seelenkräfte *(ratio, voluntas, memoria)* der Beherbergung Christi würdig ist,[40] so unterliegt auch das Haus, das die Mönche gemeinschaftlich für Christus bilden, demselben Prinzip der Gestaltung. Denn nachdem die Seelenkräfte im geläuterten Innern der einzelnen einträchtig beisammenwohnen, gilt es nun das Zusammenleben einträchtig zu gestalten *[etiam nos connecti et conglutinari (. . .), mutua utique caritate, quae est vinculum perfectionis].* Indem aber der Bau der Gemeinschaft im einträchtigen Beisammenwohnen der einzelnen gründet, verweist das Haus der Mönche auf jenes himmlische Haus, das aus einzelnen, im Geist vollendeter Eintracht zusammengefügter Bausteine besteht. Die Beziehung zwischen beiden Häusern ist eng, und dennoch sind sie nachdrücklich voneinander geschieden.[41] *Illa ergo domus connexa firmius est,* denn dieses Haus hat ewigen Bestand. Das Haus der Mönche hingegen gleicht einem Kriegszelt; – *minus sibi perfecte cohaeret.* Stellt das jenseitige Haus den verheißenen Ort ewiger Freude *(domus laetitiae)* dar, so ist das diesseitige Haus, der Ort des gemeinschaftlichen Streitens: *Haec, inquam, est URBS FORTITUDINIS NOSTRAE, illa est civitas requiei nostrae.* Vermag die Gemeinschaft der Mönche in diesem Kampf zu bestehen, so wird sie in jene himmlische Gemeinschaft eingehen, die Vollendung und Lohn für jeden einzelnen siegreichen Krieger ist:[42]

Proinde, si victoriosi fuerimus hic, illic erimus gloriosi, habentes loco galeae diadema, sceptrum et palmam pro gladio, pro scuto chlamydem deauratam, pro thorace stolam iucunditatis.[43]

[39] Vgl. Bauer, Claustrum animae, 32ff; Ohly, Cor amantis non angustum, bes. 135f.

[40] Ded. 2,3, V. 377f.

[41] Vgl. 100f.

[42] Auch bezüglich der Konzeption der jenseitigen Erfüllung sind einzelner und Gemeinschaft eng verbunden. Im himmlischen Jerusalem vollendet sich das persönliche Heilsschicksal eines jeden einzelnen. Gemäß seiner Bestimmung und persönlichen Verdienste wird ihm eine Wohnstatt zugewiesen (CC 62,3, II. 155; qui hab. 9,4, IV. 438). Dennoch bleibt der einzelne in seinem Streben nach Vollendung auf die Gemeinschaft verwiesen (vgl. 315ff). Nicht nur, daß die himmlische Stadt die vollendete Form des Gemeinschaftslebens darstellt (vgl. 99ff), auch der Eintritt nach Jerusalem erfolgt gemeinschaftlich (vgl. 11f).
Die Gemeinschaft, auf die sich Bernhard im folgenden bezieht, ist die Gemeinschaft der Erdenheiligen und Heiligen des himmlischen Vorhofs (vgl. 87, Anm. 26), der er – gemäß der vorzüglichen Rolle des Zisterzienserordens – eine Vielzahl seiner verstorbenen und lebenden Brüder zuzählt. Die verstorbenen Mitbrüder warten nun auf die noch Lebenden zur gemeinsamen Erfüllung des persönlichen Heilsschicksals: . . . *quod iam multi ex nobis in atriis stent, exspectantes donec impleatur numerus fratrum. In illam enim beatissimam domum nec sine nobis intrabunt* (fest. omn. sanct. 3,1, V. 349).

[43] Ded. 2,4, V. 378.

Nicht nur die Mönche führen jene Schlacht um das Seelenheil. Zur Fastenzeit versammelt sich das gesamte Heer der Gläubigen zum Kampf gegen den Teufel unter der Führung Christi; – *beati qui sub tali duce strenue militarint.* Die Mönche freilich stehen das ganze Jahr über in dieser Schlacht. Als kampferprobte Elitetruppe *(domestica Regis familia)* sind sie es gewohnt, zum Streit wider den Teufel vorzurücken. Wenn also in der Fastenzeit sogar im Kampf Unerprobte *(rudes et vacantes prius)* die geistlichen Waffen ergreifen, so gilt es für die Haustruppe Christi, um so eifriger, um so tapferer in die Schlacht zu ziehen; – *(f)elices vos, qui domestici meruistis esse.*[44] Bilden Bernhard und seine Mitbrüder die Haustruppe Christi, so stellt ihr Kloster die Festung des himmlischen Heerführers dar: *Domus haec, fratres, aeterni Regis est oppidum, sed obsessum ab inimicis.* Dieser Bedrohung entsprechend muß das Kloster und die in ihm versammelte Kriegerschar in dreifacher Weise zum Kampf gerüstet werden. Notwendig sind: Befestigungsanlagen *(munitio)*, Waffen *(arma)* und Proviant *(alimenta).* Bereits am äußeren Verteidigungsring der Geduld *(antemurale patientiae)* werden die ersten feindlichen Angriffe durch unerschütterliches Verharren im Guten zurückgeschlagen. Die Innenmauer wird von der Enthaltsamkeit gebildet *(continentiae murus),* die als zweiter Befestigungsring die Gemeinschaft so eng umschließt, daß weder durch die Fenster der Augen noch durch die übrigen Sinne der Tod in sie eindringen kann.[45] Derart geschützt vermögen die Mönche nun zum Angriff überzugehen. Sie ergreifen die Waffen des Geistes – *non modum ad resistendum, sed ad impugnandum quoque et expugnandum viriliter inimicum.* Denn der Teufel peinigt zwar die Krieger Christi durch seine bösartige Verschlagenheit – *sed multo amplius nostra eum simplicitas et misericordia torquet.* Die Demut der Mönche vermag er nicht zu ertragen. Das Feuer der Gottesliebe brennt ihn. Sanftmut und Gehorsam martern ihn. Zu diesem Kampf bedürfen die Mönche des Proviants, d. h. der geistlichen Speise, so daß sie durch Predigten und heilige Lesungen, vor allen Dingen aber durch das lebendige Brot des Himmels gestärkt weiterzustreiten vermögen.[46] *Sic ergo munita est castri Dominici fortitudo;* – keinen äußeren Feind muß die so gerüstete Festung fürchten. Doch auch im Innern der Festung droht Gefahr. Verräter *(proditores),* Feiglinge *(pavidi)* und Müßiggänger *(desides)* könnten Unheil über sich und die Gemeinschaft bringen.[47] Während der Müßiggänger auf die Dauer der Verschlagen-

[44] Quad. 6,4, IV. 380.
[45] Ded. 3,1, V. 379.
[46] Ebd. 3,2, V. 380.
[47] Ebd. 3,3, V. 380f.

heit des Feindes erliegen muß,[48] fällt derjenige, der feige aus der Festung flieht, umgehend der Grausamkeit des Feindes zum Opfer.[49] Der Verräter gar gewährt dem Feind Einlaß in die eigenen Reihen. Er sät Zwietracht unter den Mitbrüdern und stört den klösterlichen Frieden. Das Kloster aber ist ein Haus Gottes und folglich ein Haus des Friedens.[50] Die Zwietracht hingegen ist teuflisch.[51] So wird derjenige, der Zwietracht unter den Brüdern sät, zum Verräter an der Gemeinschaft, da er versucht, den Tempel Gottes in eine Teufelshöhle zu verwandeln *(templum Dei speluncam facere daemoniorum)*. Sein Vergehen ist weit schlimmer als die Disziplinlosigkeit des Müßiggängers, als die Feigheit des Deserteurs, denn er kollaboriert mit dem Feind. Nicht nur, daß er den Frieden der Gemeinschaft stört, er schwächt auch die Schlagkraft des klösterlichen Heeres. In die Elitetruppe Christi, in die wehrhafteste und stärkste Festung Christi läßt er die Feinde ein: *Optimum certe castrum tulisti Christo, si inimicis tradideris Claram Vallem.* Die Folgen für den Verräter sind furchtbar. Weder kann er sich verbergen noch seinem Schicksal entfliehen. Nicht mit gewöhnlicher Verdammnis, wie sie den Müßiggänger und den Feigling ereilt, wird er bestraft werden, sondern unter furchtbarsten Qualen *[exquisitis (. . .) tormentis]* muß er zugrunde gehen.[52]

3.3. *Regio dissimilitudinis – Paradisus Claustralis*

Sowohl in der Predigt de div. 42 als auch in der 91. Sentenz der dritten Serie beschreibt Bernhard die fünf möglichen Zustände der Seele als Verweilen in den fünffachen Gebieten des Seins.[53] Den drei jenseitigen Regionen *(regio expiationis, regio gehennalis, paradisus supercaelestis)* steht die zweifache Möglichkeit des Aufenthalts im Diesseits gegenüber: das Leben in *‚regio dissimilitudinis‘* und das Leben im *‚paradisus claustralis‘*. Diesen beiden Regionen des Seins auf Erden gilt im folgenden das Interesse. Denn erst vor dem Hintergrund der unheilvollen Bedingungen, unter denen das Dasein in der Welt steht, wird die heilsgemäße Lebensform des Klosters in ihrer vollen Tragweite deutlich.

[48] Ebd. 3,5, V. 382.
[49] Ebd. 3,4, V. 282.
[50] Vgl. 99ff.
[51] *Sicut enim in pace factus est locus Domini, sic in discordia locum diaboli fieri manifestum est* (ded. 3,1, V. 381).
[52] Ded. 3,3, V. 381f.
[53] Div. 42, VI.I. 255ff u. sent. III. 91, VI.II. 139ff.

3.3.1. Regio Dissimilitudinis[54]

Prima regio est regio dissimilitudinis; – dieses Gebiet wird vom Menschen als jener Kreatur bewohnt, die Gott zum Bilde und Gleichnis im Land der Ähnlichkeit *(in regione similitudinis)* erschaffen worden war, jedoch von der Ähnlichkeit in einen Zustand der Unähnlichkeit *(de similitudine ad dissimilitudinem)* hinabstürzte. Hierdurch erfuhr das Leben des Menschen eine grundlegende Wandlung. An die Stelle der Herrlichkeit des Paradieses trat das Elend des irdischen Daseins. Wo einst Leben war, herrschte nun Tod, ewiger Friede wurde in dauernden Kampf verwandelt. Vom Reichtum stürzte der Mensch in Armut, von der Freiheit in die Knechtschaft, von der himmlischen Ruhe stürzte er zur Mühsal der Arbeit auf Erden herab.[55] Doch nicht nur das Dasein jedes einzelnen Menschen, auch das Zusammenleben der Menschen steht nach dem Sündenfall unter dem Bann des Unheils. Denn ihrer Natur nach waren alle Menschen gleich geschaffen. Nachdem sie aber ihre natürliche Gutheit verloren hatten, ertrugen sie die Gleichheit nicht mehr. Eine tiefgreifende Störung der sozialen Beziehungen, eine nachhaltige Bedrohung des inneren Friedens war die Folge. Der Mensch suchte sich nun über seinen Nächsten zu erheben. Im Geist des Eigenwillens und des Hochmuts erstrebte ein jeder nur seinen eigenen Nutzen, so daß Neid und Kampf das Verhältnis zum Mitmenschen zu prägen begann.[56] Das im Sündenfall über die Menschen gekommene Verderben reicht jedoch noch weiter. War Adam als Herr über die Schöpfung *(super opera manuum Plasmatoris)* gesetzt,[57] so wurde er nun selbst dem Vieh ähnlich.[58] Nicht nur die Beziehung des Menschen zu seinem Nächsten, auch sein Verhältnis gegenüber der ihn umgebenden Natur unterliegt folglich dem göttlichen Fluch. An die Stelle eines friedvollen Lebens, in dem Adam keine andere Kreatur, kein wildes Tier zu fürchten brauchte,[59] trat nun der Kampf ums Dasein. Ewige Ruhe wandelte

[54] Vgl. Courcelle, Tradition; Déchanet, La pensée philosophique, 69ff; Gilson, Regio dissimilitudinis; Javelet, Image Bd. I, 266ff u. Bd. II, 228ff; Leclercq, Documents sur les ‚fugitifs', 137ff; Schmidt, Regio.

[55] Div. 42,2, VI.I. 256.

[56] *Equidem omnes homines natura aequales genuit. At quoniam, bono naturae in moribus superbia depravato, facti sunt homines aequalitatis impatientes, contendentes invicem superiores constitui, atque alterutrum supergredi cupientes, et inanis gloriae cupidi, invicem invidentes, invicem provocantes.* Bernhard zieht hieraus den Schluß, daß der um Läuterung bemühte Mensch zuerst der Tugend des Gehorsams bedarf, die seinen Hochmut erniedrigt und den Eigenwillen bändigt. Erst dann vermag der Mensch *cum universis naturae suae sociis (. . .) socialiter* zusammenzuleben (CC 23,6, I. 142).

[57] CC 35,3, I. 251; vgl. auch: nat. 2,1, IV. 252.

[58] CC 35,4ff I. 251ff.

[59] Ann. 1,6, V. 18. Zur Herrschaft über die Welt, vgl. Köster, Urstand, 39ff.

sich in mühevolle Arbeit, denn die Luft war von nun an verpestet und die Erde dazu verflucht, Dornen und Disteln zu tragen:

Creatura enim subiecta est vanitati et, cadente homine, quem constituerat Dominus dominum domus suae et principem omnis possessionis suae.

Alles Sein, die ganze Schöpfung ist durch den Sturz des Menschen ins Unheil geraten. Mit Adam verdarb zugleich seine Erbe *(tota simul hereditas est corrupta).*[60] Nicht nur der Mensch sehnt daher die Zeit der Wiederherstellung herbei. Die ganze Schöpfung *INGEMISCIT QUOQUE PARTURIT ADHUC.*[61]

Quam nequam in omnibus saeculum praesens![62] – in diese im umfassenden Sinn vom Unheil gekennzeichneten Welt wurde der Mensch gestellt. Von den Wonnen des Paradieses stürzte er in das Land der Unähnlichkeit, stürzte herab in die unmittelbare Nähe zur Hölle. Herrscht dort ewiger Tod, so ist das irdische Dasein ein Leben im Todesschatten *(in regione umbrae mortis).*[63] Herrscht in der Hölle völlige Finsternis, so ist auch die Erde von deren Dunkel überlagert.[64] Ewige Kerkerhaft erwartet den Verdammten in der Hölle, doch bereits auf Erden liegt der verbannte Mensch in Ketten: *Mundus itaque carcer est captivorum, infernus damnatorum.*[65] Die Welt ist in die Hände des Teufels *(princeps huius mundi)* gegeben,[66] und inmitten dieses gefahrvollen Ortes der Anfechtungen steht der Mensch; – *fremit mundus, premit corpus, diabolus insidiatur.*[67] Auf dem ganzen Geschlecht Adams lastet dieser Fluch, aber dennoch bestehen beträchtliche Unterschiede zwischen den Menschen: *Regio dissimilitudinis est praesens vita, quam quidem nimium amantes, longe dissimiles Deo facti sunt;*[68] – tiefe Verstrickung in den Zustand der Unähnlichkeit kennzeichnet die Liebhaber der Welt. Indem ein solcher Mensch nicht nach dem Willen Gottes, sondern nach dem Eigenwillen lebt, indem er sich den Lüsten des Fleisches hingibt und weiter weltliche Güter und Ehren anstrebt, vollzieht er in seinem Innern durch die

[60] Vig. nat. 2,4, IV. 207f. Zum Fluch über die Schöpfung, vgl. Schmaus, Katholische Dogmatik, 92.

[61] Vig. nat. 2,5, IV. 208; Röm 8,22. Vergleichbaren Inhalts ist der Predigtabschnitt dom. kal. 2,1, V. 307. Bernhard beschreibt hier die Welt nach dem Sündenfall als unter der Herrschaft des Teufels stehende Schöpfung, die am Ende der Zeiten befreit werden wird: *creatura ipsa liberabitur a servitute corruptionis huius, propter quam ingemiscit et parturit usque adhuc.*

[62] Qui hab. 16,4, IV. 484.

[63] Adv. 7,1, IV. 196; vgl. ebenso: div. 20,1, VI.I. 165.

[64] Div. 12,2, VI.I. 128.

[65] Sent. III. 91, VI.II. 142.

[66] Dom. kal. 2,1, V. 307; vgl. auch: qui hab. 4,3, IV. 399 u. 16,4, IV. 484; asc. 6,10, V. 155.

[67] CC 61,3, II. 150.

[68] Sent. III. 91, VI.II. 139.

Sünde den Sturz Adams nach[69] und gelangt auf einem dreigeteilten Weg des Abstieges *usque in Babylonem.* Den letzten, besonders unheilvollen Teil der Wegstrecke stellt die Gier nach weltlichen Gütern dar: *captivant hominem in longinquam regionem dissimilitudinis.*[70]
Gänzlich anders verhält es sich bei den geistlich gesinnten Menschen. Denn das besondere Kennzeichen der Braut, d. h. des um Läuterung und Gottesnähe ringenden Mönchs, besteht gerade darin, *in regione dissimilitudinis retinere similitudinem.*[71] Die Bedeutung von *‚regio dissimilitudinis‘* wechselt. Weist der zitierte Beleg die Mönche – trotz ihrer deutlich hervorgehobenen Stellung – noch als Teil des Landes der Unähnlichkeit aus, so gehören sie an anderer Stelle bereits einem dem Land der Unähnlichkeit übergeordneten Gebiet an.[72] Dem Begriff *‚regio dissimilitudinis‘* wohnt somit eine doppelte Bedeutung inne. Einerseits beschreibt er das Irdische unter dem Bann des Sündenfalls, andererseits aber die Entgegensetzung zu *‚paradisus claustralis‘*, d. h. eine der beiden Regionen des irdischen Seins. Er kennzeichnet die gefallene Welt, zugleich aber grenzt er nachdrücklich die Liebhaber der Welt von den Menschen ab, die sich der Welt versagen.[73] Verharren jene in der Unähnlichkeit, so suchen diese die Unähnlichkeit zu überwinden, indem sie ihr Selbst zu einem immer höheren Grad an Ähnlichkeit läutern. In dieser Hinsicht beschreibt *‚regio dissimilitudinis‘* die Welt als Ort des Verderbens, im Gegensatz zum Klosterparadies, dem Ort des Heils.

[69] An die Stelle der Beschreibung des heilsgeschichtlichen Ereignisses tritt dessen moralische Ausdeutung in bezug auf die Geschichte des persönlichen Heils. Besonders deutlich wird dies in Parabola VII. Hier nun legt Bernhard konsequent die Motive des Sündenfalls auf das innere Geschehen des in die Sünde fallenden Menschen aus. Die Schlange dringt *in paradisum conscientiae* ein und verführt die innere Eva und den inneren Adam zur Sünde. Der Mensch sucht sich vergebens vor Gott zu verbergen und wird aus dem Paradies des Gewissens verbannt. Derart in Sünde geraten, nimmt der Mensch das Gewand des Mönchs an und bearbeitet im Schweiße seines Angesichts die von Gott verfluchte Erde seines Körpers. Vor den Paradiesgarten ist nun der Abt, gleichwie ein Cherubin, zur Wache gestellt. In seiner Hand hält er das Flammenschwert der Zucht *(gladium disciplinae flammeum)*, um Verfehlungen abzuhauen und den Weg zum Baum des Lebens zu schützen (para. VII. VI.II. 300).

[70] Sent. III. 94, VI.II. 151.

[71] CC 27,6, I. 185.

[72] In sent. III. 119, VI.II. 218 ermahnt Bernhard die Mönche zur Läuterung, *ne de cetero in regione dissimilitudinis porcos pascendo siliquis et nos ipsi pascamur. Iam enim sedemus ad cenam nuptiarum Agni in Ecclesia Dei . . .*

[73] Zu vergleichbaren Ergebnissen gelangen: Timmermann, Studien, 187ff und Altermatt, Christus, 38f bezüglich der Begriffe: *‚saeculum‘*, *‚terra‘* und *‚mundus‘*. Bernhard benutzt diese synonym und in doppelter Bedeutung. Sie bezeichnen einerseits die Welt an sich, andererseits aber die lasterhafte Welt als Entgegensetzung zum Kloster.

Die Mönche betreiben das Heilswerk der Verähnlichung, indem sie sich Christus, der vom Himmel herabgekommenen *‚forma'*, gleichzugestalten suchen. Der weltlich gesinnte Mensch hingegen schlägt das Beispiel Christi aus. Wo aber kein Licht ist, herrscht zwangsläufig Dunkelheit: *Nam Dominus lux est, et in quantum quisque cum eo non est, in tantum in tenebris est.*[74] Wiederum stellt sich eine Beziehung der Ähnlichkeit zwischen dem Menschen und dem Vorbild seines Handelns her. Wiederum befindet sich der Mensch in der Nachfolge, doch nunmehr auf dem verkehrten, ins Unheil führenden Weg. Dieser Weg reicht bis in die Hölle hinab, wo ewiges Feuer für den Teufel und die ihm gleichenden Menschen *(hominibus similibus eius)* brennt.[75] Denn am Ende der Zeiten wird Christus den Teufel vernichten *et omnes qui imitantur eum.*[76] Zu Zeiten seines irdischen Daseins ist der Mensch vor die Entscheidung gestellt, welchem der beiden Wege er Folge leisten will: *Videat nunc quisque quem imitemur,* die Gestalt des demütigen Christus oder die des hochmütigen Teufels.[77] Wie der Nachfolger Christi, so ist auch derjenige, der in die Nachfolge des Teufels tritt, bereits auf Erden von der Gestalt seines Vorbildes gekennzeichnet. Denn da der Leib nicht ohne Haupt existieren kann, wächst dem Sünder, der sich von Christus trennt, ein neues Haupt nach:[78] *(H)orrendum omnino monstrum, corpus quidem hominis, caput autem daemonis habens.*[79] Wie sich das Schweinefleisch mit demjenigen verbindet, der es ißt, geht der Sünder eine Verbindung mit dem Teufel ein *(sic transgressor praecepti Domini Dominici spurcos sibi spiritus sociat et, adhaerendo eis, unus cum eis efficitur daemon).*[80] In dem Maß, in dem sich der Mensch dem Bösen übereignet, beginnt er teuflische Züge anzunehmen, sich dem Teufel zu verähnlichen. Zwar ist Sündigen noch menschlich, nicht aber, im Geist böswilliger Verstocktheit[81] in der Sünde zu verharren. Denn letzteres entspricht der Natur der teuflischen Mächte; – *(p)orro diabolicas a natura hominis alienas esse quis nesciat?* Wem daher die Sünde zur Gewohnheit wird und die Gewohnheit zur Natur, dessen Natur wird teuflisch, *non humanum tamen, sed diabolicum est in malo perseverare.*[82] Konsequent findet sich hier der im vorangegangenen Kapitel dargestellte Zusammenhang von Christologie und Anthropologie[83] in bezug auf das Böse fortgeführt.

[74] CC 26,1, I. 170.
[75] Div. 42,6, VI.I. 260.
[76] Nat. Ben. 1,11, V. 11.
[77] Oct. epi. 1,5, IV. 11.
[78] Quad. 1,1, IV. 354.
[79] Ebd. 1,2, IV. 354.
[80] Nat. Ben. 1,5, V. 4.
[81] Vgl. 72.
[82] Qui hab. 11,5, IV. 452.
[83] Vgl. 44f.

Kam die Umgestaltung des Menschen nach dem Vorbild Christi einer Selbstfindung gleich, verliert der böse Mensch sein Selbst in dem Maß, in dem er seine Ähnlichkeit zu Gott verliert. Am Endpunkt des Weges der Verfehlungen, der Verstocktheit als des höchsten Grades an Unähnlichkeit, unterliegt selbst die Natur des Menschen einem Wechsel. An die Stelle der zur Gutheit erschaffenen Natur tritt nun die Natur des Bösen - die Natur des Teufels.

Beschreibt die Verstocktheit den irdischen Endpunkt des Abweges, so hat doch der weltlich gesinnte Mensch diesen Weg bereits beschritten. Alles, was das heilsgemäße Leben des Mönchs auszeichnet, findet sich bei ihm ins Gegenteil verkehrt. An die Stelle der Selbstfindung durch fortschreitende Verähnlichung, tritt die Überfremdung des Selbst in von Sünde zeugender Unähnlichkeit. Der innere Weinberg liegt brach, von Dornen und Disteln überwuchert.[84] Der Seelenraum, der eigentlich Christus zur wohlgefügten und geräumigen Wohnstätte dienen sollte, ist durch die Laster verstellt.[85] Nicht die ‚*acies ordinata*' der Tugenden nimmt in der Seele Aufstellung, es tobt vielmehr die *turba vitiorum.*[86] Verwirrung ist das innerste Wesen der Sünde. Verwirrt ist folglich das Innere des Sünders: – *O delicate, qui deliciis et divitiis circumfusus atque confusus, confusionem exspectas et mortem!*[87] Überströmt von der Gier nach weltlichen Gütern wird der ganze Mensch hinab in das Unheil der Laster gerissen: *Confusa in eo omnia, tamquam in filio Babylonis.*[88] Tiefe Verwirrung beherrscht die Bewohner Babylons *(qui de Babylone sunt, vitam in perturbatione vitiorum scelerumque confusione vastantes).*[89] Verwirrung ist das Wesen der Sünde und folglich auch das Wesen der von Sündhaftigkeit geprägten Welt. Versinnbildlicht durch Babylon[90] steht sie Jerusalem, der Gemeinschaft der zur Himmelsbürgerschaft Erwählten, gegenüber.[91] Ebenso wie das pilgernde Jerusalem ist Babylon schon im Diesseits von dem Schicksal gezeichnet, das ihm im Jen-

[84] Vgl. 43.
[85] Vgl. 44, Anm. 78.
[86] Vgl. 63f u. 87f.
[87] Div. 19,2, VI.I. 162.
[88] Qui hab. 11,2, IV. 449.
[89] CC 55,2, II. 112.
[90] Auch Babylon unterliegt der festgestellten (vgl. 95) doppelten Bedeutung. In den angeführten Textstellen (und in: div. 2,1, VI.I. 80; ebd. 5,2, VI.I. 99; ebd. 20,5, VI.I. 167f; qui hab. 7,5, IV. 416) beschreibt Babylon entweder den Gegensatz zur ‚*ecclesia electorum*' oder zur Klostergemeinschaft. Unter dem Aspekt der Verbannung hingegen (vgl. CC 33,2, I. 235; sept. 1,4, IV. 348; assump. 1,1, V. 229) bedeutet Babylon das irdische Dasein als solches. Zur Tradition dieses Begriffes und insbesondere zum Einfluß Augustins auf Bernhard, vgl. Timmermann, Studien, 107ff sowie die dort angeführten Literaturangaben.
[91] Oct. pasch. 2,3, V. 119.

seits beschieden sein wird. Bereits zu Lebzeiten fällt auf die Bürger Jerusalems der Abglanz künftigen Erstrahlens. Bereits zu Lebzeiten lastet über den Söhnen Babylons der Schatten künftiger Finsternis. Denn Babylon beschreibt die Verwirrung des Menschen, der sich von Gott entfernt hat. Der Weg der Sünde aber führt an den Ort völliger Ferne von Gott, er führt in die Hölle hinab, *IN QUA NULLUS ORDO.*[92]

Auch in der Beziehung zum Mitmenschen ist das Leben der Mönche deutlich von dem der weltlich gesinnten Menschen geschieden. Während die Gemeinschaft der Mönche durch Ordnung und Eintracht gekennzeichnet ist, steht das Zusammenleben der Weltmenschen weiterhin unter dem Bann des Sündenfalls. *(M)ulti filiorum Adam* irren vom Weg der Wahrheit ab, denn sie ziehen sich in die Einsamkeit des Hochmuts zurück; – *socialem vitam habere non volunt, quorum singularitas associari non potest.*[93] In ihrer Gier nach weltlichen Gütern erstreben solche Menschen allein den eigenen Nutzen und vermögen daher nicht mit dem Nächsten in Frieden zu leben. Der Gebildete neidet dem Gebildeten den Erfolg, *odit socium.* Der Reiche wird durch den Reichtum des anderen gequält. Der Starke erträgt den Starken nicht, der Schöne nicht den Schönen. Ein jeder von ihnen irrt *in solitudine sua.*[94] Denn indem solche Menschen ihren Begierden nachjagen, stellen sie ihren Eigenwillen sowohl über den Willen Gottes als auch über den Willen des Nächsten.[95] Kampf und Zwietracht zwischen Brüdern, dauernde Störungen des geordneten Zusammenlebens der Menschen hat ein solches Fehlverhalten zur Folge. Wiederum stehen Jerusalem und Babylon einander gegenüber, die nun als ‚*civitas*‘ und als ‚*turba*‘ zwei grundsätzlich verschiedene Formen des menschlichen Zusammenlebens beschreiben. Leben die Mönche friedvoll und einträchtig beieinander, so ist nicht nur jeder einzelne Weltmensch, sondern auch die Art und Weise des Zusammenlebens unter Weltmenschen von der Sünde, d.h. von Verwirrung gekennzeichnet:

Ubi enim sine foedere pacis, sine observantia legis, sine disciplina et regimine acephala multitudo congregata fuerit, non populus, sed turba vocatur; non est civitas, sed confusio: Babylonem exhibet, de Ierusalem habet nihil.[96]

[92] Div. 42,6, VI.I. 259; Job 10,22.

[93] Sollem. 1,4, V. 190.

[94] Div. 1,2, VI.I. 74.

[95] *Voluntatem dico propriam, quae non est communis cum Deo et hominibus, sed nostra tantum, quando quod volumus, non ad honorem Dei, non ad utilitatem fratrum, sed propter nosipsos facimus, non intendentes placere Deo et prodesse fratribus, sed satisfacere propriis motibus animorum* (resur. 1,3, V. 105).

[96] Ded. 5,9, V. 395.

4.3.2. Paradisus Claustralis

Secunda regio est paradisus claustralis – bewohnt wird diese Region von Menschen, die zuvor im Land des Todesschattens *(in regione umbrae mortis)* lebten, von dort aber in das Land des Lebens *(ad regionem vitae et veritatis)* vorangeschritten sind.[97] Die Besten[98] wohnen hier einträchtig beieinander und betreiben gemeinschaftlich das Werk ihres Heils. *(S)ocialis vita et spiritualis bonorum conversatio* kennzeichnet das Klosterparadies.[99] *(O)rdinabiliter, sociabiliter et humiliter* leben die Mönche hier zusammen: *ordinabiliter tibi, sociabiliter proximo, humiliter Deo.*[100] Alle Bereiche des menschlichen Seins umfaßt dieser vorzügliche Lebenswandel. Nicht nur die innere Verderbtheit des Menschen, auch das Verderben, das im Sündenfall über das Zusammenleben der Menschen gekommen ist, wird hier – in dem Maß, wie auf Erden möglich – überwunden.

Ebenso wie die Wiederherstellung des einzelnen Menschen bedarf die Wiederherstellung einer intakten Gemeinschaft des Vorbildes, in dessen Werte es sich einzufügen, an dessen Gestalt es die Verunstaltung zu überwinden gilt. Dementsprechend verweist die Klostergemeinschaft (wie in div. 42,4, und sent. III. 91) auf den Zustand ursprünglicher Unversehrtheit, auf den paradiesischen Urzustand zurück.[101] In den meisten Fällen jedoch entwickelt Bernhard die Maßstäbe eines intakten Gemeinschaftslebens am Vorbild der im Jenseits vollendeten Gemeinschaft, am Vorbild des himmlischen Jerusalem.[102]

Vor allem in zweierlei Hinsicht besitzt das himmlische Jerusalem für das Zusammenleben der Mönche beispielhafte Bedeutung. *Est enim Ierusalem visio pacis*[103] – wie Bernhard immer wieder betont. *O pax etiam super pacem,*[104] – alles menschliche Ermessen überschreitet der himmlische Friede. Kein Freund wird die himmlische Gemeinschaft verlassen,

[97] Div. 42,4, VI.I. 258.

[98] *Et si scire vultis quantum in hac absconsione lucramur, credo nullum hic esse, qui si quartam partem eorum quae facit, in saeculo actitaret, non adoraretur ut sanctus, non reputaretur ut angelus . . .* (qui hab. 4,3, IV. 399).

[99] Sent. III. 91, VI.II. 140.

[100] Sollem. 1,4, V. 190.

[101] Zum Kloster als Paradies, vgl. Schmidtke, Studien, 400; zur Tradition der Paradiesauslegungenen, vgl. Grimm, Paradisus; Thoss, Studien.

[102] Zum Kloster als Jerusalem, vgl. Konrad, Das himmlische, 533f; Leclercq, Wissenschaft 67ff. Zum himmlischen Jerusalem, vgl. Bietenhard, Die himmlische Welt, 192ff; Congar, L'Église, 18ff; ders., Église et cité de Dieu; Renna, The idea; ders., The city; ders., The idea of the city; Schmidt, Jerusalem; Wennemer, Die heilige Stadt, 334ff.

[103] Vig. nat. 2,1, IV. 204.

[104] Asc. 6,4, V. 152. Zum himmlischen Frieden, vgl. ebenso: div 16,7, VI.I. 148f; ebd. 33,2, VI.I. 222f; vig. nat. 4,8, IV. 225f.

kein Feind wird in sie eindringen. Alle Furcht wird vom Menschen weichen, da ewiger Friede die himmlische Region umgrenzt *(quia POSUIT FINES TUOS PACEM).* Keinerlei Wechsel unterliegt die jenseitige Stadt, denn Gott, der immer der gleiche ist, *omnia in identitate consolidat atque coniungit.*[105] Diese unverrückbar in sich ruhende Gemeinschaft vermag keinerlei Trennung zu beunruhigen. Weder mit sich selbst noch mit dem Mitmenschen liegt der himmlische Mensch im Zwist. Denn in Jerusalem –

non tantum singuli, sed et omnes pariter incipiant habitare fratres in unum, non modo scilicet non divisi in semetipsis, sed nec inter seipsos.[106]

Zuvor Getrenntes fügt sich nun friedvoll zur vollkommenen Einheit zusammen. Ebenso grundlegend wie durch ewigen Frieden ist die himmlische Gemeinschaft durch das Motiv der Einheit gekennzeichnet. Denn das himmlische Jerusalem ist ein Gebäude, das sich aus verschiedenen einzelnen Bauelementen zusammensetzt. Unverbundene Balken und Steine jedoch bilden kein Haus; – *sola vero coniunctio domum facit.* Unerschütterlich und auf ewig steht das himmlische Haus, da vollkommene Einheit die einzelnen Bürger zur vollkommenen Gemeinschaft zusammenfügt.[107] Doch die Zeit des Zwiespaltes, in der sich das Fleisch gegen den Geist, der Mensch gegen den Menschen erhebt, ist noch nicht überwunden. Vollendeter Friede ist auf Erden nicht möglich:[108] *illic unitas et hic tenenda divisio est.*[109] Aber wenn auch die Erfüllung zukünftig bleibt, so ist doch bereits auf Erden möglich, sich dem himmlischen Ideal zu einem immer höheren Grad anzunähern.
SUPER MUROS TUOS, IERUSALEM, CONSTITUI CUSTODES, – auf welchen Ort, so Bernhard, kann sich diese Aussage beziehen? Denn vom jenseitigen Jerusalem heißt es: *QUI POSUIT FINES TUOS PACEM.* Die himmlische Stadt ist keinerlei Wechsel, keinerlei Störung des himmlischen Friedens unterworfen und hat folglich keine Wächter nötig. Ein anderes, noch unter den Anfechtungen des irdischen Daseins leidendes Jerusalem bedarf des Schutzes, – das Kloster Clairvaux, auf dessen Mauern die Engel zur Wache stehen.[110] Entsprechend hat der Kleriker Philipp, der sich von England aus nach Jerusalem aufmachte, bereits vor Beendigung seiner Reise deren Ziel erreicht. Auf einem kürzeren Weg ist er in *sanctam civitatem* gelangt:

[105] Div. 19,3, VI.I. 162f; Ps 147,13.
[106] Asc. 6,5, V. 152f.
[107] Ded. 1,6, V. 374.
[108] Vig. nat. 2,1, IV. 204.
[109] Sept. 2,3, IV. 351.
[110] Ded. 4,1, V. 383; Is 62,6.

Et si vultis scire, Claravallis est. Ipsa est Ierusalem, ei quae in caelis est, tota mentis devotione et conversationis imitatione, in cognatione quadam spiritus sociata.[111]

Aufgrund ihrer vorzüglichen Lebensführung bildet die Gemeinschaft des Klosters Clairvaux bereits auf Erden die himmlische Gemeinschaft ab. Wiederum ist die Beziehung zum Vorbild durch geistige Teilhabe gekennzeichnet, wobei sich hier nicht nur der einzelne, sondern die Gemeinschaft als Ganzes in die heilsverheißende Gestalt einfügt. Herrscht vollendete Gemeinschaft zwischen den Engeln *(unitas socialis inter angelos),*[112] so ist auch das Zusammenleben der Mönche vom Geist friedvoller Eintracht bestimmt.[113] Denn die Blicke der Engel ruhen prüfend auf den Mönchen des Klosters Clairvaux. Sehnsüchtig erwarten die Engel die Wiederherstellung ihrer Stadt und halten Ausschau nach lebendigen Bausteinen, die einst die Lücken in den von Luzifer erschütterten Mauern Jerusalems schließen sollen.[114] Höchste Anstrengungen gilt es daher zu unternehmen, daß die heiligen Blicke der Engel nicht beleidigt werden. An jeglicher Tugend finden die Engel Gefallen, im besonderen jedoch an den Tugenden des Gemeinschaftslebens: *(a)ttamen super omnia haec unitatem et pacem a nobis exigunt angeli pacis.* Mehr als alles andere erfreut die Engel Eintracht und Friede – *quae formam quamdam civitatis suae repraesentant in nobis* –, so daß die Engel in der Klostergemeinschaft das Abbild[115] ihrer Heimat *(Ierusalem novam in terra)* erblicken.[116] Umgekehrt erregt nichts so sehr das Mißfallen der Engel wie Spaltung und Zwietracht in der Gemeinschaft. Die Engel wenden sich ab und sprechen:

Nos de regno unitatis et pacis sumus, et homines istos in eamdem unitatem et pacem sperabamus esse venturos. Nunc autem qua ratione nobis cohaereant qui dissident a seipsis?[117]

Im Geist brüderlicher Eintracht[118] gilt es daher bereits im Diesseits die himmlische Stadt nachzubilden, um sich so der jenseitigen Erfüllung, der künftigen Gemeinschaft mit den Engeln würdig zu erweisen.

[111] Ep. 64, VII. 158; um 1129.
[112] Div. 80,1, VI.I. 320.
[113] Zur Tradition des Mönchslebens als Engelsleben, vgl. Frank, Angelikos; Severus, Angelikos Bios.
[114] Com. Mich. 1,4, V. 296f.
[115] Bernhards Verwendung des Begriffes *‚forma‘* ist nicht einheitlich (vgl. 56, Anm. 132). Die Übersetzung von Wolters (Bd. 3, 116) gibt *forma* im obigen Gebrauch zutreffend als Abbild wieder.
[116] Com. Mich. 1,5, V. 297.
[117] Ebd. 1,6, V. 298.
[118] Zur Eintracht in der klösterlichen Gemeinschaft, vgl. auch: div. 42,4, VI.I. 258; ebd. 62,5, VI.I. 298f; ebd. 80,1, VI.I. 320; CC 29,3, I. 204; dom. VI. 1,4, V. 209; fest. omn. sanct. 5,6, V. 365; sept. 2,3, IV. 352; vig. nat. 3,6, IV. 216.

In der 55. Predigt auf das Hohelied setzt Bernhard wiederum das himmlische Jerusalem zur Klostergemeinschaft in Bezug. Ausgehend von Weish 1,12 *(ET ERIT IN DIE ILLA, ET EGO SCRUTABOR IERUSALEM IN LUCERNIS)* gelangt Bernhard zu dem Schluß, daß der Prophet jene Menschen als Jerusalem bezeichne, –

qui in hoc saeculo vitam ducunt religiosam, mores supernae illius Ierusalem conversatione honesta et ordinata pro viribus imitantes.[119]

Als weiteres Element der Lebensführung nach dem Beispiel Jerusalems findet sich hier der geordnete Lebenswandel der Mönche bestimmt. Trotz dieser und anderer Belegstellen,[120] welche die himmlische Erfüllung als Zustand schönster Ordnung ausweisen, kann die geordnete Lebensführung der Mönche nicht uneingeschränkt aus der jenseitigen Ordnung abgeleitet werden. Denn zumeist sucht Bernhard die himmlische Stadt nicht unter dem Aspekt der Ordnung, sondern unter dem Aspekt der Fülle zu beschreiben. Friede wird sich auf Frieden türmen, Freude auf Freude.[121] Größter Reichtum wird herrschen und überströmende Lust.[122] Alle menschliche Vorstellungskraft wird der himmlische Friede überschreiten.[123] Völlige Freiheit von allem Elend, ewige Glückseligkeit in der Schau Gottes wird den Menschen zuteil werden.[124] Die Wonnen des Jenseits sind unvorstellbar. Letztlich können keinerlei Kategorien, die dem menschlichen Auffassungsvermögen zugänglich sind, zur Beschreibung der jenseitigen Wonnen genügen – selbst die Kategorie der Ordnung nicht. Ordnung setzt Begrenzung voraus, die Wonnen des Jenseits jedoch sind grenzenlos. Nicht Maß, sondern Übermaß kennzeichnet die himmlische Stadt, *in qua nec numerus est, nec mensura, nec pondus.*[125] Ihren ausgeprägteren Bezugspunkt[126] besitzt die geordnete Lebensform der Mönche im Zu-

[119] CC 55,2, II. 112.

[120] *(P)ulcherrimus ordo* kennzeichnet in div. 2,6, VI.I. 84 die himmlische Erfüllung. Vergleichbaren Inhalts ist div. 42,7, VI.I. 260: *Illic erit Deus omnia in omnibus, ubi rerum universitas mirabiliter ordinata dabit Creatori gloriam, laetitiam creaturae.*

[121] Div. 32,2, VI.I. 222f; vgl. auch: ebd. 1,7, VI.I. 78; ebd. 16,7, VI.I. 148f.

[122] Ded. 4,6, V. 387.

[123] Vgl. 100, Anm. 105.

[124] Sent. III. 91, VI.II. 143.

[125] Sept. 1,3, IV. 346.

[126] Letztlich sind beide Zuordnungen möglich. Obige Ausführungen geben Gewichtungen wieder, die – trotz offensichtlicher Widersprüche – feststellbar sind. Wiederum sind die Äußerungen Bernhards dem jeweiligen Predigtkontext verpflichtet. So setzt Bernhard im unter Anm. 119 zitierten Predigtabschnitt den Menschen in der Nachfolge die Söhne Babylons entgegen. Die Bestimmung des geordneten Lebenswandels als wesentliches Merkmal der klösterlichen Gemeinschaft ist somit im Kontext durchaus folgerichtig, steht aber im Widerspruch zu der unter Anm. 125 zitierten Aussage.

stand der Unverderbtheit, zu dem Mensch und Welt ursprünglich erschaffen waren. Gott, der Schöpfer, *in pondere et mensura et numero condidit universa.*[127] Ordnung ist das Wesen der Schöpfung,[128] denn alle Dinge, *quae a Deo sunt, ordinata sunt.*[129] Allen Dingen ist ihr Platz gewiesen; - *haec quidem sursum, heac vero deorsum, haec in medio,* ein jedes *ordinatissime* an den ihm gebührenden Platz gestellt.[130] Die ganze Schöpfung legt von harmonischer Schönheit *(ordinis pulchritudinem)*[131] Zeugnis ab. In Adam jedoch wurde diese Schönheit durch die Sünde verunstaltet. Die Verwirrung Babylons droht nun den in Ordnung und somit zur Gutheit erschaffenen Menschen gänzlich in die Tiefe zu reißen. In vorbildhafter Weise vermögen die Mönche in diesem Ringen um das Seelenheil zu bestehen. Der Verwirrung der Sünde setzen sie die geordnete Lebensführung *(ordo viae et institutio vitae)*[132] und das geordnete Voranschreiten in den Tugenden *(rectus ergo profectus nostri ordo est)*[133] entgegen. Doch nicht nur das Innere jedes einzelnen, auch die Gemeinschaft selbst ist dem Prinzip der Ordnung unterworfen. Als geordnete Schlachtenreihe rücken die Mönche gegen das Böse vor.[134] Stark, weiß und geordnet sind die Mönche, denn sie gleichen den Zähnen der Braut (Kirche)[135]. Nichts ist stärker als Zähne, und so ist den Mönchen Leiden Trost, Schande gereicht ihnen zur Ehre. Unverrückbar stehen sie und gewähren deshalb keinerlei Beunruhigungen Eintritt, weder in die Gemeinschaft *(intra se)* noch in die einzelnen *(in conscientiis singulorum).* Erstrahlt der ganze Körper der Braut in herrlichem Weiß, so erstrahlen sie weißer, denn sie haben den kürzesten und sichersten Weg zum Heil gewählt. Getrennt und doch verbunden stehen obere und untere Zähne. Vorbildlich, denn geordnet und einträchtig, verhalten

[127] Circum 1,1, IV. 273; vgl. auch: div. 86, VI.I. 328f; ram. palm. 3,1, V. 51. Diesen Belegstellen liegt Weish 11,21 zugrunde: *OMNIA IN MENSURA ET NUMERO ET PONDERE DISPOSUISTI.*

[128] Zur zentralen Bedeutung von Weish 11,21 für die Ordnungsvorstellungen des Mittelalters, vgl. Krings, Das Sein; ders., Ordo. Vgl. auch: Duby, Die drei Ordnungen; Steinbüchel, Christliches Mittelalter, 65ff; Veit, Ordo, 7ff.

[129] Asc. 4,2, V. 139; vgl. auch: qui hab. 7,6, IV. 416f; vig. nat. 3,8, IV. 217.

[130] Die pent. 3,3, V. 172.

[131] Laud. Virg. 2,13, IV. 30.

[132] Div. 102,2, VI.I. 370.

[133] Ebd. 88,2, VI.I. 334.

[134] Vgl. 85ff.

[135] Auch wenn die inhaltliche Verknüpfung den modernen Betrachter befremden mag, zeugen Bernhards Ausführungen (div. 93, VI.I. 349-351) von kunstvoller innerer Geschlossenheit. Bernhards Ausgangspunkt bildet der Hoheliedvers 4,2,: *DENTES TUI SICUT GREX TONSARUM.* Das Bindeglied zwischen Mönchen und Zähnen stellt *GREX TONSARUM* dar: - *Quam bene monachi tonsis ovibus comparantur, quia revera tonsi sunt* (351). Im Fortgang der Predigt (vgl. 133f) zählt Bernhard die Eigenschaften der Zähne auf und führt diesen ihre jeweilige übertragene Bedeutung zu. Vgl. Ohly, Vom geistigen Sinn, 5ff; Brinkmann, Mittelalterliche Hermeneutik, 21ff.

sich im Kloster Obere und Untergebene zueinander; – *et sic superiores inferioribus iunguntur ut inferiores a superioribus non discordent.* Wie kein anderer Ort der Erde ist das Kloster vom Prinzip der Ordnung bestimmt. Wie an keinem anderen Ort wird hier die Sünde niedergerungen, so daß der Mensch seinem verunstalteten Selbst mehr und mehr jene Gestalt verleiht, die auf ursprüngliche Schönheit, aber auch auf die Schönheit des künftigen Erstrahlens verweist:

Ubi enim aliquid ordinatum est, si hic non est, ubi cibus et potus, vigilare et dormire, laborare et quiescere, ambulare et sedere, et cetera omnia, in numero et mensura et pondere constituuntur?[136]

[136] Div. 93, 1–2, VI.I. 349f.

4. NOTWENDIGKEIT UND PROBLEMATIK DES WIRKENS

Den Ausgangspunkt dieser Untersuchung bildeten die Bewertungen, die Bernhards Selbstcharakterisierung als Chimäre durch seine modernen Interpreten gefunden hat. Die inhaltlichen Bestimmungen sind, wie eingangs ausgeführt,[1] äußerst vielfältig. Neben den dargestellten Positionen sind hier Beurteilungen hervorzuheben, die gegen eine vorschnelle Ineinssetzung der Chimäre-Problematik mit dem Zwiespalt ‚religiöse Innerlichkeit – Wirken nach außen' Stellung beziehen. So versteht Walter Nigg Bernhards Zitat als eine „Äußerungen der seelischen Müdigkeit" und warnt im übrigen davor, diese zum Ausgangspunkt des Verständnisses Bernhards zu machen: – „Bernhard war kein zwiespältiger Mensch, den der Gegensatz von Beschauung und Tätigkeit zerriß."[2] Johannes Spörl hebt die außergewöhnliche „Verquickung des Politischen und Religiösen" in der Gestalt Bernhards hervor, an der er nicht wegen der grundsätzlichen Unvereinbarkeit beider Komponenten gelitten habe, sondern weil ihn die Last der Tätigkeit „von der vita contemplativa abzog".[3] Eine vergleichbare Position vertritt Jürgen Miethke, der in besagtem Zitat die Äußerung eines Mannes sieht, der im Rückblick auf ein ruheloses Leben bekennt, daß dies nur unter „Preisgabe der kontemplativen Existenz" möglich war.[4] Einen weiteren Lösungsversuch des Problems bietet Bredero, der die vorbildliche Haltung des Petrus Venerabilis in seiner Auseinandersetzung mit Bernhard dafür verantwortlich macht, daß der zu Übereifer und Unduldsamkeit neigende Abt von Clairvaux sich wiederum der Welt öffnete. Weltflucht und spirituelle Rückkehr in die Welt kennzeichnen somit die Pole, die Bernhard in seinem Wesen zu vereinen vermag.[5]

Neben den dargestellten Meinungen, denen eher ein gewisser Statementcharakter zukommt, ist besonders auf J. R. Sommerfeldts Artikel ‚The chimaera revisited'[6] sowie die Untersuchung ‚Action and contemplation in St. Bernard' von Thomas Merton hinzuweisen. Merton bemerkt bezüglich der Klagen Bernhards über die Last der Geschäfte:

[1] Vgl. 1ff.

[2] Nigg, Vom Geheimnis, 224.

[3] Spörl, Bernhard, 76.

[4] Miethke, Bernhard, 55.

[5] Bredero, The controversy, 70f.

[6] Auch Sommerfeldt (The chimaera, 13) geht davon aus, daß Bernhards Wort von der Chimäre nicht dem Zwiespalt zwischen Aktion und Kontemplation, sondern dem Leiden an der Entfremdung vom klösterlichen Leben durch die übermächtigen Last der Geschäfte entspringt.

But we must not exaggerate this into a speculative opposition which would make action and contemplation in themselves incompatible. On the contrary, in a more objective mood, he describes the way action and contemplation mutually assists one another in leading the soul to the perfection of charity.[7]

Diesem Ansatz entsprechend führt Merton das Verhältnis Aktion – Kontemplation vor allem anhand des Predigtwerkes Bernhards aus. Das Hauptaugenmerk Mertons gilt hierbei der Bedeutung, die diese Problematik für Bernhard im monastischen Kontext besaß, sowie der Bedeutung, die die Haltung Bernhards für die Lebensführung moderner Mönche besitzt. Diese auf die Erbauung eines bestimmten Leserkreises zugeschnittenen Züge der Arbeit Mertons mögen als Erklärung dafür dienen, daß dieser Aufsatz nicht jene Aufnahme gefunden hat, die er auch im Rahmen der Geschichtswissenschaft verdient hätte.
Der bisherige Verlauf der Untersuchung deutet in die Richtung der zitierten Urteile. Die Notwendigkeit wurde deutlich, zwischen einem dem modernen Betrachter sich aufdrängenden Eindruck des Zwiespalts und der Problematik, die Bernhard in seiner Äußerung eingesteht, zwischen dem modernen Unbehagen an Bernhard und Bernhards Unbehagen an sich selbst, zu unterscheiden. Religiöse Innerlichkeit und Wirken außerhalb der Klostermauern erweisen sich als durchaus miteinander vereinbar. Die Beziehungen zwischen beiden Komponenten werden im folgenden zu präzisieren sein. Gleichzeitig werden die Spannungen aufzuzeigen sein, die unzweifelhaft zwischen beiden Polen bestehen. Von diesen Spannungen legt Bernhards Selbstcharakterisierung als Chimäre Zeugnis ab. In den Briefen Bernhards ist sie Teil der zeit seines Lebens mehr oder minder heftig geführten Klage über die drückende Last der Geschäfte, die ihn der klösterlichen Abgeschiedenheit und somit der Sorge um das eigene Seelenheil und das der Mitbrüder entziehen. Im Rahmen der Predigten und Traktate hat sie Anteil an einem Thema, das Bernhard ebenfalls zeit seines Lebens in immer neuen Variationen aufgreift: Aktion und Kontemplation als aufeinander verwiesene und doch miteinander im Widerstreit liegende Komponenten der in der Läuterung vorangeschrittenen Seele.

4.1. Aktion – Kontemplation

(H)oc enim melius, quiescere et cum Christo esse; necessarium autem exire ad lucra propter salvandos.[8] Zwar ist es besser, ruhend bei Christus zu ver-

[7] Merton, Action, 41. Dieser Artikel wurde bereits 1953/54 veröffentlicht und 1980 erneut aufgelegt.
[8] CC 46,1, II. 56.

weilen, doch es ist auch notwendig, die Ruhe der Beschauung zu verlassen, – hinauszutreten, um für den Nächsten heilsamen Nutzen, um für Christus Gewinn zu erwirken. Bernhard äußert sich an dieser Stelle zu einer Problematik, die neben den Themen ‚fortschreitende Läuterung' und ‚innere Beschauung im mystischen Erlebnis' einen zentralen Rang in seinem Predigtwerk einnimmt: der Frage nach dem Verhältnis, in dem Läuterung und Kontemplation zum Bereich der Aktion stehen. Diese Problematik ist von besonderer Bedeutung für die Fragestellung dieser Arbeit, in der es Verbindungslinien zwischen der Frömmigkeit Bernhards und seinem öffentlichen Wirken aufzuzeigen gilt. Bernhard thematisiert diese Fragestellung unter dem Aspekt des Verhältnisses ‚Aktion – Kontemplation', so daß es von hier aus möglich sein wird, Einblicke in Legitimation und Antrieb des handelnden Bernhard zu gewinnen.

Die im vorangegangenen festgestellten Eigenheiten der Texte Bernhards sind auch in diesem Zusammenhang bedeutsam. Wiederum sind seine Äußerungen vielfältig und variantenreich. Oftmals charakterisiert Bernhard die Problematik anhand von Maria und Martha, dem ungleichen Schwesternpaar, in deren Haus – nach Lk 10,38–24 – Christus eintritt. Maria (Kontemplation) und Martha (Aktion) können sowohl eine gewisse Aufgabenteilung innerhalb der Kongregation als auch das Verhältnis beider Komponenten im Rahmen der Einzelseele beschreiben. Gleichbedeutend hierzu steht das Frauenpaar Lia und Rachel. Jakob liebt zwar Rachel (Kontemplation), statt derer wird ihm aber die fruchtbare Lia (Aktion) zugeführt. Neben der Thematisierung des Problemkreises anhand der biblischen Frauengestalten ist auch dessen Darstellung auf verschiedenen, dem Kontext der jeweiligen Predigt entspringenden Bildebenen möglich. Stellt Bernhard die Bereiche Aktion und Kontemplation einander gegenüber, so ist er zugleich bemüht, innerhalb der Entgegensetzung Verbindendes aufzuzeigen. Die Art und Weise der Verbindung ist kontextabhängig, d. h. die Bewertungen, mit denen Bernhard beide Bereiche versieht, wechseln.

Die wohl größte Schwierigkeit innerhalb dieses komplexen Sachverhaltes bildet die inhaltliche Bestimmung des Bereichs der Aktion. Allgemein formuliert, beschreiben Martha und Maria „die tätige und die beschauliche Liebe".[9] Die tätige Liebe jedoch kann sich sowohl auf ein Tätigwerden außerhalb der Kongregation als auch auf das Heraustreten aus der kontemplativen Beschauung, um zum Nutzen der Mitbrüder zu wirken, beziehen. Nicht immer ist die Grenze zwischen beiden

[9] Kurze, Die Bedeutung der Arbeit, 186.

Möglichkeiten zweifelsfrei zu bestimmen, zumal sich Bernhards außerklösterliches und innerklösterliches Handeln an einem wesentlichen Punkt überschneidet: hier wie dort wirkt Bernhard läuternd auf seine Mitmenschen zum Guten ein. Dem Kreis der Rezipienten gemäß beschreibt Bernhard im Rahmen der Predigt eher das Verhältnis von Kontemplation und innerklösterlicher Aktion. Doch auch hier lassen sich Äußerungen von allgemeiner, d. h. den Kreis des Klosters überschreitender Bedeutung finden. Diese übergreifende Bedeutung wird in den folgenden Kapiteln durch Parallelstellen aus den Briefen zu stützen sein, in denen die in den Predigten behandelte Problematik im nunmehr eindeutig außerklösterlichen Kontext ihren Niederschlag findet.

Generell ist festzuhalten, daß sich Bernhard weniger um die Bestimmung und Thematisierung des Wirkungsbereiches bemüht, sondern daß sein Interesse vielmehr den innerseelischen Bedingungen und Vorgängen beim Übertritt vom Innen der Läuterung und Kontemplation zum Außen der Aktion gilt. Dieses Thema tritt im Werk Bernhards in einer Häufigkeit auf, die keinen Zweifel daran läßt, daß Bernhard hier nicht nur das Verhältnis ‚Aktion – Kontemplation' behandelt, sondern auch seine eigene Lebensführung problematisiert. Dieses Thema tritt weiter in einem Variantenreichtum auf, der ebenfalls ein bezeichnendes Licht auf Bernhard wirft. Immer wieder wendet sich der Heilige dieser Problematik zu, um sie neu zu gestalten, neu zu durchdenken, ohne aber jemals zu einem inneren Abschluß mit ihr zu gelangen.

4.1.1. Intus – Foris

Der Problemkreis ‚Aktion – Kontemplation' stellt sich in einem großen Teil der betreffenden Predigtstellen als die direkte Fortsetzung der Läuterungsthematik dar. Entsprechend greift Bernhard die gewählte Bildebene wieder auf und bemüht sich von hier aus um eine konsequente Gestaltung des Übergangs von der inneren Läuterung zum äußeren Wirken. Insbesondere das im Hohelied beschriebene Geschehen um Braut, Bräutigam und Mägdlein gibt Bernhard die Gelegenheit, die Problematik auszuführen. Das Wechselspiel zwischen dem Ruhen der Braut beim Bräutigam und ihre Hinwendung zu den Mägdlein dient Bernhard zumeist dazu, die Bedeutung beider Bereiche in ihrer innerklösterlichen Dimension zu beschreiben. Denn wenn auch die Braut allein in der Abgeschiedenheit des mystischen Erlebnisses den Kuß des Bräutigams empfängt, so ist dies doch ebenfalls für die ihr anvertrauten Mägdlein von Nutzen: *(S)ponsa concipiat, tumescentibus ni-*

mirum uberibus, et lacte quasi pinguescentibus in testimonium.[10] Mit der Milch der Predigt nährt sie die Kleinen und wirkt so – nachdem sie zuvor in der Kontemplation ruhte – zu deren geistigem Nutzen. Die Braut sehnt sich nach den Umarmungen des Bräutigams, die Kleinen jedoch sehnen sich nach den Brüsten der Braut. Als die Kleinen bemerken, daß die Braut nach kontemplativer Abgeschiedenheit strebt *(secretum quaerere sibi, fugitare publicum, declinare turbas, et curae ipsarum propriam praeferre quietem),* bitten sie sie zu bleiben; – *quia maior in uberibus quam in amplexibus fructus exsistit.*[11] Der hier dargelegte Widerstreit der Interessen ist von grundsätzlicher Natur. Die Braut sehnt sich nach dem ruhenden Verweilen bei Gott *(contemplationis quietem),* jedoch wird ihr die Mühe der Predigt *(labor praedicationis)* auferlegt. Denn, wie Bernhard sowohl hier als auch in der vorangegangenen Predigt anhand des Hoheliedverses 1,1, betont: *MELIOR SUNT UBERA TUA VINO.*[12] Dasselbe Thema liegt dem Predigtabschnitt CC 23,2, zugrunde, in dem die Mägdlein freudig auf die Rückkehr der Braut aus dem Schlafgemach des Königs warten. Können sie auch am mystischen Erlebnis nicht unmittelbar teilhaben – *foris remanent*[13] –, so sehen sie dennoch hoffnungsfroh dem Kommen der Braut entgegen:

Aequanimiter sustinemus dum venias, scientes te plenis ad nos reversuram uberibus. Tunc nos confidimus exsultare et laetari, memores interim uberum tuorum.[14]

Im Begriff von den milchspendenden Brüsten findet der Umschlag vom Innen der Beschauung zum Außen des Nutzens eine im Bild konsequent gestaltete Darstellung. Ebenso konsequent (und ebenso befremdlich für das moderne Empfinden) ist die Bearbeitung des Themas als Wechsel vom Selbst zur selbstlosen Liebe. Hierzu geht Bernhard in der 27. Predigt auf das Hohelied vom Bild der Seele als eines Raumes aus, der dazu bestimmt ist, Gott in sich aufzunehmen. Im weiteren beschreibt Bernhard den Läuterungsprozeß als einen Vorgang, in dem Gott in der Seele Raum gewinnt. Das Element des Fortschritts wird durch das Anwachsen des Innenraums verdeutlicht. Sowohl an Höhe (Tugend) als auch an Breite (Liebe) nimmt der Seelenraum zu.[15] Die Seele wächst und dehnt sich, bis sie die Grenzen der gewöhnlichen Liebe durchstößt *(transiens limitem angusti huius obnoxii amoris),* um so

[10] CC 9,7, I. 46.

[11] Ebd. 9,9 I. 47.

[12] Ebd. 41,5, II. 31; Zum Vokabular der Kontemplation, vgl. Leclercq, Études sur le vocabulaire, 85ff; ders., Otia monastica.

[13] Ebd. 23,1, I. 138.

[14] Ebd. 23,2, I. 139.

[15] Ebd. 27,10, I. 188f. Zum Motiv des Seelenraumes, vgl. Ohly, Cor amantis non angustum.

zu einer Weite an Liebe zu gelangen, die alle Menschen umfaßt, die sie nunmehr wie sich selbst liebt: *Amplum, inquam, gerit caritatis sinum, quae complectitur universos.*[16] Gedankengänge vergleichbaren Inhalts finden sich in der Predigt CC 12. Wiederum widmet sich Bernhard dem Übergang vom Selbst zur selbstlosen Liebe. Die hier beschriebene vorbildliche Seele macht alle Nöte des Nächsten zu ihren eigenen. Sie ist in solchem Maß vom Tau des Mitleides benetzt *(imbuta rore misericordiae)*, daß ihr Inneres vor Liebe überfließt *(affluens pietatis visceribus)*. Das Selbst eines solchen Menschen wird gleichsam zum zerbrochenen Gefäß, so daß er sich nun ganz dem Nächsten zuzuwenden vermag; – *sic te omnibus omnia faciens, sic facta ipsa tibi tamquam vas perditum.* Für sich selbst ist diese Seele gestorben, die allein noch für die Mitmenschen lebt *(sic denique mortua tibi, ut vivis omnibus)*.[17] Der Mensch, den eine solche Haltung auszeichnet, besitzt die Salbe der erbarmenden Liebe und hat somit die höchste der zu erreichenden Läuterungsstufen erlangt, die Bernhard ab der Predigt CC 10 (anhand des Hoheliedverses 1,2: *FRAGANTIA UNGUENTIS OPTIMIS)* als unterschiedliche Salben darstellt.[18] Wie schon beim Bild der milchspendenden Brüste, so wird auch in dieser Predigt das Heraustreten aus dem Innen zum Außen des Nächsten thematisiert, wobei im Fall der selbstlosen Liebe die Zielgruppe eine äußerst weit gefaßte Bestimmung erfährt. Denn die Salbe der erbarmenden Liebe setzt sich aus vielfältigen Ingredienzien zusammen;

de necessitatibus pauperum, de anxietatibus oppressorum, de perturbationibus tristium, de culpis delinquentium, et postremo de omnibus quorumlibet miserorum aerumnis, etiamsi fuerint inimici.[19]

Hoheliedvers 1,4: *NIGRA SUM, SED FORMOSA, FILIAE IERUSALEM; SICUT TABERNACULA CEDAR, SICUT PELLES SALOMONIS* bietet Bernhard die Gelegenheit, auf einer weiteren Bildebene das Verhältnis vom Innen und dem nach außen gerichteten Wirken zu thematisieren. Die Braut ist schwarz, aber schön. Ihre Schwärze resultiert entweder aus der strengen Buße, oder aber – was hier von Interesse ist – aus ihrem Liebeseifer, der ihre Haut, im Gegensatz zum Weiß ihrer Seele, schwarz einfärbt.[20] Wenig später greift Bernhard diesen Gedanken wieder auf und setzt die Schwärze der Braut zu den Zelten Cedars in Bezug. Denn als Zelte wurden Felle aufgeschlagen, deren nach außen

[16] Ebd. 27,11 I. 189f.

[17] Ebd. 12,1, I. 61.

[18] Ebd. 10ff I. 48ff.

[19] Ebd. 12,1, I. 60.

[20] *Audi denique quid per Prophetam Deus promittat istiusmodi nigris, quos aut humilitas paenitentiae, aut caritatis zelus, tamquam solis aestus, decolorasse videtur. (. . .) Non plane contemnenda in sanctis extera ista nigredo quae candorem operatur internum, . . .* (ebd. 25,6, I. 166).

gerichtete Seite der Sonne und dem Regen ausgesetzt war, so daß sie sich dunkel verfärbte: *Neque id frustra, sed ut is qui intus repositus erat ornatus, nitidior servaretur.* Ebenso verhält es sich mit der Braut, deren Haut zwar schwarz ist, die sich jedoch nicht einer Gestalt zu schämen braucht, die ihr die Liebe verliehen hat. Denn aus brennender Sorge für den Nächsten umkleidet sie sich mit dem Dunkel des Mitleids *[(i)nduit se compassionis naevum]*, um so dem Mitmenschen in seiner Not beizustehen. Bereits am Bild von der schwarzhäutigen Braut deuten sich jene problematischen Aspekte des Bereichs der Aktion an, die noch eingehend zu besprechen sein werden.[21] Doch auch wenn - wie Bernhard fortfährt - die nach außen gekehrte, d. h. dem Nächsten zugewandte Seite ihres Selbst verdunkelt ist, so hat ihr Wirken nichtsdestoweniger die Zunahme an Licht zur Folge: *nigrescit candoris zelo, lucro pulchritudinis.*[22]
Bereits die drei dargestellten Beispiele belegen die Vielfalt der Inhalte und Bilder, die Bernhard zur Thematisierung des Verhältnisses ‚Aktion - Kontemplation' dienen. Dennoch wurde die innere Verwandtschaft der zitierten Predigten deutlich. Im Bild von den milchspendenden Brüsten, von der Weitung des Seelenraumes sowie dem der dunkelhäutigen Braut findet sich derselbe Vorgang beschrieben: der Wechsel vom Bereich des Innen der Seele zum Außen des Nächsten. Letztlich ist dies das zentrale Thema Bernhards, das auch den im folgenden zu behandelnden Textstellen - bei aller Vielfältigkeit und Widersprüchlichkeit - den inneren Zusammenhang gibt und folglich nicht aus den Augen zu verlieren ist.

4.1.2. Wirken aus der Fülle

Die im vorangegangenen zitierten Predigtabschnitte sind durch weitere Belege zum Problemkreis ‚Aktion - Kontemplation' zu ergänzen, in denen, je nach Kontext, die Opposition ‚Innen - Außen' mehr oder minder stark zum Tragen kommt. So dient Bernhard das doppelte *‚PARATUM COR MEUM, DEUS, PARATUM COR MEUM'* als Beleg für die Notwendigkeit zum doppelten Gehorsam: *Desidero requiem, sed non recuso laborem: fiat voluntas tua.*[23] In der 40. Hoheliedpredigt beschreibt Bernhard den Bereich der Aktion als Wange Marthas, die - im Gegensatz zur anderen, Gott zugewandten Wange - mit Erdenstaub bedeckt

[21] Vgl. 124ff.
[22] Ebd. 28,1, I. 192f. Gegen Ende der Predigt wendet sich Bernhard noch einmal dem Thema der Schwärze aus Nächstenliebe zu: *Vel decolorari a sole, est ignescere caritate fraterna, flere cum flentibus, gaudere cum gaudentibus, cum infirmantibus infirmari, uri ad scandala singulorum* (ebd. 28,13, I. 201).
[23] Fest. Mart. 1,18, V. 412; Ps 56,8.

ist.[24] *‚ET FACTUS EST MANE ET VESPERE DIES UNUS‘* bildet in der Predigt div. 3 den Ausgangspunkt zu einer Reflexion über Aktion (hier im Bild vom ausfliegenden Schwälbchen) und Kontemplation, in der beide Bereiche einander wie Morgen und Abend angehören.[25] Die doppelt bekundete Bereitschaft für Gott, die zwei Wangen Marthas sowie Morgen und Abend als Teile eines Tages, belegen nachdrücklich den grundlegenden Zusammenhang von Aktion und Kontemplation.
Ist dieser Sachverhalt für die Gesamtheit der Belegstellen zu diesem Thema gültig, so unterliegt die Art und Weise, in der Bernhard diesen Zusammenhang bestimmt, beträchtlichen Schwankungen. Grundsätzlich sind zwei Arten der Zuordnung möglich: entweder geht die Aktion der Kontemplation voran oder aber die Kontemplation der Aktion. Beide Bestimmungen lassen sich im Werk Bernhards nachweisen.
Als die weniger bedeutende der beiden Varianten ist diejenige anzusehen, in der Bernhard die Aktion der Kontemplation voranstellt. Die Art der Zuordnung erklärt sich aus dem Kontext der entsprechenden Predigtabschnitte, in denen Bernhard die Aktion als einen mit Mühsal behafteten und daher als weniger erstrebenswert erscheinenden Lebensbereich beschreibt. Martha klagt, denn Maria hat den besseren Teil gewählt. Dennoch ist Martha als der Älteren mit Recht die Mühe übertragen, den Herrn zu empfangen. Maria und Martha, die ältere und die jüngere Schwester, verweisen somit an dieser Stelle auf die Reihenfolge jener Lebensbereiche, die sie versinnbildlichen: *et salutis initium sibi magis actio quam contemplatio vindicat.*[26] Im weiteren Verlauf der Predigt wendet sich Bernhard noch einmal diesem Gedanken zu, den er nunmehr aus dem Handlungsablauf des bei Lukas geschilderten Geschehens entwickelt. Denn ebenso wie der Empfang des Heilands durch Martha dem Verweilen Marias zu seinen Füßen vorangeht, *prius est actio, postea vero contemplatio.*[27]
Eine vergleichbare Aussage findet sich in der 46. Hoheliedpredigt. Das Bett der Braut, auf dem sie die innere Schau pflegt, bedarf an seinen Außenseiten der Umkränzung durch die Blumen der guten Werke. Denn anders als abgekämpft *(exercitatus)* ruhen zu wollen, hieße, sich einer verzärtelnden Ruhe *(delicato . . . otio)* hinzugeben. Werden auch die Umarmungen Rachels ersehnt, so darf doch die fruchtbare Lia nicht zurückgewiesen werden, denn es verstößt gegen alle Ordnung, *ante meritum exigere praemium, et ante laborem sumere cibum.*[28]

[24] CC 40,3, II. 26.
[25] Div. 3,3, VI.I. 88; Gen 1,5; u. ebd. 3,4, 89.
[26] Assump. 3,1, V. 238f.
[27] Ebd. 5,6, V. 254.
[28] CC 46,5, II. 58.

Die häufiger auftretende und in diesem Zusammenhang bedeutsamere der beiden Varianten führt Bernhard im Rahmen derjenigen Predigtabschnitte aus, in denen er die auf das Innen des Menschen bezogenen Themen der Läuterung und der mystischen Versenkung dem Bereich der Aktion vorordnet. Zum Teil implizieren bereits zitierte Belege diese Konzeption. Der Übergang vom Selbst zur selbstlosen Liebe setzt das Tugendwachsen der Seele, d. h. die Läuterung des Menschen voraus.[29] Aus der Zweisamkeit mit dem Bräutigam, d. h. aus dem mystischen Erlebnis, eilt die Braut zu den Kleinen, um diese mit der Milch der Predigt zu nähren.[30] Auch die folgenden Kapitelabschnitte werden zum Beleg der zentralen Bedeutung dieser Anordnung dienen. Der von Maria/Rachel versinnbildlichte Bereich geht in den meisten Fällen dem Bereich der Aktion voran.[31] Dies gilt ebenfalls für jenen noch zu beschreibenden Kreis vorbildhafter Personen, der sich vor allem durch den geglückten Wandel vom geläuterten/kontemplativen Selbst zum heilsamen Wirken auszeichnet.[32]

In der 18. Predigt auf das Hohelied bestimmt Bernhard die Art und Weise, in der sich geläutertes Innen und Wirken nach außen zueinander verhalten, anhand des Hoheliedverses 1,2: *OLEUM EFFUSUM NOMEN TUUM*. Bernhard beginnt seine Ausführungen mit der Beschreibung der zweifachen Wirksamkeit des Heiligen Geistes. Er wirkt das innere Heilswerk im Menschen *(nos primo intus virtutibus solidat ad salutem)*, er befähigt aber auch zum heilsamen Wirken nach außen *(foris quoque muneribus ornat ad lucrum)*. Glaube, Hoffnung und Liebe sind dem Menschen zum Nutzen für sein eigenes Inneres gegeben. Die äußeren Gnadengaben hingegen werden zum Nutzen der Mitmenschen verliehen:

Porro scientiae seu sapientiae sermo, gratia curationis, prophetia similiaque (. . .) proximorum procul dubio in salutem expendenda donantur.

In beiden Fällen jedoch wirkt der Hl. Geist, dessen innere und äußere Gaben Bernhard im folgenden unter dem Aspekt des Eingießens *(infusio)* und des Ausgießens *(effusio)* erläutert.[33]

Von einem doppelten Fehlverhalten sieht Bernhard den rechten Umgang mit den Gnadengaben des Hl. Geistes bedroht: *sed sane cavendum in his, aut dare quod nobis accepimus, aut quod erogandum accepimus retinere.* Wird eine äußere Gnadengabe *(forisque . . . donis)* des Hl. Geistes empfangen, so darf diese keinesfalls – *quod posset prodesse multis* –, zurückge-

[29] Vgl. 109f.
[30] Vgl. 108f.
[31] Vgl. 126ff.
[32] Vgl. 140ff.
[33] CC 18,1, I. 103.

halten werden. Falsch verstandene Demut und Trägheit sind für dieses Fehlverhalten kennzeichnend. Umgekehrt aber macht sich auch derjenige Mensch schuldig, der als *semiplenus* überzufließen sucht und somit die niedrigen Motive seines Handelns (eitle Ruhmsucht und weltliche Gelüste) offenbart. Das Heil, das er vorschnell dem Mitmenschen zu spenden sucht, droht er selbst nun einzubüßen.[34] Der Weise hingegen macht sich zum Gefäß, nicht zum Kanal; – *illa vero donec impleatur exspectat, et sic quod superabundat sine suo damno communicat.*[35] Ein solcher Mensch gleicht jener Quelle, die ihr Wasser zum See sammelt, um dann aus der Fülle überzufließen. Ein solcher Mensch gleicht Christus *(Fons vitae),* der erst den Himmel erfüllte, um dann auf die Erde zu strömen: *(E)rgo et tu fac similiter. Implere prius, et sic curato effundere.*[36] Entsprechend widmet sich Bernhard im weiteren Fortgang der Predigt dem Weg zur Fülle, d. h. der Läuterung des Selbst,[37] die den Menschen bis zum mystischen Erlebnis führt. Für einen kurzen Augenblick wird der Mensch nun – eher ahnend als sehend – Gottes gewahr. Dieses Erlebnis ist wie das kurze Aufblitzen eines fliegenden Funkens *(coruscamine scintillulae transeuntis),* der doch genügt, daß die Seele gleichsam vor glühender Liebe aufwallt und überfließt: – *Talis amor zelat (. . .). Hic replet, hic fervet, hic ebullit, hic iam securus effundit exundans et erumpens.* Einem solchen Menschen gehen die Nöte des Nächsten brennend nahe, so daß er mit Paulus spricht: *QUIS INFIRMATUR, ET EGO NON INFIRMOR? QUIS SCANDALIZATUR, ET EGO NON UROR?* Nunmehr vermag dieser Mensch aus der Fülle überzufließen und zum Nutzen des Nächsten seine Gnadengaben zu spenden:

Praedicet, fructificet, innovet signa et immutet mirabilia: non est quo se immisceat vanitas, ubi totum occupat caritas.[38]

[34] Ebd. 18,2, I. 104.
[35] Ebd. 18,3, I. 104.
[36] Ebd. 18,4, I. 106.
[37] Ebd. 18,5, I. 106f.
[38] Ebd. 18,6, I. 107.
Der Predigt CC 18 vergleichbare Gedankengänge lassen sich in den Predigten div. 91 und div. 89 nachweisen. In div. 91,5, (VI.I. 344) benutzt Bernhard das Bild vom Überfließen *(abundans infusio gratiae spiritualis)* zur Charakterisierung des Predigerstandes im Rahmen der in drei Stände unterteilten ‚*ecclesia*‘. *Sapientia, scientia* und *timor Dei* bilden hier die inneren Gaben, deren Fülle die Bedingung zum Überfließen ist: *Quibus deliciis cum abundaverit et repleta fuerit, exaltet iam in ecclesiis Dominum.* Was die Braut in der Abgeschlossenheit der Gemächer *(in cubiculis)* vernommen hat, vermag sie nun öffentlich *(praedicet iam super tecta)* zu verkünden. Der Vergleich der Predigten CC 18 und div. 91 macht deutlich, wie weitgehend Bernhards Kriterien für einen geläuterten Klerikerstand dem monastischen Kontext entstammen. In der Predigt div. 89 finden sich wesentliche Aussagen von CC 18, nun wiederum in ihrer allgemeingültigen Form, wiederholt. Auch hier unterscheidet Bernhard ein zweifaches Wirken des Hl. Geistes: *Operatur enim in nobis aliud propter nos, aliud propter proximos* (89,1, VI.I. 334). Wieder-

Als das wesentliche Bindeglied des Übergangs vom Selbst zum Außen des Nächsten stellt sich das Element der Fülle dar. Die innere Fülle scheidet die aus der Gnade und von gefestigter Tugendbasis aus wirkende Braut von der eitlen Hohlheit *(vanitas)* derjenigen, die durch ihr vorschnelles Handeln die Niedrigkeit ihrer Motive offenbaren und zugleich ihr eigenes Seelenheil gefährden. Das Motiv der überfließenden Fülle verweist aber auch auf die Struktur des Übergangs als eines Prozesses, der eher erfahren wird, als daß er der menschlichen Steuerung unterliegt. In der zitierten Predigt brachte das im mystischen Erlebnis glühende Liebesfeuer die Seele zur Aufwallung und dann zum Überfließen. In der 49. Predigt auf das Hohelied beschreibt Bernhard die Rückkehr der Braut aus dem Weinkeller des Bräutigams, d. h. aus dem mystischen Erlebnis. Eine solch berauschende Fülle ist ihr dort zuteil geworden, daß das im Übermaß Genossene nunmehr aus ihr hervorzubrechen beginnt *(cum ex caritatis abundantia bonam et salutarem vini laetitiae ructare crapulam coeperit)*. Sie kehrt trunken von Liebe und Eifer *(divino amore vehementissime flagrans et aestuans iustitiae zelo)* aus dem Weinkeller zurück[39] und befindet sich somit in einem Zustand höchster Erfülltheit, den Bernhard zum Ausgangspunkt einer ausführlichen Reflexion über die Liebe in ihrer kontemplativen und in ihrer auf die Tat dringenden Form macht.[40]

In der 57. Hoheliedpredigt nimmt der Argumentationsgang Bernhards die aus den bereits zitierten Predigten bekannte Richtung. Wiederum gelangt er über die Thematisierung der Läuterungsproblematik[41] zur Beschreibung des mystischen Erlebnisses[42] und grenzt von hier aus den Bereich der Aktion ab. Nachdem die Braut die Gunst der mystischen Vereinigung erfahren hat, gebietet ihr nun – Hohelied 2,20 – der Bräutigam: *SURGE, PROPERA, AMICA MEA, COLUMBA MEA, FORMOSA MEA, ET VENI.* Dieses Wort offenbart den göttlichen Willen *(divinam*

um gilt es das in CC 18,2, beschriebene doppelte Fehlverhalten zu vermeiden, so daß vor der Hinwendung zum Nächsten die Verwirklichung der inneren Fülle *(studeamus impleri primum)* steht (89,2, VI.I. 334f).

[39] CC 49,4, II. 75.
Dieses in der Tat überraschende Bild des Erbrechens verliert vor dem Hintergrund des Stilideals der *‚sermo humilis‘* seine Befremdlichkeit. Erich Auerbach beschreibt in seinem gleichnamigen Aufsatz dieses dem biblischen Kontext entstammende Stilideal. Es ist als die demütig – selbstbewußte Entgegnung auf die Behauptung zu betrachten, die biblische Sprache könne den Anforderungen des feinen, klassischen Stilideals nicht gerecht werden. Im Stilideal der *‚sermo humilis‘* bekennen sich die biblischen und auch die nachfolgenden Autoren zur Sprache der Hirten und Fischer, die zwar niedrig ist, aber zugleich begnadet (vgl. bes. 40ff).

[40] Vgl. 134ff.

[41] CC 57,5–6, II. 122f.

[42] Ebd. 57,7–8, II. 123f.

insinuans voluntatem) und ruft zur tätigen Liebe *(qui otiosus esse non potest, de his quae Dei sunt sollicitans et suadens)*. So macht sich die Braut auf, der an sie ergangenen Aufforderung nachzukommen. Sie, die zuvor ruhte, erhebt sich und eilt, Seelen für Christus zu gewinnen *(ad animarum lucra)*. Ihr vom göttlichen Feuer auf das heftigste entflammter Geist *(mentem, quam divino igne vehementer succenderit)* ist erfüllt von dem brennenden Verlangen, *acquirendi Deo qui eum similiter diligant, ut otium contemplationis pro studio praedicationis libentissime intermittat.*[43] Bernhards Augenmerk gilt in diesem Zusammenhang der Berufung der Braut zur innerklösterlichen Aktion. Eine weiter gefaßte Bestimmung des Wirkungsbereiches der Braut legt Bernhard der folgenden Hoheliedpredigt zugrunde. Die Braut wird vom Bräutigam in die Weinberge, d. h. zur Tat gerufen; die Weinberge aber bedeuten *animas (. . .) vel ecclesias.* An die Stelle der ruhenden Beschauung tritt die fromme Unruhe aus Liebe; – *stimulatio caritatis, pie nos sollicitantis.* Die Braut eilt zur Aktion, zur Tat, die nunmehr ein umfassendes Heilswerk zum Inhalt hat;

aemulari fraternam salutem, aemulari decorem domus Domini, incrementa lucrorum eius, incrementa frugum iustitiae eius, laudem et gloriam nominis eius.[44]

Auch hier gilt Bernhards besonderes Interesse dem Vorgang des Wechsels von der Beschauung zur Tat. *SURGE* ruft der Bräutigam, der doch eben noch (siehe Hohelied 2,7) verboten hatte, die Braut zu wekken. Der Bräutigam verweist hiermit – so Bernhards Deutung – auf die Notwendigkeit, der Kontemplation die Aktion folgen zu lassen *[vicissitudines (. . .) sanctae quietis ac necessariae actionis]*. Freudig kommt die Braut der Forderung des Bräutigams nach, denn von ihm zur Tat herangezogen zu werden, bedeutet nichts anderes, als daß der Befehl des Bräutigams zum Willen und Wunsch der Braut wird: *Sed trahi sane a sponso, sponsae est ab ipso accipere desiderium quo trahatur.* So empfängt sie von ihm den Wunsch zur heilsamen Tat *(desiderium bonorum operum, desiderium fructificandi sponso)*.[45] *VENI* ruft der Bräutigam und nicht – wie Bernhard betont – *vade*. Denn die Braut wird nicht zum Werk geschickt *(mitti)*, sondern zum Werk geleitet *(duci)*. Hieraus erwächst ihre Kraft, denn sie weiß, *secum pariter sponsum esse venturum.* Furchtlos und zuversichtlich leistet sie dem Ruf des Bräutigams Folge: *Quid enim difficile sibi, illo comite, reputet?*[46]

[43] Ebd. 57,9, II. 124.
[44] Ebd. 58,3, II. 128.
[45] Ebd. 58,1, II. 127.
[46] Ebd. 58,2, II. 128.

4.1.3. Wirken mit dem Willen Gottes

In der zitierten Hoheliedpredigt ruft und geleitet der Bräutigam die Braut zur Tat. Gern leistet sie Folge, denn sein Wille ist ihr zum Wunsch geworden. Im Einklang mit Wunsch und Willen des Bräutigams, im Wissen um seine allzeitige Gegenwart verläßt die zuvor ruhende Braut die mystische Schau, um nun in den Bereich der Aktion zu wechseln. Im folgenden wird das Thema des gottgeleiteten, im Einklang mit dem göttlichen Willen stehenden Handelns aus Bernhards Überlegungen zur Problematik des menschlichen Willens zu entwikkeln sein. Hierzu ist es notwendig, die inhaltliche Ebene der bislang vorgestellten Zeugnisse zu verlassen, um auf anderen Wegen zu vergleichbaren und verdeutlichenden Aussagen über das begnadete Wirken zu gelangen.

In seiner Schrift *,De gratia et libero arbitrio'* erörtert Bernhard die Folgen des Sündenfalls für den menschlichen Willen.[47] War das paradiesische Sein des Menschen durch einen dreifachen Zustand der Freiheit gekennzeichnet *(libertas a necessitate, libertas a peccato, libertas a miseria)*,[48] so ist dem gefallenen Menschen allein die *libertas a necessitate* in Form der freien Willensentscheidung *(liberum arbitrium)* geblieben.[49] Der Mensch ist nunmehr in die Entscheidung zwischen Gut und Böse gestellt. Er vermag entweder dem verderblichen Eigenwillen[50] zu folgen oder aber danach zu streben, den eigenen Willen mehr und mehr in Übereinstimmung mit dem Willen Gottes zu bringen. Führt der eine Weg in die Knechtschaft der Sünde,[51] so führt der andere Weg in die Freiheit, dem Willen Gottes zuzustimmen,[52] und somit in ein gerechtes[53] und gottgefälliges Leben. Bernhards Ausführungen zur Willens-

[47] Bernhard beschäftigt sich eingehend mit dem Problem der menschlichen Willensfreiheit. Die Ausführungen dieses Kapitelabschnitts geben in stark verkürzter Form einige Gedanken Bernhards wieder, die zum Verständnis der hier relevanten Zusammenhänge notwendig sind. Bernhards Gedankenführung ist komplizierter und – vergleicht man seine Schrift über die Willensfreiheit mit thematisch entsprechenden Predigtabschnitten (vgl. 32) – wiederum nicht von Widersprüchen frei. Zu Bernhards Schrift über die Willensfreiheit, vgl. bes. Faust, Bernhards Liber de Gratia; vgl. ebenso: Dempf, Metaphysik, 70f; ders., Ethik, 75ff; Kern, Das Tugendsystem, 5ff; Linhardt, Die Mystik, 95ff.

[48] Grat. III,6, III. 170.

[49] Ebd. IV,12, III. 174.

[50] Zum Eigenwillen *(propria voluntas)* vgl. div 11,1, VI.I. 123; ebd. 23,3, VI.I. 196; ebd. 63, VI.I. 296; ebd. 72,3, VI.I. 309; resur. 2,8, V. 98; ebd. 3,3, V. 105f; com. Mich. 2,4, V. 302f; sent. III,12, VII. 71.

[51] In CC 81,7, II. 288 definiert Bernhard die Sünde als *iugo (...) voluntariae cuiusdam servitutis (...). Voluntas enim est, quae, cum esset libera, serva facta est peccati, peccato assentiendo.*

[52] Vgl. Forest, Das Erlebnis des Consensus.

[53] Gerechtigkeit und rechter Wille stehen in unmittelbarer Beziehung (div. 72,2, VI.I. 308): *Iustitia est rectitudo voluntatis, quae nec amat peccare, nec peccato consentire.*

freiheit stehen, ebenso wie seine Behandlung der Nachfolgethematik, unter dem zentralen Gesichtspunkt der Läuterung. Gleich ob die Folge des Sündenfalls in der Entartung der Willensfreiheit oder im Verlust besagter Freiheiten steht[54] – der Mensch ist dazu aufgerufen, in dem Maß, wie dies auf Erden möglich ist, das Verlorene wiederherzustellen, die Verunstaltung seines Selbst zu überwinden.[55] Verlor der Mensch die Freiheit von der Sünde, so stellt sich diese *in paucis spiritualibus* zu einem immer höheren Grad wieder her.[56] Auch von der Thematik des geläuterten Willens führt ein Weg zum mystischen Erlebnis.[57] Wiederum ist das mystische Erlebnis von der hohen Läuterungsstufe, die seine Voraussetzung bildet, kaum inhaltlich abgrenzbar.[58] Festzuhalten bleibt sowohl bei dem zum Höchstmaß geläuterten Willen als auch beim mystischen Erlebnis die Nähe, ja Einheit, die zwischen menschlichem und göttlichem Willen entsteht. Der Hl. Geist bewirkt, das sich der Wille des Menschen am Willen Gottes ausrichtet,[59] durch den Hl. Geist findet ein neuer himmlischer Wille in den Menschen Eingang.[60] Zu einem solchen Grad vermag das Selbst des Menschen geläutert zu werden, daß sich sein Wille mehr und mehr zum Willen Gottes hinneigt, um schließlich ganz in ihm aufzugehen: *Complexus plane, ubi idem velle, et nolle idem, unum facit spiritum in duobus.*[61] Zu einem solchen Grad an Tugendhöhe dringt der geläuterte Mensch vor, daß beide Willen im Einklang stehen *(ut sit nobis cum Deo una voluntas, et quaecumque ei placent, placeant simul et nobis)*.[62] Der Mensch, nunmehr eines Geistes mit Gott geworden, will dasselbe, was Gott will, er verabscheut dasselbe, was Gott verabscheut. So stark ist die Übereinstimmung zwischen Gott und Mensch, der Zusammenklang der Willen, daß auch der um-

[54] Bernhards Aussagen divergieren an diesem Punkt; vgl. 32.

[55] Vgl. div. 108, VI.I. 382; ebd. 124,2, VI.I. 403f; CC 23,8, I. 143

[56] Grat. IV,12, II. 174f

[57] Bernhards Bestimmung des mystischen Erlebnisses ist auch in diesem Kontext nicht einheitlich. In seiner Schrift über die Willensfreiheit ordnet er das mystische Erlebnis als partielle Teilhabe dem Bereich der *libertas a miseria* (grat. V,15, III. 177) zu. Die im weiteren zitierten, den Predigten Bernhards entstammenden Belege siedeln das mystische Erlebnis im Bereich der Willensthematik an.

[58] Während sich die unter Anm. 61 und Anm. 62 zitierten Belege eindeutig auf das mystische Erlebnis beziehen, beschreibt die unter Anm. 63 zitierte Quelle – ohne daß sich eine inhaltliche Abschwächung im Vergleich zum mystischen Erlebnis feststellen ließe – lediglich den hohen Läuterungs- und Begnadungsgrad der *boni.*

[59] *Spiritus dulcis et suavis, qui nostram voluntatem flectat, immo erigat, et dirigat magis ad suam, ut eam et veraciter intelligere, et ferventer diligere, et efficaciter implere possimus* (die pent. 2,8, V. 170).

[60] *Emisso ergo Spiritu creatur et renovatur facies terrae, id est terrena voluntas fit caelestis, parata ad nutum nutu citius oboedire* (assump. 3,8, V. 136).

[61] CC 83,3, II. 299.

[62] Vol. 1,4, VI.I. 39; vgl. auch: dilig. X,28, III. 143.

gekehrte Schluß gilt. Nicht nur, daß die Guten wollen, was Gott will, – was die Guten wollen, will auch Gott:

Nam dum suas voluntates ita iustitiae subdunt, ut Deum non dedeceat velle quod ipsi volunt, per hoc quod ab eius voluntate non dissentiunt, Deum sibi spiritualiter iungunt.[63]

Dieser Einklang mit dem Gotteswillen ist nicht nur für den hohen Läuterungsgrad des Menschen, sondern auch für die Art und Weise kennzeichnend, in der Gott durch den begnadeten Menschen wirkt. Dies tritt deutlich zutage, wenn Bernhard im folgenden das Wirken Gottes zur inneren Haltung, die das Geschöpf gegenüber diesem Wirken einnimmt, in Bezug setzt. Gott, der allmächtig ist, vermag in allen seinen Geschöpfen zu wirken, jedoch wirkt er in ihnen auf unterschiedliche Weise. Unvernünftige bzw. empfindungslose Geschöpfe (wie z. B. Tiere und Steine) benutzt er *sine ipsa,* da sich diese, aufgrund ihrer Natur, weder zustimmend noch ablehnend verhalten können. *(P)er malos, sive homines, sive angelos* wirkt Gott *contra ipsos,* denn Gott läßt auch durch die Bösen Gutes geschehen, obgleich diese ihre Einwilligung versagen. Ferner wirkt Gott *per quos et cum quibus (. . .) qui quod vult Deus, et agunt pariter, et volunt.* Durch diese Geschöpfe – *boni sunt angeli vel homines* – wirkt Gott seine Werke in besonderer Weise. Freiwillig und freudig stimmen sie in den Willen Gottes ein. Nicht nur, daß sich durch sie der Wille Gottes vollzieht – ihnen offenbart sich der göttliche Wille:

Qui enim bono, quod opere complent, voluntate consentiunt, opus omnino quod per eos Deus explicat, ipsis communicat.[64]

Wenn Paulus daher über das Gute, das Gott durch ihn wirkt, spricht: *NON AUTEM EGO (. . .) SED GRATIA DEI MECUM,* so verwendet er, wie Bernhard betont, an dieser Stelle bewußt den Ausdruck *MECUM* und nicht etwa *per me.* Denn Paulus will verdeutlichen, daß er nicht nur der Diener der Werke seines Herrn ist; – *sed et operantis quodammodo socium per consensum.*[65] Dies gilt für Paulus aber auch für alle anderen Geschöpfe, die sich in vergleichbar umfassender Weise dem Willen Gottes übereignet haben, so daß sich Gott ihrer als Mitarbeiter und Gefährten bedient *[(u)titur angelis et hominibus bonae voluntatis, tamquam commilitonibus et coadiutoribus suis].* Deswegen vermag Paulus *de se suique similibus* kühn auszusprechen: *COADIUTORES ENIM DEI SUMUS.* Deswegen vermag Bernhard selbstbewußt die Worte des Paulus auf sich und Menschen von seiner Art zu beziehen:

[63] Laud. Virg. 3,4, IV. 38.
[64] Grat. XIII,44, III. 197.
[65] Ebd. XIII,44, III. 198; 1 Kor 15,10.

Hinc coadiutores Dei, cooperatores Spiritus Sancti, promeritores regni nos esse praesumimus, quod per consensum utique voluntarium divinae voluntati coniungimur.[66]

Gleichsam als zweiter Himmel überzieht diese Gruppe hervorragender geistlicher Personen den Himmel, der die Kirche ist. Wie das Himmelszelt sind sie über die Christenheit gespannt, denn sie sind die Felle Salomons, in die der Finger Gottes – gleichwie in Schreibhäute – seinen Willen eingeschrieben hat: *Et hi pluentes pluviam verbi salutarem, tonant increpationibus, coruscant miraculis.*[67] Von ihrem hohen Läuterungsstand[68] aus nehmen sie durch Predigt, Wunder und Zurechtweisung heilsamen Einfluß auf die Gesamtheit der Gläubigen.

4.2. Maria und Martha[69]

> *ET IPSE INTRAVIT IN QUODDAM CASTELLUM: ET MULIER QUAEDAM MARTHA NOMINE, EXCEPIT ILLUM IN DOMUM SUAM, ET HUIC ERAT SOROR NOMINE MARIA, QUAE ETIAM SEDENS SECUS PEDES DOMINI, AUDIEBAT VERBUM ILLIUS. MARTHA AUTEM SATAGEBAT CIRCA FREQUENS MINISTERIUM: QUAE STETIT, ET AIT: DOMINE, NON EST TIBI CURAE QUOD SOROR MEA RELIQUIT ME SOLAM MINISTRARE? DIC ERGO ILLI UT ME ADIUVET. ET RESPONDENS DIXIT ILLI DOMINUS: MARTHA, MARTHA, SOLLICITA ES, ET TURBARIS ERGA PLURIMA. PORRO UNUM EST NECESSARIUM. MARIA OPTIMAM PARTEM ELEGIT, QUAE NON AUFERETUR AB EA*
> (Lk 10, 38–42).

An mehreren Stellen seines Predigtwerkes widmet sich Bernhard dem zitierten Abschnitt aus dem Lukasevangelium. Maria, die versunken zu Füßen Christi sitzt, Martha, die durch zahlreiche Geschäfte beunruhigt ist, die Klage Marthas sowie das Urteil des Herrn, daß Maria den besseren Teil gewählt habe, bilden die der biblischen Bezugsstelle entnommenen Motive, auf die Bernhard immer wieder zurückgreift. Die Anordnungen jedoch, in denen Bernhard die Motive aufeinander bezieht, sowie die geistigen Aussagen, die er den Motiven unterlegt, variieren. Zwei grundlegende Bedeutungsvarianten sind festzuhalten. Im ersten Fall dienen Maria und Martha zur Unterscheidung zweier klö-

[66] Ebd. XIII,45, III. 198; 1 Kor 3,9.

[67] CC 27,12, I. 190f.

[68] Zuvor hatte Bernhard die in der Nachahmung vorangeschrittene Seele mit einem Himmel verglichen. Denn ihr Verstand gleicht der Sonne, ihr Glaube dem Mond, wie Sterne leuchten ihre Tugenden (CC 27,8, I. 187).

[69] Vgl. hierzu: Butler, Western mysticism, 160ff; Csányi, Optima pars; Mason, Active life; Mieth, Die Einheit, 84ff; Werli-Johns, Maria und Martha.

sterlicher Lebens- und Aufgabenbereiche, wobei sich das von Martha versinnbildlichte Außen sowohl auf außerklösterliche Aufgaben als auch auf die dem Außen des Nächsten zugewandte innerklösterliche Tätigkeit beziehen kann. In der zweiten Variante verweisen Martha und Maria auf die Bereiche Aktion/Kontemplation innerhalb der Einzelseele. Für die hier zu behandelnde Fragestellung ist insbesondere die zweite Variante von Interesse. Da Bernhard jedoch bereits bei seinen auf den innerklösterlichen Kontext bezogenen Ausführungen zu Akzentuierungen und Beurteilungen gelangt, die für den Gesamtkomplex der Maria/Martha-Thematik von Bedeutung sind, soll auch diese Variante nicht übergangen werden.

4.2.1. Maria und Martha innerhalb der klösterlichen Gemeinschaft

In der Predigt div. 9 weitet Bernhard die Interpretation der biblischen Gestalten Noah, Daniel und Iob[70] auf ihre innerklösterliche Bedeutung aus. Iob, der innerhalb der dreigeteilten *,ecclesia electorum'* dem Stand der Eheleute entsprach, findet sich hier auf die Gruppe der Amtsmönche bezogen. Daniel, zuvor Verkörperung des Mönchsstandes in seiner Gesamtheit, versinnbildlicht nunmehr die Gruppe der Klostermönche. Die charakteristischen Merkmale beider Gruppen sowie das Verhältnis, in dem sie zueinander stehen, führt Bernhard in dieser Predigt anhand der Maria/Martha-Thematik aus. Eine jede dieser beiden Gruppen kommt ihr eigener Aufgabenbereich zu. Steht auf der einen Seite Martha, d. h. die mit öffentlichen Aufgaben betrauten Brüder *(officiales fratres, qui exterioribus et quasi popularibus negotiis occupantur)*, so befindet sich auf der anderen Seite Maria, d. h. diejenigen Mönche, die sich ungehindert in die kontemplative Schau Gottes versenken können *(claustrales, quos nulla impedit occupatio, sed libere vacant)*. Eintracht kennzeichnet das Zusammenleben der verschiedenartigen Gruppen; – *quoniam ad idem tendunt, licet non eadem via.* Wie das liebliche Zusammenklingen von Zither und Harfe ist ihre Gemeinschaft. Jedes der zwei Instrumente besitzt seinen eigenen Wohlklang, wenn auch die Harfe tiefer tönt *(ab inferioribus reddat sonum)*, während die Zither höher erklingt. Nicht anders ist das Verhältnis von Maria und Martha.

[70] Div. 9,3, VI.I. 119; vgl. hierzu: 13ff.
Die Zuordnungen dieser Predigt im Überblick:

	Ecclesia electorum	Kloster	Maria/Martha
Iob	Eheleute	officiales fratres	Martha
Daniel	Mönche	claustrales fratres	Maria
Noah	Kleriker	praelates	Maria+Martha

Mag auch vor Gott der Marthadienst nicht weniger verdienstvoll sein, so hat doch Maria für sich den besseren Teil gewählt. Denn Christus selbst hat Maria für ihre Wahl gelobt, so daß auch innerhalb des Klosters der Teil Marias wünschenswert ist *(nobis elegenda),* während der Marthadienst geduldig ertragen werden muß *(patienter est toleranda).*[71] Die dritte biblische Gestalt, Noah, legt Bernhard im folgenden Predigtabschnitt auf die Prälaten in ihrer innerklösterlichen Funktion aus. Für diese ist sowohl die Lebensweise Marthas als auch die Marias notwendig *(quibus nimirum utraque vita necessaria est),* so daß sie die schwierige Aufgabe der Seelsorge für die beiden anderen Gruppen erfolgreich zu lösen vermögen.[72]
Von ähnlicher Anlage wie die Predigt div. 9, jedoch in ihren Aussagen divergierend, sind die Sentenzen 18 und 26 der ersten Serie. Weit stärker als im vorangegangenen Text hebt Bernhard hier auf den problematischen Aspekt im Verhältnis ‚Maria – Martha' ab. *Duo parietes claustri sunt, activi et contemplativi, Maria et Martha, interior et exterior;* – wobei Bernhard an dieser Stelle einer jeden der beiden Gruppen die ihr eigentümliche Form möglichen Fehlverhaltens zuordnet. Die gemäß der biblischen Bezugsstelle durch zahlreiche Geschäfte beunruhigte Martha, d. h. die Amtsmönche, müssen sich davor hüten, Unruhe in die Gemeinschaft zu tragen *(ne sint fraudulenti, aut turbulenti).*[73] Vor demselben Fehlverhalten warnt Bernhard in der Sentenz 26 und betont weiter, da oftmals Unfrieden zwischen beiden Mönchsgruppen herrscht *[raro pax (. . .) est],*[74] die vermittelnden und sorgende Funktion jener dritten Gruppe, die in der Sentenz 26 vom Abt und Prior, in der Sentenz 18 hingegen von den Prälaten gebildet wird.
Martha führt beim Herrn Klage, daß ihr allein die Geschäfte aufgebürdet sind: *Felix domus, et beata semper congregatio est, ubi de Maria Martha conqueritur.* Denn der umgekehrte Fall, daß Maria Martha um ihre Aufgabe beneidet und sich beklagt, wäre wider alle Ordnung. Es sei deshalb fern, daß Maria den Dienst Marthas erstrebe *(ad tumultuosam aspiret fratrum officialium vitam).* Trotz allem Bemühen Bernhards, den vorzüglichen Wert des Marthadienstes zu betonen, sowie das Konfliktpotential im Verhältnis Maria/Martha zu harmonisieren, bricht dennoch jene für die Gesamtthematik charakteristische Bewertung immer wieder hervor. In ihr findet der Vorzug der Lebensform Marias seinen Ausdruck, der zugleich auf einen gewissen Makel am Dienst Marthas hindeutet. *‚MARIA OPTIMAM PARTEM ELIGIT';* – das Urteil Bernhards folgt dem Urteil Christi. Christus macht sich zum Verteidiger

[71] Div. 9,4, VI.I. 120.
[72] Ebd. 9,5, VI.I. 120.
[73] Sent. I,18, VI.II. 13.
[74] Ebd. I.26, VII.II. 16.

Marias. Dies ist – bei allen bereits dargestellten und noch nachzutragenden Relativierungen – in der Sicht Bernhards letztlich der verbindliche Beleg für den Vorzug Marias: *Vide praerogativam Mariae, quem in omni causa habeat advocatum.*[75]
In der Predigt auf Mariä Himmelfahrt unterwirft Bernhard das bekannte Motivmaterial einer veränderten Zuordnung. Insbesondere das Hinzutreten des Lazarus, des die Buße versinnbildlichenden Bruders der beiden Schwestern, führt zu beträchtlichen inhaltlichen Verschiebungen im Vergleich zur Predigt div. 9.[76] Wiederum bedeuten die biblischen Gestalten verschiedene Mönchsgruppen, denen die innerklösterliche *ordinatio caritatis* die ihnen gebührenden Aufgabenbereiche zuordnet: *Marthae administrationem, Mariae contemplationem, Lazari paenitentiam.* Die einen Mönche bedürfen der demütigen Selbsterkenntnis im Geist der Buße, den anderen ist die barmherzige Hinwendung zum Nächsten geboten, während sich die dritte Gruppe in die Schau Gottes versenkt.[77] Die drei Mönchsgruppen finden ihre Entsprechung in der dreifachen Anrede, die – gemäß Hoheliedvers 2,10: *AMICA MEA, COLUMBA MEA, FORMOSA MEA* – an die Braut ergeht. So verweist die klagende Taube auf den büßenden Lazarus, die Schöne auf Maria, die Freundin auf Martha. Martha obliegt die Hausverwaltung, eine Aufgabe, der sie allein im Geist unverbrüchlicher Treue gerecht zu werden vermag: *Erat autem fidelis, si neque quae sua sunt quaerat, sed quae Iesu Christi.* Martha sieht von sich ab, sie wendet sich dem Nächsten zu und erstrebt Gewinn für Jesus Christus. Ihr allein gebührt die Anrede als Freundin; – *(a)nnon amica est, quae dominicis lucris intenta.*[78] Innerhalb des Klosters nehmen die *fratres officiales* den Marthadienst wahr. Doch bereits hier findet sich der Hinweis auf Martha als das – den Rahmen des Klosters überschreitende – Muster einer von tätiger Gottes- und Nächstenliebe gekennzeichneten Lebensform. *Vide Martham sollicitam, vide Martham erga plurima turbatam;* – diese Martha aber ist Paulus, der für alle Kirchen Sorge trägt und dem, gemäß 2 Kor 11,29, alle Nöte

[75] Assump. 3,2, V. 239f.

[76] Die Zuordnungen der Predigtabschnitte assump. 3,4–6, V. 241 ff im Überblick:

Lazarus	Maria	Martha
(Buße)	(Kontemplation)	(Administration)
Iob	Daniel	Noah
Selbsterkenntnis	Betrachtung Gottes	Liebesfeuer
Taube	Schöne	Freundin

Zu einer vergleichbaren Anordnung gelangt Bernhard in CC 57,11, II, 126. Maria (Schöne) bezeichnet die kontemplativen Mönche; Martha (Freundin) diejenigen Mönche, *qui exteriora fideliter administrant.* Lazarus (Taube) bezeichnet die Novizen.

[77] Assump. 3,4, V. 241.

[78] Ebd. 3,5, V. 241f.

des Nächsten brennend nahe gehen.[79] Bernhard beschließt die Predigt mit dem Lob auf die Lebensform Marias. Während Martha in geschäftiger Unruhe ihren Dienst versieht, ruht Maria zu Füßen Christi. Ihr ist es vergönnt, sich an der Lieblichkeit seines Anblickes zu erfreuen, sich an der Süße seiner Worte zu ergötzen; – *(b)eati enim oculi qui vident quae tu vides et aures quae merentur audire quae tu audis.* Fern von lärmender Geschäftigkeit vermag sie, versunken in kontemplativer Stille, dem Pulsschlag Gottes zu lauschen: *Gaude et gratias age, Maria, quae partem optimam elegisti.*[80]

4.2.2. Maria und Martha innerhalb der Einzelseele

4.2.2.1. Martha

Wesentliche Merkmale der Gestalt Marthas wurden bereits deutlich. Martha strebt nach Gewinn für Christus, sie sorgt sich um den Nächsten in seinen vielfältigen Nöten. Trotz dieses in seiner Notwendigkeit hervorgehobenen und mit positiven Bewertungen versehenen Aufgabenbereichs ist der Lebensform Marthas die Marias vorzuziehen. Denn im Vergleich zum Ruhen Marias bei Gott ist Martha auf Irdisches verwiesen und somit in einen Tätigkeitsbereich gestellt, der durch seine relative Niedrigkeit gekennzeichnet ist. Generell ist festzuhalten, daß sich Martha in Irdisches eingebunden findet, während Maria gerade den Bereich des Irdischen zu überwinden sucht. Für Maria, so Bernhard in der zitierten Marienpredigt, ist ihr Körper ausschließlich Hindernis in ihrem Streben nach dem Himmlischen. Martha hingegen benutzt ihren Körper als Instrument zur heilsamen Tat.[81]
Jedoch hat nicht nur die tätige Martha Anteil am Irdischen, das Irdische droht umgekehrt auch Anteil an ihr zu gewinnen. An eben diesem Punkt wird die Gestalt Marthas für Bernhard problematisch. Immer wieder verwendet Bernhard (auch hier vom biblischen Bezugspunkt ausgehend) das Verb *‚turbare‘* und dessen Ableitungen zur Beschreibung Marthas. Verwirrung aber ist das Kennzeichen alles sündigen Irdischen, insbesondere das Kennzeichen der von Sündhaftigkeit geprägten Welt.[82] Allein der im Höchstmaß vorbildlichen Seele weist Bernhard das Vermögen zu, dieser besonderen Gefahr des Marthadienstes zu entgehen, d. h. sich den Wirren der Welt zu stellen, ohne selbst in die Wirrnis der Sünde zu geraten.[83] Wirkt Martha auch das

[79] Ebd. 3,6, V. 242f.
[80] Ebd. 3,7, V. 243.
[81] *Haec nimirum corporis utitur instrumento, cum illi potius sit impedimento* (ebd. 3,1, V. 239).
[82] Vgl. 63f u. 97f.
[83] Vgl. 129ff u. 143.

Gute in der Welt, so kann sie sich jedoch – in den meisten Ausführungen Bernhards zu diesem Thema – dem Einfluß des Weltlichen nicht ganz entziehen. Erfüllt vom Geist der Gottes- und Nächstenliebe wendet sie sich den Niederungen des Irdischen zu und wird doch selbst von dessen Staub befleckt. Diesen eigenen Weg Marthas, der deutlich von den Abwegen der Weltmenschen geschieden ist, der sich aber auch von der sicheren Stellung Marias unterscheidet, beschreibt Bernhard im folgenden anhand des Hoheliedverses 1,9: *PULCHRAE SUNT GENAE TUAE.* Bernhard deutet hier die schönen Wangen der Braut in bezug auf die menschliche Seele aus, deren innere Schönheit sich in der Absicht, die ihren Werken zugrundeliegt, offenbart.[84] Zwei Elemente sind für die Absicht *(intentio)* bestimmend: *res, et causa, id est quid intendas, et propter quid.*[85] Bei der weltlich gesinnten Seele, die – getrieben von ihren Lüsten – nach vergänglichen Gütern strebt, sind sowohl der Beweggrund des Werkes als auch dessen Ziel verwerflich: *Ergo intendere non in Deum, sed in saeculum, saecularis animae est.* Beide Wangen einer solchen Seele sind von Häßlichkeit entstellt. Gänzlich schön hingegen ist eine Seele, die Gott um Gottes Willen sucht *(solum inquirere Deum propter ipsum solum).* Zeichnet diese Übereinstimmung von Ziel und Beweggrund allein Maria aus, so nimmt Martha eine gewisse mittlere Stellung[86] zwischen den beschriebenen Grundpositionen ein: *intendere in aliud quam in Deum, tam propter Deum, non otium Mariae, sed Marthae negotium est.* Um Gottes Willen muß Martha andere Dinge als Gott erstreben. Zielt ihr Handeln bis in die Welt hinein, so besitzt es doch seinen Beweggrund in Gott. Dies scheidet sie zwar grundsätzlich von der weltlich gesinnten Seele, läßt sie aber auch – obgleich nicht häßlich – weniger schön als ihre Schwester erscheinen. Denn Martha *sollicita est et turbatur erga plurima, et non potest terrenorum actuum vel tenui pulvere non respergi.* In der frommen Versenkung jedoch, durch lautere Absicht und Gebet aus reinem Gewissen, wird Martha sogleich vom Staub der irdischen Geschäfte gereinigt.[87]

In der bereits zitierten Marienpredigt greift Bernhard ebenfalls auf das Motiv vom Staub der irdischen Tat zurück. Bernhard beschreibt an dieser Stelle das dreifache Hindernis zur mystischen Schau als dreifache Trübung des zur Schau bereiten Auges. Die für den hier darzustellenden Sachverhalt relevante Trübung erfolgt durch eingestreuten Staub *(pulvis iniectus).* Über die Behinderung durch diesen Staub, d. h. durch die Sorge um irdische Taten *(cura terrenorum actuum),* führt der

[84] CC 40,1, II. 24f.

[85] Ebd. 40,2, II. 25.

[86] Bernhards Argumentationsgang ist komplizierter, jedoch in diesem Kontext nicht von Bedeutung.

[87] CC 40,3, II. 26.

Prophet – gemäß Ps 101,10 – Klage, wenn er spricht: *QUIA CINEREM TAMQUAM PANEM MANDUCABAM: cinerem scilicet actionis pro pane contemplationis.*[88]

Festzuhalten bleibt der grundlegende Unterschied, der zwischen der mit weltlichen Geschäften betrauten Martha und den Werken des Weltmenschen besteht. Im Gegensatz zu den vergänglichen Werken und Mühen der Weltmenschen wird den Mönchen empfohlen, ein anderes Werk zu wirken: *OPERAMINI NON CIBUM QUI PERIT, SED QUI PERMANET IN VITAM AETERNAM.* Dies gilt für das Läuterungswerk, das der Mönch am Selbst zu vollziehen hat, gilt aber auch für den Fall, daß die Pflicht den Mönch zu irdischen Geschäften ruft:

Nec cessamus ab operando hoc cibo, etiam cum terrenis forte occupamur operibus, aut oboedientia dictante, aut fraternae caritatis intuitu, quoniam dissimilis nobis intentio est ab his, quorum laborem periturum esse praediximus.

Denn gleich erscheinendes Werk ist nicht gleich, wenn es verschiedener Wurzel entspringt.[89] Dies unterscheidet die in Irdisches gestellte Martha vom Weltmenschen, der dem Irdischen verfallen ist. Denn um des Guten willen wendet sich Martha dem Niedrigen zu. Dies aber unterscheidet sie auch von Maria, der es vergönnt ist, um des Guten willen beim Guten zu verweilen.

4.2.2.2. Maria – Martha

Die Art und Weise, in der Bernhard das Verhältnis Maria/Martha in seiner allgemeinen, d.h. nicht auf die verschiedenen Mönchsgruppen eingegrenzten Bedeutung bestimmt, ist weitgehend mit den in den vorangegangenen Kapitelabschnitten erarbeiteten Ergebnissen identisch. Wiederum ist die enge Zusammengehörigkeit beider Gestalten von Bedeutung. Sie sind Schwestern und Hausgenossinnen,[90] beide sind sie Lilien, an deren auf die Tugend verweisendem Wohlgeruch sich Christus erfreut.[91] Im Vergleich der beiden Frauengestalten bleibt letztlich der Vorzug Marias erhalten, wobei sich Bernhard zugleich – wie einschränkend zu betonen ist – um eine Würdigung des Marthadienstes sowie um die Überwindung des Konfliktpotentials zwischen beiden Lebensbereichen bemüht. Im Predigtabschnitt div. 3,4 scheint sogar der im vorangegangenen festgestellte Makel an Martha keine Geltung mehr zu besitzen. Denn hier findet sich Martha, der nunmehr alle problematischen Züge fehlen, in außergewöhnlich positiver Form dargestellt. Aus der über ihre Schwester Klage führenden Martha wird

[88] Assump. 5,8, V. 256.
[89] Div. 27,2, VI.I. 199; Io 6,27.
[90] Assump. 2,7, V. 236.
[91] CC 71,4, II. 216.

Martha, das munter umherflatternde Schwälbchen. Den Ausgangspunkt von Bernhards Erläuterungen bildet hier nicht das Schwesternpaar Maria/Martha, sondern die Opposition zwischen der die Buße bedeutenden Taube und der aktiven Martha als fröhlichem Schwälbchen. Zugleich weist Bernhard einem jeden der beiden Vögel die ihm entsprechende Tageszeit zu. Dem Abend gehört das traurige Gurren der Taube an. Am Abend gilt es daher, Buße zu tun und die eigene Not zu beweinen. Der Morgen jedoch ist die Zeit des zwitschernden Schwälbchens, das umherfliegt, um dem Nächsten in seiner Not beizustehen. Morgen und Abend, Schwälbchen und Taube, gehören untrennbar zueinander. Entsprechend ist es notwendig, sich am Abend der büßenden Selbstbesinnung zu widmen, um sodann den Morgen fröhlich genießen zu können *[(m)aerens maerebo in vespera, quo laetus fruar matutino].* Im Vergleich zu Buße und Trauer des Abends nimmt sich nun der Dienst Marthas als positiver, ja erstrebenswerter Lebensbereich aus. Martha wird zur jungen Schwalbe, die unbeschwert umherfliegt, um allen Bedürftigen (an dieser Stelle faßt Bernhard den Wirkungsbereich Marthas wiederum sehr weit) eine freudige Geberin zu sein:

SICUT PULLUS HIRUNDINIS hac illacque discurrens, Marthae me officiis mancipabo, hilarem datorem me exhibens omni necessitatem patienti.[92]

Bernhards überraschende Bewertung des Marthadienstes gründet im Gesamtkontext der Predigtkomposition. Die polare Predigtanlage bewirkt, daß der zu definierende Bereich einen großen Teil der ihn kennzeichnenden Kriterien aus dem Gegensatz zu seinem Widerpart bezieht. So kann Martha (die im Vergleich zu Maria doch immer die Unterlegene ist) in der Entgegensetzung zur trauernden Taube die Eigenschaften des heiteren Schwälbchens gewinnen. Diese Kontextgebundenheit der Darstellung Marthas mag relativierend mitbedacht werden, kann und darf aber nicht zu einer grundsätzlichen Entwertung der zitierten Belegstellen dienen. Immer wieder greift Bernhard das Thema ‚Aktion – Kontemplation' auf, unterwirft es verschiedenen Anordnungen und gelangt zu divergierenden Schlüssen. Es lassen sich Verbindungslinien zwischen den einzelnen Bearbeitungen des Themas ziehen, von einer in sich geschlossenen Lehre jedoch kann nicht gesprochen werden. Dies alles deutet mehr auf einen ringenden Menschen als auf jemanden, der seinen inneren Abschluß mit der Problematik gefunden hat. Diesen Sachverhalt gilt es zur Kenntnis zu nehmen und nicht die Belegstellen zu einer Theorie Bernhards über das Verhältnis ‚Aktion – Kontemplation' zu harmonisieren.[93] Bernhards

[92] Div. 3,4, VI.I. 89.
[93] Vgl. 130f.

Aussagen sind vielfältig, im unmittelbaren Vergleich verschiedener Predigtabschnitte tun sich gelegentlich Widersprüche auf. So im Fall der zitierten Predigt über Taube und Schwalbe, in deren weiterem Verlauf sich bisher getroffene Feststellungen sowie die noch darzustellenden Erläuterungen Bernhards zum Konflikt zwischen Aktion und Kontemplation in ihr Gegenteil verkehrt finden. War bislang der Marthadienst Objekt der Klage, so erfolgt die Klage nun darüber, dem Marthadienst entzogen zu sein, obgleich doch vieles noch übrig ist, was zu tun wäre: *MEDITABOR UT COLUMBA, gemendo utique quod obstat, dum quod restat intueor.* Wenn auch der Marthadienst hier als der erstrebenswertere beider Lebensbereiche erscheint, so hebt Bernhard doch im weiteren auf die Notwendigkeit zum harmonischen Zusammenklingen beider Komponenten ab. Letztlich gilt es, gleichmütig *(indifferenter)* den Wechsel vom einen in den anderen Lebensbereich zu ertragen. Auf dieses Miteinander von Morgen und Abend, Aktion und Kontemplation verweist Job, wenn er sagt: *SI DORMIERO, DICO: QUANDO SURGAM? ET RURSUM EXSPECTABO VESPERAM.* Dieses Bibelzitat (Job 7,4) gilt Bernhard an anderer Stelle[94] als Beleg für die innere Zerrissenheit des schmerzlich zwischen Aktion und Kontemplation schwankenden Menschen. In diesem Kontext jedoch bezeichnet Job 7,4, einen Menschen, dessen Vorbildlichkeit in der geglückten inneren Verbindung beider Komponenten besteht, so daß er sich, nach beiden Seiten freudig, dem jeweils notwendigen Bereich zu widmen vermag:

Quiescens quippe in vespera contemplationis, mane desiderabat quo surgeret ad actionem, rursumque negotiis fatigatus exspectabat vesperam, libenter repetens otia contemplationis.[95]

In der bereits bezüglich der innerklösterlichen Aufgabenverteilung zitierten Predigt auf Mariä Himmelfahrt thematisiert Bernhard ebenfalls die Bedeutung, die Lazarus, Maria und Martha im Rahmen der Seele des einzelnen zukommt. Das Haus, in das der Herr eintritt, versteht Bernhard nun als Seelenraum, in dem einer jeden der drei Gestalten ihre besondere Funktion zugewiesen ist. Lazarus, dem büßenden Sünder, kommt die Reinigung des Hauses zu. Martha versieht ihren Dienst und verleiht dem Haus den Schmuck guter Werke. Maria jedoch *(v)acat enim Domino.* Ihre Aufgabe ist es, die Leere des Hauses mit der Anwesenheit Gottes zu füllen.[96] Maria hat den besseren Teil gewählt. Wie aber – so Bernhard im weiteren – läßt sich das Urteil des Herrn verstehen, wo doch in zahlreichen Stellen der Bibel der Dienst am Guten, die heilsame Tat gelobt wird? Wäre dies ein Trost für die arbei-

[94] Vgl. 129.
[95] Div. 3,4, VI.I. 89.
[96] Assump. 2,7, V. 236.

tende Martha, wenn gleichsam ihr zum Hohn nur der Teil der Schwester gepriesen würde? Auf zweierlei kann daher das Urteil Christi verweisen. Es kann bedeuten, daß Christus die glückliche Vereinigung beider Teile in Maria lobt. Denn David spricht: *PARATUM (...) COR MEUM, PARATUM COR MEUM* und verdeutlicht somit seine zweifache Bereitschaft für Gott. Er ist bereit zur inneren Beschauung, er ist aber auch bereit, dem Nächsten zu dienen *(proximis ministare)*. Es ist gut, den Dienst Marthas zu versehen. Besser ist es, mit Maria die Seele frei und empfänglich für Gott zu halten. Der beste Teil jedoch kommt demjenigen zu, der – nach dem Beispiel Davids – *perfectus est in utroque.*[97] Allein die vollkommene Seele vermag, in ihrem Selbst die drei Aufgabenbereiche zu vereinen. Im allgemeinen aber finden sich die einzelnen Bereiche einzelnen Personen zugewiesen *(magis tamen videntur ad singulos singula pertinere)*, so daß sich Bernhard im weiteren dem Thema der innerklösterlichen Aufgabenteilung zuwendet.[98]
Dieselbe Problematik behandelt Bernhard in der 57. Hoheliedpredigt, wobei nun sein besonderes Augenmerk dem Konflikt im Innern des von der Kontemplation zur Aktion wechselnden Menschen gilt:

Ceterum inter has vicissitudines plerumque mens fluctuat, metuens et vehementer exaestuans, ne forte alteri horum, dum suis affectionibus hinc inde distrahitur, plus iusto inhaereat, et sic in utrolibet vel ad modicum a divina deviet voluntate.

Ein schmerzlicher innerer Zwiespalt im Menschen *(hinc inde distrahitur)* tut sich auf. Es könnte sein, daß er sich einer der beiden Seiten allzusehr zuneigt und auf diese Weise, wenn auch nur gering *(ad modicum)*, vom göttlichen Willen abweicht. Vielleicht – so Bernhard weiter – hat auch Job an diesem Zwiespalt gelitten, als er schlafend wünschte aufzustehen und wachend den Abend herbeisehnte; – *hoc est: Et quietus, neglecti operis, et occupatus, perturbatae nihilominus quietis me arguo.* Schmerzlich ist ein solcher Mensch zwischen segensreichem Werk und ruhender Beschauung hin- und hergerissen. Obgleich er immer nur das Gute tut *(in bonis licet semper versantem)*, büßt er dennoch, als hätte er Böses getan. Nur das Gebet und häufiges Seufzen zu Gott vermögen hier zu helfen, der allein dem Menschen Gewißheit über die genauen Umstände *(quid, quando et quatenus)* des jeweils Richtigen verleiht.
Wiederum finden sich die drei bereits in den vorangegangenen Predigten relevanten Aufgabenbereiche innerhalb der Einzelseele vereint. Die dreifache Anrede des Bräutigams an die Braut – *AMICA, COLUMBA* und *FORMOSA* nach Hoheliedvers 2,11 – verweist auf deren dreifache Erscheinungsform. Freundin ist sie in ihrer dienenden Funktion *(sponsi lucra studiose ac fideliter praedicando, consulendo, ministrando conqui-*

[97] Ebd. 3,3, V. 240.
[98] Ebd. 3,4, V. 241.

rit). Taube wird sie wegen des Seufzens über ihre Sünden und wegen ihrer zahlreichen Gebete genannt. Schön aber heißt sie wegen ihrer kontemplativen Versenkung.[99] Im folgenden ordnet Bernhard der dreifachen Funktion der Braut wiederum das Schwesternpaar Maria/Martha sowie deren Bruder Lazarus zu.[100] Von hier aus gelangt Bernhard sodann zu einer Würdigung derjenigen Seele, welche die unterschiedlichen Aufgabenbereiche in sich zu vereinen vermag:

Perfectus omnis reputabitur, in cuius anima tria haec congruenter atque opportune concurrere videbuntur, ut et gemere pro se, et exsultare in Deo noverit, simul et proximorum utilitatibus potens sit subvenire.

Doch auch an dieser Stelle nimmt die Predigt die für Bernhard charakteristische Wendung: – *Sed ad haec quis idoneus?* Die Verbindung der drei Funktionen innerhalb der Seele eines Menschen ist in einer Art und Weise problematisch, die eher die Aufteilung der Aufgabenbereiche auf verschiedenen Personen ratsam erscheinen läßt. Entsprechend wendet sich Bernhard auch hier wiederum der Bedeutung des Themas für die innerklösterliche Rollenverteilung zu.[101]

Die bisher vorgestellten Belege ermöglichen es, an diesem Punkt innezuhalten, um – im Einklang und in Auseinandersetzung mit Thomas Merton – die gewonnenen Einblicke zusammenzufassen. Zu zahlreichen Gelegenheiten thematisiert Bernhard das Verhältnis vom Innen des Menschen zum notwendigen äußeren Wirken. Als Bedingung des Übergangs vom Selbst zum Nächsten erwies sich der hohe Läuterungsstand, was seinen sinnfälligen Ausdruck im Bild vom Überfließen aus der Fülle fand.[102] Grundlegend ist somit der Zusammenhang von Aktion und Kontemplation, wobei der auf das Innen bezogene Bereich Kontemplation/Buße die Voraussetzung zum Wirken nach außen bildet. Insofern ist es berechtigt, wenn Merton bemerkt, daß Bernhards Ausführungen zum Themenkreis ‚Aktion – Kontemplation' auf eine weitere Lebensform (apostolic life oder mixed life) abzielen, der in der nunmehr dreigeteilten Ordnung der Lebensformen die höchste Stellung zukommt.[103] Zugleich jedoch – wie gegen Merton einschränkend zu bemerken ist – scheint die hohe Idealität der gemischten Lebensform von einer spezifischen inneren Brüchigkeit gekennzeichnet. Denn kaum hat Bernhard den dritten Weg als den Weg der perfekten Seele aufgezeigt, so weist er ihn doch sofort wieder als fast nicht oder nur

[99] CC 57,9, II. 124f.
[100] Ebd. 57,10, II. 125.
[101] Ebd. 57,11, II. 125f.
[102] Vgl. Merton, Action 65.
[103] Vgl. ebd. 41f u. 59ff.

unter größten Mühen begehbar aus. Beinahe quälend muten die Vorgänge im Innern des Menschen an, der dem Wechsel zwischen Kontemplation und Aktion, zwischen seiner Funktion als Maria und als Martha unterworfen ist: obgleich er immer nur das Gute will, lebt er in ständiger Furcht, das Falsche getan zu haben. Er gleicht Job, der im Schlaf das Erwachen, im Wachen aber den Schlaf herbeisehnt. Nichts ist kennzeichnender für die Vielfalt der Aussagen Bernhards, als daß dasselbe Bibelzitat (Job 7,4) an anderer Stelle nicht mehr zum Beleg des inneren Zwiespalts dient, sondern vielmehr das gelungene Miteinander von Aktion und Kontemplation verdeutlichen soll.[104] Bernhards Ausführungen zum Problemkreis sind widersprüchlicher, als es der Aufsatz von Thomas Merton vermuten läßt. Unbestreitbar ist Bernhard bemüht, die miteinander im Widerstreit liegenden Komponenten einer Lösung zuzuführen. Die Vereinigung der drei Aufgabenbereiche im Rahmen der Einzelseele, sowie die Ordnung der Liebe,[105] die, da sie das Niedere dem Höheren vorzieht, in einer Verkehrung der Ordnung besteht, stellen solche Lösungsmodelle dar. Innerhalb dieser Modelle ist in der Tat, wie die zitierte Predigt über Taube und Schwalbe belegt, ein Gelingen der Verbindung möglich. In den meisten Fällen jedoch bleibt – in mehr oder minder starker Gewichtung – der problematische Charakter der Verbindung erhalten. Denn selbst noch über den Lösungsmodellen lastet die Problematik, die letztendlich die Problematik Marthas ist. Maria hat, gemäß dem Urteil Christi, den besseren Teil gewählt. Martha hingegen ist in Irdisches gestellt und droht von dessen Schmutz befleckt zu werden. Die Berufung zum Liebesdienst Marthas erfolgt (im Rahmen der Einzelseele) in der kontemplativen Versenkung. Der Wechsel der Anrede deutet auf den Wechsel der Funktionen; – die Schöne (Maria) wird zur Freundin (Martha), die auf Gewinn für den Geliebten ausgeht. Dies bedeutet mit anderen Worten: die weltflüchtige Seele, die im Himmlischen Erfüllung findet, wird nunmehr an die Welt zurückverwiesen. Galt zuvor alle Aufmerksamkeit der Braut dem Höchsten, so ist ihr nun geboten – gemäß einer Ordnung, die gleichermaßen notwendig als auch schmerzlich ist – sich den Niederungen zuzuwenden. Dies ist der Ort von Bernhards Klage. Bernhard beklagt nicht die Berufung, der er sich als dem offenbar gewordenen Willen Gottes weder entziehen kann noch will. Bernhard klagt auch nicht über die grundsätzliche Unvereinbarkeit von Aktion und Kontemplation. An der Tatsache jedoch, durch die Berufung dem Bereich kontemplativer Versenkung entzogen und in den Staub des Irdischen gestellt zu sein, scheint Bernhard – schenkt man seinen häu-

[104] Vgl. 128f.
[105] Vgl. 134ff.

fig geführten Klagen Glauben[106] – zeitweise beträchtlich gelitten zu haben. Der emotionale Gehalt des Konflikts ist für den modernen Betrachter nicht mehr ohne weiteres nachvollziehbar. Führt man sich jedoch die radikale Weltabkehr als das zentrale Anliegen der monastischen Theologie Bernhards vor Augen, so wird auch der Inhalt dieses Konflikts einsehbar. Denn Martha wendet ihren Blick vom Höchsten ab und dem Nächsten zu. Erkennt sie dessen Not, so eilt sie zu ihm, um dem Bedürftigen beizustehen. Dieser Wechsel zwischen Weltabkehr und erneuter Hinwendung zur Welt, der der Wechsel zwischen Maria und Martha ist, wird von Bernhard als derart problematisch erfahren, daß ihm das Sterben[107] als angemessener Ausdruck erscheint, um sowohl die Selbstlosigkeit Marthas als auch das innere Erleben im Augenblick des Wechsels zu beschreiben:

Annon amica est, quae dominicis lucris intenta, fideliter ipsam quoque pro eo ponit animam suam? Quoties enim pro uno ex minimis eius spirituale studium intermittit, pro eo spiritualiter ponit animam suam![108]

Im Rahmen der Bearbeitung von Bernhards Briefwechsel werden das Konfliktpotential zwischen den Bereichen und die sich hieraus ergebende Klage über den Wechsel zu konkretisieren sein. An dieser Stelle bleibt der grundsätzlich problematische Charakter des Verhältnisses Aktion–Kontemplation festzuhalten. Diese Problematik ist derart tiefgehend, daß Bernhard ein Gelingen der Verbindung eher Personen zuordnet, deren sieghafte Überwindung des Irdischen in ihrem nunmehr himmlischen Dasein ausgewiesen ist.[109] Das irdische Wirken dieser beispielhaften Persönlichkeiten ist für Bernhard Orientierungspunkt im Streben nach Gelingen, zugleich aber auch stetiger Beleg der eigenen Unvollkommenheit.

4.3. Wirken im Geist der Liebe

4.3.1. Die Liebe im Kontext der Problematik von Aktion und Kontemplation

Den Mönchen kommt es zu, in der klösterlichen Abgeschiedenheit ihre Sünden zu betrauern und nicht etwa in der Öffentlichkeit zu predigen.[110] Unerträglich sind Mönche, die ihr Herz an zeitliche Güter hän-

[106] Vgl. 150ff.
[107] Vgl. 140; 145; 175f.
[108] Assump. 3,5, V. 242.
[109] Vgl. 140ff.
[110] *Et scimus monachi officium non docere esse, sed lugere. (. . .) Ex his nempe claret et certum est, quod publice praedicare nec monacho convenit.* (CC 64,3, II. 168). Eine vergleichbare Bemerkung findet sich in ep. 397,2, VIII. 374: *(M)onachus, cuius officium est sedere et tacere.*

gen, die schamlos in der Welt umherschweifen und sich, entgegen aller klösterlichen Zucht, in weltliche Geschäfte einmischen.[111] Allein in einem Fall wird der Mönch außerhalb der Klostermauern erträglich, – im Fall der Liebe, den Bernhard in der Predigt *de div.* 93 anhand des Vergleichs des Standes der Mönche mit den Zähnen der Braut (Kirche) ausführt.[112] Zähne *(c)lausi sunt labiis.* Es ziemt sich nicht, daß die Lippen die Zähne entblößen, *nisi ridendo.* Wie die Lippen die Zähne bedeckt halten, so sind die Mönche hinter Klostermauern verborgen. Ungehörig ist es für Mönche, sich außerhalb der Klostermauern sehen zu lassen, es sei denn im Fall der Liebe, die das Lachen der Mönche ist:

Indecens est si appareant, nisi interdum forte ad risum, quia nihil turpius quam monachus per urbes et castella discurrens, nisi cum illa cogit quae operit multitudinem peccatorum: caritas, enim risus est, quia hilaris est; laeta quidem, non tamen dissoluta.[113]

Bei näherem Betrachten erscheinen vertraute Gedankengänge an diesem sowohl in seiner eigenwilligen Schönheit als auch in seiner bildhaften Geschlossenheit beeindruckenden Predigtabschnitt. Wiederum weist Bernhard den Bereich der (hier eindeutig außerklösterlichen Aktion) als notwendig *(cogit)* und dennoch problematisch *(multitudinem peccatorum)* aus und bestimmt ihn somit in der aus den vorangegangenen Kapitelabschnitten bekannten charakteristischen Art und Weise. Bernhards Interesse gilt hier der Bedingung, die das eigentlich Unzulässige möglich macht. In diesem Zusammenhang bietet das Bild von den Zähnen die Gelegenheit, den Zustand der Blöße dem der Bedecktheit, d. h. das Schickliche dem Unschicklichen vergleichend gegenüberzustellen. Analog hierzu erfolgt die Bestimmung der Bedingung, unter der das außerklösterliche Wirken des Mönchs steht. Nichts ist

[111] ... *discurrere tam impudenter, tam irreligiose saecularibus sese implicare negotiis* ... (qui hab. 7,14, IV. 422f).
Ein Beispiel für diese Art des Fehlverhaltens stellt der Zisterziensermönch Rudolph (vgl. 307ff) dar, dessen Versuch, das kreuzzugbegeisterte Volk auch gegen die Juden aufzuwiegeln, Bernhard nachdrücklich entgegentritt. Drei Punkte hebt Bernhard am Verhalten Rudolphs als besonders tadelnswert hervor. Er maßt sich das Recht zur Predigt an, er mißachtet Amt und Würde der Bischöfe und nimmt sich die Freiheit, das Morden gutzuheißen: *Novum genus potentiae!* (ep. 365,2, VIII. 321). Weder von einem Menschen noch von Gott ist Rudolph geschickt. Er gibt sich als Mönch aus und handelt doch den elementarsten Grundregeln mönchischen Lebens zuwider; – *quod monachus non habet docentis, sed plangentis officium.* Für den Mönch ist die Stadt Gefängnis, die Einsamkeit Paradies. Rudolph hingegen *et solitudinem pro carcere, et oppidum habet pro paradiso* (ep. 365,2, 321), so daß er sich als Mensch erweist, der in seiner Anmaßung gegen alle Ordnung lebt.

[112] Vgl. 103f.

[113] Div. 93,2, VI.I. 349f.

häßlicher als ein Mönch, der, des Schutzes der Klostermauern entkleidet, in der Welt umherläuft. Allein die Liebe vermag ein solches Verhalten zu rechtfertigen, die den Entblößten in nunmehr neuer Weise bedeckt *(nisi cum illa cogit quae operit multitudinem peccatorum)*. Was eigentlich gegen alle Ordnung ist, kann dennoch geschehen. Denn der Liebe wohnt ihre eigene Ordnung inne, die im folgenden zu bestimmen sein wird.

In der 49. Hoheliedpredigt[114] läßt Bernhard die Braut liebestrunken aus den Weinkellern des Bräutigams, d. h. dem mystischen Erlebnis, zurückkehren. In der hierauf folgenden Predigt nimmt Bernhard dieses Geschehen um die Braut zum Anlaß einer Reflexion über die verschiedenen Arten der Liebe sowie über die Ordnung, in der sie zueinander stehen. Bernhard unterscheidet an dieser Stelle zwei Grundformen der Liebe: *est caritas in actu, est in affectu.* Im Vergleich beider Arten der Liebe kommt der Liebe des Gefühls der höhere Rang zu.[115] Werden durch die tätige Liebe Verdienste errungen, so wird die gefühlte Liebe gleichsam als Belohnung gewährt. Diese Liebe, in der sich der Mensch aus ganzem Herzen Gott zuwendet, kann zwar auf Erden zu einem immer höheren Grad erlangt, jedoch nur im Jenseits vollendet werden.[116] Den Geboten der tätigen Liebe ist hingegen bereits auf Erden in vollem Umfang Folge zu leisten. Die Liebe der Tat, die sich an den Werken des Menschen offenbart, umfaßt drei inhaltliche Aspekte: den Auftrag, die Gebote Gottes zu halten, sowie die Gebote der Nächsten- und Feindesliebe. Bevor sich Bernhard jedoch der inhaltlichen Präzisierung der Gebote der tätigen Liebe zuwendet, betont er, daß er in seiner Unterscheidung zwischen tätiger und gefühlter Liebe keineswegs zum Ausdruck bringen wolle, daß die tätige Liebe ohne Gefühl sei. Die unterschiedlichen den Menschen bewegenden Gefühle dienen Bernhard vielmehr dazu, die tätige und die gefühlte Liebe im Rahmen einer dreigeteilten hierarchischen Ordnung genauer zu bestimmen. Diese Dreiteilung weist, trotz inhaltlicher und begrifflicher Unterschiede, große Ähnlichkeit zu den bereits behandelten Predigtabschnitten CC 40,1–40,3 auf.[117] In jener Predigt bestimmte Bernhard Beweggrund und Ziel des Strebens der weltlichen Seele als verwerflich. Martha war es auferlegt, um Gottes willen anderes als Gott zu erstreben, während sich Maria durch die Übereinstimmung beider Kompo-

[114] Vgl. 115.

[115] Ihren biblischen Bezugspunkt besitzen Bernhards Ausführungen in Mt 22,34–40 und den dort festgelegten Geboten, Gott mit ganzem Herzen zu lieben sowie den Nächsten zu lieben wie sich selbst.

[116] CC 50,2, II. 79. Vergleichbare Äußerungen finden sich in Bernhards Abhandlung über die Gottesliebe, vgl. dilig. X,29, III. 143f.

[117] Vgl. 125.

nenten auszeichnete. In der hier darzustellenden Predigt bildet das Gefühl, das dem Fleisch entstammt, die niedrigste Stufe. Dieses fleischliche Gefühl widerstrebt dem Gesetz Gottes. Es ist zwar süß, aber schändlich *(dulcis, sed turpis)*. Das zweite Gefühl wird von der Vernunft geleitet *(ratio regit)* und stimmt mit dem Gesetz Gottes überein. In ihm gründen die Werke und die Nächstenliebe, hier hat die tätige Liebe ihren Sitz, die das Schriftwort zu erfüllen sucht: *NOLITE (...) DILIGERE VERBO NEQUE LINGUA, SED OPERE ET VERITATE.* Das zweite Gefühl ist zwar trocken, aber dennoch stark: *sicca, sed fortis.*[118] Das dritte Gefühl gründet in der Weisheit *(quam condit sapientia)*. Hier nun hat die gefühlte Liebe ihren Sitz, die in ihrer völligen Gottbezogenheit den Menschen mehr erquickt und daher erstrebenswerter ist als die Liebe der Tat. Folglich ist das dritte Gefühl fett und süß *(pinguis et suavis)*. Bezeichnenderweise siedelt Bernhard die Haupttrennungslinie zwischen den ersten beiden Arten von Gefühl und der gefühlten Liebe an. Zwar besteht ein beträchtlicher Unterschied zwischen dem Gefühl, das sich dem göttlichen Willen widersetzt und dem, das mit ihm übereinstimmt, aber nachdrücklicher noch ist letzteres von der gotterfüllten Süße des dritten Gefühls geschieden: *Longe vero tertia ab utraque distat, quae et gustat, et sapit quoniam suavis est Dominus, primam eliminans, secundam remunerans.*[119] Die bereits gewonnenen Einblicke ermöglichen, den Sinn dieser Zuordnung zu verstehen. Denn während die erste Gefühlsstufe dem Irdischen verfallen ist, bleibt die zweite Stufe, obgleich höherwertig, an Irdisches verwiesen. Grundsätzlich hiervon geschieden ist die dritte Gefühlsstufe, in der sich der Mensch nunmehr ganz dem Himmlischem zuzuwenden vermag.

Zwei grundlegend verschiedene Ordnungen unterliegen der tätigen und der gefühlten Liebe. Die gefühlte Liebe leitet ihre Ordnung von den höchsten Dingen ab *(nam a primis ipsa ducit ordinem)*. Das von Natur aus Höhere gilt ihr als höher, das Niedrigere als niedriger und das Geringste als Geringstes.[120] Anders hingegen verhält es sich bei der tätigen Liebe. Ihr liegt eine Umkehrung der Werte in ihrer eigentlichen Verbindlichkeit, ja sogar eine Verkehrung der Ordnung zugrunde: *Nam actualis inferiora praefert, affectualis superiora.* Ein verständiger Mensch von gesundem Empfinden *(in bene affecta mente)* wird ohne Zweifel die Gottesliebe der Liebe zu den Menschen vorziehen. Der vollkommenere Mensch wird ihm lieber als der schwächere Mensch sein.

118 An anderer Stelle (vgl. 150f) beklagt Bernhard die Folgen des Übermaßes an Aktion als Trockenheit und Dürre seines inneren Weinberges. Allein die Tränen der Buße vermögen die Not der Seele zu lindern, durch die das Innen bewässert und daher erneut fruchtbar wird.

119 CC 50,4, II. 80; 1 Job 3,18.

120 Ebd 50,6, II. 81.

Der Himmel wird ihm mehr gelten als die Erde, die Ewigkeit mehr als die Zeit und die Seele mehr als der Körper. *Attamen in bene ordinata actione saepe, aut etiam semper, ordo oppositus invenitur,* denn nunmehr gilt dem Niedrigeren und Schwächeren die erste Sorge. Schwache Mitbrüder benötigen Beistand, die vielfältigen Nöte der Nächsten drängen; *et paci terrae magis quam caeli gloriae, iure humanitatis et ipsa necessitate intendimus; et temporalium inquietudine curarum vix aliquid sentire de aeternis permittimur.*

Im folgenden nehmen Bernhards Ausführungen unverkennbar eine persönliche Wendung.[121] Selbst das Gebet muß um der Nächstenliebe willen *(caritate iubente)* unterbrochen werden: *propter eos qui nostra indigent opera vel loquela.* An die Stelle der frommen Ruhe tritt die Unruhe der Geschäfte *(negotiorum tumultibus).* Das Studium der Bibel gilt es zu unterbrechen, um zur Handarbeit zu eilen; oft muß wegen irdischer Geschäfte *(pro administrandis terrenis)* sogar die heilige Messe ausfallen: *Ordo praeposterus.* Doch die tätige Liebe unterliegt einer anderen Ordnung, – *incipiens a novissimis.*[122] Sie ist fromm und gerecht, sie kennt kein Ansehen der Person, sie achtet nicht auf den Wert der Dinge *(nec pretia consideret rerum),* denn allein den Nöten der Mitmenschen *(hominum necessitates)* gilt ihre Sorge.[123]

Was eigentlich der Ordnung entgegen ist, vermag dennoch zu geschehen. Der Mönch verläßt die Abgeschiedenheit des Klosters und zieht somit das Niedere dem Höheren, das Sein mit Menschen dem Sein mit Gott vor. Er folgt den Geboten der Liebe, die nun die Blöße des der Klostermauer Entkleideten bedeckt. Sein Verhalten ist notwendig und gerechtfertigt, aber trotzdem nicht von Makel frei. Denn die Ordnung der tätigen Liebe besteht in der Umkehr der Ordnung, so daß ihr in der Hierarchie der Liebe nur der zweite Rang zukommt. Der bessere Teil ist der Teil der Gottesliebe. Denn die Gottesliebe hebt den Menschen empor, die Nächstenliebe jedoch zieht ihn herab: *caritas autem Dei sursum nos attollit, caritas vero proximi infra nos premit quasi a collo dependens.*[124] So verweist die tätige Liebe den Menschen an Irdisches zurück und ist daher mit jenem Makel versehen, der – in unverkennbarer Verwandtschaft der Motive – mit dem Staub identisch ist, der an Martha haftet.[125]

[121] Vgl. 153ff.

[122] Nach Mt 20,16: *ERUNT NOVISSIMI PRIMI ET PRIMI NOVISSIMI.*

[123] CC 50,5, II. 80f.

[124] Sent. III,30, VI.II. 84. Den Ausgangspunkt bildet folgendes Pauluszitat (Phil 1, 23-24): *CUPIO DISSOLVI. CUPIO DISSOLVI ET ESSE CUM CHRISTO, PERMANERE AUTEM IN CARNE NECESSARIUM PROPTER VOS.*

[125] Vgl. 125f.

4.3.2. Selbstlose Liebe

An dieser Stelle ist gesondert auf einen Gedankengang Bernhards einzugehen, der bereits in anderem Kontext anklang.[126] Das vordringliche Merkmal der Liebe, auf das sich Bernhard sowohl in Predigten und Traktaten als auch in seinem Briefwerk immer wieder bezieht, ist deren Selbstlosigkeit. Anhand 1 Kor 13,5, *NON QUAERIT QUAE SUA SUNT* führt Bernhard in zahlreichen Variationen diesen Gedanken vor Augen, wobei das Objekt der selbstlosen Liebe sowohl in den Angelegenheiten Gottes bzw. Christi[127] als auch in den die Nöte des Nächsten[128] betreffenden Angelegenheiten bestehen kann. So kehrt die Braut liebeserfüllt aus dem mystischen Erlebnis zurück *de his quae Dei sunt sollicitans et suadens.*[129] Lia, die hier die Predigt versinnbildlicht, ist von jener Liebe getrieben, *quae non quaerit quae sua sunt.*[130] Martha, die klösterliche Hausverwalterin, erweist ihre Treue, *si neque quae sua sunt quaerat, sed quae Iesu Christi.*[131] Kennzeichnend für die hohe Stufe der Liebe, in der der Mensch Gott nicht aus Furcht oder aus dem Wunsch, sich Verdienst zu erwerben, sondern allein um Gottes willen liebt, ist, daß er nicht eigenen Nutzen *(non quae sua sunt),* sondern den Nutzen Jesu Christi *(sed quae Iesu Christi)* erstrebt.[132] Die reine Liebe, so Bernhard in einem Brief über die Liebe an die Karthäuser, ist diejenige, *quae non quod sibi utile est, quaerit, sed quod multis.*[133] Glücklich die Seele, die - wie Paulus[134] - den eigenen Weinberg (Seele) unversehrt zu bewahren weiß, *dum non quaerit quae sua sunt, neque quod sibi utile est, sed quod multis.*[135] Als Vorbedingung dieser Selbstlosigkeit wurde an anderer Stelle der im Anwachsen des Seelenraums versinnbildlichte hohe Läuterungsgrad[136] bzw. die innere Fülle bestimmt, aus der der Mensch zum Nutzen des Mitmenschen überzufließen vermag.[137] Auf diese Bedingung rekurriert Bernhard, wenn er - anhand 1 Kor 13,5 - darüber reflektiert, wieso die Liebe nicht das Ihre sucht: *Non quaerit quae sua sunt, profecto quia non desunt.* Wer nämlich würde suchen, was er bereits besitzt? Die Liebe aber besitzt das Ihre *(id est propriae saluti necessaria)* und dies nicht nur im gewöhnlichen Maß, sondern in jenem Übermaß,

[126] Vgl. 109f.
[127] Vgl. 177ff.
[128] Vgl. 193f.
[129] CC 57,9, II. 124.
[130] Ebd. 51,3, II. 86.
[131] Assump. 3,5, V. 241f.
[132] Dilig. IX,26, III. 141.
[133] Ebd. XII,35, 149.
[134] Vgl. 144ff.
[135] CC 30,8, I. 215.
[136] Vgl. 109f.
[137] Vgl. 113ff.

das sie sowohl für sich selbst als auch dazu benötigt, um zum Nutzen des Nächsten überzufließen: *Vult abundare sibi, ut possit omnibus.* Eine solche Liebe, die aus der Fülle schöpft, ist vollkommen; – *(a)lioquin si plena non est, perfecta non est.*[138] Selbstlos wendet sie sich dem Nächsten zu, ohne für sich selbst Verlust zu erleiden. In ihr findet sich das für das persönliche Seelenheil Notwendige mit den Geboten der Nächstenliebe in einem Lösungsmodell vereint, das zwar den strengen Anforderungen beider Bereiche, jedoch kaum seiner Realisierbarkeit Rechnung trägt. Verwirklicht findet sich dieser Entwurf in den Heiligen, deren Gelingen in ihrer nunmehr himmlischen Existenz ausgewiesen ist.[139] Für den noch im Irdischen Stehenden gilt es, die hohe Idealität des Entwurfs zum Maßstab des Gelingens zu machen. Mit gewisser Zwangsläufigkeit ist dies der Ort der Erkenntnis persönlichen Ungenügens, der Klage über die Unvereinbarkeit zweier Bereiche, deren strengste Anforderungen es im gleichen Maß zu erfüllen gilt.

4.3.3. Liebeseifer für Christus

In vorbildlicher Weise wendet sich der geläuterte Mensch seinem Nächsten zu. War das Verhältnis, das der Mensch vor dem Sündenfall zu seinem Nächsten einnahm, durch natürliche Zuneigung und Sanftmut gekennzeichnet, so vermag der Gute wiederum zu einem solch unverdorbenen Verhältnis zum Mitmenschen zu gelangen.[140] Als geistlicher Arzt bestreicht er die Wunden, die die Sünde dem Mitmenschen geschlagen hat, mit heilsamem Balsam[141]. Ein solcher Mensch hat die Wildheit der Welt abgelegt und wendet sich sanftmütig und liebenswürdig dem in Not geratenen Nächsten zu.[142] Sollte jedoch Christus beleidigt worden sein, ist nicht die mild wirkende Salbe der Nächstenliebe, sondern der Wein glühenden Eifers für Gott vonnöten. Denn niemand, der Christus liebt, kann ertragen, wenn diesem Unrecht oder Schmach geschieht:

Etenim si amas Dominum Iesum toto corde, tota anima, tota virtute tua, numquid, si videris eius iniurias contemptumque, ferre ullatenus aequo animo poteris?

Der Mensch schöpft nun aus der Gottesliebe den Wein des Eifers *(ex divino amore vinum aemulationis),* die brennende Sorge um die Gerech-

[138] CC 18,3, I. 105.
[139] Vgl. 140ff.
[140] CC 44,4ff II. 46ff.
[141] Ebd. 44,3, II. 45f.
[142] Ebd. 47,7, II. 48.

tigkeit *(zelus iustitiae)* erfaßt ihn, so daß er mit David spricht: *ZELUS DOMUS TUAE COMEDIT ME.*[143]

Utinam et in me Dominus Iesus tantillum ordinet caritatis quod dedit, ut sic mihi curae sint universa quae sunt ipsius.[144] Aus Bernhard, der alle Sorgen Jesu Christi zu den seinen machen möchte, spricht jene Haltung der selbstlosen Gottesliebe, die im vorangegangenen Kapitelabschnitt behandelt wurde. Im Geist dieser Liebe sieht der Mensch völlig von sich ab und sucht allein den Nutzen Jesu Christi *(quaerens . . . non quae sua sunt, sed quae Iesu Christi),* wie ja auch – so Bernhards Argumentationsgang – Jesus Christus nicht seinen Nutzen, sondern allein den Nutzen der Menschen gesucht hat.[145] Auch von dieser Form der Liebe, *qui otiosus esse non potest, de his quae Dei sunt,*[146] führt ein Weg zur Aktion, den Bernhard im folgenden in der als charakteristisch erkannten Art und Weise beschreibt.

Felices qui se praesenti saeculo nequam advenas et peregrinos exhibent, immaculatos se custodientes ab eo! Solche Fremdlinge und Pilger sind die Mönche, deren Furcht der Befleckung durch die böse Welt, deren Hoffen und Sehnen der verheißenen Zukunft gilt. Weder zur Rechten noch zur Linken weichen sie daher von dem Weg *(via regia)* ab, der sie in die himmlische Heimat führt. Von dieser Grundvoraussetzung ausgehend, bestimmt Bernhard nun drei hierarchisch geordnete Grade, in denen sich der Mönch auf die ihn umgebende Welt zu beziehen vermag: der Mönch kann der Welt fremd, tot oder gekreuzigt sein. Der Mönch als Fremdling beschreibt die unterste der drei Stufen. Denn der Fremdling hält hier und da auf seinem Weg inne, um das Treiben der Welt zu betrachten. Auch wenn er sich hierdurch nicht von seinem Weg abbringen läßt, wird er doch in gefährlicher Weise am Voranschreiten gehindert.[147] Die dritte und höchste Stufe kommt denjenigen Mönchen zu, die sich der Welt gekreuzigt haben. Alles, was die Welt liebt, ist ihnen Kreuz; alles, was der Welt Kreuz ist, ist ihnen lieb. Gleichsam in den dritten Himmel sind solche Menschen gehoben, und nichts vermag sie dieser Entrückung zu entreißen.[148] Haben diese Mönche die höchste Stufe erlangt,[149] so befinden sich die Mönche, die der Welt erstorben sind, auf einer zwar untergeordneten, jedoch bereits sehr hohen Stufe *[(m)agnus omnino gradus est iste].* Alles weltliche Empfinden

[143] Ebd. 44,8, II. 48f; Ps 68,10.
[144] Ebd. 49,6, II. 76.
[145] Dilig. IX,27, III. 141; vgl. auch: 171 u. 178.
[146] CC 57,9, II. 124.
[147] Quad. 6,1, IV. 377f.
[148] Ebd. 6,3, IV. 378f.
[149] Anders ausgedrückt: die den besseren Teil gewählt haben. In der Gegenüberstellung ‚tot – gekreuzigt' klingt unverkennbar die Thematik von Maria und Martha an.

ist in ihnen abgestorben, so daß sie weder Lob noch Tadel, Schmeichelei noch Schmähung zu berühren vermag: *Omnino felix mors, quae sic immaculatum servat, immo penitus alienum facit ab hoc saeculo.* So sind sie tot und doch leben sie, denn nunmehr lebt allein Christus in ihnen. Daher spricht ein solcher Mensch:

Ad alia quidem omnia mortuus sum: non sentio, non attendo, non curo; si qua vero sunt Christi, haec vivum inveniunt et paratum.[150]

Der Welt ist dieser Mensch erstorben, die Angelegenheiten Christi jedoch finden ihn bereit und lebendig. So treibt ihn die glühende Liebe für Christus und führt ihn, soweit die Angelegenheiten Christi reichen, d. h. bis in die Welt hinaus.

4.4. Beispiele des Gelingens

4.4.1. Johannes

Ein solches Beispiel für das Wirken aus einem tugendgefestigten und begnadeten Innen stellt die Gestalt Johannes des Täufers dar, dessen Lob Bernhard anhand Joh 5,35 gestaltet: *ILLI (. . .) ERAT LUCERNA ARDENS ET LUCENS.* Wiederum ist Bernhard um die Erläuterung des rechten Verhältnisses zwischen dem innerseelischen Bereich und der Wirkung nach außen bemüht. Der Vergleich von Sonne und Mond bietet die Gelegenheit, zwischen der Vorbildlichkeit des Johannes und der Anmaßung des eitlen Menschen zu unterscheiden. Denn während der Mond mit fremdem Licht leuchtet, erstrahlt die Sonne aus ihrer inneren Glut: *Sic sapientis ardor internus foris lucet.* Während allein leuchten zu wollen eitel ist, ist umgekehrt nur zu brennen zu wenig; – *ardere et lucere perfectum.* Auch hier nehmen die Erläuterungen die für Bernhard charakteristische Wendung. Kennzeichnet das Miteinander von Glühen und Leuchten eine gewisse Vollkommenheit, so kommt doch dem Aspekt des Glühens die größere Bedeutung zu. Denn sollte dem Weisen beides nicht gewährt werden, hat die größere Sorge den Vorgängen im Innen des Menschen zu gelten *(curat semper ardere magis, ut Pater suus, qui videt in abscondito, reddat ei).*[151]
Im weiteren Verlauf der Predigt hebt Bernhard die radikale Askese des Johannes als das für den Kreis seiner Hörer und Leser besonders relevante Thema hervor.[152] Aber auch dem öffentlichen Wirken des Johannes gilt Bernhards Bewunderung: *Ex hoc sane et erga proximorum delicta fervorem intuere Ioannis.* Unter Einhaltung der gebotenen Ord-

[150] Quad 6,2, IV. 378.
[151] Nat. Ioa. 1,3, V. 178.
[152] Ebd. 1,6-8, V. 179ff.

nung, gemäß der es zuerst auf die eigenen Sünden zu sehen gilt, widmet sich Johannes nun den Sünden der Nächsten. Er tadelt das Volk, wendet sich gegen die Pharisäer und tritt furchtlos den Mächtigen entgegen. Angesichts der Grausamkeit und des Hochmuts des Königs *sacra quadam vehementia (...) prodiens de deserto,* um sodann *tota libertate spiritus* den König wegen seiner Sünden anzuklagen. Obgleich Herodes den Johannes fürchtet und vieles auf sein Wort hin tut - so Bernhard nach Mk 6,20 -, schont Johannes den König nicht. Weder Schmeichelei noch Todesdrohung können ihn umstimmen, so daß er letztendlich sein Leben für die Wahrheit opfert. *Ferveat etiam in nobis zelus iste, carissimi: ferveat amor iustitiae, odium iniquitatis,* wobei Bernhard im folgenden diese hervorragenden Eigenschaften des Johannes in ihrer Bedeutung für das Zusammenleben der Mönche auslegt.[153]
Weder spricht Bernhard in dieser Predigt von sich selbst, noch erlaubt der Text, Aussagen direkt auf die öffentliche Tätigkeit Bernhards zu beziehen. Führt man sich jedoch Bernhard vor Augen, der die Abgeschiedenheit der Askese verläßt (Johannes bricht *de deserto* auf), um im Freimut desjenigen, der aus der Begnadung legitimiert ist[154] (*tota libertate spiritus* klagt Johannes den König an), sowie in heiligem Zorn (*sacra quadam vehementia* treibt Johannes zur Tat) dem französischen König als dem neuen Herodes entgegenzutreten,[155] - so wird man in der Gestalt des Johannes dennoch eines jener Muster des Wirkens erkennen dürfen, an denen sich Bernhard orientiert.

4.4.2. Malachias

Es gibt mehrere Gründe, die Bernhards Schriften über den heiligen Malachias, den Erzbischof von Armagh, zu bedeutsamen Zeugnissen für das Denken Bernhards machen. Bernhard entwickelt anhand der Gestalt des Malachias - wie immer wieder zu Recht betont wird - das Modell eines asketisch geläuterten und tugendgefestigten Episkopats.[156] Die Bedeutung der Malachiasschriften Bernhards erschöpft sich jedoch nicht in diesem zweifellos wichtigen Aspekt. Bernhard schreibt hier über den Zeitgenossen, über den Freund; - vor allen Dingen aber schreibt Bernhard, der in der Öffentlichkeit stehende Heilige, über Malachias, den Heiligen, der ebenfalls in der Öffentlichkeit steht.

[153] Ebd. 1,9, V. 182. Zum Gerechtigkeitseifer und der Nächstenliebe des Johannes, vgl. auch: sent. III,115, VI.II. 208f.
[154] Vgl. 287.
[155] Ep. 49, VII. 141; um 1129/30; vgl. 180.
[156] Zu Malachias, vgl. Leclercq, Documents; Maddux, St. Bernard as hagiographer; Renna, St. Bernard; von den Steinen, Heilige als Hagiographen; Waddell, The two St. Malachy offices.
Zum Bischofsamt, vgl. Knotzinger, Das Amt; Pitsch, Das Bischofsideal.

Ist Malachias auch – im Gegensatz zu Bernhard – Inhaber eines Bischofsstuhles, so ist doch für Bernhard das vordringliche Moment am Wirken des Malachias die persönliche Begnadung des Heiligen und weniger die Legitimation durch seine Amtsträgerschaft. Freiheit, die der Hl. Geist verleiht, Zeichen und Wunder, sowie eine außergewöhnliche Tugendhöhe weisen sein Handeln als begnadet aus. An diesen wesentlichen Punkten lassen sich Verbindungslinien zu Bernhard ziehen, so daß sowohl die Struktur der öffentlichen Tätigkeit des Malachias als auch deren Inhalte zum Verständnis von Bernhards Wirken bedeutsam sind.[157]

In diesem Zusammenhang ist die Art und Weise von Interesse, in der sich Malachias dem Nächsten zuwendet, ohne sich von den für das eigene Seelenheil notwendigen höchsten Werten im geringsten zu entfernen. Malachias begibt sich in die Welt und erliegt dennoch nicht deren Gefahren. Vorbildlich ist an ihm sowohl die Tatsache, daß er sein Selbst dem unheilvollen Einfluß des Irdischen zu entziehen weiß, als auch der heilsame Einfluß, den er umgekehrt auf das Irdische auszuüben vermag. Bevor sich Bernhard jedoch diesem Sachverhalt zuwendet, hebt er das umfassende Liebeswerk des Malachias hervor: *Quod opus pietatis praeteriit Malachiam?* Für sich selbst war er arm, den Armen gegenüber aber ein großzügiger Geber. Witwen, Waisen sowie alle Bedrängten unterstanden seinem besonderen Schutz. Freigebig erwies er sich gegen die Bedürftigen, freimütig gegen die Mächtigen, so daß er einem jeden in der ihm gebührenden Weise entgegentrat: – *Et quidem infirmus infirmis, sed nihilominus potentibus potens.*[158] Geboten es die Umstände, daß er dem Menschen gegen den Menschen beistand *(eripiens inopes et reprimens fortes),* so gereichte sein Ratschlag dennoch allen zum Heil. Wie die Henne schützend ihre Flügel über die Küken hält, war Malachias gleichsam allen Menschen ein Vater; – *vivebat omnibus.* Den Übergang von der Beschreibung des vorbildlichen Werkes zur Beschreibung der inneren Vorbildlichkeit bildet eine Reflexion Bernhards über den Zorn des Malachias. Zu keinem Zeitpunkt konnte sich der Zorn seiner bemächtigen. Erforderte es die Situation, so zeigte er sich zornig, ohne jedoch selbst jemals vom Zorn erfaßt worden zu sein: *Ira eius in manu eius. Vocata veniebat, exiens, non erumpens; nutu, non impetu ferebatur. Non urebatur illa, sed utebatur.*[159] Ebenso selbstbe-

[157] Vgl. 286ff u. 317f.

[158] Mal. 1,2, VI.I. 51f.

[159] Es kann kaum unerheblich erscheinen, daß Bernhard aus der Vielzahl potentiell möglicher Verfehlungen des im Irdischen stehenden geistigen Menschen gerade die des Zornes hervorhebt und deren Überwindung als das besondere Verdienst des Malachias preist. Für Bernhards öffentliches Wirken hingegen ist immer wieder seine außerordentliche Heftigkeit kennzeichnend (vgl. Dimier, Outrances).

herrscht und vorbildhaft erwies sich Malachias in allen seinen inneren Menschen betreffenden Bereichen: *Non enim ita omnibus intendebat, ut se solum exponeret, solum curae exciperet generali.* Immer blieb Malachias um sein eigenes Seelenheil beunruhigt *(sui sollicitus),* sich selbst gegenüber wachsam. Insofern kennzeichnete eine doppelte Vollkommenheit die Gestalt des Malachias. Ganz gehörte er sich selbst, ganz gehörte er allen *(totus suus et totus omnium erat),* so daß in glückhafter Verbindung weder das allgemein Notwendige dem Persönlichen noch das persönlich Notwendige dem Allgemeinen abträglich war *(ut nec caritas a custodia sui, nec proprietas ab utilitate communi eum impedire vel retardare in aliquo videretur).* Obgleich Malachias als Mann der Aktion und als Mann der Kontemplation zwei Lebensformen angehörte, wandte er sich doch einem jeden der beiden Aufgabenbereiche so zu, als gelte ihm seine alleinige Sorge:

Si videris hominem mediis immersum turbis et implicitum curis, diceres patriae natum, non sibi. Si videris hominem solum, secum habitantem, putares soli vivere Deo et sibi.[160]

Weder ein innerer Zwiespalt noch das schmerzliche Schwanken zwischen beiden Bereichen kennzeichnet den heiligen Malachias, sondern vielmehr ein doppeltes Gelingen. Vorbildlich pflegte er die kontemplative Versenkung: – *Nam etsi habebat tempus librum a necessitatibus plebium, non tamen a sanctis meditationibus feriatum, non orandi studio, non ipso otio contemplandi.* Vorbildlich wirkte er in der Welt: – *Sine turbatione versabatur in turbis.*[161] Letzterer Satz, der in seiner Bedeutungstiefe kaum zu übersetzen ist, beschreibt das Gelingen des in der Öffentlichkeit stehenden Malachias als Überwindung der Gefahren des Marthadienstes. Er besagt, daß Malachias in einer von Sündhaftigkeit geprägten Welt heilsam zu wirken vermochte, ohne selbst in Sünde zu fallen; – daß er sich dem Irdischen zuwandte, zugleich aber sein Selbst vor Befleckung durch dessen Staub zu bewahren wußte.

Bernhards Lob gilt einem bereits jenseitigen Menschen, dessen Gelingen sich in seiner Heiligkeit ausgewiesen findet. Für Malachias ist dieses Gelingen Grund zu ewiger Freude. Für Bernhard jedoch ist es Muster und Mahnung und somit Objekt einer wohlbegründeten Sorge, die es in das stetige Streben nach Vervollkommnung umzusetzen gilt.

[160] Mal. 1,3, VI.I. 52f.
[161] Ebd. 1,4, VI.I. 53.

4.4.3. Paulus

Bereits Friedrich Ohly unterstrich die besondere Bedeutung, die Paulus für Bernhard besitzt.[162] Gertrud Frischmuth erarbeitete in ihrer Dissertation die vielfältigen Einflüsse, die Paulus auf Bernhard ausübte.[163] Der Überblick über die Texte Bernhards belegt die Richtigkeit dieser Aussagen. Zwar äußert sich Bernhard in mehreren Predigten direkt zu Paulus, bedeutsamer jedoch ist der für das Gesamtwerk Bernhards kennzeichnende stetige Rückgriff auf die Gedanken des Paulus, der sich in der häufigen Verwendung von Pauluszitaten manifestiert. Bernhard selbst verleiht diesem Sachverhalt Ausdruck, wenn er bemerkt:

> *Sed est fons magnus et indeficiens os Pauli, quod patet ad nos. De ipso haurio mihi etiam nunc (. . .) sicut et frequenter soleo.*[164]

Die Bedeutung, die Paulus für Bernhard besitzt, erstreckt sich in mehrere Bereiche. Wiederum stehen die das individuelle Läuterungswerk betreffenden Komponenten im Vordergrund. Paulus *perfectae conversionis est forma.*[165] Für die im geistigen Kampf stehenden Mönche gilt es immer wieder, Paulus als tüchtigen Führer *(ducem strenuum militiae spiritualis)* zu befragen.[166] Der besondere Wert des Paulus für Bernhard erschöpft sich jedoch nicht in dessen Vorbildfunktion für das individuelle Läuterungswerk. Denn auch Paulus, der vom Bekehrten zum Bekehrer wurde, vollzog den Schritt vom Selbst zum Nächsten:

> *Conversus Paulus conversionis minister factus est universo mundo. Et multos quidem olim in carne adhuc, sed non iam secundum carnem ambulans, praedicationis officio convertit ad Deum.*[167]

Insbesondere dem Prediger Paulus gilt Bernhards Interesse. Vorbildlich ist der Stil des Apostels, der zu gleichen Teilen von Einfachheit und von tiefem geistigen Sinn gekennzeichnet ist.[168] Vorbildlich ist auch die Art und Weise, in der sich Paulus dem Nächsten zuwendet. Er, der in mystischer Verzückung emporgerissen wurde, stieg herab, um in der Predigt die Kleinen an seinem Erleben teilhaben zu lassen.[169] Paulus, *vas electionis,* war angefüllt mit im Himmel bereiteten Gerichten *(caelestibus ferculis),* von denen der Gesunde Speisung, der Kranke Medizin, d. h. jeder das ihm Zukommende empfing.[170] Paulus ist des weiteren für Bernhard das herausragende Beispiel für die im Bild des

[162] Ohly, Hohelied-Studien 144.
[163] Frischmuth, Die paulinische Konzeption.
[164] CC 10,1, I. 48.
[165] Con. Paul. 1,6, IV. 331.
[166] Assump. 2,3, V. 233.
[167] Con. Paul. 1,1, IV. 327.
[168] Div. 19,1, VI.I. 161.
[169] Ebd. 87,2, VI.I. 330.
[170] Sollem. 1,1, V. 189.

Überfließens versinnbildlichte begnadete Predigt. Beispielhaft ist die Haltung, die er gegenüber den zuteil gewordenen Gnadengaben einnahm. *NON AUTEM EGO, inquit, SED GRATIA DEI MECUM,* und machte damit deutlich, daß er sein Werk allein der Gnade *(illius gratiae auxilio)* und somit allen Ruhm Gott *(non suam, sed auctoris sui quaerat gloriam)* zuschrieb.[171]
In ebenso vorbildlicher Weise vollzog Paulus den Übergang vom Selbst zur selbstlosen Liebe.[172] Ein solcher Mensch, der für sich selbst tot ist und allein noch für den Nächsten lebt, gleicht einem zerschlagenen Gefäß *(vas perditum).* Er besitzt – im Rahmen einer durch Salben versinnbildlichten Tugendhierarchie – die dritte und höchste Salbe der erbarmenden Liebe. Als dem ersten und vornehmsten Beispiel des Inhabers einer solchen Salbe wendet sich Bernhard Paulus zu: *Et primus occurrit, sicut ubique solet, mihi Paulus vas electionis.* Paulus war ein Gefäß voll von wohlriechenden Salben und Gewürzen: *Christi enim erat bonus odor Deo in omni loco.* Aber nicht nur die Verbreitung des Christentums, auch die tätige Sorge um alle Kirchen *(sollicitudo omnium ecclesiarum)* zeichnet das Werk des Paulus aus. Brennend gingen ihm die Sorgen des Nächsten nahe, so daß er – gemäß der zur Beschreibung des Eifers aus Nächstenliebe häufig von Bernhard zitierten Bibelstelle 2 Kor 11,29 – sprach: *QUIS INFIRMATUR, ET EGO NON INFIRMOR? QUIS SCANDALIZATUR? ET EGO NON UROR?*[173] Im weiteren Verlauf der Predigt führt Bernhard noch mehrere biblische Personen von der Vorbildlichkeit des Paulus an, aus deren Kreis sich insbesondere noch der Gestalt Davids zuzuwenden sein wird.[174] Bernhard beschließt die Reihe biblischer Inhaber der Salbe der erbarmenden Liebe mit der Zusammenfassung der wichtigsten Eigenschaften dieser Personen. Dem Nächsten gegenüber zeigten sie sich wohlwollend und freigebig. Die Gnadengaben, die ihnen zuteil wurden, hielten sie nicht für sich selbst zurück *(non sibi tenerunt, sed in commune deducerunt).* Die innere Haltung, die sie ihrem Werk gegenüber einnahmen, war vorbildlich; – *utiles omnibus, humiles in omnibus.* Vorbildlich handelten sie gegen den Nächsten *(aestimantes se amicis et pariter et inimicis, sapientibus et insipientibus debitores),* so daß sie sich den Menschen als Schuldner des ihnen jeweils gebührenden Guten zuwandten.[175]
Als letzte der hier relevanten Eigenschaften des Paulus ist der Zustand der Unversehrtheit hervorzuheben, in dem er sein Inneres zu bewahren wußte, obgleich er vielfältigen Heilsgeschäften nachzukommen

[171] Div. 91,6, VI.I. 344f; 1 Kor 15,10.
[172] Vgl. 110 u. 137.
[173] CC 12,2, I. 61.
[174] Vgl. 216ff.
[175] CC 12,5, I. 63.

hatte. Denn Paulus gehört zu jenen vollkommenen Personen, die den Hoheliedvers 1,5, *VINEAM MEAM NON CUSTODIVI* in jener Bedeutung auf sich beziehen dürfen, die besagt, daß sie ihr Leben für Christus hingegeben haben. Ein solcher Mensch *non quaerit quae sua sunt, neque quod sibi utile est, sed quod multis.* Er ist zum Hüter vieler Weinberge (Seelen) bestellt und läßt doch nicht den eigenen Weinberg unbehütet. Nicht nur Weinberge, sondern ein Wald an Weinbergen *[ingens silva (. . .) vinearum]* wurde auf diese Weise von Paulus gehütet. Für Paulus gilt daher Hoheliedvers 1,5, in obiger Bedeutung. Für Bernhard jedoch *(pro imperfecto meo)* ist jener Vers Anlaß zur Sorge und Klage darüber, anhand der Vielzahl von Geschäften das für das eigene Seelenheil Notwendige vernachlässigt zu haben.[176]

4.5. Zusammenfassung

Am Ende dieses Kapitels, das die Sammlung und Bewertung der Äußerungen Bernhards zum Themenkomplex ‚Aktion – Kontemplation' im Rahmen der Predigten und Traktate zum Inhalt hat und in dem den vielfältigen Äußerungen Bernhards auf bisweilen beschwerlichen Wegen nachzugehen war, gilt es, die gewonnenen Erkenntnisse zusammenzufassen. Aktion und Kontemplation erweisen sich keineswegs als miteinander unvereinbar. Vielmehr führen in zahlreichen Predigten direkte Verbindungslinien vom Themenkreis der fortschreitenden Läuterung hin zur begnadeten Aktion. Seinen sinnfälligen Ausdruck findet dieser Zusammenhang im Bild vom Überfließen aus der Fülle.[177] Die Braut handelt nun im Ein- und Zusammenklang mit dem göttlichen Willen.[178] Voll Freude und Zuversicht weiß sie um die allzeitige Gegenwart des Bräutigams: *Quid enim difficile sibi, illo comite, reputet?*[179] Doch auch schmerzliche Zweifel sind möglich. Ratlos und furchtsam schwankt Job zwischen Aktion und Kontemplation hin und her. Immer sucht er das Gute zu tun und fürchtet immer doch zugleich – wenn auch nur im geringsten – vom göttlichen Willen abzuweichen.[180] Es zeigt sich, daß das Verhältnis des Bereichs ‚Läuterung – Kontemplation' zu dem der ‚Aktion' in anderer, nicht minder tiefgreifender Sicht problematisch ist. Denn verlangt auch die Ordnung der Liebe, das Niedere dem Höheren vorzuziehen, so liegt dieser Ordnung doch die Verkehrung des wichtigsten aller Werte zugrunde, gemäß dem das Hohe

[176] Ebd. 30,8, I. 215.
[177] Vgl. 111ff.
[178] Vgl. 117ff.
[179] Vgl. 116.
[180] Vgl. 129.

dem Niederen, das Himmlische dem Irdischen vorzuziehen ist.[181] Als junger Mann entschloß sich Bernhard zur radikalsten der Möglichkeiten zur Weltabkehr, d. h. zum Eintritt in den Zisterzienserorden.[182] Radikale Weltabkehr und Überwindung alles Irdischen ist der zentrale Inhalt Bernhards monastischer Theologie; – ist die Eigenschaft, die dem Orden der Zisterzienser in der Sicht Bernhards seine hervorragende Stellung verleiht. Als den kürzesten aller Wege, der, ohne Um- und Abweg, gleichsam als Brücke zum Himmlischen über das Meer der Welt geschlagen ist, bestimmt Bernhard die Lebensform dieser Mönche.[183] Disziplinierter noch und zielgerichteter als andere Mönchsgruppen marschieren die Zisterzienser vorwärts.[184] Kein Blick darf zum Irdischen abschweifen. Jeder Schritt, der vom schmalen Pfad zum Himmlischen wegführt, könnte ein Schritt in den Abgrund sein. Sich von hier aus der Welt erneut zuzuwenden, sich in Verkehrung der elementarsten Ordnung vom Hohen um des Niederen willen abzukehren, den besseren Teil Marias zu lassen, um den Dienst Marthas zu versehen, ist für Bernhard in der Tat ein schwieriges Unterfangen. Letztlich hat diese Problematik die ‚böse Welt' zum Inhalt, die es zum Guten umzugestalten, zugleich aber auch zu fürchten gilt. Sowohl die erneute Hinwendung zur Welt als auch die Weltflucht besitzen in sich ihre tiefe Berechtigung. Beide Bereiche gehören einander an und liegen doch, solange der Mensch im diesseitigen Ringen um sein Seelenheil steht, miteinander im Widerstreit. Eine Verschärfung erfährt dieser Konflikt durch die unerbittliche Strenge, in der Bernhard die Maßstäbe für das Gelingen in einem jeden der beiden Bereiche bestimmt.
Zwei Gefahren gilt – wie im folgenden Kapitel zu zeigen sein wird – die besondere Aufmerksamkeit Bernhards. In vielfältiger Form verleiht er der Sorge Ausdruck, über der Vielzahl äußerer Geschäfte die Bereiche der Kontemplation und Läuterung vernachlässigt zu haben. Die Furcht um das eigene Seelenheil sowie ein Gefühl der Überforderung sprechen hier aus Bernhards Worten. Gilt Bernhards erste Sorge dem wohlgeordneten Verhältnis beider Komponenten im Selbst, so bezieht sich die zweite Sorge auf das Verhältnis zwischen dem Handelnden und dem zum Guten umzugestaltenden Irdischen. Wie die ideale Form dieses Verhältnisses auszusehen hat, beschreibt Bernhard anhand Hoheliedvers 2,2, *(SICUT LILIUM INTER SPINAS),* wobei die Lilie unter Dornen auf den Guten inmitten der Bösen verweist: *O candens lilium! O tener et delicate flos! Increduli et subversores sunt tecum.* Nicht nur, daß

[181] Vgl. 135f.
[182] Nach Cîteaux – so Bernhards Biograph (VP I. III,8, 231) – zog es kaum einen Bekehrungswilligen, *ob nimiam vitae ipsius et paupertatis austeritatem.*
[183] Vgl. 15f.
[184] Vgl. 16ff.

der liliengleiche Mensch unter Bösen das Weiß der Unschuld, das Weiß eines milden Wesens zu bewahren vermag, sein Strahlen wirkt vielmehr heilsam auf das ihn umgebende Dunkel ein; – *quod ipsas utique pungentes se spinas candore proprio illustrare et venustare non cessat.*[185] Überstrahlt der Gute das Dunkel des Bösen in heilsamem Einfluß, so besteht umgekehrt die Gefahr, daß der unheilvolle Einfluß des Bösen seinen Schatten auf den Guten wirft. Ihren sinnfälligen Ausdruck findet diese Gefahr im Staub der irdischen Tat, der an Martha haftet.[186] Martha, die sich, um das Gute zu wirken, den Wirren der Welt, der Sündhaftigkeit des Irdischen aussetzt, droht selbst befleckt zu werden. Am Wirken des Malachias, der mit gespieltem Zorn tadelte[187] (d. h. ohne daß dieser sündhafte Affekt sich seiner zu bemächtigen vermochte), wird die Strenge der Maßstäbe deutlich, die Bernhard dem Gelingen im Bereich der Aktion unterlegt. Man wird in der häufigen Klage Bernhards die Klage Marthas erkennen dürfen, die – um des Guten willen – dem besseren Teil Marias entzogen ist. An mehreren Stellen in seinen Briefen bittet Bernhard, da er sich mit dem Staub der Welt befleckt hat,[188] um den Gebetsbeistand der Freunde und belegt sich so mit dem vordringlichen Attribut Marthas, dem Staub der irdischen Tat. Hinzu tritt, daß sowohl Hildebert von Lavardin als auch Peter von Celle Bernhard mit dem doppelt verheirateten Jakob vergleichen[189] und somit dessen Leben zwischen den Erfordernissen von Aktion und Kontemplation durch das Frauenpaar Lia/Rachel kennzeichnen, dessen Bedeutung mit der von Maria und Martha identisch ist.[190]
Zeit seines Lebens führt Bernhard diese Klage Marthas. Denn der Konflikt, der ihn bewegt, ist seiner Anlage nach ausweglos. Mag der Marthadienst auch problematisch sein, so erweist sich der Antrieb der Nächstenliebe, des Eifers für Gott dennoch als stärker. Daß sich Bernhard dem göttlichen Willen als dem Urgrund seines Wirkens weder entziehen kann noch will, ist selbstverständlich. So wendet sich Bernhard um des Guten willen den Niederungen der Welt, dem Irdischen zu und hat doch zugleich, solange er selbst noch Anteil am Irdischen hat, allen Grund, dessen unheilvollen Einfluß zu fürchten. Ansporn und Maßstab bietet die Lebensführung der Heiligen, deren hohe Idealität die eigene Unvollkommenheit vor Augen führt und zur Besserung

[185] CC 48,2, II. 68.
[186] Vgl. 125.
[187] Vgl. 142.
[188] Vgl. 159f.
[189] Der Brief Hildeberts wurde in die Sammlung der Briefe Bernhards aufgenommen, vgl. ep. 122, VII, 202f. Peter von Celle verwendet diesen Vergleich in seinen Predigten auf Bernhard (PL 702, 873–878). Vgl. hierzu: Bredero, Bernhard von Clairvaux, 27, Anm. 49.
[190] Vgl. 107 u. 112.

ermahnt, so daß der Gegenwart eher die schmerzliche Sorge für beide Bereiche, der jenseitigen Zukunft hingegen die Freude über das doppelte Gelingen angehört. Vor diesem Hintergrund wird deutlich, daß es sich bei der im folgenden darzustellenden Klage Bernhards um den Ausdruck ernstzunehmenden Leidens handelt. Die Häufigkeit, in der sich Bernhard dem Problemkreis ‚Aktion – Kontemplation' zuwendet, belegt, wie sehr ihn dieses Thema bewegt hat. Daß ein Mann, der sich in höchstem religiösen Eifer alle Sorgen Christi angelegen sein läßt,[191] an der übermächtigen Last gelitten hat, ist unschwer einsehbar. Und auch die Furcht vor dem Staub Marthas beinhaltet bei näherem Betrachten die durchaus realitätsgerechte Einsicht, daß sich in der Welt die Haltung der Weltabgeschiedenheit nur schwerlich aufrechterhalten läßt. Dies aber stellt gemäß den Maßstäben Bernhards eine schwere Gefährdung für das Seelenheil dar, da nunmehr dem um Reinheit Ringenden Befleckung, dem nach Gutheit Strebenden Verstrickung in das Böse droht.

[191] Vgl. 139.

5. DIE KLAGE BERNHARDS

5.1. Die Klage Bernhards in den Predigten und Traktaten

POSUERUNT ME CUSTODEM IN VINEIS, VINEAM MEAM NON CUSTODIVI; – Bernhard nimmt in der 30. Hoheliedpredigt[1] Vers 1,5, zum Anlaß, sein persönliches Ungenügen von der Vollkommenheit des Paulus abzugrenzen. Ist jener zum Hüter vieler Weinberge bestellt und läßt dennoch den eigenen Weinberg nicht unbehütet, so vermag Bernhard den hohen Ansprüchen der Verbindung beider Bereiche keineswegs zu genügen: *Ego loci huius occasione meipsum reprehendere soleo, quod animarum susceperim curam, qui meam non sufficerem custodire.*[2] Diesem eher dem innerklösterlichen Kontext zuzuordnenden Bekenntnis des Unvermögens läßt Bernhard im nächsten Predigtabschnitt eine heftige Klage folgen, aus deren weitgefaßten Formulierungen auf eine den Rahmen der klösterlichen Seelsorge überschreitende Bedeutung geschlossen werden darf. Im Verlauf der vorangegangenen Untersuchung zeigte sich das besondere Gewicht, das Bernhard einem wohlgeordneten Verhältnis von innerseelischen und nach außen gerichteten Komponenten beimißt. Auf die Störung eben dieses Verhältnisses bezieht sich Bernhards Klage. *Vae autem mihi etiam nunc a periculo vineae meae;* – denn Bernhard, dem die Sorge für viele Weinberge auferlegt ist, bleibt keine Zeit mehr, Sorge für den eigenen Weinberg zu tragen. *(D)estructa est maceria eius,* so daß ein jeder, der des Weges kommt, sich an dessen Trauben zu bedienen vermag *(vindemiant eam omnes qui praetergrediuntur viam)*. Ungehindert finden die emsigen Füchslein (Hohelied 2,15) der drängenden Geschäfte Eingang in den Weinberg und verwüsten ihn *[(d)emoliuntur eam sedulae quaedam vulpeculae instantium necessitatum]*. Die das gottsuchende Innen schützenden Umgrenzungen sind eingerissen. Gefährliche, der Beschäftigung mit dem Irdischen entstammende Empfindungen brechen in das Selbst ein, drohen sich seiner zu bemächtigen. Der die Seele versinnbildlichende Weinberg steht offen *[(p)atet exposita tristitiae, iracundiae atque impatientiae pervia]*, so daß mit den Füchslein der notwendigen Geschäfte bedrängende Gefühle *(anxietates, suspiciones, sollicitudines)* Eingang in die gottgeweihte Abgeschiedenheit des Innen finden. Keine Stunde vergeht, ohne daß ein Schwarm streitender Menschen *(turbae discordantium)* die Ruhe

[1] Vgl. 146.
[2] CC 30,6, I. 213.

stört. Nicht einmal Zeit für das Gebet bleibt: *Quo imbre lacrimarum perfundere sufficiam sterilitatem animae meae?* Alle Rebzweige des inneren Weinberges hängen *prae inopia* verdorrt[3] herab. Allein der Regen der Tränen vermag hier Linderung zu verschaffen,[4] so daß Bernhard seine Klage mit der inständigen Bitte an Christus schließt, er möge das Opfer seines reuigen und zerknirschten Herzens annehmen.[5]
Von vergleichbarer innerer Ermüdung und Bedrängtheit zeugt der Beginn der dritten Predigt *,In labore messis',* die Bernhard unmittelbar nach der Rückkehr von einer seiner Reisen hält:

E diversis et diversa quaerentibus hominum turbis animo fatigatus, quam desideranter ad hunc cuneum hodie spiritum refocillaturus accessi.[6]

Dieser Freude entsprechend, aus dem Menschengewirr der Welt *(hominum turbis)* in den geordneten Kampfverband der Mönche *(ad hunc cuneum)* zurückgekehrt zu sein, läßt Bernhard seiner Eingangsbemerkung ein euphorisches Lob auf das Mönchtum folgen.[7] Der Freude des Heimkommens steht der Schmerz des Fortmüssens gegenüber: *Evocamur in materiam alteram, et cui hanc cedere indignum.* Von allen Seiten fühlt sich Bernhard bedrängt *[(a)ngor undique].* Kaum vermag er zu entscheiden, was schwerer zu ertragen ist, hinfortgerissen zu werden *(avelli)* oder aber den Zustand der Trennung *(distendi)* zu ertragen: *O servitutem! O necessitatem! Non quod volo hoc ago, sed quod odi illud facio.*[8]
Dem in der 26. Hoheliedpredigt eindringlich beklagten Verlust des geliebten Bruders fügt sich ein weiterer Grund der Klage hinzu. Denn in Gerard hat Bernhard nicht nur den nahen Verwandten verloren, sondern auch den unentbehrlichen Helfer in drängenden äußeren Geschäften. Sollte Bernhard – wie er beteuert – geistige Fortschritte gemacht oder den Mitbrüdern genutzt haben, so ist dies das Verdienst Gerards:

Tu intricabaris, et ego tuo beneficio feriatus sedebam mihi, aut certe divinis sanctius obsequiis occupabar, aut doctrinae filiorum utilius intendebam.

Derart entlastet konnte sich Bernhard beruhigt dem Innen (sowohl des Klosters als auch des Selbst) zuwenden, während Gerard die äuße-

[3] Als *sicca, sed fortis* kennzeichnete Bernhard in der von ihm erstellten Liebesordnung das zweite Gefühl, das die Basis der tätigen Liebe bildet (vgl. 135).
[4] Man erinnere sich an die Predigten Bernhards, in denen er dem Bereich der Aktion die Notwendigkeit zur Buße zuordnet (vgl. 127ff.
[5] CC 30,7, I. 214f.
[6] Lab. mess. 3,1, V. 222.
[7] Ebd. 3,2ff V. 223ff.
[8] CC 76,10, II. 261.

ren Geschäfte vorbildlich versah: *Cur enim securus intus non essem, cum te scirem agentem foris, manum dexteram meam . . .?*[9]
Bernhards Klage gilt der Tatsache, in der Aktion dem Sein mit Gott entzogen zu werden. Bildet in den vorangegangenen Zeugnissen das Kloster jenes für Gott umgrenzte Innen, das zu verlassen schmerzlich ist, so gilt im folgenden die Klage dem Heraustreten aus dem Bereich persönlicher kontemplativer Abgeschiedenheit. Das Objekt der Klage wechselt, die Klage selbst jedoch bleibt bestehen: hier wie dort gilt es Himmlisches für Irdisches zu tauschen, anstatt mit Gott zu sein, nunmehr für Menschen Sorge zu tragen. *Heu* klagt die Seele, die soeben noch in der mystischen Versenkung bei Gott weilte, *DOMINE, VIM PATIOR*. Denn die schlechte Welt *(saeculum nequam)*, die täglichen Ärgernisse *(perturbat diei malitia)*, die leibliche Not und – *quodque his violentius est* – die brüderliche Liebe rufen aus der Beschau zurück.[10] Aufreibend sind die zahlreichen Pflichten desjenigen, der anderen vorsteht; – *vix umquam vel raro secure vacat sibi.*[11] Ermüdend und voller Arbeit ist die tägliche Hinwendung *(quotidie exire)* zu den Mitbrüdern, um Erquickendes aus den Wassern der Heiligen Schrift zu schöpfen.[12] Hinzu treten rücksichtslose Mitbrüder, die Bernhard – obgleich die von überall herbeiströmenden Ratsuchenden ihm kaum eine ruhige Stunde lassen – mit Nichtigkeiten belästigen. Doch, wie Bernhard sogleich einschränkt, es könne sein, daß ein Mitbruder, der der Hilfe Bernhards dringend bedürfe, nun nicht mehr wage, sich an ihn zu wenden. Entsprechend revidiert Bernhard seine Klage zugunsten jener Haltung der selbstlosen Liebe, die allein das Heil des Nächsten und nicht den eigenen Nutzen sucht. Nunmehr wird er nicht von seiner Gewalt zurückzuweisen Gebrauch machen, sondern zum heilsamen Gebrauch bereitstehen *[(n)on utar hac potestate; magis autem ipsi me utantur ut libet: tantum ut salvi fiant]*. Nicht geschont zu werden, wird ihm Schonung sein; die Unruhe um die Not der Seinen wird ihm als Ruhe gelten: *Non quaeram quae mea sunt, non quod mihi utile est, sed quod multis, id mihi utile iudicabo.*[13] Die Liebe bewirkt, daß Bernhard die Umgrenzung des gottgeweihten Innen zum Außen des Nächsten (hier des Mitbruders) durchbricht. Der Wechsel vom Selbst zur selbstlosen Liebe[14] ist somit vollzogen, der das Objekt der Klage, zugleich aber von unausweichlicher Notwendigkeit ist.

[9] CC 26,6, I. 174.
[10] Dilig. X,27, III. 142; Is 38,14.
[11] CC 53,1, II. 96.
[12] CC 22,2, I. 130.
[13] CC 52,7, II. 94f.
[14] Vgl. 137ff.

5.2. Die Klage Bernhards in seinem Briefwerk

Zeit seines Lebens bleibt der Bereich der Aktion Objekt von Bernhards Klage. Diese Klage findet im besonderen Maß in den Briefen,[15] die den in vielfältiger Weise öffentlich engagierten Heiligen zeigen, ihren Niederschlag. An verschiedenen Stationen seines Lebens häuft sich die Klage, wendet sich Bernhard ausführlich dem drängend gewordenen Problem zu. Aber auch die Gesamtheit des Briefwerkes ist durch den immer wiederkehrenden, oftmals nur in kurze Bemerkungen gefaßten Hinweis auf die Problematik gekennzeichnet. Im folgenden gilt es, die in charakteristischen Formulierungen zum Ausdruck gebrachten Motive der Klage zu sichten und im Überblick zu beurteilen. Auch eher floskelhaften Bemerkungen wird Rechnung zu tragen sein, die sich in die lebenslange Klage eingebunden finden, und von hier aus Bedeutung und Aussagekraft beziehen.

5.2.1. Überbeanspruchung

Ein Gegenstand von Bernhards Klage ist die Tatsache, durch das Übermaß an Geschäften vom Zusammentreffen mit geliebten Personen abgehalten zu sein. So bemerkt Bernhard gegen Ende seines Schreibens an die Nonne Ermengard,[16] das voller Zuneigung und Fürsorge für die ehemalige Herzogin ist: *Crede mihi, irascor occupationibus quibus frequenter impediri videor ne te videam.*[17] Traurig berichtet Bernhard dem Karthäuser Bernhard von Portes,[18] daß er dem Freund den versprochenen Besuch nicht abstatten könne, von dem er sich Erquickung und Beistand *(itineri meo solatium, laboribus levamen, peccatis remedium)* erhofft habe. Bernhard befindet sich zum Zeitpunkt des Schreibens auf seiner dritten Italienreise[19] anläßlich des Schismas und versichert daher dem Freund, daß nicht Trägheit und Nachlässigkeit den Besuch verhindert habe, sondern die drängende Angelegenheit Gottes *(causam obstitisse plane non negligendam, et causam Dei).*[20]
Das Motiv der Überlastung, die nicht einmal die Zeit lasse, erhaltene Briefe in angemessener Form zu beantworten, klingt in Brief 88 an. Bernhard betont *propter dierum malitiam* sowie der Kürze der Sommer-

[15] Zu Bernhards Briefwerk, vgl.: Eynde, La correspondance; ders. Les premiers écrits; James, The personality; Leclercq, Lettres; ders., Recherches; Ott, Untersuchungen, 60ff.

[16] Vgl. BC 652.

[17] Ep. 117, VII. 297; vor 1135.

[18] Vgl. BC 630.

[19] Vgl. 170ff.

[20] Ep. 154, VII. 361; 1136.

nächte keine Zeit gehabt zu haben, den Wünschen Ogers nachzukommen. Auch der neue Brief Ogers fände ihn *occupatissimum,* so daß keine Zeit zu einer ausführlichen Antwort bleibe.[21] Weit kürzer als es seinem Wunsch entspreche, so Bernhard, falle seine Antwort an die hl. Hildegard[22] aus; – *negotiorum multitudo compellat.*[23] Dieselbe Begründung *(prae multitudine negotiorum)* bezüglich der Kürze seines Antwortschreibens übersendet Bernhard dem Erzbischof von Mainz.[24] Nur wenige Worte ergehen an den Patriarchen von Jerusalem, denn *in multis occupatus, scribo vobis.*[25] Voller Bedauern stellt Bernhard fest, daß er *urgente diei malitia* die Weite seiner Liebe zum Zisterzienserabt Richard in die Kürze des übersandten Briefes pressen müsse.[26] Zu einer vergleichbaren Erklärung greift Bernhard gegenüber Balduin, der Clairvaux verlassen mußte, um anderenorts eine Abtsstelle zu versehen: *Nosti, inquam, sub qua sarcina gemo, ET GEMITUS MEUS A TE NON EST ABSCONDITUS.* Daher bewirkt *malitia (. . .) occupationum* zwar, daß er nur wenig schreibe, nicht aber, daß er zu wenig liebe.[27] Eindringlich beklagt Bernhard gegenüber Eskil, dem Erzbischof von Lund,[28] keine Muße zu finden, sich dem Freund ausführlich in einem Schreiben zuzuwenden: *Heu! Avellor, abripior!* Denn *(a)vocat diei malitia, revocat turba supervenientium, et epistolam potius rumpunt quam finiunt.*[29] *Multitudo negotiorum in culpa est,* daß der fälschliche Eindruck entstehen konnte, ein vorhergehendes Schreiben Bernhards ende mit harschen Worten. Vielmehr hätten – wie Bernhard betont – die Schreiber den Sinn der Worte nicht erfaßt, er selbst habe nicht die Zeit gehabt, das Aufgeschriebene noch einmal durchzulesen.[30] Wie der vorangegangene Brief ist auch ep. 389 an Petrus Venerabilis, den Abt von Cluny, gerichtet. Wiederum berichtet Bernhard, nur einen kurzen Moment Zeit gehabt zu haben, um einen Blick auf das erhaltene Schreiben zu werfen: – *Occupatus eram tanta occupatione, quantam vel vos scitis, vel scire potestis.* Dennoch habe er sich den Ansprüchen der Menschen entrissen, um sich an der

[21] Ep. 88,1, VII. 232; 1120–1125.

[22] In ihrem Brief an Bernhard (PL 197, 189f. In deutscher Übersetzung bei Führkötter, Hildegard, 25ff; vgl. auch: Tüchle, Ein Hildegard- und ein Bernhardbrief) schildert Hildegard ihre Gaben als Seherin und bittet den Abt um Beistand und Urteil. Auch für Hildegard ist in diesem Person und Werk Bernhards preisenden Schreiben die Verbindung von innerem und äußerem Heilswerk selbstverständlich: *non tantum teipsum solum, sed etiam alios homines in salvationem erigens.*

[23] Ep. 366, VIII. 323; 1147–1147.

[24] Ep. 365,1, VIII. 320; 1146.

[25] Ep. 393,1, VIII. 364; 1138–1145.

[26] Ep. 96, VII. 246; 1133.

[27] Ep. 201, VIII. 59; 1136–1140; Ps 37,10.

[28] Vgl. BC 638; McGuire, Why Scandinavia; Schonsgaard, Un ami.

[29] Ep. 390,2, VIII. 359; 1152.

[30] Ep. 387, VIII. 355; 1152.

Süße des Briefes zu erfreuen. Aber keine Zeit sei geblieben, den Brief zu beantworten, denn erneut habe ihn *multa diei malitia* zurückgerufen. Bernhard läßt an dieser Stelle eine Schilderung der ‚Plagen des Tages' folgen, die die bislang vorgestellten, eher formelhaften Verweise auf den Zustand der Überlastung konkretisiert:

Convenerat enim multitudo magna fere ex omni natione, quae sub caelo est. Me oportebat omnibus respondere, quia, peccatis meis exigentibus, in hoc natus sum in mundum, ut multis et multiplicibus sollicitudinibus confundar et urar.[31]

Mehrere für die Klage Bernhards kennzeichnende Motive werden an diesem Beleg deutlich. So ist das Ausmaß der Ansprüche zu erkennen, mit denen sich Bernhard konfrontiert sah. Bereits im Schreiben an Eskil *(revocat turba supervenientium)* deutete sich dieser Sachverhalt an.[32] Ein Schreiben an Papst Eugen weist in dieselbe Richtung. Man sagt, wie Bernhard berichtet, nicht Eugen, sondern er sei Papst, so daß von überall her Geschäfte an ihn herangetragen werden *(undique a me confluunt qui habent negotia)*. Auch innerhalb der Predigten fanden sich vergleichbare Aussagen. Nicht einmal, so Bernhard in der 30. Hoheliedpredigt,[33] die Zeit zum Gebet werde ihm von dem Schwarm Streitender *(turbae discordantium)* gelassen, die ihn in der klösterlichen Abgeschiedenheit aufsuchen.

(I)n hoc natus sum in mundum, ut multis et multiplicibus sollicitudinibus confundar et urar; – mit diesen Worten aus ep. 389 schilderte Bernhard sein Leiden an den ‚Plagen des Tages' als einen Zustand des Sichverausgabens *(confundar)* und Verzehrtwerdens *(urar)*. Als weiteres Element der Klage Bernhards ist somit das Nachlassen der Kräfte, ja deren Überbeanspruchung in der Vielzahl von Geschäften zu benennen. In zweierlei Hinsicht erlangt dieses Motiv Bedeutung. Immer wieder finden sich in Bernhards Briefen Hinweise auf seinen schwachen Gesundheitszustand. Bernhards besondere Sorge gilt jedoch seinem seelischen Befinden gegenüber der Welt und ihrer Gefahren sowie der mangelnden Möglichkeit zur Regeneration in kontemplativer Versenkung und Gebet.

5.2.2. Krankheit

Schon bei seinem Eintritt ins Kloster war Bernhard – so sein Biograph – von eher schwächlicher Konstitution.[34] Hinzu trat die überharte Askese, der sich der Heilige unterwarf *(ut infirmum animal cadens sub one-*

[31] Ep. 389, VIII. 356f; 1149–1150.
[32] Vgl. 154.
[33] Vgl. 150f.
[34] VP I. IV,22, 239.

re, usque in hanc diem non adjiciat ut resurgat).[35] Bernhards Erkrankung verschlimmerte sich so sehr, daß er zeitweise gezwungen war, in einem kleinen Häuschen außerhalb der Klostermauern zu leben, um dort - entbunden von den strengen Ernährungsgewohnheiten seines Ordens sowie seinen Pflichten als Abt - seine Gesundheit wiederherzustellen. Dennoch blieb Bernhard sein Leben lang von dieser Krankheit[36] gezeichnet, wovon seine Biographen,[37] aber auch seine Briefe[38] Zeugnis ablegen. Im Rahmen der Klagen über die Vielzahl der Geschäfte und die Beschwerlichkeit der Reisen, weist Bernhard oftmals auf seine körperliche Schwäche bzw. seine Erkrankung hin. So richtet Bernhard im nicht datierbaren Brief 535 warmherzig Worte an die englischen Mitäbte, in denen er seiner Sehnsucht Ausdruck verleiht, die geliebten Brüder noch vor seinem Tod zu sehen *[(q)uis dabit mihi pennas columbae . . .?].* Doch zwei Gründe stehen der Erfüllung des Wunsches entgegen: *Viae enim graves sunt et fortes, et praesentia corporis infirma.* Darüberhinaus machen zahlreiche Geschäfte, die Bernhard trotz seiner körperlichen Schwäche aufgebürdet sind, die ersehnte Reise unmöglich:

(D)e providentia fratrum peregrina negotia et ecclesiasticae causae supergressae sunt caput meum, sicut onus grave gravatae sunt super me.[39]

FUIT quidem parere PARATUM COR MEUM, sed non aeque et corpus meum, schreibt Bernhard an Matthäus, den Legaten des apostolischen Stuhles,[40] zur Erklärung, wieso er nicht - wie aufgefordert - bei einer Zu-

[35] VP I. IV,21, 239.

[36] Vgl. Leisner, Um die Krankengeschichte.

[37] Weitere Bemerkungen zur Erkrankung Bernhards finden sich an folgenden Stellen: VP I. VII,33, 246; I. VIII,38, 249; I. VIII,39, 250; I. VIII,41, 251; III. I,1, 303; V. I,4, 353.

[38] Die körperliche Schwäche und Erkrankung Bernhards ist in vielfältiger Weise in seinem Briefwerk gegenwärtig. In den Briefen 37,1 (VII. 94f; 1124) und 304 (VIII. 221; 1152–1153) drückt Bernhard seinen Dank aus, daß sich Graf Theobald bzw. König Ludwig VII. um seinen Gesundheitszustand besorgt gezeigt haben. Daß diese Erkrankung chronisch war, belegen folgende Äußerungen. So bemerkt Bernhard in Briefabschnitt 86,2, (VII. 223f; 1123 oder 1124) auf die Frage nach seinem Gesundheitszustand: *De infirmitate nostra nihil certius modo sciscitanti tibi indicare possum, nisi quod infirmus et fui, et sum, nec minus solito, nec multum plus.* Die Verschlechterung seines Befindens 1151 drückt Bernhard in Brief 270,3, (VIII, 180) an Papst Eugen mit folgenden Worten aus: *Puer vester plus solito infirmatur.* Seinen körperlichen Zustand kurz vor dem Tod beschreibt Bernhard in Briefabschnitt 288,1, (VIII. 203; 1153) und sehr eingehend in Brief 310 (VIII. 230; 1153).
Weitere Erwähnungen oder Beschreibungen der Krankheit finden sich in folgenden Briefen: 118, VII. 298f (Nov. 1118 oder 1119); 509, VIII. 467 (vor 1129); 90,2, VII. 238 (1130); 307,2, VIII. 227 (1151). Nicht datierbar sind folgende Schreiben vergleichbaren Inhalts: 446, VIII. 423; 450, VIII. 427f.

[39] Ep. 535, VIII. 500f; ?.

[40] Vgl. BC 627.

sammenkunft anläßlich wichtiger kirchlicher Geschäfte[41] zugegen sein konnte.[42] Eine heftige Klage über Krankheit und körperliche Schwäche führt Bernhard in den Schreiben, die er 1137 von der dritten Italienreise an die Mitbrüder in Clairvaux sowie an die versammelten Zisterzienseräbte richtet.[43] Anläßlich der Streitigkeiten um die Besetzung des Bischofsstuhles von Langres[44] ruft Bernhard 1138 den Kardinälen der Kurie die an die Grenze der Kräfte gehenden Mühen ins Gedächtnis, die er anläßlich des Schismas um der Kirche willen auf sich genommen hat *(consumptis paene viribus corporis, vix post redditam caelitus pacem Ecclesiae repatriare potuerim)*.[45] Auch gegenüber Papst Innozenz betont Bernhard im Verweis auf das Geleistete und die hiermit verbundenen Opfer, daß er *fractus viribus corporis* in sein Kloster zurückgekehrt sei. Er habe geglaubt - so Bernhard weiter -, den Anstrengungen entkommen zu sein, er habe gehofft, endlich Ruhe zu finden, doch erneut strecke ihn die Krankheit auf sein Lager nieder: *En lectulo recubantem plus cordis quam corporis dolor excruciat.*[46] Quälender noch als der körperliche Schmerz ist der Schmerz über das Unrecht, das Bernhard in der strittigen Besetzung des Stuhles von Langres erlitten zu haben glaubt. Ebenso wie bei der dritten Italienreise tritt auch hier das Ineinander von seelischen und körperlichen Komponenten zu einem von Trauer und Erschöpfung gekennzeichneten Gesamtbefinden deutlich zutage. Im Jahre 1143 teilt Bernhard Petrus Venerabilis seinen Entschluß mit, sich nunmehr im Kloster der Kontemplation zu widmen: *Fractus sum viribus, et legitimam habeo excusationem, ut iam non possim discurrere ut solebam.*[47] An Papst Eugen ergeht, wiederum unter dem Hinweis auf die Schwäche des Körpers, der Wunsch, nicht weiter durch zahlreiche Geschäfte belastet zu werden:

> *De cetero si suggestum vobis a quopiam fuerit de me amplius onerando, scitote vires mihi non suppetere ad ea quae porto.*[48]

Dieses Anliegen formuliert Bernhard zwischen 1145 und 1146, d. h. kurz bevor er die unerhörten Anstrengungen seines Engagements für den 2. Kreuzzug unternehmen sollte. Weit schwerwiegender jedoch als

[41] Ep. 21 ist - nach Vacandard, Leben I. 295, Anm. 1 - entweder vor dem Konzil von Troyes (13. 1. 1128) oder vor dem Konzil von Châlons (2. 2. 1129) verfaßt.
[42] Ep. 21,1, VII. 71; um 1128.
[43] Vgl. 171ff.
[44] Vgl. 186ff.
[45] Ep. 168,1, VII. 380; 1138.
[46] Ep. 166,2, VII. 378; 1138.
[47] Ep. 228,2, VIII. 99; 1143.
[48] Ep. 245, VIII. 136; 1145-1146.

die Sorge um körperliche Gebrechen[49] ist die im folgenden darzulegende Furcht Bernhards, das Seelenheil könne im Übermaß der Geschäfte Schaden nehmen.

5.2.3. Gefahren für die Seele

In zweierlei Hinsicht sind die von Bernhard beklagten außerklösterlichen Geschäfte Gegenstand der Sorge um das Seelenheil. In ihrer Vielzahl stehen sie dem Ruhen bei Gott, der Buße und kontemplativen Versenkung entgegen. Doch auch der Ort des Wirkens, die Welt, ist in sich voller Gefahren, die selbst von demjenigen zu fürchten sind, der in ihr das Gute zu wirken sucht.

In flamma negotiorum quae assidue Romae geruntur fere adustus;[50] – mit diesen Worten beginnt Bernhard ein Schreiben an Papst Innozenz. Wie bereits in seinem Brief an Petrus Venerabilis[51] betont Bernhard das Verzehrtwerden und Sichverausgaben *(confundar et urar)* in der Aktion[52] und bestimmt diesen somit als Bereich, der der Ergänzung durch spirituelle Regeneration und Reinigung bedarf. In ep. 166 anläßlich der Langres-Affäre verleiht Bernhard dieser Notwendigkeit unmittelbaren Ausdruck, den in der Aktion erlittenen ‚spirituellen Schaden' zu beheben:

> *Credidi me de labore evasisse ad requiem, licere mihi utcumque resarcire spiritualium damna studiorum ac sanctae quietis detrimenta, quae foris incurreram, et ecce TRIBULATIO ET ANGUSTIA INVENERUNT ME.*[53]

[49] In Briefabschnitt 345,2 (VIII. 287f; 1140–1145) belehrt Bernhard die Brüder vom Zisterzienserkloster St. Anastasius, – die in einer unwirtlichen Gegend leben, so daß viele Mönche krank sind –, bezüglich des Stellenwertes, der der körperlichen Gesundheit beizumessen ist: *Sed mementote quis dixerit: LIBENTER GLORIABOR IN INFIRMITATIBUS MEIS, UT INHABITET IN ME VIRTUS CHRISTI, et: CUM INFIRMOR, inquit, TUNC FORTIOR SUM. Compatior utique, et multum ego compatior infirmitati corporum; sed timenda multo magis ampliusque cavenda infirmitas animarum* (2 Kor 12,19; 2 Kor 12,10). Deswegen ziemt es sich für den Stand der Mönche nicht, nach Medizin für den Körper zu verlangen. Zwar seien gewisse Heilkräuter, wie sie auch von den Armen verwendet werden, bisweilen zu akzeptieren, jede weitergehende medizinische Betreuung jedoch ist abzulehnen *(religioni indecens est et contrarium puritati, maximeque Ordinis nostri nec honestati congruit, nec puritati)*. Zu erstreben hingegen ist die Arznei der Tugend *(potio humilitatis et patientiae)* sowie der eindringliche Ruf an den Herrn, die kranke Seele zu heilen; – *(h)uic sanitati, fratres dilectissimi, operam date.* Vgl. Mellot, Saint Bernard et la guérison des malades.

[50] Ep. 436, VIII. 415; 1138–1143.

[51] Vgl. 155.

[52] Man erinnere sich an Bernhards Ausführungen zur Problematik von Aktion und Kontemplation anhand des Bildes vom Ein- und Ausgießen (vgl. 113ff). Insbesondere der Ausdruck *‚confundar'* macht auf der gleichen Bildebene die Störung des geordneten Verhältnisses beider Bereiche deutlich.

[53] Ep. 166,2, VII. 378; 1138; Ps 118,143.

Durch die Unruhe der öffentlichen Tätigkeit zu wenig Gelegenheit zur notwendigen kontemplativen Versenkung zu haben, ist somit ein weiterer Gegenstand von Bernhards Klage. Bezüglich des Schismas findet sich Bernhard in zahlreiche Geschäfte eingebunden, *quae amicam quietem omnino perturbant.*[54] An Legat Matthäus ergeht die kritische Frage nach der Art der an Bernhard herangetragenen Geschäfte *(quae ad perturbandum amicum silentium tantopere imponere curatis amico).*[55] Die glückliche Lebensführung eines Freundes ist - nach der Beschreibung Bernhards - durch jene Muße gekennzeichnet, die keineswegs müßig ist, sondern ersprießlich für das Seelenheil. Hiervon grenzt Bernhard seine eigene Situation mit folgenden Worten ab: *Me miserum qui in tantis sum intricatus, exsul animo, indignus sancto otio, sanctae expers quietis.*[56] Verschärft wird die Erfahrung des Mangels an spiritueller Regeneration und Reinigung durch die besondere Gefährlichkeit des Ortes der Aktion, - der Welt. Der angesprochene Karthäuserprior habe, wie Bernhard vermutet, wohl schon von seinem Leben in den Abgründen der Welt vernommen *(per quae discrimina verser in mundo, immo per quae iacter praecipitia).*[57] Erbarmungswürdig ist dieses Leben *[(i)ta et vos MISEREMINI MEI, non quia merui, sed quia egeo]* im Vergleich zur Lebensführung der Karthäuser, denen es die Barmherzigkeit des Herrn vergönnt hat, ihm in völliger Weltabgeschiedenheit *(sine timore a mundi tumultibus liberati)* zu dienen: *Felices quos abscondit in tabernaculo suo in die malorum, in umbra alarum suarum sperantes, DONEC TRANSEAT INIQUITAS!* Geborgen im Schatten der Fittiche Gottes führen die Karthäuser ein glückliches Dasein, vor dessen Hintergrund sich das Leben Bernhards um so trauriger ausnimmt:

> *Ceterum ego infelix, pauper et nudus, homo natus ad laborem, implumis avicula paene omni tempore nidulo exsulans, vento exposita et turbini, turbatus sum et motus sum sicut ebrius, et omnis conscientia mea devorata est.*[58]

Die Welt ist Wind, dessen Wirbel Bernhard, den federlosen kleinen Vogel ohne Nest, umhertreiben. Die Welt ist auch Meer, dessen Fluten Bernhard in die Tiefe zu reißen drohen. Glücklich sind die Empfänger des Briefes, die Zisterzienseräbte von England, denn sie verweilen im Hafen: *Necesse enim est ut laboranti mihi in profundo maris porrigatis orationis funiculum, vos qui iam in portu navigatis.* Die Welt ist ferner Schmutz,

[54] Ep. 143,1, VII. 342; um 1135.
[55] Ep. 21,2, VII. 71; um 1128.
[56] Ep. 506, VIII. 464; ?. Das Fragezeichen gibt an, daß der Brief nicht datierbar ist. Siehe auch 200, Anm. 16, 229, Anm. 155.
[57] Ep. 250,4, VIII. 147; 1147-1150.
[58] Ep. 12, VII. 61f; wahrscheinlich 1133.

ist Staub, der denjenigen befleckt, der gezwungen ist, sich in ihr aufzuhalten:

De cetero, qui in multis offendimus omnes et inter homines frequenter positi multum de pulvere mundi contrahimus, vestris vestrorumque orationibus, fratres carissimi, me commendo.[59]

Hilfe in dieser Not vermag das Gebet der Freunde zu leisten, das den Staub abwäscht, das als Seil zu Bernhard herabgelassen wird, um ihn aus der Gefahr des Meeres zu retten. Mit dem fast gleichlautenden Eingeständnis der Befleckung durch den Staub der Welt, d. h. mit dem Bekenntnis, am Ort der Sünde nicht frei von ihr geblieben zu sein, wendet sich Bernhard an Malachias, den irischen Erzbischof und nahen Vertrauten, und verbindet dies wiederum mit der Bitte um spirituelle Waschung durch das Gebet der Freunde:

De cetero quoniam IN MULTIS OFFENDIMUS OMNES, et inter homines saeculi frequenter positi multum de pulvere mundi contrahimus, vestris et vestrorum orationibus me commendo, ut in fonte misericordiae suae nos lavare et emaculare dignetur ipse fons pietatis Iesus Christus.[60]

Inter multiplices aestus et curas pectoris mei, prae multitudine quarum ANIMA MEA TURBATA EST VALDE;[61] - in diesen Worten, die am Beginn des Briefes an Malachias stehen, findet - neben dem Staub der Welt - ein weiteres Attribut der den Bereich der Aktion versinnbildlichenden Gestalt Marthas[62] in das Schreiben Eingang. *Turbatus sum et motus sum sicut ebrius* bekannte Bernhard in ep. 12.[63] Gleich Martha zeigt sich Bernhard um vieles beunruhigt. Gleich Martha haftet an ihm der Staub der Welt. Alles Streben des Mönchs Bernhard gilt einer Lebensführung, die sich in Abkehr von der Welt durch Gleichgestaltung mit dem Vorbild Christi in die Ordnung der Tugenden fügt. In der Aktion jedoch vermag Staub und Wirrnis, d. h. das Böse der umzugestaltenden Welt auch am Guten Gestalt zu gewinnen. Selbst die Zeit zur Regeneration in ruhender Beschau, zur spirituellen Waschung in Buße und Gebet fehlt. Wie tiefgehend Bernhards Leiden hieran ist, belegen nicht nur die eindringlichen Worte, in denen Bernhard seine Klage formuliert. Die in diesem Kontext zitierten Briefe richten sich ausnahmslos an vertraute Personen, enge Freunde,[64] denen sich Bernhard

[59] Ep. 535, VIII. 501; ?.

[60] Ep. 341,2, VIII. 283; um 1140; Jak 3,2.

[61] Ep. 341,1, VIII. 282.

[62] Vgl. 124f.

[63] Vgl. 159.

[64] Ep. 250, Karthäuserprior Bernhard; ep. 12, Karthäuser; ep. 535, Zisterzienseräbte Englands; ep. 341, Malachias. Auch die im vorangegangenen zitierten Klagen sind an ver-

offenbart, von denen er Beistand und Hilfe durch das Gebet erhofft.[65] Hinzu treten die im Rahmen des Predigtwerkes bearbeiteten Belegstellen der persönlichen Klage Bernhards[66] sowie Belegstellen, die die Problematik in allgemeiner Form thematisieren.[67] So erfährt sich Bernhard als unbefiederter Vogel, fern vom Nest, als den gefährlichen Fluten des Meeres ausgesetzt. Am Ort schmerzlicher Pilgerschaft *[(e)st commune exsilium ipsumque molestum satis, quod QUAMDIU SUMUS IN HOC CORPORE, PEREGRINAMUR A DOMINO]* muß er eine zweite, zusätzliche Pilgerschaft im fernen Italien, getrennt von den Mitbrüdern, erdulden: *Huic accessit et speciale, quod paene impatientem me reddit, ut cogar vivere sine vobis.*[68] Die Erfahrung, um der Geschäfte willen dem heimatlichen Kloster, den Freunden, der kontemplativen Versenkung entrissen zu sein, ist derart leidvoll, daß sie ihm - wie er an mehreren Stellen zum Ausdruck bringt - als Strafe für die begangenen Sünden auferlegt zu sein scheint. Zur Erinnerung an seine Sündhaftigkeit und Not *(rememorari iniquitates et necessitates meas)* bleibt Bernhard im Übermaß der italienischen Geschäfte keine Zeit, die befreundeten Karthäuser zu besuchen.[69] Daß Bernhard den Karthäuser Bernhard von Portis, wiederum aus Gründen der Überlastung, nicht sehen kann, beurteilt er wie folgt: *Poenam siquidem hoc agnosco culparum, non culpam.*[70] Als die sein gesamtes Leben durchziehende Grunderfahrung beschreibt Bernhard diesen Überlastungszustand im eingangs zitierten Brief an Petrus Venerabilis. Bernhard sieht sich hier den Scharen derjenigen, die seinen Rat und Beistand einfordern, ausgesetzt, *quia, peccatis meis exigentibus, in hoc natus sum in mundum, ut multis et multiplicibus sollicitudinibus confundar, et urar.*[71]

Der letzte Gegenstand der Klage gilt dem Ausgangspunkt der Untersuchung. In der Tat hat Bernhard zu verschiedenen Zeitpunkten geäußert, daß seine Lebensführung nicht der eines Mönches entspreche. So bekennt Bernhard, anläßlich des Schismas mit Angelegenheiten beschäftigt zu sein, die nicht allein die geliebte Ruhe stören, sondern seinem Stand unangemessen sind *(meo proposito minus fortasse conveniunt).*[72] In Brief 48 steht Bernhard unter dem Eindruck einer innerkirch-

traute Personen gerichtet: Abt Balduin (154); Eskil (154); Petrus Venerabilis (154f); Mitbrüder von Clairvaux und Äbte des Zisterzienserordens (157).

[65] Den Wunsch um Gebetshilfe enthalten folgende der zitierten Briefe: ep. 250; ep. 12; ep. 535; ep. 341; ep. 144; ep. 145.

[66] Vgl. 150ff.

[67] Vgl. 124ff.

[68] Ep. 144,1, VII. 344; 1137.

[69] Ep. 12, VII. 61; wahrscheinlich 1133.

[70] Ep. 154, VII. 361; 1136.

[71] Vgl. 155.

[72] Ep. 143,1, VII. 342; um 1135.

lichen Opposition, die sich während des Pontifikats Honorius II. gegen ihn gebildet hat.[73] In diesem Schreiben nimmt Bernhard auf gegen seine Person erhobene Vorwürfe in einer Art und Weise Bezug, die sowohl durch die selbstbewußte Zurückweisung der Angriffe als auch durch die Tendenz gekennzeichnet ist, sich verstimmt zurückzuziehen. Der einzige Vorwurf, der ihm gemacht werden könne, sei, bei einer öffentlichen Versammlung zugegen gewesen zu sein. Zwar habe er auf Befehl hin teilgenommen, trotzdem zieme sich dies für ihn nicht, da er doch allein für die Einsamkeit bestimmt, nur über sich selbst zum Richter und Ankläger gesetzt worden sei; – *quatenus monstret actio quod habet professio, et nomen monachi solitaria mihi conversatio interpretetur.*[74] Im weiteren Verlauf des Briefes bittet Bernhard sodann den angesprochenen Kardinal Haimerich, ihn von allen ihm aufgebürdeten Geschäften zu entbinden, um auf diese Weise endlich zu einer Lebensführung zu gelangen, die seinem Stand angemessen sei *(monacho convenire).*
Im Kontext der ungeheuren Anstrengungen, die Bernhard zur Propagierung des zweiten Kreuzzuges unternimmt, muß wohl der oft zitierte Brief 250 verstanden werden. Dieses Schreiben enthält neben der berühmten Chimäre-Äußerung Bernhards das Bekenntnis der Furcht vor den Abgründen der Welt[75] sowie die Bitte um Gebetshilfe und ordnet sich daher in den Rahmen der bearbeiteten Klagen ein. Hier nun verleiht Bernhard seiner Klage in folgenden Worten Ausdruck:

Clamat ad vos mea monstruosa vita, mea aerumnosa conscientia. Ego enim quaedam Chimaera mei saeculi, nec clericum gero nec laicum. Nam monachi iamdudum exui conversationem, non habitum.[76]

Trauer, ja gewisse Züge von Resignation und Ratlosigkeit klingen in dieser Äußerung an. Bernhard beschreibt seine Lebensführung nicht als gespalten, sondern vielmehr – nach Vorgabe des Bildes von der Chimäre[77] – als dreigeteilt. In dreifacher Weise bekennt er sich als nicht- zugehörig und somit, in umfassender Hinsicht heimatlos geworden, als außerhalb der dreigeteilten Ordnung christlichen Lebens[78] gestellt *(monstruosa vita).* Weder gehört er dem Stand der Laien noch dem der Kleriker an. Weitaus am schlimmsten aber ist, daß er sich dem Stand der Mönche nicht mehr zurechnen mag. Denn die Welt – repräsentiert durch die Lebensbereiche sowohl des Laien als auch des

[73] Vgl. 165ff.
[74] Ep. 48,2, VII. 138; um 1130.
[75] Vgl. 159.
[76] Ep. 250,4, VIII. 147; 1147–1150.
[77] Nach antiker Vorstellung ist die Chimäre ein Mischwesen aus Löwe, Ziege und Schlange. Diese Bedeutung bleibt auch für das Mittelalter erhalten. Vgl. LdM II (G. Binding), 1826f.
[78] Vgl. 13ff.

an die Welt verwiesenen Klerikers[79] - hat an ihm, dem Weltflüchtigen, in einem Maß Anteil gewonnen, der den Gepflogenheiten des Mönchsstandes nicht entspricht und zudem voller Gefahren für das persönliche Seelenheil ist. Keineswegs beinhaltet ep. 250 das Eingeständnis der grundsätzlichen Unvereinbarkeit von Aktion und Kontemplation. Denn wie Maria und Martha gehören beide Bereiche einander an, ergänzen und bedingen sich gegenseitig - obwohl Maria den besseren Teil gewählt hat. Mit der gleichen tiefen Notwendigkeit fordern beide Bereiche ihr Recht ein, mahnen alle verfügbaren Kräfte des nach beiden Seiten von heiligem Eifer erfaßten Menschen an, auch wenn dieser hiervon zerrissen zu werden droht. Auf diese Weise bleibt Bernhard zeit seines Lebens in das kräfteverzehrende Spannungsverhältnis von Aktion und Kontemplation eingebunden; - auf diese Weise bleibt auch der logische Schluß der fortwährenden Klage, nämlich das Kloster nicht mehr zu verlassen, obgleich ihn Bernhard zu mehreren Zeitpunkten zieht, von einer für die Grundproblematik kennzeichnenden Konsequenzlosigkeit.

5.2.4. Rückzug und Zurückweisung

In der Tat hat sich Bernhard zu mehreren Gelegenheiten unter Betonung seiner mönchischen Existenz dagegen verwahrt, die Bürde außerklösterlicher Geschäfte zu tragen, hat er die Absicht betont, das Kloster nicht mehr zu verlassen. So schreibt Bernhard im Sommer 1126 an Kardinaldiakon Peter,[80] daß er die Aufforderung zu kommen, keineswegs aus Trägheit, sondern aus einem über allen Zweifeln erhabenen Grund *(sed causa fuit non contemnenda)* nicht befolgt habe: *mihi propositum est nequaquam egredi de monasterio, nisi certis ex causis,* - zu denen die Aufforderung Peters jedoch nicht gehöre.[81] Der um das Jahr

[79] Die Kleriker (versinnbildlicht durch Noah) bereisen das Meer der Welt auf einem Schiff, so daß sie weit stärker als die Mönche, die das Meer auf einer Brücke überqueren, dessen Gefahren ausgesetzt sind. Vgl. 15ff.
Die Zusammenfassung der Lebensbereiche des Laien und des Klerikers unter dem Aspekt ‚Welt‘, der beide Stände in unterschiedlichem Grad angehören, entspricht bekannten Gedankengängen Bernhards. In der auf 134f zitierten Predigt unterschied Bernhard drei der Liebe zugrundeliegende Gefühle. Bernhard faßte das fleischliche Gefühl, das in die Schändlichkeit führt, sowie das vernünftige Gefühl, das der Nächstenliebe zugrunde liegt, unter dem Aspekt des Irdischen zusammen. Hiervon grenzte er die völlige Gottbezogenheit des Menschen in der dritten Art des Fühlens und Liebens ab. Bei genauem Betrachten fällt auf, daß Bernhard in seiner Chimäre- Äußerung die Struktur dieser Anordnung beibehält. Nach der Erwähnung des Laien- und Klerikerstandes erfolgt, abgetrennt in einem neuen Satz, der Verweis auf den Stand der Mönche.

[80] Vgl. BC 625.

[81] Ep. 17, VII. 65.

1128 entstandene Brief 21 an den Legat Matthäus[82] wurde bereits im Kontext der Erkrankung Bernhards zitiert.[83] Bernhard verschränkt in diesem Schreiben, das zur Erklärung seiner Abwesenheit bei einer öffentlichen Versammlung dienen soll, zwei Argumentationsgänge. Entschuldigend betont er seine schwere Erkrankung, hebt zugleich aber auch die Diskrepanz zwischen der Notwendigkeit eines Lebens in klösterlicher Abgeschiedenheit und der geforderten Teilnahme hervor. Offenbar war Bernhard gedrängt, seine Erkrankung als vorgeschoben betrachtet worden, so daß er verärgert bemerkt, daß jene Freunde über die Rechtmäßigkeit seiner Gründe urteilen sollen, *qui me, omni exclusa excusatione, oboedientiae retibus circumclusum, quotidie de claustro ad civitates pertrahere moliuntur.*[84] Des weiteren stellt Bernhard die Frage nach dem Gewicht der zu behandelnden Angelegenheiten: *Facilia sunt an difficilia, quae ad perturbandum amicum silentium tantopere imponere curatis amico?* Sind die Geschäfte leicht, so ist Bernhard – wie er betont – nicht vonnöten; sind sie hingegen schwer, so sind sie von ihm nicht bewältigbar. Sollte es sich aber so verhalten, daß man die hohe Meinung von Bernhard habe, nur er könne die Angelegenheit bewerkstelligen, dann sei an ihm, wie Bernhard nicht ohne eine gewisse Schärfe anmerkt, das Urteil Gottes irre geworden:

Domine Deus meus quomodo tuum de me solo frustratum est iudicium, ponens sub modio lucernam quae poterat lucere super candelabrum, et, ut apertius loquar, tentans me facere monachum, et volens abscondere in tabernaculo tuo in die malorum, hominem necessarium mundo, sine quo episcopi non possunt sua pertractare negotia?[85]

In Brief 52 aus dem Jahr 1128 bittet Bernhard Kanzler Haimerich, von den aufgebürdeten fremden Geschäften entlastet zu werden, um Zeit zum Gebet für sich und andere, d. h. für den zentralen Inhalt der monastischen Lebensform, zu finden:

Si inveni gratiam in oculis vestris, date operam ut prorsus amovear ab huiusmodi, quatenus liceat mihi pro meis atque vestris orare delictis.

Zwar sei er jederzeit bereit, den Befehlen des Papstes zu gehorchen, doch dieser möge die Fähigkeiten Bernhards kritisch in Betracht ziehen: – *Utinam nempe noverit quam ista non possim, aut quam difficile possim!*[86]

Ungefähr gegen Ende des Jahres 1143 schreibt Bernhard an Petrus Venerabilis: *Decretum est mihi ultra non egredi monasterio, nisi ad conven-*

[82] Vgl. BC 627.
[83] Vgl. 156f.
[84] Ep. 21,1, VII. 71.
[85] Ep. 21,2, VII. 71f.
[86] Ep. 52, VII. 144.

tum abbatum Cistercium semel in anno, um hier in den wenigen verbleibenden Kampftagen in Erwartung der Verwandlung zu verharren. Gebrochen sei er an Kräften, so daß er zu seinem Entschluß eine gebührende Entschuldigung habe: *sedebo et silebo,* – denn gut ist es, den Herrn in Stille zu erwarten.[87] In die Jahre 1145/1146, d. h. in die Zeit kurz bevor Bernhard die strapaziösen Reisen zur Propagierung des zweiten Kreuzzuges unternehmen sollte, fällt Brief 245 an Papst Eugen. Bernhard erwähnt seine Überlastung, die mangelnden Kräfte, um sodann zu bemerken: *Propositum meum monasterium non egrediendi credo non latere vos.*[88]

Faßte Bernhard im vorangegangenen den Entschluß zum Rückzug aus öffentlichen Angelegenheiten, so sieht er sich im folgenden mit Situationen konfrontiert, in denen ihm dieser Rückzug nahegelegt wird. Mit Betroffenheit sowie dem offensichtlich der Verärgerung entspringenden Entschluß, das Kloster nicht mehr zu verlassen, reagiert Bernhard im Jahr 1130 auf Kritik, die unter dem Pontifikat Honorius II. in der römischen Kurie an seiner Person laut wurde. Das dem Brief 48 vorausgegangene Schreiben Haimerichs, des Kanzlers der römischen Kurie, ist nicht erhalten, jedoch läßt sich aus der Entgegnung Bernhards auf den Inhalt der Vorwürfe rückschließen. Offenbar legte man Bernhard eine zu eigenmächtige und folglich seinen Kompetenzbereich überschreitende Einmischung in außerklösterliche Geschäfte zur Last.[89] Entsprechend verbindet Bernhard am Ende des Schreibens seinen Entschluß, das Kloster nicht mehr zu verlassen, mit der Hoffnung, daß der Vorwurf der Anmaßung *(praesumptionis notam)* gegenstandslos werde. Die lästig gewordenen schreienden Frösche zögen sich nunmehr in ihre Sümpfe zurück, so daß ihre Stimme fortan in Konzilien und Palästen nicht mehr vernommen werden könne:

Indicatur, si placet, clamosis et importunis ranis de cavernis non egredi, sed suis contentas esse paludibus. Non audiantur in conciliis, in palatiis non inveniantur.[90]

Der Überzeugung, daß er zu Unrecht Beschuldigungen und Angriffen ausgesetzt sei, verleiht Bernhard am Eingang des Schreibens beredten Ausdruck, um sodann zu jenen konkreten Vorkommnissen überzuleiten, die Kritik an seinem Eingreifen laut werden ließen. Zu Châlons sei der Bischof von Verdun abgesetzt worden, der die Gelder seiner Kirche verschwendet habe. Der Zerstörer des Klosters zu Cambray, Abt Fulbert, sei abgesetzt worden; das Kloster zu Laon von einer Stätte der Schändlichkeit in einen Tempel Gottes verwandelt worden. Lob und

[87] Ep. 228,2, VIII. 99.
[88] Ep. 245, VIII. 136.
[89] Vgl. Schmale, Studien zum Schisma, 132; Vacandard, Leben I. 343.
[90] Ep. 48,3, VII. 139.

Ruhm gebührten Bernhard für diese Werke, wenn es die seinen wären: *Nunc autem ut quid iudicor ego de factis alienis?*[91] Sowie ihn unverdienter Tadel nicht kränke, könne er auch kein Lob für Taten beanspruchen, die er nicht vollbracht habe. Mit Lob und Tadel möge man sich stattdessen an die betreffenden Bischöfe wenden, die Bernhard im weiteren als die Urheber und Verantwortlichen für die erwähnten Vorkommnisse ausweist. Der einzige Vorwurf, den man ihm machen könne, bestehe in seiner, wenn auch unfreiwilligen Anwesenheit bei den jeweiligen Versammlungen;

(a)n tota et sola culpa mea est quod affui, homo solis latebris dignus, soli mihi iudex, soli accusator et arbiter constitutus, quatenus monstret actio quod habet professio, et nomen monachi solitaria mihi conversatio interpretetur? Affui enim, negare non possum, sed vocatus, sed tractus.[92]

Unverkennbar zieht sich Bernhard hier hinter die Autorität der zuständigen Bischöfe zurück. Als den Trägern der Amtsgewalt mißt er ihnen die alleinige Verantwortung für Entscheidungen bei, die er – wie im Falle des Abtes Fulbert[93] sowie des Bischofs Heinrich[94] nachzuweisen ist – an exponierter Stelle mitbetrieben hat.
Sodann setzt Bernhard Kardinal Haimerich von seinem Entschluß in Kenntnis, außer auf Befehl eines kirchlichen Oberen oder in Ordensangelegenheiten das Kloster nicht mehr zu verlassen:

... cum sciam mihi consilium esse et propositum, numquam, si causa dumtaxat nostri Ordinis non fuerit, exire de monasterio, nisi aut apostolicae Sedis legato, aut certe proprio vocante episcopo, quibus nostrae humilitati, sicut optime nostis, contradicere omnino fas non est ...[95]

Wie wenig Bernhard bereits zu diesem Zeitpunkt gewillt ist, sich aus öffentlichen Angelegenheiten zurückzuziehen, belegt die Auseinandersetzung um den Erzbischof von Paris, den Bernhard im Rahmen desselben Schreibens zum Gegenstand heftiger Vorwürfe über das Verhalten der römischen Kurie macht. Der reformwillige Erzbischof Stephan war zuvor mit Ludwig VI. in Streit geraten, in dessen Verlauf die Bischöfe Frankreichs ein Interdikt über den König verhängten.[96] Die Schilderung der öffentlichen Zusammenkunft, bei der auf Betreiben

[91] Ep. 48,1, VII. 137f.
[92] Ep. 48,2, VII. 138.
[93] Vgl. BC 222; Vacandard, Leben I. 343.
[94] Im um 1128 verfaßten Brief 63 (VII, 156) versichert Bernhard besagtem Bischof: *et vos indubitanter credere volo, nemini me super nomine vestro reprehensionis aliquando vel accusationis verba fecisse vel iniunxisse.* Auf Bernhards Betreiben und dringendes Anraten hin, legt der unter Verdacht von Veruntreuung und Simonie stehende Bischof auf dem Konzil von Châlons sein Amt nieder. Vgl. BC 646, Vacandard, Leben I. 343.
[95] Ep. 48,3, VII. 139.
[96] Vgl. ep. 45–47, VII. 133ff; 1129.

Roms das Interdikt aufgehoben wurde, dient Bernhard zum Beleg für die Leichtigkeit, mit der er fortan auf seine Anwesenheit bei derartigen Versammlungen verzichten könne:

Utinam et nuper non issem, ubi vidissem adversus Ecclesiam apostolica – proh dolor! – auctoritate violentam armari tyrannidem, quasi non satis per se insanisset![97]

Vor diesem Hintergrund wird - wie Bernhard betont - das Anliegen der Kritiker mit seinem persönlichen Wunsch und Willen eins. So schließt Bernhard mit der Bitte um seine Entbindung von öffentlichen Geschäften, jedoch nicht ohne unter erneuter Erwähnung der Pariser Angelegenheit festzustellen, daß sein Rückzug wohl kaum das Murren der Kirchen über die verfehlte Handlungweise der römischen Kurie zum Schweigen bringen werde.[98]
In Brief 218 findet die tiefe Entfremdung zwischen Bernhard und Papst Innozenz im Jahr 1143 ihren Niederschlag. Den unmittelbaren Anlaß der Entzweiung bildete der Nachlaß des Kardinals Ivo, auf den, nachdem er von Zisterzienseräbten verteilt worden war, Rom Anspruch erhob.[99] Jedoch gestaltete sich Bernhards Verhältnis zu Innozenz bereits in der Zeit vor 1143 problematisch. Bereits in der Langres-Affäre[100] von 1139 wird eine gewisse Mißstimmung spürbar. Bittere Klage erhebt Bernhard in ep. 213 aus dem Jahr 1139 bei Innozenz *[(q)uis mihi faciet iustitiam de vobis].*[101] über dessen Verhalten gegenüber Petrus von Pisa, da er diesen - entgegen dem Versprechen Bernhards, der Petrus während des Schismas für die Partei des Innozenz gewonnen hatte - aus seinem Amt entfernen ließ.[102] In einem Empfehlungsschreiben, das um das Jahr 1140 entstanden ist, wird in den folgenden Eingangsworten ebenfalls die Entfremdung zwischen Bernhard und Innozenz deutlich:

Si cura, si memoria quantulacumque mei exstat adhuc in corde domini mei, et si qua portiuncula antiquae gratiae invenitur etiam nunc in oculis eius a puero eius, liceat hanc experiri viro nobili et humili Nicolao, Cameracensi episcopo.[103]

Zur in ep. 218 zutagetretenden Entfremdung mag neben dem strittigen Nachlaß und einem bereits zuvor angespannten Verhältnis auch, wie Bernhards Biograph Vacandard vermutet,[104] Kritik an Bernhards

[97] Ep. 48,2, VII. 138f.
[98] Ep. 48,3, VII. 139f.
[99] Vgl. BC 625; Schmale, Studien zum Schisma 267f; Vacandard, Leben II. 201f.
[100] Vgl. 186ff.
[101] Ep. 213, VIII. 73.
[102] Vgl. BC 625; Schmale, Studien zum Schisma, 267; Vacandard, Leben II, 62f.
[103] Ep. 214, VIII. 74.
[104] Vacandard, Leben II. 201f.

außerklösterlichem Engagement sowie im besonderen Unzufriedenheit mit seiner unglücklichen Rolle im Streit zwischen Graf Theobald und König Ludwig beigetragen haben. Im Verlauf dieses Streites, dem in seinen Einzelheiten hier nicht nachgegangen werden kann,[105] machte die militärisch siegreiche Partei Ludwigs VII. den Friedensschluß mit Graf Theobald davon abhängig, daß sich dieser, vermittels der Person Bernhards, beim Papst für die Aufhebung der Kirchenstrafen gegen den Grafen von Vermandois und Petronilla, der Schwester der Königin, verwende, mit der der Graf in zweiter, von seiten der Kirche nicht anerkannter Ehe zusammenlebte. Bernhard berichtet in ep. 217 Papst Innozenz von dieser Bedingung, die Theobald *prece et consilio nonnullorum fidelium sapientiumque virorum* akzeptiert habe. Bernhard schlägt sodann vor, die List mit List zu schlagen, d. h. auf die Aufhebung der Strafe den erneuten Exkommunikationsspruch folgen zu lassen:

Dicebant namque id a vobis facile et absque laesione Ecclesiae impetrari, dum in manu vestra sit eamdem denuo sententiam, quae iuste data fuit, incontinenti statuere et irretractabiliter confirmare, quatenus et ars arte deludatur . . .[106]

Nicht nur die Unredlichkeit des Verfahrens, auch dessen politische Kurzsichtigkeit liegt auf der Hand. Und in der Tat sollte auf die Erneuerung des Exkommunikationsspruches die kriegerische Auseinandersetzung in unverminderter Heftigkeit wieder ausbrechen.[107]
In ep. 218 sieht sich der beim Papst in Ungnade gefallene Abt mit dem Verlust der Möglichkeit zur Einflußnahme konfrontiert. Im ersten Abschnitt des Briefes hebt Bernhard die Bereitwilligkeit des Papstes hervor, mit der dieser, als Bernhard noch in seiner Gunst stand, den Bitten Bernhards nachkam. Doch nun sei er, der zuvor der unwürdige Knecht seines Herrn war, zum Nichts herabgesunken.[108] Bernhard stellt im weiteren die Erbschaftsangelegenheit aus seiner Sicht dar,[109] um sodann zum Vorwurf der fortgesetzten Einmischungen überzuleiten:

Nam quod item comperi displicuisse me in multis scriptitationibus meis, hoc me iam metuere non oportebit, quoniam facile emendabo. Scio, scio praesumpsi plus quam oportuit . . .

Zu wenig habe er die Stellung desjenigen bedacht, dem er, weniger zum eigenen Nutzen, sondern vielmehr aus Liebe zu den Freunden, durch das Übermaß an Schreiben lästig gefallen sei. Fortan werde sein

[105] Vgl. Pacaut, Louis VII. et son royaume, 39ff; Vacandard, Leben II. 195ff.
[106] Ep. 217, VIII. 78; 1143.
[107] Vacandard, Leben II. 198.
[108] Ep. 218,1, VIII. 78f.
[109] Ep. 218,2, VIII. 79.

Finger den Mund verschlossen halten, denn erträglicher sei es, die Freunde zu beleidigen als Innozenz mit fortgesetzen Bitten zu ermüden. Daher habe er auch nicht gewagt, Innnozenz von den Gefahren für die Kirche *(de imminentibus Ecclesiae periculis et gravi schismate quod timemus ac plurimis quae sustinemus incommodis)* zu berichten. Sollte Innozenz dennoch hierüber unterrichtet werden wollen, könne er sich an die ihn umgebenden Bischöfe wenden,[110] denen Bernhard kurz zuvor einen Bericht über die strittige Bischofswahl von Bourges[111] sowie Ratschläge zur richtigen Behandlung des in diese Angelegenheiten verstrickten französischen Königs übersandt hatte.[112]

„Er handelte also als treuer Sohn der Kirche nur im Auftrag des Papstes";[113] – die im ersten Teil dieses Kapitelabschnitts gesammelten Belegstellen dienen bisweilen zum Entwurf eines Bernhardbildes, das die öffentliche Wirksamkeit des Heiligen auf die weniger seinem Willen als dem Gehorsam entspringende Ausführung von Befehlen reduziert. Formulierungen wie *‚oboedientiae retibus circumclusum'*[114] scheinen eine solche Sicht zu bestätigen. Die im zweiten Teil des Kapitelabschnittes dargelegten Geschehnisse vermitteln einen gegenteiligen Eindruck. Ein Übermaß an Einmischung, zu starkes Eingreifen in die Kompetenzbereiche anderer wurden Bernhard zur Last gelegt. Selbst in der Zurückweisung noch vermag sich Bernhard aus der Verstrickung in öffentliche Angelegenheiten nicht zu lösen, so daß in die Ankündigung von Rückzug und Zurückhaltung unversehens die erneute Einmischung Eingang findet. Dennoch belegt ein Teil der vorgestellten Zitate, daß Bernhard um die Erhaltung bzw. Neuschaffung eines Freiraumes zur spirituellen Regeneration und Waschung gebeten, ja gekämpft hat. Diese Äußerungen Bernhards belegen weiter, daß man glaubte, des Heiligen zu bedürfen, und ihm, bisweilen durchaus zu seinem Unwillen, verschiedene Geschäfte aufbürdete. Dennoch verbietet sich ein Bild des Heiligen als Befehlsempfänger nicht nur deswegen, weil es der Ergänzung durch das Bild des um Einfluß und somit um die Möglichkeit zur Machtausübung ringenden Heiligen bedarf. Daß Bernhard, der sein Wirken immer als in das Ordnungsgefüge der Kirche eingebunden begriff, sich päpstlichen Befehlen weder widersetzen konnte noch wollte, ist selbstverständlich, zu einem Verständnis seines öffentlichen Wirkens jedoch nicht primär relevant. Bernhards Handeln legitimiert sich nicht aus dem Amt, sondern der Begnadung. Sein Wirksamwerden setzt bei den Zeitgenossen die Kenntnis und Anerken-

[110] Ep. 218,3, VIII. 79.
[111] Vgl. BC 632; Vacandard, Leben II. 194ff.
[112] Ep. 219, VIII. 80ff; 1143.
[113] Steiger, Der hl. Bernhard, 352.
[114] Vgl. 164.

nung dieser Kompetenz aus der Begnadung voraus, so daß Bernhard sein Ansehen geltend zu machen vermag und folglich Einfluß gewinnt. In der Struktur seines öffentlichen Wirkens ist somit angelegt, daß Entscheidungen von ihm eher betrieben als getroffen werden.[115]
Hinzu tritt die kraftvolle Persönlichkeit des Heiligen. Selbstbewußt weist er auch kuriale und päpstliche Autoritäten auf Unrecht hin, prangert das Böse an, ja scheut vor harschen Worten der Kritik nicht zurück, wenn es die kirchlichen Amtsträger an der ihm angemessen erscheinenden Reaktion mangeln lassen. Sein Wirken trägt somit durchaus eigenständige Züge. Es erfährt seinen vornehmlichen Antrieb aus den Beweggründen der Liebe und des Eifers für Christus und den Nächsten, die immer wieder jenen Wechsel vom Bereich der Kontemplation zu dem der Aktion notwendig machen, der für Bernhard gleichermaßen schmerzlich wie zwingend ist.

5.3. Sterben für Christus

5.3.1. Die Klage Bernhards während seiner Italienaufenthalte anläßlich des Schismas von 1130

Bernhards Briefe aus Italien belegen im gleichen Maß sein Leiden an der Aktion sowie die Gründe, die im Selbstverständnis Bernhards sein Handeln dennoch notwendig machen. Die bekannten Motive der Klage kehren in besonders eindringlicher Form wieder. Zugleich bestimmt Bernhard sein Tun aus dessen Notwendigkeit für Christus, bzw. die Kirche, so daß sich an dieser Stelle jene Motive Bernhards vorweggenommen finden, die – wie in Kapitel 6 noch auszuführen sein wird – für sein gesamtes Wirken kennzeichnend sind.
Heimweh und Sorge um die Mitbrüder finden in ep. 143 ihren Niederschlag, den Bernhard um 1135 an die Mönche von Clairvaux schreibt. Müssen diese allein die Abwesenheit des Abtes erdulden, kommt Bernhard die Trauer über die Trennung von jedem einzelnen Mönch, die vielfache Beunruhigung um eines jeden Seelenheil zu. Doch nicht nur der Sorge um die Mitbrüder, auch der Sorge um das eigene Seelenheil verleiht Bernhard Ausdruck, der sich in Angelegenheiten verstrickt sieht, die seinem Stand nicht entsprechen und dem ruhenden Verweilen bei Gott entgegenstehen:

> *Non solum cruciat, quod absque vobis vel ad tempus vivere cogor, sine quibus et regnare miseram mihi reputo servitutem, sed etiam quod versari compellor in his quae amicam quietem omnino perturbant et meo proposito minus fortasse conveniunt.*[116]

[115] Vgl. 230ff.
[116] Ep. 143,1, VII. 342; um 1135.

Im folgenden Briefabschnitt leitet Bernhard zu den Gründen über, die – wie er zu diesem Zeitpunkt annimmt – sein nur noch kurzes Verweilen notwendig machen. Nicht im eigenen Wunsch, sondern in der Notwendigkeit für die Kirche *[(h)aec scientes, morae meae, quae meae non est voluntatis, sed ecclesiasticae necessitatis, non oportet vos indignari, sed compati]* gründe die Trennung. Der Schaden, der hieraus erwachse, müsse als Gewinn betrachtet werden, *quoniam Deus in causa est, qui, cum sit benignus, et omnia possit, facile damna resarciet.*[117] Im letzten Briefabschnitt hebt Bernhard zum Lob Christi an. Ihm weiter unverrückbar zu dienen, kommt den Mönchen in Clairvaux zu. Bernhard jedoch kommt es zu, seinen Dienst für Christus in Italien zu versehen.

Nemo igitur sibi vivat, sed ei qui pro se mortuus est. Cui enim iustius vivam, quam ei qui, si non moreretur, ego non viverem?

Im Christuslob treten die düsteren Töne der Eingangsworte in den Hintergrund. Bestimmte Bernhard zuvor sein Verweilen in Italien als für die Kirche notwendigen, gegen seinen Willen auferlegten Dienst, so erwächst diesem angesichts der Liebestat Christi eine neue Qualität: *Sed servio voluntarie, quia caritas libertatem donat.*[118] Unverkennbar klingen Motive der Nachfolge an. Denn dieses Wirken will als freiwilliger Liebesdienst und Leiden für Christus verstanden werden, der im freiwilligen Liebesdienst[119] für die Menschen bis in den Tod gelitten hat.

In den Briefen 144 und 145, die Bernhard im Jahr 1137 an die Mönche von Clairvaux, bzw. die versammelten Zisterzienseräbte sendet, steigert sich Bernhards Klage. *Infirmus in arto temporis, certe cum lacrimis et singultibus ista dictavi,* bemerkt Bernhard am Ende seines Schreibens an die Mitbrüder. Offenbar ist Bernhard zum Zeitpunkt seiner dritten Italienreise schwer erkrankt. Seinen Aufbruch nach Apulien kündigt er daher mit folgenden von Erschöpfung und innerer Ermüdung gekennzeichneten Worten an:

Instantissima postulatione Imperatoris apostolicoque mandato, necnon Ecclesiae ac principum precibus flexi, dolentes et nolentes, debiles atque infirmi, et, ut verum fatear, pavidae mortis pallidam circumferentes imaginem, trahimur in Apuliam.[120]

Nicht unwesentlich zu Bernhards schlechtem Gesamtbefinden mag die Sorge um den wenige Monate zuvor[121] in Viterbo schwer erkrankten

[117] Ep. 143,2, VII. 342.
[118] Ep. 143,3, VII. 343.
[119] Vgl. 139f u. 178.
[120] Ep. 144,4, VII. 346.
[121] Gerard erkrankte, wie Bernhard in CC 26,14 I. 346 vermerkt, in Viterbo, so daß die Erkrankung auf März/April 1137 zu datieren ist (BC 591; Vacandard, Leben II. 16, Anm. 1). Ep. 145 an die versammelten Zisterzienseräbte ist auf den September 1137 zu datieren (Vacandard, Leben II. 15).

Bruder beigetragen haben. Mit bewegten Worten berichtet Bernhard in der 26. Hoheliedpredigt, wie unerträglich ihm der Gedanke gewesen sei, Gerard tot im fremden Land zurückzulassen. Weinend habe er gebetet: *Exspecta (...) Domine usque ad reditum,* – damit Gerard unter Freunden im heimatlichen Clairvaux sterben könne. Der Wunsch sei ihm gewährt worden. Fast habe er die Abmachung vergessen, die der Herr nun ein Jahr später eingelöst habe, wie Bernhard unter Tränen am Ende der Totenklage auf den Bruder bekennt.[122]

Die Gründe für Bernhards Klage reichen jedoch über die Sorge um den Bruder sowie den eigenen angegriffenen Gesundheitszustand hinaus. *In multa infirmitate corporis et cordis anxietate, Deus scit, dictavi ista ad vos,* lauten die Eingangsworte des Schreibens an die Zisterzienseräbte, in denen sich Bernhard auch zum Gefühl der seelischen Bedrängtheit bekennt. Wiederum sprechen Trennungsschmerz und Heimweh aus den Worten Bernhards:

... sed hoc oro ut in intimo sentiatis quo et quanto affectu oporteat misereri, certus enim quia, si id datum fuerit, continuo lacrimae de thesauro pietatis erumpent, singultus et gemitus et suspiria hinc inde pulsabunt caelos, et audiet Deus, et placabitur mihi, et dicet: „Reddidi te fratribus tuis, non morieris inter extraneos, sed inter tuos."[123]

In Todesmotive mündet auch die heftige Klage Bernhards in ep. 144 an die Mitbrüder. *TRISTIS EST ANIMA MEA USQUE dum redeam et non vult consolari usque ad vos.* Zur Verbannung des Menschen in Irdisches, trete für ihn ein zweites Exil fern von den geliebten Brüdern, das Bernhard mit folgenden Worten beschreibt:

Longa molestia et taediosa exspectatio, vanitati huic occupanti omnia tamdiu manere subiectum, faeculenti corporis horrido circumdari carcere, et mortis vinculis funibusque peccatorum necdum absolvi, et tanto tempore non esse cum Christo.[124]

Bernhards Formulierung *‚vanitati huic occupanti omnia tamdiu manere subiectum'* verweist auf die ihm auferlegten Geschäfte als einem weiteren Inhalt der Klage. In dieselbe Richtung mag auch die allgemein gehaltene Formulierung aus ep. 145 deuten: *Tantis siquidem laboribus et doloribus affectus sum, ut saepe taedeat me etiam vivere.*[125]

Einen Aspekt, der die Verstrickung in die italienischen Geschäfte zum Objekt der Klage macht, benennt Bernhard in ep. 144:

[122] CC 26,14, I. 180.
[123] Ep. 145, VII. 347.
[124] Ep. 144,1, VII. 344.
[125] Ep. 145, VII. 347.

Parvuli ablactati sunt ante tempus: ipsos quos per Evangelium genui, non licet educare. Propria denique deserere et aliena curare cogor, et dubito paene quid magis aegre feram, an subtrahi illis aut intricari istis.[126]

Bernhard sieht sich seinen klösterlichen Aufgaben entzogen. Aber auch die von ihm zu betreibenden Geschäfte scheinen in sich problematisch zu sein. Dieser Punkt ist auf Grund der nicht ins Detail gehenden Klage Bernhards nur schwer zu bestimmen. Einen Anhaltspunkt zum Verständnis bietet das Attribut der Nichtigkeit und Eitelkeit *(vanitas),* mit dem Bernhard gemeinhin dem Irdischen Verhaftetes zu belegen pflegt. Als weiteres Element der Klage über die ihm auferlegten Geschäfte wäre somit festzuhalten, daß diese ihn seines Erachtens zu weit in den Bereich des Weltlich-Irdischen einbinden. Diese Annahme findet ihre Bestätigung in den Ereignissen des Jahres 1137, das durch schwere Kompetenzstreitigkeiten zwischen päpstlicher und kaiserlicher Gewalt während des zweiten Italienzuges Lothars gekennzeichnet ist. Den ersten Streitpunkt zwischen Lothars Schwiegersohn Heinrich von Bayern und Papst Innozenz bildet die Geldsumme, mit der sich Viterbo vor der Vernichtung durch das kaiserliche Heer freigekauft hatte.[127] Ebenfalls vom Widerstreit kaiserlicher und päpstlicher Vorrechte sind die Auseinandersetzungen um die Besetzung der Abtsstelle des Klosters Monte Cassino gekennzeichnet.[128] Auch das Recht der Belehnung mit dem Herzogtum Apulien ist strittig, so daß im mühsam errungenen Kompromiß Papst und Kaiser die Investitur Rainulfs von Alife zugleich vollziehen.[129]
Nicht nur Enttäuschung über den Zwist der beiden Häupter der Christenheit, auch Unverständnis gegenüber einem um seinen weltlichen Machtbereich ringenden Papsttum mögen so in Bernhards Klage ihren Niederschlag gefunden haben. Für Bernhard stellt das Papsttum – wie er Jahre später in seiner Schrift ‚*De consideratione*' entwickeln sollte – vor allem spirituelle Führerschaft dar, die sich so weit wie nur möglich alles Weltlichen zu entschlagen hat. Ganz im Sinne dieser Wertsetzungen übergeht Bernhard (vermutlich aus Unkenntnis)[130] in seinem zum Italienzug und zum Krieg gegen König Roger aufrufenden Schreiben an Lothar die herrschaftlichen Ansprüche des Papstes auf Süditalien:

[126] Ep. 144,2, VII. 345.
[127] Vgl. Bernhardi, Lothar, 697; Vacandard, Leben II. 4f.
[128] Vgl. Bernhardi, Lothar 675–678, 699–701, 722–735, 755ff; Vacandard, Leben II. 6–8, 11–15.
[129] Vgl. Bernhardi, Lothar 745–747; Vacandard, Leben II. 9f.
[130] Zu dieser Erklärung neigt auch Bernhards Biograph Vacandard (Leben II. 11).

Non est meum hortari ad pugnam; est tamen, – securus dico –, advocati Ecclesiae arcere ab Ecclesiae infestatione schismaticorum rabiem; est Caesaris propriam vindicare coronam ab usurpatore Siculo.[131]

Man wird somit Bernhards Klage mehrere Motive zugrundelegen dürfen. Zur Sorge um den todkranken Bruder treten eigene Erkrankung und körperliche Schwäche. Trennungsschmerz und Heimweh nach dem heimatlichen Kloster und den Mitbrüdern verleiht Bernhard eindringlichen Ausdruck. Hinzu tritt – wie die Ereignisse des Jahres 1137 wahrscheinlich machen – die schmerzliche Konfrontation der hohen Idealität von Bernhards Ansprüchen mit der Realität der politischen Alltagsgeschäfte. Nicht nur Enttäuschung, auch die Furcht des Weltflüchtigen findet hier ihren Niederschlag, da, wie Bernhard immer wieder betont, die Verstrickung in dererlei als Niederung empfundene Angelegenheiten selbst den Menschen von bester Absicht nicht unbefleckt hinterläßt. Vor dem Hintergrund dieser Motive wird Bernhards Klage verständlich, deren Heftigkeit sich im Verlauf des Briefes 144 noch weitergehend steigert.

Itane, bone Iesu, tota deficiet in dolore vita mea et anni mei in gemitibus? Bonum mihi, Domine, magis mori quam vivere est, non tamen nisi inter fratres, inter domesticos, inter carissimos.

Die Sinngebung, mit der Bernhard seine Leiden während der dritten Italienreise versieht, weicht zwangsläufig von der modernen Beurteilung ab. Denn nicht die analytische Reflexion über die dargestellten Vorkommnisse liegt Bernhards Verständnis zugrunde, sondern die Einbindung der Leidenserfahrung in das Bedeutungsmuster seiner dem monastischen Rahmen entstammenden Spiritualität. Jeglicher Sinn dieses Leidens leitet sich daher aus der Gestalt Christi ab. Diese bereits aus ep. 143 bekannte Wendung nimmt Bernhards Argumentation im letzten Satz obigen Briefabschnittes, der auf die vorangegangenen Todesmotive Bernhards Einwilligung in den Willen Christi folgen läßt: *VERUMTAMEN NON MEA VOLUNTAS, SED TUA FIAT. Nec mihi vivere volo, nec mori.*[132] Trost in Not und Mühe ist, dies alles um Christi willen zu erdulden:

Primum quidem in omni labore et calamitate, quam patior, solum arbitror esse in causa eum cui omnia vivunt. Velim, nolim, necesse est me vivere illi qui meam sibi propriae vitae positione acquisivit.

Wiederum tritt das Element der Freiwilligkeit hinzu, das Bernhard, wie er betont, über die Stellung des nichtswürdigen Knechts hinaushebt: *Quod si invitus militavero ei, dispensatio mihi tantum credita est, et ero servus*

[131] Ep. 139,1, VII. 335; 1135.
[132] Ep. 144,2, VII. 345; Lk 22,42.

nequam; si autem volens, gloria est mihi.[133] Denn im Einklang der Willen ist Christus nicht nur Grund des Wirkens, sondern in der durch Bernhard wirkenden Gnade auch der Grund alles Gelingens, das Bernhard bisher zuteil geworden ist.[134]
Wie schon in ep. 143 führt auch hier Bernhards Sinngebung des Leidens in ein Selbstverständnis gemäß dem Vorbild Christi. Konsequenter noch als in Brief 143 gestaltet sich Bernhard in den Todesmotiven des Briefes 144 dem Vorbild Christi gleich. Bernhards Leben, d. h. sein Wirken in Italien, das bis in den Tod leidvoll ist, ist Leben für Christus, der für die Menschen bis in den Tod gelitten hat. Zugleich aber ist es Leben und Wirken aus Christus, so daß sich in Gleichgestaltung und im Zusammenklang der Willen das Anliegen Bernhards untrennbar mit der Angelegenheit Jesu Christi verflicht.

5.3.2. Der Wechsel

Ruhe hatte sich Bernhard versprochen, wie er in ep. 189 an Papst Innozenz bekennt, nachdem die Wirrnis des Schismas beigelegt, der Kirche ihr Frieden wiedergegeben war. *QUIS DABIT MIHI PENNAS SICUT COLUMBAE, ET VOLABO, ET REQUIESCAM?* spricht der Prophet und verleiht somit auch dem Wunsch Bernhards Ausdruck, daß seine Seele von ihm genommen wird, damit sie in Ruhe beim Herrn verweilen kann; – *(t)aedet vivere, et an mori expediat nescio.* Denn während sich die großen Heiligen im Wunsch nach dem Besseren aus dem Leben sehnen, wird Bernhard durch *scandalis et aerumnis* hierzu veranlaßt. Doch *in hac miserrima vita* kann sich weder der Wunsch des Apostels erfüllen, aufgelöst und bei Christus zu sein, noch kann Bernhard den Beschwernissen entgehen *(nec ego quod molestum patior),* die ihm auferlegt sind.[135] *Stulte mihi dudum requiem promittebam;* – doch Bernhard hatte, wie er bekennt, vergessen, daß er im Tal der Tränen wohnt. An diesem Ort wachsen Dornen und Disteln *(spinas et tribulos germinare mihi),* die, kaum wurden sie abgeschlagen, erneut *sine intermissione* nachschießen. Zwar habe er davon gehört, doch nun rufe die Qual das Gehörte ins Bewußtsein *(ipsa vexatio dat intellectum auditui).* Denn erneuert, nicht ausgetilgt wurde der Schmerz: *lacrimae inundaverunt,quia invaluerunt mala.* Auf Rauhreif folgt Schnee, auf den Löwen der Drache,[136] d. h. auf die durch den Gegenpapst Petrus Leonis verursachten Wirren folgen nun die Untaten des Petrus Abälard, die Bernhard im weiteren Verlauf des Schreibens wortreich anprangert. In Brief 189 läßt Bern-

[133] Ep. 144,3, VII. 345; vgl. 110ff.
[134] Vgl. 213.
[135] Ep. 189,1, VIII. 12f; Ps 54,7; 1140.
[136] Ep. 189,2, VIII. 13.

hard der Klage darüber, der Ruhe klösterlicher Abgeschiedenheit entrissen zu sein, die Schilderung der Gefahren folgen, die nunmehr ein Tätigwerden einfordern. In exemplarischer Weise verdeutlicht Brief 189 die schmerzliche, aber unausweichliche Notwendigkeit des Wechsels vom Bereich der Kontemplation zu dem der Aktion. Wiederum[137] klingen Todesmotive in der Klage über den Wechsel an. Der moderne Betrachter ist geneigt, die Verwendung dieses Motivs in einem solchen Kontext als unangemessen, ja die Klage selbst als exaltiert zu empfinden. Die bisher im Rahmen dieser Untersuchung gewonnenen Erkenntnisse bieten jedoch das Rüstzeug zu einem eingehenderen Verständnis dieser Klage. Denn in der radikalen Umkehrung der gemeinhin für den modernen Menschen verbindlichen Werte bedeutet für Bernhard Leben Tod, der Tod hingegen Leben.[138] Das kontemplative Verweilen bei Gott, in dem der Mensch für die Welt tot ist, bildet dieses wahre Leben, dessen Erfüllung jenseitig ist, bereits auf Erden ab.[139] Von hier aus den Schritt in Irdisches zu wagen, d.h. den Wechsel von der Kontemplation zur Aktion zu vollziehen, kommt einem Sterben gleich, denn es ist ein Schritt vom Leben in den Tod. Untrennbar ist dieser schmerzliche Wechsel für Bernhard mit dem Motiv der Nachfolge verbunden. Denn er ist Leiden und Sterben um Christi willen, der um der Menschen willen gelitten hat und gestorben ist.

[137] Vgl. 140 u. 145.

[138] In ep. 270,3 (VIII. 180; 1151) schreibt Bernhard an Papst Eugen: *Puer vester plus solito infirmatur; guttatim defluit, forte minime dignus qui occidatur semel et cito ingrediatur ad vitam.* Gegenüber Hugo von Ostia (ep. 307,2, VIII. 227; 1150–1151) spricht Bernhard ebenfalls von seiner schweren Erkrankung: *infirmatus sum usque ad mortem, sed interim revocatus ad mortem.* Bernhards Biograph Gaufred erwähnt diesen Brief (V. I,3, 353) und bemerkt hierzu: *Vitam quippe mortalem mortem magis quam vitam reputans, non a morte, sed ad mortem revocatum se sentiebat, cum ab exitu revocaretur, licet sentiens haud diutius differendum.* Vgl. die Ausführungen von Vogüé (Memorare novissima tua), der betont, daß der Tod für Bernhard „object de désir" (65) ist.

[139] Die enge Verbindung zwischen dem Bereich der Kontemplation und dem jenseitigen Leben findet in Briefabschnitt 189,1, auch ihren sprachlichen Niederschlag. Bernhard bedient sich zur Beschreibung des ersehnten Jenseits eines Vokabulars *(dissolvere, quiescere, cum Christo esse),* das ebenso zur Charakterisierung der kontemplativen Versenkung dienen könnte.

6. RECHTFERTIGUNG DES WIRKENS IM BRIEFWERK

Grundsätzlich kennzeichnend für das öffentliche Wirken Bernhards ist die Tatsache, daß er, (sieht man von den Fällen ab, in denen ihn seine Stellung als Abt legitimiert), ohne selbst über die betreffende Amtsgewalt zu verfügen, in unterschiedlichsten Angelegenheiten auf das machtvollste zu intervenieren vermag. Diesem Sachverhalt wird in Kapitel 7 ‚Zur Struktur von Bernhards Wirken' ausführlich Rechnung zu tragen sein. In diesem Kapitel hingegen gilt das Interesse den Gründen, die Bernhard zur Rechtfertigung seines Eingreifens anführt. Es wird sich zeigen, daß die im Rahmen des Predigtwerkes erarbeiteten Inhalte auch in diesem Kontext eine bestimmende Stellung einnehmen.

6.1. Wirken für Christus

Reicht Bernhards Wirken über das Ordensleben betreffende Fragestellungen, über kirchenpolitische Streitpunkte bis in weltliche Angelegenheiten hinein und umfaßt daher ein für modernes Empfinden außergewöhnlich breites Spektrum, so bleibt doch für Bernhard der vornehmliche Grund seines Eingreifens immer der gleiche. In den weitaus meisten Fällen leitet Bernhard sein Handeln aus dessen Notwendigkeit für Gott bzw. Christus ab. Dieser Sachverhalt ist in grundlegender Weise für das Selbstverständnis Bernhards kennzeichnend. Obgleich er inmitten des politischen Geschehens seiner Zeit steht, begreift er sich selbst keineswegs als politisch Handelnder. Auch in der Öffentlichkeit bleibt Bernhard der Mann Gottes, der dessen Anliegen zu den seinen macht. Grundsätzlich bedeutsam ist somit die Nähe, die Bernhard zwischen den von ihm betriebenen Angelegenheiten und den Angelegenheiten Jesu Christi herstellt. Setzt man das Wissen der Zeitgenossen um Bernhard als heilsbegabter, wunderwirkender Persönlichkeit voraus,[1] werden die Folgen dieses Sachverhaltes unmittelbar einsichtig. Indem Bernhard die von ihm betriebenen Angelegenheiten mit denen Gottes identifiziert, führt er implizit den Nachweis seiner Kompetenz. Ganz im Geist der doppelsinnigen Demut[2] bekennt er, nur Werkzeug zu sein, und weist sich zugleich als gottgesandt und begnadet aus. Selbst-

[1] Vgl. 227.
[2] Vgl. 75ff.

bewußtsein und Nachdruck der Forderungen Bernhards bleiben in vielen Zeugnissen auch für den modernen Betrachter spürbar. Für die Zeitgenossen jedoch dürfte diese Art und Weise der Legitimation das Wort Bernhards mit einem Gewicht versehen haben, dessen Wirkung wohl kaum zu überschätzen ist.

Bernhard, der Mann Gottes, ist vor allen Dingen Gott verpflichtet. Denn weitaus wichtiger als das Urteil der Menschen ist das Urteil Gottes. Von daher sieht sich Bernhard gezwungen – *cum sim vilis exiguaque persona* –, seine mahnenden Worte an das vornehme Volk der Römer zu richten, nachdem diese Papst Eugen aus ihrer Stadt vertrieben haben:

(S)ed levius reor verecundia apud homines periclitari quam condemnari apud Deum silentio, veri taciturnitate et absconsione iustitiae.[3]

Mit demselben Argument rechtfertigt Bernhard seine wiederholten Interventionen bei Graf Theobald[4] für einen gewissen Humbert und dessen Familie in einer strittigen Rechtsangelegenheit.[5] Zwar fürchte er, Theobald durch seine häufigen Bitten zu beleidigen, weit mehr aber sei sich davor zu hüten, durch Unterlassung der Bitte für einen Bedürftigen Gott *(cui utique magis timoris debeo)* zu beleidigen.[6] Denn nichts ist unerträglicher, als wenn Jesus Christus ein Unrecht, eine Beleidigung, ein Schmerz zugefügt wird.[7] Mit eindringlichen Worten führt Bernhard diesen Gedanken anläßlich eines Schreibens an den Erzbischof von Trier aus, in dem er in charakteristischen Wendungen[8] sein Anliegen an den Erzbischof mit den Angelegenheiten Jesu Christi in eins setzt. Bernhard betont das Wohlwollen des Erzbischofs, *si quaero quae mea sunt.* Um so mehr schulde er dies in den Angelegenheiten Christi: *si non quaero quae mea sunt, sed quae Iesu Christi sunt; sed et quae Iesu Christi sunt mea sunt.* Denn Christus ist, so Bernhards Begründung, unser Bruder, ist von unserem Fleisch. *Iniuria Christi mea est;* – da doch Christus auch Bernhards Unrecht *[meas (. . .) iniurias]* bis zum Kreuzestod hin auf sich genommen hat.[9] *Nihil de opprobrio illius a me alienum puto;* – denn Christus hat sich um Bernhards willen *(propter me)* zum Gespött der Menschen, zum Verachteten der Menge gemacht. *Ipsius doleo vicem qui doluit vicem meam* – was im Falle des konkreten Anlasses zu Bernhards Schreiben bedeutet, daß sich dieser nachdrücklich für ein ord-

[3] Ep. 243,1, VIII. 130; 1146.
[4] Vgl. BC 653.
[5] Vgl. Vacandard, Leben I. 324ff.
[6] Ep. 38,1, VII. 96; 1125.
[7] Vgl. 138.
[8] Vgl. 137ff.
[9] Vgl. 170ff.

nendes Eingreifen des Erzbischofs im Frauenkloster St. Maur in Verdun verwendet, da dort die verkommene Lebensweise der Nonnen den Tempel des Herrn in eine Räuberhöhle und einen Ort der Unzucht verwandelt habe.[10] Eifer für Christus stellt ebenfalls den Grund dar, daß Bernhard - wie er in Brief 223 anläßlich der kriegerischen Auseinandersetzungen zwischen Graf Theobald und König Ludwig[11] klarstellen muß - seiner Sorge in einer Art und Weise Ausdruck verlieh, die nicht etwa darauf abgezielt habe, den Bischof von Soissons zu beleidigen, sondern allein die Rache für das an Christus begangene Unrecht *(Christi ulcisci iniurias)* anzumahnen.[12]
In vielfältigen Zusammenhängen nimmt der Verweis auf das schwere Christus zugefügte Unrecht einen zentralen Rang in den Ausführungen Bernhards ein. Neben der unverkennbar rechtfertigenden Funktion, die diesem Argument zukommt, eröffnet sich für Bernhard hier die Möglichkeit zur Entfaltung der Fülle seiner rhetorischen Begabung. In Worten von höchster Eindringlichkeit führt er die Unerhörtheit des Geschehens und somit die tiefe Berechtigung seines Anliegens vor Augen. Unerträglich ist das Verhalten derjenigen Bischöfe, die der Auflösung der Ehe zwischen Eleonore, der Schwester bzw. Nichte des Grafen Theobald, und Graf Rudolf zustimmen, sowie dessen neue Verbindung mit Petronilla, der Schwester Königin Eleonores, ermöglichen:[13]

Lacerantur sacra Ecclesiae, scinduntur, proh dolor! vestes Christi, idque ad cumulum doloris, ab his a quibus resarciri debuerant.[14]

Die kaum verheilten Wunden, die der Kirche durch das Schisma geschlagen wurden, reißen Selbstsüchtige und Zwietrachtsäer (die Partei König Ludwigs) wieder auf, da sie sich der rechtmäßigen Vergabe des Bischofssitzes von Bourges[15] widersetzen. So muß Christus in der Kirche von Bourges erneut all jene furchtbaren Leiden erdulden, die er um der Kirche willen auf sich genommen hat:

(R)ursus corpus Christi affigere cruci, rursus fodere latus innoxium, rursus vestimenta dividere, atque ipsam, quod in ipsis est, tunicam inconsutilem, quamvis frustra, dirumpere satagunt.[16]

[10] Ep. 510, VIII. 468f; 1131–1152.
[11] Vgl. Vacandard, Leben II. 192ff; Hallam, Capetian France, 121f; Pacaut, Louis VII, 39ff; Williams, St. Bernard 204ff.
[12] Ep. 223,2, VIII. 90; 1143.
[13] Vgl. 168. Ob es sich bei Eleonore um die Schwester oder Nichte Theobalds handelt ist umstritten (BC 657).
[14] Ep. 216, VIII. 76; 1142.
[15] Vgl. Vacandard, Leben II. 194ff; Pacaut, Louis VII, 42ff; BC 631.
[16] Ep. 219,2, VIII. 81; 1129–1130.

Erneut ist Christus Verfolgungen ausgesetzt, da Ludwig VI. *(alter Herodes)*[17] den Geist des Glaubens in Gestalt des zu einem tugendhaften Lebenswandel bekehrten Erzbischofs Heinrich von Sens zu vernichten sucht.[18] Wie einst im Reich des Herodes, so wird nun in der Diözese von Sens die Hl. Familie in die Flucht getrieben.[19] Denn Christus selbst gelten die unerhörten Angriffe des Königs:

Per ipsum vos obsecro, pro ipso supplico vobis. Habet siquidem et unde illum revereamini, et unde illi misereamini. State pro ipso nunc in defensione archiepiscopi.[20]

Auch im Falle der Auseinandersetzung mit Petrus Abälard[21] rechtfertigt Bernhard sein Eingreifen aus dessen Notwendigkeit für Christus. Sinnfällig findet sich dies in Brief 193 an Kardinal Ivo verdeutlicht, den Bernhard mit heftigen Angriffen gegen die Person Abälards *(intus Herodes, foris Ioannes)* beginnen läßt. Sodann leitet Bernhard zur Frage nach der eigenen Zuständigkeit in dieser Angelegenheit über: *Sed quid ad me? UNUSQUISQUE ONUS SUUM PORTABIT.* Doch unmöglich ist es für jeden, der Christus liebt *(quod pertinet ad omnes qui diligunt nomen Christi),* die für Glauben und Kirche gefährlichen Lehren Abälards zu übergehen, welche Bernhard im weiteren Verlauf des Briefes wortreich anprangert.[22] *Silere non possum iniurias Christi* bekennt Bernhard in einem weiteren Brief zur selben Angelegenheit,[23] an anderer Stelle unterstreicht er die Notwendigkeit, *laesiones fidei et iniurias Christi* des Abälard an der Kurie zum Vortrag zu bringen.[24] *Causa est Christi, immo Christus est in causa et veritas in periculo* schreibt Bernhard an Guido von Pisa, um sich dessen Unterstützung im Falle Abälards zu vergewissern.[25] Selbstlos (denn nicht den eigenen Nutzen, sondern den Jesu Christi suchend) und zugleich doch erfüllt vom hohen Selbstbewußtsein desjenigen, der sich als Werkzeug Gottes weiß, nimmt Bernhard im Falle Abälards die Interessen Christi vor der römischen Kurie wahr. Der angesprochene Kardinaldiakon Gregorius pflege sich - so Bernhard - zu erheben, wenn Bernhard die Kurie besuche. Nun aber trete Bernhard nicht persönlich, sondern durch sein Anliegen ein:

[17] Ep. 49, VII. 141.

[18] Vgl. Vacandard, Leben I. 340ff; BC 643f.

[19] *Alioquin videat Ioseph, vir iustus, quid sibi nunc etiam faciendum sit de puero et matre eius, quia ecce etiam nunc in Senonensi provincia Christus quaeritur ad perdendum.* (ep. 50, VII. 142; 1129-1130).

[20] Ep. 51, VII. 143; 1128; an Kanzler Haimerich (vgl. BC 624).

[21] Vgl. 253ff.

[22] Ep. 193, VIII. 44f; 1140. Zu Ivo, vgl. BC 625.

[23] Ep. 332, VIII. 271; 1140.

[24] Ep. 188,1, VIII. 11; vgl. Zerbi, San Bernardo, 53.

[25] Ep. 334, VIII. 273; 1140. Zu Guido, vgl. BC 624.

Qui personae meae assurgere solebas, assurge nunc causae meae, immo causae Christi, quia Christus est in causa et veritas periclitatur.[26]

Untrennbar verbindet Bernhard das von ihm vorgetragene Anliegen mit dem Anliegen Jesu Christi. Sich vor Bernhard zu erheben bedeutet, Christus selbst die notwendige Unterstützung zukommen zu lassen. Sich den Forderungen Bernhards jedoch zu verschließen, würde – wie unausgesprochen und dennoch unverhüllt drohend im Raum steht – nicht weniger bedeuten, als Christus selbst jene Achtung zu versagen, die ihm gebührt.

Hier wie an anderer Stelle ist die Gottes- bzw. Christusnähe Bernhards bedeutsam, der neben ihrer legitimierenden Funktion die Aufgabe zukommt, Bernhards Forderungen mit einem Nachdruck zu versehen, der durchaus auch drohende Züge annehmen kann. Insbesondere im Umgang mit weltlichen Großen[27] erscheint die Grenze zwischen Mahnung und Drohung bisweilen fließend. Ganz in diesem Sinne ergeht an König Konrad die in charakteristische Wendungen gefaßte Bitte Bernhards bezüglich einer unbekannten Angelegenheit:

Nunc quoque precem habemus ad vos pro negotio quodam, non tam nostro quam ipsius, a quo est omnis potestas et cuius munere longe lateque dilatata est vestra magnificentia super terram.[28]

Auch seine Friedensmahnung an den Zähringer Konrad[29] läßt Bernhard mit dem Hinweis auf Gott als dem Urgrund aller herrschaftlichen Gewalt beginnen: *Omnis potestas ab ipso est, cui dicit Propheta: TUA EST POTENTIA, TUUM REGNUM, DOMINE, TU ES SUPER OMNES GENTES.* Deshalb – so Bernhard – erachtet er es für notwendig, Konrad zur Gottesfurcht *(quantum te oporteat deferre TERRIBILI ET EI QUI AUFERT SPIRITUM PRINCIPUM)* zu ermahnen. Sollte jedoch der Fürst von seinen kriegerischen Greueltaten nicht ablassen, *non est dubium, quin graviter irrites adversum te Patrem orphanorum et Iudicem viduarum.* Ist dessen Zorn aber erst erregt, so helfe weder Tapferkeit noch Heeresmacht.[30] Mit großem Einfühlungsvermögen in die Psyche des kriegerischen Adligen fährt Bernhard fort: er, ein Armer, schreibe dies aus Mitgefühl mit den Armen, wohl wissend, daß es für den Fürsten weit ehrenvoller sei, den Bitten der Demütigen nachzugeben, als vor feindlichen Truppen zu weichen. Keineswegs glaube er, daß der Feind stärker als Konrad sei, weitaus am mächtigsten jedoch ist der allmächtige Gott. Bernhard schließt sein Schreiben, indem er zum Nachdruck sei-

[26] Ep. 333, VIII. 272; 1140. Zu Gregorius, vgl. BC 624.
[27] Vgl. 244ff.
[28] Ep. 499, VIII. 456; ?.
[29] Vgl. BC 651f.
[30] Ep. 97, VII. 247; ca. 1132; 1 Par 29,11, Ps 75, 12–13.

ner Eingangsworte zurückkehrt. Erneuten Mahnungen fügt Bernhard die Erinnerung an die richterliche Gewalt Gottes hinzu, der ihn – nicht zuletzt zum Nutzen für das persönliche Seelenheil des Herzogs – vermittels Bernhard zum Frieden aufrufe.[31]
Ein besonders prägnantes Beispiel für Bernhards Selbstverständnis als Werkzeug sowie für dessen rhetorisch äußerst geschickte Umsetzung, gemäß der Bernhard unter Betonung des persönlichen Unwerts auf den höchsten Wert seines Anliegens verweist, stellt ep. 37 an Graf Theobald dar. Dieses Schreiben nimmt auf eine zuvor geäußerte Bitte Bernhards[32] um die Rückerstattung der Güter des verbannten Humbert[33] an seine Frau und Kinder Bezug. Theobald war dieser Bitte nicht nachgekommen, so daß die erneute Intervention des Heiligen notwendig wurde. Zu Beginn seines Schreibens bekundet Bernhard seine Freude darüber, daß sich Theobald besorgt über Bernhards schwachen Gesundheitszustand[34] geäußert habe, um dann sogleich von diesem Sachverhalt aus zu seinem eigentlichen Anliegen überzuleiten. *In hoc quippe dum vestram erga me agnosco dignationem, Deum quoque vos diligere non dubito;* – wie könne auch, so Bernhard, eine derart hochgestellte Persönlichkeit sich zu einem so unwürdigen Menschen herablassen, *nisi propter Deum?* Es erscheine daher um so befremdlicher, daß Theobald *(cum ergo constet quod diligitis Deum)* eine solch kleine, voll Gottvertrauen an ihn gerichtete Bitte abgeschlagen habe. Hätte Bernhard Gold oder Silber gefordert, so wäre ihm dies bei der bekannten Freigebigkeit Theobalds gewiß gewährt worden:

Hoc autem unum, quod non mei, sed Dei causa, nec tam mihi quam vobis a vobis postulavi, quid causae exstitit, quod accipere non merui?[35]

Neben den bekannten Argumentationsgang, gemäß dem Bernhard sein Anliegen als Angelegenheit Gottes bzw. Jesu Christi bestimmt, tritt (wie bereits in ep. 97 an den Zähringer Konrad) der verhalten drohende Hinweis, daß die Erfüllung von Bernhards Bitte auch für den Grafen selbst notwendig ist. Von hier aus leitet Bernhard zum zweiten Teil des Briefes über, der nunmehr nachdrücklich die zu erwartenden Folgen von mangelnder Milde und Barmherzigkeit vor Augen führt. Denn – so Bernhard nach Mt 7,2 – gemäß dem Maß, mit dem ihr meßt, wird euch selbst zugemessen werden:

An nescitis quia quam facile vos Humbertum, tam facile, immo incomparabiliter facilius Deus Theobaldum, quod absit, exheredare possit?

[31] Vgl. 245.
[32] Vgl. ep. 33,2, VII. 89.
[33] Vgl. BC 724.
[34] Vgl. 155ff.
[35] Ep. 37,1, VII. 94f; 1124.

Ganz im Geist des gesamten Schreibens, das meisterhaft unmißverständliche Kritik mit dem Bekenntnis zu persönlicher Demut, unverhohlene Drohung mit dem ehrerbietigen Lob auf Ruf und Verdienste Theobalds verbindet, läßt Bernhard sein Schreiben enden: *Ecce hoc secundo vestrae supplico eximietati, ut sicut Deum vobis vultis misereri, ita vos Humberto misereamini.*[36] Über fünfundzwanzig Jahre später greift Bernhard - auch hier in einem Schreiben an Graf Theobald - auf das aus obigem Brief bekannte Argumentationsmuster zurück. In ep. 271 setzt Bernhard dem Grafen die Gründe dafür auseinander, wieso er sich weigere, bei der Beschaffung eines kirchlichen Amtes für dessen Sohn behilflich zu sein. Wiederum beginnt Bernhard seine Ausführungen mit dem Hinweis auf die gegenseitige Liebe und Wertschätzung. Der Graf wisse, daß Bernhard ihn liebe; - wie sehr er ihn jedoch liebe, wisse Gott allein. *Me quoque diligi a vobis non dubito, sed propter Deum;* – Gott aber würde beleidigt, käme Bernhard dem Anliegen Theobalds nach. *Quis enim ego sum, ut de tantillo tantus princeps curetis, nisi quamdiu Deum in me esse credetis?* - was jedoch, wenn sich Bernhard der unstatthaften Bitte nicht verschließen würde, hinfällig wäre, da nunmehr die Liebe Theobalds zu Bernhard ihre Grundlage verloren hätte.[37] Die zitierten Briefe sind durch zahlreiche Belege zu ergänzen, in denen sich Bernhard als Handelnder unter Verwendung variierender Formulierungen, doch stets im Verweis auf sein grundlegendes Selbstverständnis darstellt: Bernhard wirkt als Anwalt in den Anliegen Christi; er ist das Werkzeug,[38] vermittels dessen diese Anliegen auf Umsetzung in die Tat dringen. *Vobis committimus hanc causam Dei*[39] schreibt Bernhard bezüglich des Streites über die Besetzung des Bischofssitzes von York[40] an Königin Mathilde von England.[41] In charakteristischer Weise wendet sich Bernhard in derselben Angelegenheit an Papst Eugen: *Obsecramus itaque per ipsum quo redemptae sunt animae, immo sanguis ipse clamat ad vos de caelo.* Wiederum gilt es, Unrecht und Schaden vom verfolgten Christus abzuwenden, dessen zur Tat mahnende Klage durch den Mund Bernhards an Eugen ergeht: *Ipse enim qui per nos clamat potestatem dedit vobis, tantum voluntas non desit.*[42]

Dieselben Argumentationsmuster, wie sie im vorangegangenen bezüglich politischer und kirchenpolitischer Angelegenheiten festgestellt

[36] Ep. 37,2, VII. 95.
[37] Ep. 271, VIII. 181; 1151.
[38] Vgl. 212ff.
[39] Ep. 534, VIII. 499; ?.
[40] Vgl. Vacandard, Leben II. 334ff; Baker, San Bernardo; Knowles, The case; Dimier, Outrances, 660ff; Talbot, New documents; vgl. 236f.
[41] Vgl. BC 649f.
[42] Ep. 239, VIII. 122; 1145.

wurden, besitzen auch für das monastische Leben Gültigkeit. Hier wie dort vertritt Bernhard die Angelegenheiten Christi, gründet die Notwendigkeit zu der von Bernhard empfohlenen Verhaltensweise in deren Notwendigkeit für Gott. In der entsprechenden Formulierung wendet sich Bernhard an Erzbischof Falko von Lyon und bittet um Schutz für ein Tochterkloster von Clairvaux gegen die Übergriffe der benachbarten Benediktiner:[43] *Quod enim uni ex illis feceritis, mihi, immo Christo, facietis.*[44] Eindringlich ergeht an den Zisterzienserabt Johannes,[45] der seine Stellung als Abt verlassen hat, um sich in die Einöde zurückzuziehen, die Mahnung zur Rückkehr, *si vis nos, vel Deum potius non irasci.*[46] Schmerzlich ist die Trennung vom Mitbruder Raynald, der von Clairvaux ausgesandt wurde, um die Abtsstelle im Tochterkloster Foigny zu versehen. Kaum zu ertragen wäre dieser Zustand, *si non esset Christus in causa.* Auf diese Weise aber verharren Raynald und Bernhard in jener vorbildlichen Haltung *[(b)eati si sic permanserimus usque in finem, semper et ubique quaerentes non quae nostra sunt, sed quae Iesu Christi],* die den Schmerz der Trennung in den Hintergrund treten läßt.[47] Daß eine Gruppe reformwilliger Mönche das heimatliche Benediktinerkloster verlassen will, um sich der strengeren Lebensform des Zisterzienserklosters anzuschließen, geschieht nach Bernhards Meinung auf göttlichen Ratschluß hin: *Credimus autem ex Deo fuisse.*[48] Hiermit ist dem betroffenen Abt ebenso die Notwendigkeit zu seinem Einverständnis nahegelegt, wie die Gottgewolltheit des Entschlusses verschiedener Regularkanoniker in Clairvaux zu bleiben, die Zustimmung ihrer Mitbrüder einfordert; – *nisi forte, quod Deus avertat, quae vestra, non quae Iesu Christi sunt, quaerere studeatis.*[49]

Die bisher gewonnenen Erkenntnisse zum Wirken Bernhards in den Angelegenheiten Christi finden ihre Bestätigung in der Sicht Gaufreds von Auxerre,[50] des Sekretärs und Biographen Bernhards. Gemäß den angeführten Belegstellen aus dem Briefwerk Bernhards wird man in den Angelegenheiten Christi bzw. Gottes den zentralen Begriff des Wirkens Bernhards erkennen dürfen. In diesem Sinne hebt Gaufred am Ende des dritten Buches der Vita in den Wendungen Bernhards zum Lob auf das Lebenswerk des Heiligen an: *Fidelis etenim servus Christi non quaerebat aliquid suum: quidquid tamen erat Christi, sic curabat ut*

[43] Vgl. BC 703 u. 742.
[44] Ep. 173, VII. 387; 1139.
[45] Vgl. BC 705.
[46] Ep. 233,2, VIII. 106; 1141–1145.
[47] Ep. 72,5, VII. 178; 1121. Zu Raynald, vgl. BC 737.
[48] Ep. 94,1, VII. 243; 1133.
[49] Ep. 3, VII. 24; 1120.
[50] Vgl. Leclercq, Le témoignage; ders., Les écrits; ders., S. Bernard et ses secrétaires 16ff.

suum. Der Inhalt des Wortes von den Angelegenheiten Christi ist, wie Bernhards vielfältige Verwendung belegt, äußerst weit gespannt. Er reicht von das Klosterleben betreffenden Fragestellungen über innerkirchliche Streitpunkte bis weit in politische Entscheidungsprozesse hinein. Ungeschieden faßt Bernhard diese Bereiche unter dem Aspekt der Angelegenheiten Christi zusammen, denen somit – gemäß einem um den christlichen Glauben zentrierten Weltbild, das auf die Durchsetzung von dessen universeller Verbindlichkeit dringt – alle Angelegenheiten von Gewicht angehören. Nicht anders ist die Sicht Gaufreds, dem der Begriff von den Angelegenheiten Christi zum Ausgangspunkt der folgenden Würdigung des umfassenden Heilswerkes Bernhards dient:

Quae enim scelera non arguit? quae odia non exstinxit? quae scandala non compescuit? quae schismata non resarcivit? quas haereses non confutavit? Quid vero sanctum, quid honestum, quid pudicum, quid amabile, quid bonae famae, quid virtutis, aut laudabilis disciplinae, suis ortum in qualibet regione diebus non roboravit ejus auctoritas, non fovit charitas, diligentia non promovit? (. . .) Quis malitiam quamcumque disponens ejus zelum et auctoritatem non timuit? Quis proponens quodcumque bonum, ejus, si potuit, non consuluit sanctitatem, non desideravit favorem, opem non flagitavit?

Die preisenden Worte des Hagiographen über das universelle Gelingen kennzeichnen zugleich den universellen Anspruch dieses Heilshandelns. Treffend gibt Bernhards Biograph dessen Selbstbild und Anspruch wieder, wenn er den zitierten Abschnitt mit der Bemerkung schließt, daß sich auf diese Weise Bernhard, als wäre er für den ganzen Erdenkreis geboren *(ac si toti genitus Orbi)*, zum Diener aller *(sese omnium fecerat servum)* gemacht habe.[51]

Bernhard wird in den Angelegenheiten Christi und somit in einem Bereich von umfassendster Geltung tätig. Nicht ganz zu Unrecht haben die in diesem Zusammenhang gründenden zahlreichen Interventionen Bernhards ihm, vor allem bei seinen modernen Interpreten, bisweilen den Vorwurf der Herrschsucht eingetragen.[52] Für Bernhard hingegen ist das Tätigwerden in den Angelegenheiten Christi Wirken im Geist jener Liebe, in der der Mensch sein Selbst gänzlich Christus übereignet hat. Brennend geht ihm daher das an Christus begangene Unrecht nahe, so daß er sich alle Sorgen Christi angelegen sein läßt.[53]

[51] VP III. VIII,30, 320f; vgl. 340.

[52] So schreibt Haller (Das Papsttum III, 8) über Bernhard: „. . . bei aller betonten Weltentsagung nichts weniger als weltfremd, und bei aller zur Schau getragenen Demut keineswegs frei von Eitelkeit; uneigennützig und unbestechlich, aber voll rastloser Herrschsucht . . .“ Siehe auch das Urteil von Bernhardi, 224f, Anm. 141.

[53] Man erinnere sich an Bernhards in der 49. Hoheliedpredigt (vgl. 139) geäußerten Wunsch, alle Sorgen Jesu Christi zu den seinen zu machen.

6.1.1. Die Affäre von Langres

Bernhard wird in den Angelegenheiten Christi tätig. Sich seinem derart legitimierten Anliegen zu widersetzen bedeutet, Christus selbst sich zu versagen. Bernhards Argumentation beinhaltet jenen Rückschluß, der unausgesprochen und doch unverkennbar drohend im Raum steht. Auch in den im folgenden zu schildernden Vorkommnissen greift Bernhard auf das bekannte Argumentationsmuster zurück, wobei Erregung und sichtliche Betroffenheit ihn nunmehr dazu bewegen, Angriffe auf seine Person als Angriff auf Gott und Kirche auszulegen bzw. ihnen, wie im folgenden Kapitelabschnitt darzulegen sein wird, durch Selbststilisierung in der Opferrolle für Christus den Boden zu entziehen.

Auf das empfindlichste getroffen zeigt sich Bernhard im Streit um die Besetzung des Bischofsstuhles von Langres. Im Rahmen dieser heftigen Auseinandersetzung, deren kompliziertem Verlauf an dieser Stelle nicht weiter nachgegangen werden kann,[54] erfolgt die Besetzung des Stuhles zuerst mit einem Cluniazensermönch, der auf Betreiben Bernhards aus seinem Amt entfernt wird, so daß – nachdem Bernhard die auf seine Person gefallene Wahl ausgeschlagen hat[55] – der Prior von Clairvaux und Verwandte Bernhards, Gottfried de la Roche, seinen Platz einzunehmen vermag. Bernhards Angriffe zielen auf die Unwürdigkeit des Cluniazensermönchs, die Nichteinhaltung des ihm zugesicherten Mitspracherechts sowie die seines Erachtens unkanonisch erfolgte Wahl ab.[56] Der vornehmliche Grund für Bernhards Intervention dürfte jedoch in der Tatsache zu finden sein, daß durch die erste Wahl Clairvaux dem Zuständigkeitsbereich eines Bischofs aus dem Cluniazenserorden unterstanden hätte.[57] Entsprechend sucht der ebenfalls zum Ziel der Angriffe Bernhards gewordene Abt von Cluny, Petrus Venerabilis, Bernhard dahingehend zu beruhigen, daß bei der gegenseitigen Verbundenheit und Liebe keine Benachteiligung der Zisterzienser zu befürchten sei.[58] Grundsätzlich kennzeichnend für Bernhards Verhalten in dieser Angelegenheit sind persönliche Betroffenheit und Erregung, die eine mit großer Schärfe geführte Auseinander-

[54] Vgl. hierzu: Constable, The disputed election.

[55] Vgl. 219.

[56] Constable (138) stellt fest, daß zwar die Absprache mit Bernhard, jedoch nicht das kanonische Recht gebrochen wurde. Bernhard schildert die Vorgänge in ep. 164 (VII. 372–375; 1138) an Papst Innozenz.

[57] Vgl. Constable, The disputed election, 120f.

[58] *Quod si forte ut totum exhauriam quod sentio, monachi monachos, religiosi religiosos, Cistercienses Cluniacenses verentur, et minus de illis de quibus magis confidere deberent, confidunt (...). Diliget ergo si monachus fuerit Lingonensis episcopus Cistercienses et ceteros monachos ...* (Constable, The letters, 104).

setzung zur Folge haben. Für Bernhard stellt sich die Nicht-Erfüllung seiner Wünsche angesichts seines Engagements für die Partei des Innozenz offenbar als schwere persönliche Enttäuschung dar. Entsprechend erinnert er in einem Schreiben, das er *lacrimosis gemitibus* an Papst Innozenz richtet, an die das körperliche Vermögen überschreitenden Anstrengungen, die er anläßlich des Schismas auf sich genommen hat. Doch nicht nur diese Mühen, mehr noch strecke ihn der seelische Schmerz über obige Vorkommnisse auf das Krankenlager nieder.[59] Sollte die Angelegenheit nicht geregelt werden, *erunt mihi LACRIMAE MEAE PANES DIE AC NOCTE.*[60] *TRISTIS EST ANIMA MEA USQUE ad fugam,* – so Bernhard in einem weiteren Schreiben an Innozenz. Eigentlich habe er beabsichtigt, dem Papst die Angelegenheit zu schildern;

sed prae tristitia languet manus, sensus hebescit, horret lingua eloqui malignissimam fraudem, sed subreptionem, sed circumventionem, sed temeritatem, sed perfidiam.[61]

Untrennbar verbunden mit Bernhards Klage sind heftige Beschuldigungen gegenüber der Partei des Cluniazenserbischofs. Dessen Freunde beugten ihr Knie vor Baal in einer Angelegenheit, die von Gold und Silber, nicht aber vom kanonischen Recht bestimmt sei.[62] *(N)on sponsum sed monstrum* habe man der Braut, d. h. der Kirche von Langres als Bischof zugeführt.[63] Dieser Mann sei den Guten Grauen, den Bösen jedoch Freude[64] und von derartig schlechtem Leumund,[65] daß die Scham ihn auszusprechen verbiete.[66] Bernhard erfährt die Geschehnisse um die Besetzung des Stuhles von Langres als persönlichen Angriff. Unter Verwendung des bekannten Argumentationsmusters, gemäß dem Bernhard seine Ziele mit den Angelegenheiten Christi in eins setzt, bestimmt Bernhard die Angriffe als über seine Person hinausgehend. Denn diese gelten nicht Bernhard allein, sondern sind, wie Bernhard den Bischöfen und Kardinälen der römischen Kurie darlegt, gegen die Kirche in ihrer Gesamtheit, ja gegen Gott selbst gerichtet:

Siquidem DII FORTES TERRAE VEHEMENTER ELEVATI SUNT, Lugdunensis scilicet archiepiscopus, et Cluniacensis abbas. Hi confidentes IN VIRTUTE SUA ET IN MULTITUDINE DIVITIARUM SUARUM gloriantes, ADVERSUM ME APPROPINQUAVERUNT ET STETERUNT. Et non adversum me tantum, sed adversum mag-

[59] Vgl. 157.
[60] Ep. 168,2, VII. 381.
[61] Ep. 167, VII. 379; Mt 26,38; 1138.
[62] Ep. 166,1, VII, 377.
[63] Ep. 165, VII. 376,; 1138.
[64] Ep. 168,2, VII. 381; 1138.
[65] Petrus Venerabilis hingegen verbürgt sich für die Lauterkeit des Bischofs, vgl. Constable, The letters, 102.
[66] Ep. 167. VII. 379.

nam multitudinem servorum Dei, adversum vos quoque, adversum seipsos, contra Deum, contra omnem aequitatem et honestatem.[67]

Letztlich gelten somit die Verfolgungen der Kirche von Langres Christus selbst, der in ep. 501 durch den Mund Bernhards zur Klage anhebt und den Beistand des angesprochenen Kardinals Humbalde erbittet: *O Umbalde, INIQUI PERSECUTI SUNT ME! ADIUVA ME.*[68]

6.1.2. Bernhards Apologie auf das Scheitern des zweiten Kreuzzuges

Eingangs des zweiten Kapitels der an Papst Eugen gerichteten Schrift ‚*De consideratione*' nimmt Bernhard zum Problem der gescheiterten Kreuzfahrt Stellung. Die Art und Weise, in der sich Bernhard rechtfertigt, läßt Rückschlüsse auf den Inhalt der Kritik zu, der sich Bernhard ausgesetzt gefühlt haben mag. Offenbar war seine den Willen Gottes vermittelnde Funktion in Zweifel gezogen worden, so daß die Argumentation Bernhards darauf abzielt, die Einheit zwischen seinem Wirken und dem göttlichen Willen erneut zu erstellen, d. h. die Angelegenheit des Kreuzzuges wiederum mit den Angelegenheiten Christi in eins zu setzen. Dem Haupthindernis einer solchen Sichtweise, der Tatsache des Scheiterns, setzt Bernhard biblische Bezugsstellen entgegen, in denen sich kriegerische Unternehmungen trotz ihrer militärischen Niederlage als dem göttlichen Willen gemäß ausgewiesen finden. Zugleich werfen die von Bernhard herangezogenen biblischen Vergleichspunkte ein kennzeichnendes Licht auf das Selbstverständnis, das Bernhard bezüglich seines Kreuzzugsengagements besitzt. Moses führte das Volk der Israeliten aus Ägypten, das dennoch zunächst das gelobte Land nicht zu erreichen vermochte:

Nec est quod ducis temeritati imputari queat tristis et inopinatus eventus. Omnia faciebat Domino imperante, Domino cooperante et opus confirmante, sequentibus signis.

Vielmehr war das Volk böse und halsstarrig und konnte so, – wie auch die im Herzen nach Ägypten, d. h. zum Bösen, zurückgekehrten Kreuzfahrer –, sein Ziel nicht erreichen.[69] Als zweites Beispiel führt Bernhard den Kampf der Israeliten gegen den Stamm Benjamin (Ri 20,2ff) an. Israel zog in die Schlacht, *nec sine nutu Dei,* und unterlag. Ein zweites mal zog es *Deo (. . .) iubente* gegen Benjamin aus, um eine erneute Niederlage zu erfahren. Erst in der dritten Schlacht gewährte Gott den Sieg. Unterlegen im Kampf erwies sich Israel sieghaft im Glauben. So-

[67] Ep. 168,1, VII. 380; Ps 46,10; 48,7; 37,12; 1138.
[68] Ep. 501, VIII. 458; 1138; Ps 118,86. Zu Humbald, vgl. BC 625.
[69] Cons. II. I,2, III. 411f.

dann leitet Bernhard zum Problem der eigenen, fragwürdig gewordenen Legitimation aus dem göttlichen Willen über. Daß er an dieser Stelle, entgegen seiner sonstigen strengen Zurückhaltung, die von ihm gewirkten Wunder[70] erwähnt, mag als Beleg dafür gelten, wie bedrängend Bernhard die Zweifel an seiner Person empfunden hat. Daher ergeht die Bitte an Papst Eugen, für ihn zu antworten – *secundum ea quae audisti et vidisti.*[71] Somit ist wiederum Gott als der Ursprung der durch Wunder bestätigten Kreuzzugspredigt Bernhards ausgewiesen. Geltung besitzt diese gottgewollte Führerschaft auch in der Niederlage, wie insbesondere das Beispiel des Moses[72] belegt, der wie Bernhard im durch Wunder bestätigten Einklang mit dem Willen Gottes gehandelt hat. Der Argumentationsgang von Bernhards Rechtfertigung ist von großer Stringenz und unverkennbar auf Steigerung hin angelegt. Seine bisherigen Ausführungen lassen nur den einen Schluß zu, den Bernhard am Ende seiner Verteidigungsrede in wirkungsvoller rhetorischer Gestaltung zieht. Nicht ihm gelten die Angriffe der Bösen, die alle Ordnung verkehren *(qui dicunt bonum malum et malum bonum),* sondern Gott selbst. Bernhard als der Zielscheibe der Lästerer kommt daher die Funktion des Schutzschildes Gottes zu.

Et si necesse sit unum fieri e duobus, malo in nos murmur hominum quam in Deum esse. Bonum mihi, si dignetur me uti pro clypeo. Libens excipio in me detrahentium linguas maledicas et venenata spicula blasphemorum, ut non ad ipsum perveniant. Non recuso inglorius fieri, ut non irruatur in Dei gloriam. Quis mihi det gloriari in voce illa: QUONIAM PROPTER TE SUSTINUI OPPROBRIUM, OPERUIT CONFUSIO FACIEM MEAM? Gloria mihi est, consortem fieri Christi, cuius illa vox est: OPPROBRIA EXPROBRANTIUM TIBI CECIDERUNT SUPER ME.[73]

Mit Nachdruck ist somit die Angelegenheit des von Bernhard propagierten Kreuzzuges wiederum mit der Angelegenheit Gottes in eins gesetzt. Letztlich wird man in der Wiederherstellung der fragwürdig gewordenen Legitimationsgrundlage Bernhards das zentrale Anliegen der ‚*Apologia*' erkennen dürfen. Die Dringlichkeit dieses Anliegens liegt auf der Hand. Die Relevanz von Bernhards begnadetem Wirken in den Angelegenheiten Christi reicht weit über sein Kreuzzugsengagement hinaus. Selbstbild und Lebenswerk sind in Zweifel gezogen. Die ‚*auctoritas*' Bernhards, d. h. die Kompetenz zu Einflußnahme und Handeln, die die öffentliche Meinung dem Heiligen und Wundertäter zuspricht,[74] droht Schaden zu nehmen. Nicht nur der Schock über das

[70] Vgl. 290f.
[71] Cons. II. I,3, III. 412f.
[72] Eine Verbindung zwischen Moses und Bernhard stellt ebenfalls Bernhards Biograph Arnold her; vgl. 226.
[73] Cons. II. I,4, III. 413; Ps 68,8; 68,10.
[74] Vgl. 227.

Unfaßliche, auch tiefe persönliche Betroffenheit finden daher in die düstere Schilderung des Geschehens zu Beginn der *‚Apologia'* Eingang. Vor der Zeit scheint Gott die Welt gerichtet, alle Barmherzigkeit scheint er hierbei vergessen zu haben:

Diximus: „Pax", et non est pax; promisimus bona, et ecce turbatio, quasi vero temeritate in opere isto aut levitate usi simus.

Weder sein Volk noch seinen Namen hat Gott geschont. Zerschlagen liegt das christliche Heer in der Wüste, während die Heiden fragen: *Ubi est deus eorum?* Aber wer wüßte nicht, daß die Urteile Gottes wahr sind:

(A)t iudicium hoc abyssus tanta, ut videar mihi non immerito pronuntiare beatum, qui non fuerit scandalizatus in eo.[75]

Dieses Urteil Gottes, das ein Abgrund ist, führt den Menschen an die Grenze des Verstehens, des Glaubens. Auch Bernhard scheint hier an eine Grenze herangeführt, die gegen Ende seines Lebens nicht mehr überschritten werden kann. Daher jene an Starrheit grenzende Haltung des Beharrens, die aus Bernhards Worten spricht. Nicht der Anflug eines Zweifels ist spürbar. So deutet sich in Bernhards Verteidigungsschrift der Weg an, den er in der Kreuzzugsangelegenheit weiter beschreiten wird. Dieser führt keineswegs in die kritische Reflexion über das Geschehene, sondern in den zweiten Anlauf auf gleicher Basis,[76] der notwendigerweise gegenüber der Möglichkeit eigener Irrtümer blind bleiben wird.

6.2 Weitere Motive des Wirkens

Eng mit dem Motiv der Leiden und Verfolgungen Christi ist das Thema der Leiden und Verfolgungen verbunden, die die Braut Christi, d. h. die Kirche,[77] durch ihre Widersacher erfährt. Wiederum führt Bernhard in der eloquenten Schilderung des unerhörten Geschehens zugleich den Nachweis der Notwendigkeit seiner Intervention. Nun sei es an der Zeit – so Bernhard in bezug auf Abälard –, daß sich die angesprochenen Bischöfe und Kardinäle der Kurie in der Not als Freunde erweisen: *Amicos dixerim, non nostros, sed Christi, cuius sponsa clamat ad vos in silva haeresum.*[78] Denn Tränen rollen über die Wangen der einsam in der Nacht weinenden Braut. Niemand ist da, ihr Trost zu

[75] Cons. II. I,1, III. 410f.
[76] Vgl. 357ff.
[77] Vgl. Moritz, The church as bride.
[78] Ep. 187, VIII. 9f; 1140.

spenden. Dem Adressaten des Briefes, Papst Innozenz, ist jedoch für die Zeit der Abwesenheit des Bräutigams die Sorge um Sunamit, die Braut, aufgetragen. Niemand bekennt sie vertraulicher das ihr angetane Unrecht, ihre Leiden und Not als dem Freund des Bräutigams; – *(n)am quia Sponsum diligis, Sponsam ad te clamantem non DESPICIS IN OPPORTUNITATIBUS, IN TRIBULATIONE.* Im weiteren Verlauf des Briefes zeigt sich Bernhard derart um die in Not geratene Kirche besorgt, daß er, der gemeinhin beklagt, durch zahlreiche Geschäfte überbeansprucht und somit dem klösterlichen Leben entzogen zu sein, nunmehr die umgekehrte Klage führt:

O nisi detineret me cura fratrum! O nisi me corporalis infirmitas impediret! Quantum desiderarem videre amicum Sponsi pro Sponsa zelantem in absentia Sponsi![79]

Da sich König Ludwig VI. den Reformbestrebungen Bischof Stephans von Paris widersetzt,[80] macht die Not der Kirche Bernhards Eingreifen unumgänglich *[(m)agna siquidem nos necessitas de claustris ad publicum traxit].* Die Tränen der Bischöfe, ja die Klage der gesamten Kirche können nicht verschwiegen werden. Denn da Honorius das von Stephan verfügte Interdikt aufgehoben hat, erleidet (in feinsinniger Anspielung auf den Namen des Papstes) die Ehre der Kirche Schaden *(honorem Ecclesiae Honorii tempore non minime laesum).*[81] Der Freund des Bräutigams erweist sich ebenso in der Not, die durch das Schisma von 1130 über die Kirche gekommen ist: *tu tibi quiescis, et mater tua Ecclesia graviter conturbatur?* Denn die Bestie der Apokalypse, Petrus Leonis, *TAMQUAM LEO PARATUS AD PRAEDAM,* hält nun den Stuhl Petri besetzt.[82] Wasser und Blut – so Bernhard an den Episkopat Aquitaniens – flossen vereint aus der geöffneten Wunde des Gekreuzigten, um so dem Volk *in fidei unitate* die Erlösung zu bringen. Ein jeder, der es wagt, die im Kreuzestod gestiftete Einheit zu spalten, ist nicht Christ, sondern Antichrist, schuldig am Tode Christi. Um eine solche Person handelt es sich bei Gerard, dem Bischof von Angoulème,[83] der, nach der Ansicht Bernhards, die Partei des Gegenpapstes aus Ehrgeiz und Herrschsucht ergriffen hat. Erneut durchstößt er die Seite Christi: *dividit nempe Ecclesiam, pro qua illud est in cruce divisum.*[84] Allein um Christi und der Kirche willen hat Bernhard, wie er seinen Mitbrüdern bekennt,[85] all die Mühen und Entbehrungen seines Engagements für Innozenz auf sich ge-

[79] Ep. 330, VIII. 266–268, Ps 9,22; 1140.
[80] Vgl. Vacandard, Leben I. 334–339; BC 640f.
[81] Ep. 46, VII. 135; 1129.
[82] Ep. 125,1, VII. 308; Ps 16,12; 1131–1132.
[83] Vgl. Vacandard, Leben I. 391ff; BC 628; Williams, St. Bernard 114f; vgl. 234f.
[84] Ep. 126,6, VII. 313; 1131–1132.
[85] Vgl. 171.

nommen, so daß im freudigen Rückblick auf den errungenen Sieg das erfolgreiche Wirken Bernhards mit dem Triumph der Kirche eins wird: *Haec plane GLORIA MEA ET EXALTANS CAPUT MEUM, Ecclesiae triumphus.*[86]

Des weiteren bekennt sich Bernhard zum Motiv des Eifers,[87] der ihn zur heilsamen Einflußnahme und Tat treibt. So entgegnet er Gerard,[88] dem Abt der Benediktinerabtei von Ponthières, der sich darüber beklagt, daß Bernhard den Grafen von Nevers auf die Mißstände in jenem Kloster hingewiesen hat: *Puto enim me recte fecisse, si, de domo Dei zelum Dei habens.*[89] *Hucusque zelus meus* schreibt Bernhard an Stephan, den Kardinal von Palestrina, nachdem er auf das heftigste die Verfehlungen Ludwigs VII. angeklagt hat.[90] Fast alle Sanftmut und Geduld fällt von Bernhard ab,[91] um feurigem Eifer für das Gute zu weichen, wenn sich die Bosheit sogar bis hin zu Bernhards Herrn, Papst Eugen, erstreckt: *At si usque in Christum Domini malignatio forte pervenerit, nutat fateor patientia et omnis paene cedit mansuetudo.*[92] Anläßlich der strittigen Bischofswahl von York erfaßt Bernhard ein solcher Eifer, daß er der römischen Kurie bekennt:

Urimur assidue, dico vobis, urimur graviter nimis, ita ut taedeat nos etiam vivere. In domo Dei videmus horrenda.[93]

Ziel dieser heftigen Anklage ist es, die mit den entsprechenden Machtbefugnissen und Möglichkeiten zur Einflußnahme versehenen Mitglieder der Kurie zur Besserung des unerträglichen Zustandes zu bewegen.[94] Besserung ist das Ziel des Gerechten, der hierzu neben dem lindernden Öl der Barmherzigkeit den beißenden Wein des Tadels in die Wunden der sündigen Seele gießen muß.[95] In eben dieser Position sieht sich Bernhard gegenüber Abt Suger, den er im zitierten Brief 78 überschwenglich für die Beseitigung der angeprangerten Mißstände im Kloster St. Denis lobt.

[86] Ep. 147, VII. 350; Ps 3,4; 1138.
[87] Vgl. 138ff.
[88] Vgl. BC 225f.
[89] Ep. 81, VII. 214; um 1130.
[90] Ep. 224,4, VIII. 93; 1144. Zu Stephan, vgl. BC 642.
[91] Vgl. 138.
[92] Ep. 280,1, VIII. 192; 1152.
[93] Ep. 236,1, VIII. 111; 1143.
Man erinnere sich an die vorbildhafte Heiligkeit des Malachias, der zürnte, ohne daß sich der Zorn seiner zu bemächtigten vermochte (vgl. 142).
[94] Ep. 236,1, VIII. 111; 1143.
[95] Ep. 78,8, VII. 206f; um 1127.

Alioquin corrosores fuisse convincimur, non correctores, et mordere, quam emedare maluimus, si bonis obmutescimus, qui in tantum reclamavimus malis.[96]

Grundsätzlich gilt es, dem Übel kraftvoll entgegenzutreten[97] und, wenn möglich, auf Besserung hinzuwirken, da – wie Bernhard gegenüber dem Bischof und Klerus von Troyes bemerkt, um diesen zum Einschreiten gegen die verkommenen Sitten eines gewissen Klerikers zu bewegen – anderenfalls auch für den nicht unmittelbar Beteiligten sündhafte Verstrickung droht:

Nec modo sequaces, sed et omnes qui poterunt eum revocare, non revocabunt, eodem errore iudicamus involvi.[98]

Ep. 88 beginnt Bernhard mit einem jener häufigen Verweise auf die Überlastung durch verschiedenste Geschäfte, die es ihm unmöglich machen, die Bitten Ogers zu erfüllen.[99] Denn die Nächstenliebe bewirkt, daß Bernhard den Forderungen Ogers, die dieser im Namen der Nächstenliebe an Bernhard stellt, nicht nachzukommen vermag: *Quid mihi indignaris? Si vis, si audes, irascere caritati.* Die Nächstenliebe selbst wünscht – so Bernhard –, daß Oger seinem Eifer das rechte Maß auferlege *(ut cautus sis maiora minoribus non impedire)*. Denn sie ist die Herrin *(domina est)*, ja sie ist Gott selbst *(DEUS enim CARITAS EST)*, so daß ihrem Befehl unbedingt und uneingeschränkt Folge zu leisten ist[100]. *SAPIENTIBUS ET INSIPIENTIBUS DEBITOR SUM;* – immer wieder verwendet Bernhard Röm 1,14, um auf die Notwendigkeit zur tätigen Nächstenliebe sowie deren umfassenden Geltungsbereich zu verweisen. Jener bereits an anderer Stelle erwähnte Kreis vorbildhaft Liebender,[101] aus dessen Reihen insbesondere Paulus hervorsticht,[102] ist durch diese Haltung gegenüber dem Nächsten gekennzeichnet: *aestimantes se amicis pariter et inimicis, sapientibus et insipientibus debitores.*[103] In der Schrift *‚De consideratione‘* belegt Röm 1,14 die Pflicht des Papstes zur

[96] Ep. 78,7, VII. 206. Vgl. Benton, Suger's life; Constable, Suger's monastic administration.

[97] Entsprechend bemerkt Bernhard in der Predigt div. 113 (VI.I. 391) bezüglich des rechten Verhaltens gegenüber fremden Sünden: *AB ALIENIS mundus eris, si non insultes, si non discedas, si non consentias, si non dissimules. Iustitiae est non consentire, sed cum rigore resistere; fortitudinis, non discedere, sed mala proximi patienter tolerare; temperantiae, non insultare, sed cum moderamine compati; prudentiae, non dissimulare, sed sollicite ut mala desinant providere.*

[98] Ep. 203, VIII. 62; um 1140.

[99] Ep. 88,1, VII. 232; um 1120–1125; vgl. 201ff. Näheres über die Bitte Ogers ist aus dem Schreiben nicht ersichtlich.

[100] Ep. 88,2, VII. 232f.

[101] Vgl. 109f.

[102] Vgl. 145.

[103] CC 12,5, I. 63.

universellen Schuldnerschaft und somit die Notwendigkeit zur globalen, heilsamen Tat.[104] Des weiteren dient Röm 1,14 Bernhard zur Kennzeichnung der eigenen Situation. Im Brief an Oger 88 beschreibt das Pauluswort den Zustand der Überlastung mit Geschäften aus Nächstenliebe.[105] In ep. 2 dient es – neben dem nicht minder charakteristischen Verweis auf die Selbstlosigkeit der Nächstenliebe[106] gemäß 1 Kor 13,5 –, zur Begründung des folgenden Tadels an Fulco,[107] dem Empfänger des Briefes:

At si attenderis quod scriptum legis: SAPIENTIBUS ET INSIPIENTIBUS DEBITOR SUM, et illud: CARITAS NON QUAERIT QUAE SUA SUNT, forsitan intelliges quidquid illa iusserit non esse praesumptum.[108]

Nicht angemaßte Kenntnis und Würde, sondern die selbstlose Schuldnerschaft zum Guten bewirkt, daß Bernhards Rat und Bitte auch an hochgestellte Persönlichkeiten ergehen. Die Nächstenliebe läßt Bernhard wagen *[(p)orro in eadem caritate audeo quae sequuntur],* den Erzbischof von Köln zur heilsgemäßen Lebensführung zu mahnen.[109] Sie läßt ihn die Furcht vor Papst Honorius vergessen *[(q)uanto ad vos timore scribam, novit ipse quem timemus in vobis. Sed ut audeam, domina caritas facit],* so daß er ihm vertrauensvoll die Angelegenheit des Klosters St. Benignus vorzutragen wagt.[110] Die Nächstenliebe verleiht Bernhard die Kühnheit *[(p)raebet audaciam caritas, ut fiducialius loquar tibi),* dem Bischof von Genf einer der Würde seines Amtes entsprechenden Lebenswandel anzuraten.[111] Selbst die Furcht, durch häufige Bitten und Schreiben lästig zu fallen, tritt hinter die Notwendigkeiten aus Nächstenliebe zurück, wie Bernhard am Beginn eines Bittschreibens an Graf Theobald für einen gewissen Ansiricus betont:

Timeo vobis esse taedio, quam tam in crebris litteris meis multis occupationibus vestris me ingero. Sed quia caritas, quae Deus est, ipsa est quae ad hoc me compellit, ipsam me plus timere necesse est, si ei non oboediero.[112]

Mit vergleichbaren Worten beginnt Brief 44 an Heinrich, den Erzbischof von Sens.[113] Kaum – so Bernhard – habe er vom Wohlwollen des

[104] Cons. III. I,2, III. 432; vgl. 340.
[105] Ep. 88,2, VII. 232.
[106] Vgl. 137f u. 336.
[107] Vgl. BC 284.
[108] Ep. 2,1, VII. 12; um 1120.
[109] Ep. 9, VII. 50; 1132; zu Bruno, dem Erzbischof von Köln, vgl. BC 633.
[110] Ep. 14, VII. 63; zum Kloster St. Benignus, vgl. BC 740.
[111] Ep. 28,1, VII. 81; 1136; zu Bischof Ardutius, vgl. BC 634.
[112] Ep. 517, VIII. 476; 1125. Nähres über diese Angelegenheit ist aus dem Schreiben nicht zu erschließen. Bei Ansiricus – so der Herausgeber der Briefe in Anm. 12, VIII. 476 – handelt es sich um einen Wohltäter Clairvauxs.
[113] Vgl. BC 643f.

Bischofs die Erfüllung einer Bitte erlangt, falle er wiederum mit einer Bitte lästig:

Magna quidem praesumptio; sed non meretur indignationem, quoniam de caritate, non de temeritate descendit.[114]

Eng verbunden mit der Nächstenliebe ist das Motiv der Freunde in Not, die des Beistandes und der Fürsprache Bernhards bedürfen. Entsprechend leitet Bernhard ein Bittschreiben an Graf Theobald für einen frommen Greis wie folgt ein:

Timeo vos gravari in tam crebris scriptitationibus nostris. Sed in hanc importunitatem urget me Christi caritas et amicorum necessitas.[115]

Trotz des inneren Widerstreits der Motive *(COARCTOR E DUOBUS, ne aut amicis ingratus sim, aut vobis importunus)* verwendet sich Bernhard bei Papst Innozenz für zwei Mitbrüder.[116] *Urgebat deinde caritas amicorum; etenim perpauca pro me scripsi, si bene memini*[117] erklärt Bernhard in jenem Schreiben, in dem das zeitweilig gespannte Verhältnis zwischen Bernhard und Papst Innozenz seinen Niederschlag findet.[118] Auch gegenüber Papst Eugen spielt Bernhard auf seine häufigen Bitten und Schreiben an, um sogleich den Grund hierfür zu benennen. Denn - so Bernhard - man sagt, nicht Eugen, sondern er selbst sei Papst, so daß sich von überall her die Menschen mit ihren Geschäften an Bernhard wenden:

Nec desunt in tanta multitudine amicorum, quibus officium negare non possim, non solum absque scandalo, sed etiam absque peccato.[119]

Die hier dargestellten Aussagen belegen Bernhards großen Einfluß,[120] den er immer wieder zu nutzen wußte, den man sich aber auch nutzbar zu machen suchte. Zahlreiche Schreiben, in denen Bernhard die Freunde und deren Anliegen weltlichen und kirchlichen Großen empfiehlt, zeigen, daß man die Fürsprache Bernhards suchte und somit das Gewicht, das man seinem Wort beimaß. Daß dieser Sachverhalt jedoch nicht frei von problematischen Zügen ist, deutet sich in ep. 328 an. Bernhard äußert in diesem Schreiben an Papst Eugen heftige Angriffe *[(a)bsit, ut in diebus tuis talia monstra promoveantur]* gegen den gewählten Bischof von Rodez[121]. Für das hier zu behandelnde Thema

[114] Ep. 44, VII. 132.
[115] Ep. 41, VII. 99; um 1127.
[116] Ep. 351, VIII. 294; Phil 1,23; ?.
[117] Ep. 218,3, VIII. 79; 1143.
[118] Vgl. 167ff.
[119] Ep. 239, VIII. 120; 1145.
[120] Vgl. 227.
[121] Vgl. BC 642.

sind die Eingangsworte des Briefes von Interesse, in denen Bernhard die vormals geäußerten Bitten für die Freunde eher relativierend von der Ernsthaftigkeit seines nun vorgetragenen Anliegens abgrenzt:

Hactenus amicorum precibus morem gerentes, scripsimus opportune, importune: nunc autem, etiamsi velimus, tacere tamen christiana religione prohibemur.[122]

Ungehalten und verärgert zeigt sich Bernhard in Brief 443, der an einen Verwandten sowie an einen befreundeten Cluniazenser gerichtet ist: *Feci quod voluistis et quod a me omnino non pertinebat, nisi quia vos voluistis;* – denn, so Bernhard weiter, was gehen ihn die Ländereien, die Rechts- und Heiratsangelegenheiten der Empfänger des Briefes an. Schon immer habe er gewußt, daß jener Mann, dessen Unterstützung man ihm aufgenötigt hat *(pro quo me precantes, ducissam me precari compulistis),* bereits seit seiner Jugend das Gute mied und dem Übel zuneigte.[123] Trotz der im weiteren Verlauf des Briefes ausgeführten Fehlverhalten dieses Mannes ist Bernhard der an ihn ergangenen Bitte nachgekommen und hat sich für ihn verwendet. Dies mag zum Beleg dafür dienen, daß sich Bernhard – der das für gut Erkannte in einer Bedingungslosigkeit verficht, der durchaus das Moment persönlicher Unbestechlichkeit zuzubilligen ist[124] –, weit mehr in ein Geflecht von Beziehungen und Verpflichtungen eingebunden fand, als ihm lieb gewesen sein dürfte.

[122] Ep. 328, VIII. 264; 1145.
[123] Ep. 443, VIII. 421; ?.
[124] Man erinnere sich an Bernhards Weigerung, bei der Beschaffung eines kirchlichen Amtes für den Sohn des Grafen Theobald behilflich zu sein, vgl. 183.

7. ZUR STRUKTUR VON BERNHARDS WIRKEN

Nam etsi tanti non sum, ut Romae habeam propria negotia, nulla tamen quae Dei esse constiterit a me duco aliena;[1] – ein genauer Blick auf diese Äußerung gegenüber Kanzler Haimerich eröffnet Einsichten in das Selbstverständnis Bernhards als Handelndem, die sich im Verlauf dieses Kapitels als grundlegend erweisen werden. Bernhard läßt hier auf das im Genitivus pretii formulierte Bekenntnis zur Niedrigkeit seiner Person und Stellung die von höchstem Selbstbewußtsein zeugende Aussage folgen, daß ihm keine der Angelegenheiten Gottes fremd sei. Des gleichen Argumentationsmusters bedient sich Bernhard in ep. 236, wenn er gegenüber der römischen Kurie betont:

Nec vereor ne forte praesumptionis arguar, quippe qui, licet omnium minimus, tamen Romanae curiae iniuriam a me non iudico alienam.[2]

Wiederum steht das Bekenntnis zum persönlichen Unwert in Verbindung zum selbstbewußten Verweis auf Kompetenz und Notwendigkeit zur Einflußnahme. In beiden Aussagen findet sich im Rahmen eines Satzes jener charakteristische Sachverhalt verdichtet dargestellt, der zum Verständnis des wirkenden Bernhard von zentraler Bedeutung ist: der Zusammenhang von Niedrigkeit, Kleinheit und Unwert der Person Bernhards mit einer Kompetenz zur Einflußnahme, die aus dem fortgeschrittenen Grad an Verdemütigung und Selbstheiligung, die aus der Begnadung, aus dem Geist erwächst. Grundlegendes zum Verständnis dieses Sachverhalts wurde bereits erörtert.[3] Im folgenden wird dieser Zusammenhang sowohl in seiner Bedeutung für die begnadete Rede Bernhards als auch für sein begnadetes Wirken darzustellen sein. Beide Kapitelabschnitte bilden die Grundlage zur Behandlung der Frage, wieso Bernhard die ihm mehrmals angetragene Bischofswürde ausgeschlagen hat. Dieser Sachverhalt wird in jenen zentralen Rang zum Verständnis Bernhards zu heben sein, der nicht nur den Grundthesen dieser Untersuchung, sondern auch der Sicht seiner Biographen entspricht. Von hier aus werden sich die Elemente der öffentlichen Wirksamkeit Bernhards erschließen, die im einzelnen zu behandeln und in ihrer Bedeutung für den Streit mit Abälard aufzuzeigen sein werden.

[1] Ep. 20, VII. 70; 1126–1128.
[2] Ep. 236,1, VIII. 111; 1143.
[3] Vgl. 61ff.

7.1. Bernardus Stultus

Noch einmal führt dieser Kapitelabschnitt zurück zu Bernhard, dem Verfasser geistlicher Texte, dem Prediger und Lehrenden. Dennoch ist die an dieser Stelle zu behandelnde Thematik auch zum Verständnis des öffentlichen Wirkens des Heiligen von Bedeutung. Hier wie dort gilt es zum Guten hin Einfluß zu nehmen, sind Unterweisung, Belehrung, vor allen Dingen aber der Ratschlag, den es im weiteren als Ratschlag des Toren zu bestimmen gilt, wichtige Mittel zur Einflußnahme. Hinzu tritt die tiefe innere Verwandschaft zwischen der inspirierten Rede des Törichten und dem Wirken des Niedrigen und Kleinen als Werkzeug des göttlichen Willens, so daß sich beide Motive wechselseitig beleuchten und erklärend aufeinander verweisen.
Über den dem modernen Betrachter befremdlich anmutenden Sachverhalt, daß sich sowohl Bernhard als auch Autoren vergleichbaren Ranges der Unbildung und des sprachlichen Unvermögens bezichtigen, existieren bereits hervorragende Untersuchungen. Im besonderen ist Erich Auerbachs Aufsatz ‚Sermo humilis' zu erwähnen, der u. a. die biblischen Ursprünge des Motivs beleuchtet. Bereits an dieser Stelle läßt sich jene charakteristische Verbindung des niedrigen Stils mit der Erhabenheit des vermittels göttlicher Inspiration dargestellten Gegenstandes[4] beobachten, die auch für das Verständnis der stark am biblischen Vorbild orientierten Schriften Bernhards[5] von Bedeutung ist. Des weiteren sind Julius Schwietering und Friedrich Ohly zu nennen, die beide den Zusammenhang zwischen dem Bekenntnis des Sprechenden zu seiner Niedrigkeit und der Begnadung seiner Rede unterstreichen. Schwietering betont diese Verbindung bei Paulus,[6] die – bei dem großen Einfluß, den der Apostel auf Bernhard ausübt[7] – auch für Bernhard Vorbildfunktion besitzt. Im Rahmen seines Aufsatzes zu Wolframs Eingangsgebet an den Hl. Geist im ‚Willehalm' wendet sich Friedrich Ohly direkt Bernhard von Clairvaux zu. Ausgehend von der Frage nach Wolframs angeblichem Analphabeten- bzw. Illiteratentum hebt Ohly die Bedeutung der Psalmenstelle 70,15 hervor: *QUONIAM NON COGNOVI LITTERATURAM.* Als herausragende Interpretation des Psalmes im Sinne einer Erkenntnis, die der Ungebildete aus dem Geist erfährt, führt Ohly folgende Aussage Bernhards über den verstorbenen Bruder an: *Non cognovit litteraturam, sed habuit litterarum in-*

[4] Auerbach, Sermo humilis, 38ff.
[5] Zum biblischen Stil Bernhards, vgl. Dresser, Non-figural uses; Leclercq, La Bible; Farkasfalvy, L'inspiration; ders., The role of the Bible; Rochet u. Figuet, Le jeu biblique.
[6] Schwietering, Die Demutsformel, 1.
[7] Vgl. 144ff; vgl. zu diesem Kapitelabschnitt 1 Kor 1,18–3,4.

ventorem sensum, habuit et illuminantem Spiritum.[8] Bernhards Charakterisierung des Bruders muß im Kontext seiner bereits dargelegten Auffassung von der ‚Bildung' des Menschen gesehen werden.[9] Eine vor diesem Hintergrund gewonnene Erkenntnis entstammt Geist und Gnade, wobei das Zutun des Menschen weit mehr in den Übungen der Tugend als in der Aneignung von Wissen besteht. Insofern reicht die Bedeutung des von Ohly verwandten Belegs über die Charakterisierung des Bruders hinaus und ist auch für Bernhard selbst aussagekräftig.[10] Zahlreiche Belegstellen in den Predigten machen deutlich, daß Bernhard in der göttlichen Inspiration den Ursprung seines Erkennens, seiner Rede sieht.[11] Auch die im weiteren darzustellende Verbindung zwischen der Niedrigkeit des Sprechenden und der Erhabenheit seines Wortes wird im Rahmen der Predigten auf das eindringlichste unterstrichen, wenn Bernhard die Rede Christi mit dem Attribut der Torheit versieht.[12] An dieser Stelle gilt es, die bisher gewonnenen Erkenntnisse zu Bernhard sowie die Ergebnisse der erwähnten Aufsätze durch Belege aus dem Briefwerk zu ergänzen. Insbesondere ep. 523 stellt ein für die zu behandelnde Thematik wichtiges, bislang nicht zur Genüge gewürdigtes Dokument dar. Dieses Schreiben enthält eine Entgegnung auf Abt Aelred,[13] der sein bäuerisches Wesen entschuldigend für das Unvermögen angeführt hatte, eine von Bernhard gewünschte Schrift über die Liebe zu verfassen. Ohne Zweifel besitzen die Aussagen dieses Briefes auch für Bernhard selbst Gültigkeit. Denn Bernhard widerlegt

[8] Ohly, Wolframs Gebet, 467f; CC 26,7, I. 175.

[9] Vgl. 58f.

[10] Vgl. 9f.

[11] *Quam libenter vobis communicem, si quid mihi superna dignatione sensero inspiratum* ... (die pent. 3,1, V. 171); ... *sed sermonem crastino audietis quidquid orationibus vobis suggerere mihi inde dignabitur unctio docens de omnibus* (CC 7,8, I. 36); *Et quoniam non possum ego a me dicere quidquam, indicta oratio est, ut nobis sponsus ipse revelet per Spiritum suum,* ...(ebd. 14,8, I. 81); ... *perficere* (der Predigt, M.D.) *autem non invenio, nisi quantum sua benignitate ad vestram aedificationem largiri dignabitur sponsus Ecclesiae, Iesus Christus Dominus noster* (ebd. 38,5, II. 18); *NON QUOD vel tunc SUFFICIENTES SIMUS COGITARE ALIQUID A NOBIS QUASI EX NOBIS, praesertim in tam digna tamque excellente et omnino supereminente materia; SED SUFFICIENTIA NOSTRA EX DEO EST* (ebd. 51,10, II. 89; 2 Kor 3,5); ... *ipsius adiutorio Verbi* (zur Auslegung des Hoheliedverses, M.D.) *egere me fateor* (ebd. 74,1, II. 240).

[12] In einem Abschnitt der Predigt auf Ostern charakterisiert Bernhard das Wirken Christi vor seiner Auffahrt in den Himmel mit folgenden Worten: *Usque ad illam enim diem quasi per stultitiam praedicationis salvos faciebat credentes* (resur. 3,6, V. 109). In div. 29,3, VI.I. 212 beschreibt Bernhard die Menschwerdung Christi unter dem Aspekt der Torheit: *PLACUIT enim EI PER STULTITIAM VERBI SALVOS FACERE CREDENTES. Nonne quodammodo stultum se fecerat, qui tradidit in mortem animam suam,* ....

[13] Zu Aelred, vgl. Heaney, Aelred; Knowles, The monastic order, 240; Roby, Chimaera of the north; Schneider, Die Geistigkeit, 133f; LThK I (K. Spahr), 367f. Zu ep. 523, vgl. Braceland, Bernard and Aelred.

hier Argumente, die an anderer Stelle die seinen sind, so daß sich in ep. 523 formuliert findet, was mitgedacht werden muß, wenn sich Bernhard selbst der Torheit und Unbildung bezichtigt.
Bernhards Selbstcharakterisierung als ungebildete, törichte Person[14] findet im Rahmen seines Briefwerkes in vielfältiger Form ihren Niederschlag. Diesbezügliche Äußerungen reichen von formelhaften Bemerkungen bis hin zu eingehenden Erörterungen des Themas, wobei letztere die Aussagekraft unterstreichen, die auch jenen Floskeln zuzusprechen ist, die das moderne Denken allzuleicht unter den Verdacht der Hohlheit[15] stellt.
Des öfteren versieht Bernhard seinen Rat mit dem Hinweis, daß eigentlich eine gelehrtere Person zu dieser Aufgabe herangezogen werden müsse. So entgegnet Bernhard einer Nonne, die sich mit der Frage nach der von ihr zu wählenden Lebensform an ihn gewandt hatte: *Debueras quidem doctiorem ad hoc consilium eligere,*[16] um sich sodann eingehend der Problematik zu widmen. Dem Rat an Thurstan,[17] den Erzbischof von York, sein Bischofsamt niederzulegen, fügt Bernhard ein-

[14] Bernhard war keineswegs ungebildet. Das in der Schule der Kirche zu Châtillon erworbene Grundwissen entsprach dem Standard des Gebildeten seiner Zeit (Evans, The classical education, 123). Nach der Bekehrung gab Bernhard seinem Streben nach Erkenntnis jene charakteristische Ausrichtung, die in Kapitelabschnitt 2,4, 45ff beschrieben wurde; vgl. auch: Kleineidam, Wissen; Sommerfeldt, The educational theory; ders., The intellectual life. Daß sich ‚Heilswissen' und Schulwissen nicht ausschließen, belegen nicht nur Bernhards tiefgehenden Kenntnisse der Bibel und Theologie, sondern auch, daß selbst die Werke der antiken Klassiker Eingang in seine Texte fanden (Renna, St. Bernard and the pagan classics). Der rege Briefwechsel mit den Gebildeten seiner Zeit (Haring, St. Bernard and the litterati) belegt weiter, daß man in ihm nicht nur den Heiligen, sondern auch den kompetenten Gesprächspartner schätzte.

[15] Von der unlauteren Qualität dieser Formeln geht Ernst Curtius aus, wenn er den diesbezüglichen Kapitelabschnitt in seinem Werk über die Literatur des lateinischen Mittelalters mit dem Titel ‚Affektierte Bescheidenheit' (93–95) versieht. Mag diese Charakterisierung bisweilen auch zutreffen, so ist sie doch zum Verständnis Bernhards nur wenig hilfreich, selbst wenn gerade dieser Heilige nur schwerlich als demütig und bescheiden empfunden werden kann. Den Schlüssel zu Curtius' Sicht scheint folgende Äußerung aus dem Exkurs II zu obigem Werk ‚Demutsformel und Demut' zu bieten: „Ein wirklich demütiger Christ pflegt sich seine Demut nicht selbst zu bescheinigen" (411). Doch nicht wahre Demut, sondern die Demut in ihrer Bedeutung bei Bernhard ist das für den hier darzustellenden Sachverhalt relevante Thema. Ein vorschnelles moralisches Urteil, das einhergeht mit dem Zweifel an der Ernsthaftigkeit von Bernhards Aussagen, verstellt den Blick auf die tiefe Bedeutung, die der doppelsinnigen Demut – sowohl im Kontext des Klosters (höchste Verdemütigung als Elitemerkmal) als auch im Rahmen des außerklösterlichen Wirkens (persönliche Niedrigkeit und Unwert des göttlichen Werkzeuges) – zum Verständnis des Heiligen zukommt.

[16] Ep. 115,1, VII. 294; ?.

[17] Vgl. BC 647.

schränkend hinzu, *sanius sapienti non praescribentibus.*[18] Mit seiner Antwort an Abt Stephan,[19] der sich unschlüssig ist, ob er nach Jerusalem ziehen soll, zögert Bernhard, denn es erscheint ihm als anmaßend, *viro consilii* einen Rat erteilen zu wollen. Trotzdem entschließt sich Bernhard zur Stellungnahme: *et simpliciter pando quod visum est mihi, non praeiudicans sanius sapienti.*[20] Weist Bernhard hier auf die schlichte Qualität seines Ratschlags hin, so betont er an anderer Stelle die Schlichtheit[21] seiner Person, die keine gelehrten Ausführungen erwarten läßt; – *unde frater Dodo nostram simplicitatem consultum venit.*[22] Bei den Bischöfen von Ostia, Tusculum und Palestrina verwendet sich Bernhard für den Abt von Lagny,[23] in der Hoffnung, daß sie seine Torheit ertragen mögen *(sustineri MODICUM QUID INSIPIENTIAE MEAE),* da doch ihr Wohlwollen sie – nach Röm 1,14 – zu Schuldnern der Weisen und Toren mache.[24]

Einen breiten Raum nimmt das Thema der Ungelehrtheit in Bernhards Briefwechsel mit dem Regularkanoniker Oger[25] ein. So bedauert Bernhard in Brief 89, Ogers Bitte um Belehrung nicht nachkommen zu können, denn ihm, dem Mönch und Sünder zieme es nicht zu lehren, sondern zu trauern. Des weiteren mache seine Unbildung die gewünschte Unterweisung unmöglich: *Indoctus quoque, quod et vere me fateor esse, si praesumat docere quod nescit, nihil indoctius agit.*[26] Offenbar hatte Oger Bernhards Weisheit gerühmt *(egregio utique doctore et magistro incomparabili),* was Bernhard in Brief 87 zum Anlaß für eine ausführliche Entgegnung nimmt: *Itane lanam quaerit ovis a capra, aquam molendinum a furno, verbum sapiens a stulto?*[27] Den konkreten Anlaß zu diesem Schreiben bildet die Bitte Ogers um Rat, da er zunächst seine Abtsstelle verlassen hatte, um sodann wiederum in das heimatliche Kloster

[18] Ep. 319,2, VIII, 253; um 1138.
[19] Vgl. BC 282f.
[20] Ep. 82,1, VII. 214; 1127–1128.
[21] Die überaus positive Bedeutung von *simplicitas* erschließt sich aus der Verwendung des Begriffs in anderem Kontext. So wirft Bernhard Abälard u. a. vor, das Mysterium der Trinität *non simpliciter ac sobrie* zu behandeln (ep. 330, VIII. 275, 1140). Durch Abälard *corrumpitur sanitas, simplicitas deridetur* (ep. 336, VIII. 275; 1140), denn nicht analytische Wahrheitsfindung, sondern Gläubigkeit im Geist heiliger Einfalt ist die – nach der Meinung Bernhards – dem Menschen angemessene Haltung gegenüber den Geheimnissen des Glaubens. Daher ist es als höchstes Lob zu betrachten, wenn Bernhard über den Mönch Wilhelm bemerkt: *Vias quippe Domini simpliciter, ac per hoc confidenter ambulans* (ep. 99, VII. 254; ?). Vgl. Merton, St. Bernard on interior simplicity.
[22] Ep. 417, VIII. 401; vor 1147.
[23] Vgl. BC 229.
[24] Ep. 231,1, VIII. 101; 1142–44.
[25] Vgl. BC 286f.
[26] Ep. 89,2, VII. 236; 1125.
[27] Ep. 87,1, VII. 225; nach 1140.

zurückzukehren. Über weite Strecken des Briefes treten jedoch die aufgeworfenen Fragen gegenüber der Selbstdarstellung Bernhards in den Metaphern der Niedrigkeit in den Hintergrund. In diesem Sinne reagiert Bernhard auf die Entschuldigung Ogers, den zuvor erteilten Rat, die Abtsstelle weiterhin zu versehen, ausgeschlagen zu haben. Bernhard bekennt, sehr wohl um seine Torheit *(sapientiae meae siccitatem, immo insipientiae meae)* zu wissen. Von daher hege er stets die Hofnung, daß der ratsuchende Mensch weiser handele, als seine Empfehlung sei. Hinzu trete die schwere Bürde und Verantwortung, die ein erteilter Rat darstelle. Nun aber habe Oger selbst die Verantwortung für seine Entscheidung zu tragen, sowie diejenigen, die ihm geraten haben, das durch den Gehorsam auferlegte Joch abzuschütteln, obgleich doch Christus selbst dem Vater bis in den Tod gehorsam war.[28] Nachdem sich Bernhard im weiteren Verlauf des Briefes der Problematik Ogers gewidmet hat, kehrt er wiederum zum Eingangsthema seines Schreibens zurück. Dies alles sei – wie Bernhard ironisch bemerkt – die ganze Weisheit *elegantissimi et eloquentissimi doctoris.* Die Quelle sei versiegt, denn nach dem Beispiel der Witwe des Evangeliums (Mk 12,44) habe er vom wenigen *(de paupertate mea)* alles gegeben. Oger habe ihn zu einer Erörterung genötigt, die dem Unverstand *(mea inscitia)* und der geistigen Armut *(scientiae paupertatem)* entspringe: *Sermonem, inquam, habes iam satis longum, sed mutum, verbis plenum, sensibus vacuum.*[29] Aber wenn auch dieses Werk für Oger keinerlei Gewinn darstelle, so sei es doch für Bernhard selbst von Nutzen: *mihi proficiet ad humilitatem.* Der Tor *(stultus)* wäre nämlich, hätte er nicht gesprochen, als solcher unerkannt geblieben. Nun aber, da er gesprochen hat, gibt er sich dem Gespött der Menschen preis *(alii insipientem me ridebunt, alii subsannabunt idiotam, alii praesumptori indignabuntur).* Dies jedoch sei von vorzüglichem Nutzen für die Frömmigkeit, da der Weg zur Demut über das Erleiden von Demütigungen führe.[30]
Brief 87 stellt in der Tat ein für das moderne Empfinden befremdliches Dokument dar. Sieht man von der düsteren Selbstcharakterisierung ab, die dieser Brief über weite Strecken zum Inhalt hat, so wirkt er – in der Selbstbezogenheit seiner Aussagen, in der Vielfalt von Formulierungen, die in ihrer Beredtheit das Gegenteil von dem ausdrükken, was sie besagen – fast spielerisch. Und in der Tat handelt es sich hier um ein Spiel; – ein Spiel, den Menschen zum Gespött, den Engeln jedoch zur Freude *(bonus ludus, qui hominibus quidem ridiculum, sed angelis pulcherrimum spectaculum praebet).* Die Regeln dieses Spieles entstam-

[28] Ep. 87,2, VII. 225f.
[29] Ep. 87,10, VII. 229f.
[30] Ep. 87,11, VII. 230.

men der Hl. Schrift: *EXALTATUS AUTEM, HUMILIATUS SUM ET CONTURBATUS, et illud: LUDAM, ET VILIOR FIAM.* Nicht nach falscher Höhe gilt es daher zu verlangen, sondern jenes heilsame Spiel zu spielen, *quo efficimur OPPROBRIUM ABUNDANTIBUS, ET DESPECTIO SUPERBIS.* Denn erscheine den Weltmenschen das Leben der Mönche, - die das erstreben, vor dem die Welt flieht; die vor dem fliehen, was die Welt erstrebt -, nicht als ein Spiel *more scilicet ioculatorum et saltatorum, qui, capite misso deorsum pedibusque sursum erectis, praeter humanum usum stant manibus vel incedunt, et sic in se omnium oculos defigunt?* Unverkennbar ist die Niedrigkeitsthematik in Brief 87 auf Steigerung hin angelegt. Den zahlreichen Bekenntnissen zu Niedrigkeit und Unwert läßt Bernhard im letzten Abschnitt des Briefes das Bild von den Gauklern und Spaßmachern folgen, die als Symbol der äußersten Niedrigkeit doch zugleich am nachdrücklichsten das Gegenteil dessen bedeuten, was sie vordergründig zum Ausdruck bringen. Gleich den Gauklern, die kopfüber auf den Händen laufen, stellen die Mönche die Werte der Welt auf den Kopf. Die Welt aber ist bereits in sich selbst verkehrt, so daß die Umkehrung ihrer Werte diese wiederum in ihrer eigentlichen heilsverheißenden Verbindlichkeit herstellt. Wie auf die Gaukler heften sich auf die Mönche die Blicke aller, die - wie wohl interpretiert werden darf - anhand der Unerhörtheit des Geschehens voller Erstaunen, die aber auch angesichts der außergewöhnlichen Leistung voller Bewunderung sind. In charakteristischer Weise verbindet sich auch an dieser Stelle das Bekenntnis zur Niedrigkeit mit hohem Selbstbewußtsein. Denn keineswegs sei dies ein kindisches Spiel oder gar ein Theaterspiel, das durch weibische,[31] abscheuliche Darstellung die Lüste wecke. Dieses Spiel der Niedrigkeit ist ganz im Gegenteil keusch und fromm; es dauert an, bis die verkehrte Welt in Christus überwunden werden wird; - *donec veniat qui potentes deponit et exaltat humiles, qui nos laetificet, glorificet, in aeternum exaltet.*[32]

Nicht die Narretei und Torheit Bernhards und seiner Mitbrüder haben die Aussagen des Briefes an Oger zum Inhalt, sondern die tiefe Weisheit derjenigen, die der Welt zu Narren und Toren geworden sind. Auf diese Weisheit der Kleinen und Niedrigen spielt Bernhard - nach Mt 11,25 - in einem Schreiben an, das zum Klosterleben ermuntern soll: *CONFITEOR TIBI, PATER, QUIA ABSCONDISTI HAEC A SAPIENTIBUS ET PRUDENTIBUS, ET REVELASTI EA PARVULIS.*[33] Gänzlich anders hingegen verhält es sich mit der Weisheit des Weltmenschen, dessen vorgeblicher Klugheit jede wahre Erkenntnis verschlossen ist;

[31] Vgl. 222, Anm. 129.
[32] Ep. 87,12, VII. 231; Ps 87,16; 2 Reg 6,22; Ps 122,4.
[33] Ep. 107,3, VII. 269; vor 1131.

Vae vobis, FILII HUIUS SAECULI, a vestra insipiente prudentia, ignorantes Spiritum salutarem, nec participantes consilio quod solus soli Pater eructuat Filio, excepto cui voluerit Filius revelare.[34]

Woher – so fragt sich Bernhard – entstammt die Weisheit des zarten Jünglings Hugo, der sich zum Eintritt ins Kloster entschlossen hat: *Hugonis nostri sapientia non de terra est, sed de caelo. CONFITEOR TIBI, PATER, QUIA ABSCONDISTI HAEC A SAPIENTIBUS, et parvulo revelasti.*[35] Bei Oger, dem Gleichgesinnten, darf Bernhard das Wissen um die Torheit vor der Welt, die zugleich Weisheit vor Gott ist, voraussetzen, so daß er dieses Thema in kunstvoll verschlüsselter Form zu gestalten vermag. Einem namentlich nicht bekannten Laien jedoch, der seinen Verwandten dem Kloster entreißen will, hält Bernhard in harschen, unmißverständlichen Worten die Torheit entgegen, die die Weisheit der Welt darstellt. Für weise gelte dieser Mensch, der doch gleich der Schlange Bernhards Sohn Peter zu verführen trachte.[36] Doch diese Weisheit, die nicht die Vergänglichkeit der Güter, das nahe Ende bedenkt, verdient ihren Namen nicht: *Pulchre stultum pseudosapientem verus Sapiens appellavit, sciens sapientiam huius mundi stultitiam esse apud Deum.*[37]
Der Selbstcharakterisierung Bernhards in den vorausgegangenen Belegstellen entspricht die Haltung, die Bernhard gegenüber seinem schriftstellerischen Werk einnimmt. Dem Wunsch des Karthäusers Bernhard von Portis[38] nach einer der Schriften Bernhards tritt der Abt daher mit einigen Einwänden entgegen. Nicht nur die hohe Begabung des Karthäusers, sondern auch die eigene Begabungslosigkeit sowie den Mangel an Muße gelte es zu bedenken *[(c)eterum, ubi ingenium aut quando otium mihi sufficiens ad id quod petis?]*. So stehe zu erwarten, daß er für denjenigen, der Großes erhoffe, nur Unbedeutendes *[ridiculum (. . .) murem]* hervorbringen werde. Dennoch übersende Bernhard dem Karthäuser das wenige, was er habe, wobei er dies wiederum mit einschränkenden Worten bezüglich seines Wertes versieht: *Invitus, fateor, praebeo, quod me existimem non tam edere profuturum quam prodere contemnendum.*[39] Vergleichbare Einwände entgegnet Bernhard dem Abt von Montier-Ramey,[40] der um die Komposition eines Officiums zum Fest des hl. Victor[41] gebeten hatte. Bernhard habe gezögert, nach Entschul-

[34] Ep. 107,4, VII. 269.
[35] Ep. 322,1, VIII. 256; um 1138.
[36] Ep. 292,1, VIII. 209; ?.
[37] Ep. 292,2, VIII. 210.
[38] Vgl. BC 630.
[39] Ep. 153,1, VII. 359f; 1136.
[40] Vgl. BC 246 u. 163.
[41] Vgl. Leclercq, Recueil II. 151–168.

digungen gesucht, sich aber dem Drängen des Abtes nicht zu entziehen vermocht. Dennoch bedürfe eine solch hohe Aufgabe nicht Bernhards, sondern eines Geeigneteren *(eruditum, sed dignum, cuius auctoritas potior, vita sanctior, stilus maturior).*[42] Bernhard hingegen nehme in der Christenheit eine so geringe Stellung ein *[(q)uantulus ego in populo christiano],* besitze eine solch geringe Begabung *(quantula mihi ingenii eloquiive facultas),* daß diese Aufgabe für seine Person unangemessen sei.[43] Dennoch habe er dem Drängen nachgegeben und so das geforderte Werk geschaffen, welches allein seinem geringen Vermögen *(paupertate mea),* nicht aber den Wünschen des Abtes entspreche.[44] Kardinaldiakon Petrus,[45] der um Schriften Bernhards gebeten hatte, erwidert der Heilige, daß er nur wenige Abhandlungen geschrieben habe, die zudem nicht der Aufmerksamkeit des Kardinaldiakons wert seien. Nachdem Bernhard seine Werke aufgezählt hat, beschließt er das Schreiben mit dem Wunsch, daß Petrus in seinen Schriften trotz deren von bäuerischer Plumpheit gekennzeichneten Stils dennoch etwas von Nutzen finden möge: *Utinam, quod minime spero, nostra vobis in aliquo possit esse officiosa rusticitas.*[46] Eine vergleichbare Formulierung findet sich in Brief 17, der ebenfalls an Kardinaldiakon Petrus gerichtet ist. Wiederum bedient sich Bernhard, der um die Übersendung seiner Schriften gebeten wurde, zur Beschreibung seiner Niedrigkeit des Bildes vom bäuerischen Wesen: *et ideo valde gratum habemus, si nostra vobis forte in aliquo esse possit officiosa rusticitas.*[47]

Wie zu Beginn dieses Kapitels erwähnt, findet im Bild des Bauern die Verbindung von Niedrigkeit und Begnadung besonders dichten Ausdruck. Grundlegendes zu diesem Thema klingt bereits in Brief 106 an. Dieses Schreiben ist in der Absicht verfaßt, dem gelehrten Magister Heinrich Murdach,[48] den Weg zu wahrer Erkenntnis zu weisen, d. h. ihn zum Eintritt in den Zisterzienserorden zu bewegen. Weit schneller sei Christus in der Nachfolge als in den Studien zu begreifen und zu erfassen *(citius illum sequendo quam legendo consequi potes).* Was suche er das WORT in den Worten, da es doch Fleisch geworden sei, da es aus den Verstecken der Propheten hervorgetreten sei *ad oculos piscatorum,*[49] wobei sich im biblischen Motiv von den Fischern wiederum das charakteristische Element der Niedrigkeit der Erkennenden ausgedrückt

[42] Ep. 398,1, VIII. 377; 1137–1153.
[43] Ep. 398,2, VIII. 378.
[44] Ep. 398,3, VIII. 378.
[45] Vgl. BC 631.
[46] Ep. 18,5, VII. 69; 1126.
[47] Ep. 17, VII. 65; 1126.
[48] Vgl. BC 647.
[49] Ep. 106,1, VII. 266; um 1125.

findet. *O si te umquam in schola pietatis sub magistro Iesu merear habere sodalem;* – dieser Schule Jesu Christi[50] liegt eine Art und Weise des Lernens und Erkennens zugrunde, die Bernhard im zweiten Abschnitt des Briefes anhand des Bildes vom Brotinnern und von Brotkruste ausführt. Hart und unergiebig wie die Kruste des Brotes ist jene Suche nach Erkenntnis, die sich – nach Art der jüdischen Schriftgelehrten[51] – am Buchstaben, d. h. an der äußeren Hülle des Wortes aufhält, während den Bürgern Jerusalems das Brotinnere, d. h. der geistige Sinn des Wortes, zur heilsamen Sättigung gereicht wird *(O si semel paululum quid de adipe frumenti, unde satiatur Ierusalem, degustares! Quam libenter suas crustas rodendas litteratoribus Iudaeis relinqueres!).* Dieses warme, noch dampfende Brot bricht Christus für seine Armen *(O quam libens partirer tibi calidos panes, quos utique adhuc fumigantes, et quasi modo de furno, ut aiunt, recens tractos, de caelesti largitate crebro Christus suis pauperibus frangit!);* – d. h. im Kloster erschließt sich dem armen, unbedeutenden Menschen das kostbare Innen von Wort und Welt, so daß er den Buchstaben, der tötet, den Schein der Dinge, der Blendwerk ist, zu überwinden vermag. Vorbedingung für dieses höchste, umfassende Verstehen sind die Übungen der Tugend, die das Innen des Menschen reinigen und somit die Salbung durch den Geist ermöglichen *(O si mihi liceat purificatum prius tui pectoris vasculum supponere unctioni quae docet de omnibus!).* Allein vor diesem Hintergrund dürfen folgende Sätze verstanden werden,[52] in denen Bernhard der Naturbetrachtung einen höheren Stellenwert als der Buchgelehrsamkeit einräumt, auf daß dem Menschen durch die kontemplative Versenkung in Gottes Schöpfung jener innere Sinn offenbar werde, der wahre Erkenntnis, vor allen Dingen aber spirituelle Speise für die nach Gott hungernde Seele ist:

Experto crede: aliquid amplius invenies in silvis quam in libris. Ligna et lapides docebunt te, quod a magistris audire non possis. Annon putas posse te sugere MEL DE

[50] Vgl. 58f u. 250.

[51] Bernhard legt den jüdischen Schriftgelehrten zur Last, daß sie beim Buchstabensinn des Wortes der Hl. Schrift verharren.[152] *Hic litterae tenor, et haec Iudaeorum portio* bemerkt Bernhard am Ende des ersten Abschnittes der 73. Hoheliedpredigt auf Vers 2,17, in dem er den Inhalt des Verses zusammengefaßt hat (CC 73,1, II. 234). Das kostbare Innen des Wortes *(tamquam granum de palea, de testa nucleum, de osse medullam),* das Bernhard in den folgenden Predigtabschnitten zu ergründen unternimmt, bleibt den Juden verborgen; – *sed Israel pro velato mysterio ipsum mysterii velamen tenet. Quare, nisi quia adhuc velamen positum est super cor eius? Ita quod sonat littera, illius est; quod signat, meum: ac per hoc illi ministratio mortis in littera, mihi vita in spiritu.* (CC 73,2, II. 234); vgl. Ohly, Vom geistigen Sinn, 27.

[52] In diesem Sinne deutet auch Friedrich Ohly den zitierten Briefabschnitt, vgl. Ohly, Vom geistigen Sinn, 19; vgl. auch: Ganzenmüller, Das Naturgefühl, 170ff; Sinz, Die Naturbetrachtung.

PETRA OLEUMQUE DE SAXO DURISSIMO? Annon montes stillant dulcedinem, et colles fluunt lac et mel, et valles abundant frumento?[53]

Die zentralen Motive des Briefes 106 finden auch in Brief 523 ihren Niederschlag, wobei hier nun (was sich in Brief 106 bereits andeutete) die Niedrigkeit des Erkennenden als zentrales Element der Auffassung Bernhards von Erkenntnis einen weiten Raum im Argumentationsgang des Schreibens einnimmt. Abt Aelred hatte seine Unfähigkeit beteuert, eine von Bernhard gewünschte Schrift über die Liebe zu verfassen. Nachdem Bernhard Aelred auf die Pflicht zum Gehorsam sowie die Notwendigkeit hingewiesen hat, die Tugend der Demut mit dem Geist der Mäßigung und Unterscheidung zu versehen, faßt er die Gründe Aelreds für dessen ablehnende Haltung noch einmal zusammen:

Causas tuae impossibilitatis ostendisti, dicens te minus grammaticum, immo pene illitteratum, qui de coquinis, non de scholis, ad eremum veneris, ubi, inter rupes et montes agrestis et rusticus victitans, pro diurno pane in securi desudes et malleo, ubi magis discitur silere quam loqui, ubi, sub habitu pauperum piscatorum, coturnus non admittitur oratorum.

Die vorgetragenen Argumente sind aus den zitierten Briefen Bernhards bekannt,[54] wobei hier das besondere Gewicht auf dem Landleben Aelreds und seiner hieraus resultierenden bäuerisch-plumpen Wesensart liegt. Das Bekennntnis des Unvermögens beinhaltet unausgesprochen den Verweis auf ein außerhalb der eigenen Person liegendes Vermögen, eine Kompetenz, die dem Geist, der Begnadung entspringt. Dieser Sachverhalt findet in Bernhards Entgegnung auf Aelred einen weiteren, eindringlichen Beleg.

Accipio gratissime excusationem tuam, qua desiderii mei scintillam augeri potius sentio quam extingui, cum dulcius mihi debeat sapere, si id proferas quod non in cuiuslibet grammatici, sed in schola didiceris Spiritus Sancti, cum forte thesaurum ob id habeas in vase fictili, UT SUBLIMITAS SIT VIRTUTIS DEI, ET NON EX te.

Kennzeichnenderweise stellt Bernhard nicht Unbildung und bäuerisches Wesen Aelreds in Abrede, sondern sieht sich gerade anhand dieser Selbstcharakterisierung in der Berechtigung seines Wunsches bestärkt. Denn nicht Schulwissen, sondern Erkenntnis, die dem heiligen Geist entstammt, ist von einem solchen Menschen zu erwarten, wobei wiederum die Niedrigkeit der zum Gefäß gewordenen Person in untrennbarer Verbindung mit der Erhabenheit der Inhalte steht, die die Kraft Gottes in diesen Menschen eingießt. Im weiteren Fortgang dieses kunstvollen Schreibens greift Bernhard die niedrigen Tätigkeiten

[53] Ep 106,2, VII. 266f; Ioel 3,18.
[54] Vgl. 198ff.

Aelreds auf, um sie unter dem Aspekt der Begnadung zu beleuchten und somit mit grundlegend gewandelter Bedeutung zu versehen. Gleichsam als Weissagung auf die Zukunft sei es gefügt worden, daß Aelred, der einst in der Küche des Königs für das leibliche Wohl verantwortlich war, nun im Hause des Königs der Könige für die spirituelle Speise Sorge trage. Weder hohe Berge und rauhe Felsen noch unwirtliche Täler mag Bernhard als Argumente gelten lassen, denn nun seien die Tage angebrochen, in denen (wie Bernhard anhand der auch in ep. 106 verwandten Bibelzitate beschreibt) die Süße von den Bergen, Milch und Honig von den Hügeln fließe, in denen die Täler Getreide im Übermaß spendeten, in denen Honig aus Stein, Öl aus Felsen gesaugt werden könne. Von daher verleiht Bernhard seiner festen Überzeugung Ausdruck, daß es Aelred gelingen werde, mit seinem Hammer jenen kostbaren Sinn aus den Felsen zu schlagen, der nicht persönlichem Scharfsinn, nicht dem Buchwissen entspringe, sondern in der Mittagshitze unter dem Schatten der Bäume erfahren werde:

Unde arbitror quod malleo illo tuo aliquid tibi de rupibus illis excuderis, quod sagacitate ingenii de magistrorum scriniis non tulisses, et nonnumquam tale aliquid in meridiano fervore, sub umbris arborum senseris quale numquam didicisses in scholis.

Eine solche Erkenntnis entstammt der Begnadung, und so gilt es, nicht sich selbst, sondern allein Gott als dem Ursprung dieses Wissens Ruhm und Ehre zuzusprechen: *Non tibi, sed nomini eius da gloriam.* Denn der barmherzige Gott vermag – dem Sünder zur Hoffnung – Kleinheit in Größe, Unwissenheit in Wissen zu verwandeln;

misericors et miserator Dominus, ad peccatorum spem cumulatius erigendam, illuminavit caecum, indoctum erudivit, docuit imperitum.[55]

7.1.1. Eugenius Abiectus

Abschließend sind die im vorangegangenen gewonnenen Einsichten zum Verständnis einer anderen Problemstellung nutzbar zu machen. In Brief 237, den Bernhard an die römische Kurie anläßlich der Wahl seines ehemaligen Schülers zum Papst sendet, charakterisiert Bernhard diesen in den bekannten Metaphern der Niedrigkeit. Helmut Gleber dient dieses Schreiben zum Beweis für die Feststellung, daß Bernhard Eugen zu keinem Zeitpunkt für fähig gehalten habe, einen wichtigen politischen Posten selbständig zu versehen.[56] Daß das Urteil Glebers in dieser Form nicht aufrechtzuhalten ist, macht die Analyse des Schreibens vor dem Hintergrund der doppelsinnigen Niedrigkeitsthematik

[55] Ep. 523, VIII. 487; 1141–1142.
[56] Gleber, Papst Eugen III, 14f.

deutlich. Brief 237 ist durch seine kunstvoll gestaltete polare Anlage gekennzeichnet, in der Bernhard die Niedrigkeit Eugens mit der Erhabenheit des ihm zuteil gewordenen Amtes kontrastiert. *Parcat vobis Deus: quid fecistis?* lauten die Eingangssätze dieses Briefes, denen Bernhard sodann die ausführliche Beschreibung der Unerhörtheit des Geschehens folgen läßt. Ein Begrabener sei zu den Menschen zurückgerufen worden, ein vor Sorgen und Wirren Fliehender sei erneut in diese verwickelt worden. *Fecistis novissimum primum;* – an dieser Stelle benennt Bernhard, was als die zentrale Aussage seines Schreibens zu betrachten ist. Im weiteren vervielfältigt Bernhard dieses Thema in mehreren inhaltlichen Variationen, um so seine Sicht des Geschehens den Empfängern auf das eindringlichste vor Augen zu führen. Ein Mensch, der für sich eine gemeine Stellung *(abiectus)* im Hause Gottes gewählt habe, sei zum Herrn aller bestellt worden. Ein Armer, Bettler und Zerknirschter sei vom Weg abgebracht worden.[57] Welcher Grund, welcher Ratschlag, so Bernhard weiter, habe die Kurie wohl dazu bewogen, einen Bauern *(hominem rusticanum)* zum Papst zu bestimmen, ihm Axt und Hacke aus der Hand zu schlagen, um ihn mit feinsten Stoffen umkleidet in einen Palast zu zerren, auf den Thron zu erheben. Wäre nicht ein erprobter Mann *(sapiens et exercitatus)* aus dem Kreis der Kurie weit besser für diese Aufgabe geeignet gewesen? Lächerlich erscheine es, einen armen Menschen in Lumpen *(pannosum homuncionem)* über Fürsten und Bischöfe zu setzen: – *Ridiculum, an miraculum?* Hier nun bietet Bernhard zwei Lösungsmodelle zum Verständnis jener Absurdität und Unerklärlichkeit an, mit der er die Ereignisse zuvor selbst versehen hat. Der Argumentationsgang des Briefes läuft auf die angebotenen Lösungsmodelle zu. Welche der beiden Möglichkeiten zur Erklärung die zutreffende ist, liegt auf der Hand. Daß Bernhard diese Entscheidung nicht trifft *[(p)lane unum horum),* bietet ihm die Gelegenheit, weitere Argumente einer Erklärung des Geschehens als Wunder zuzutragen. Keineswegs bezweifle er, daß es sich hier um ein Wunder handeln könne, zumal er allenthalben gehört habe, *quoniam A DOMINO FACTUM EST ISTUD.* Auch habe er nicht die Schriftstellen über die alten Wundertaten Gottes vergessen, der des öfteren Personen von gemeiner, bäuerischer Herkunft *(ex privata seu etiam rusticana vita)* zur Herrschaft über sein Volk erhoben habe. Im besonderen *(ut unum e pluribus memorem)* verweist Bernhard auf David,[58] der in exemplarischer Weise vom Kleinen zum Großen geworden ist, und dessen Gestalt – wie zu zeigen sein wird[59] – auch für Bernhard selbst Vorbildfunktion besitzt.

[57] Ep. 237,1, VIII. 113f; 1145.
[58] Ep. 237,2, VIII. 114.
[59] Vgl. 216ff.

Eugen ist Papst geworden und *multi dicunt, a Domino factum est.*[60] Dies ist auch das Urteil Bernhards, das er an keiner Stelle des Briefes als das seine kenntlich macht, sondern dem er unter Entfaltung der großen suggestiven Kraft seiner Rhetorik durch Aufbau und Terminologie des Gesamtschreibens kunstvollen Ausdruck verleiht.

7.2. Bernardus Vilis

Das Thema der ‚Torheit' Bernhards fand sich weitgehend im Bereich der literarischen Tätigkeit des Heiligen sowie im Bereich seiner Funktion als geistlichem Ratgeber angesiedelt. Die im folgenden zu behandelnden Bekenntnisse zu Niedrigkeit und Unwert stehen eher im Kontext des öffentlichen Wirkens Bernhards. Die Grenze zwischen beiden Themen verläuft jedoch weitaus fließender, als es die vorgenommene Kapiteleinteilung vermuten läßt. Dies belegt Brief 244 an König Konrad, der die innere Verwandtschaft der Motive erneut unterstreicht. Bernhard fordert in diesem Schreiben Konrads Eingreifen gegen die aufrührerischen Römer:

Et quidem ignoro quid vobis super hoc consulant sapientes vestri et principes regni; sed ego, in insipientia mea loquens, quod sentio non tacebo.[61]

Nachdrücklich weist Bernhard den römischen König auf die Notwendigkeit, die Rechte der Krone zu wahren, sowie die Kirche zu schützen, d. h. auf die zweifache Pflicht Cäsars hin, um sodann mit dem erneuten Bekenntnis zu Torheit und Unwert seiner Person zu schließen:

FACTUS SUM INSIPIENS, qui, cum sim vilis ignobilisque persona, tamquam aliquis magnus, consiliis tantae magnitudinis tantaeque sapientiae me ingessi, et de re magna. At quo ignobilior atque abiectior, tanto liberior sum ad loquendum quod caritas suggerit.[62]

Auch im Kontext des politischen und kirchenpolitischen Wirkens reicht Bernhards Bekenntnis zur Niedrigkeit seiner Person von floskelhaften Bemerkungen[63] bis hin zu ausführlicheren Darlegungen des Themas. Der überwiegende Teil der Briefe Bernhards ist, zumal wenn sie an kirchliche und weltliche Große gerichtet sind, mit jener Selbstcharakterisierung versehen, die in unterschiedlichen inhaltlichen Variationen auftritt, jedoch immer das Bekenntnis zu persönlicher Nied-

[60] Ep. 237,3, VIII. 114f; vgl. zu diesem Kapitelabschnitt Bernhards Brief an Papst Eugen zu Beginn von dessen Pontifikat (336ff).

[61] Ep. 244,2, VIII. 135; 1144.

[62] Ep. 244,3, VIII. 135f; 2 Kor 12,11.

[63] Die methodischen Überlegungen in Anm. 15, 200 besitzen auch an dieser Stelle Gültigkeit.

rigkeit und Kleinheit als grundlegende Aussage enthält. So wendet sich Bernhard, der Arme, mit der Bitte um Bestätigung des gewählten Kandidaten für den Bischofssitz von Châlons an Papst Honorius: *Aiunt apud vos plus valere pauperis precem quam potentis vultum.*[64] Angerührt und betroffen von den Leiden der Armen mahnt Bernhard, *pauper ego,*[65] Herzog Konrad zur Einstellung der kriegerischen Aktivitäten. Mit Nachdruck verwendet sich Bernhard - *PAUPER SUM EGO, fidelis tamen vester*[66] -, für ein bedrängtes Kloster bei Kaiser Lothar. Auch in der Entgegnung auf Vorwürfe, sich zu sehr in außerklösterliche Angelegenheiten gemischt zu haben,[67] betont Bernhard seine Armut und Bedürftigkeit, um so das Unrecht zu unterstreichen, das er glaubt erdulden zu müssen: *Etiamne pauperi et inopi veritas odium parit, et ne ipsa quidem miseria declinare invidiam potest?*[68] Obgleich Bernhard der an Würden Geringste im Reich Ludwigs des Dicken ist *(ego minimus in regno vestro, sed dignitate, non fidelitate),* findet er dennoch harsche Worte der Kritik für seinen König, der die französischen Bischöfe von der Teilnahme an dem von Innozenz II. einberufenen Konzil in Pisa abzuhalten sucht.[69] Unter der Verwendung von vergleichbaren Worten *[(m)odicus . . . dignitate, sed non devotione]* richtet Bernhard ein ebenfalls mahnendes Schreiben an den römischen König Konrad.[70] Als armes Menschlein ohne jegliche Würde - *nullius dignitatis homuncio*[71] - wendet sich Bernhard an den Kardinalpriester Johann von Crema,[72] um diesen zu bewegen, daß er sich für die unnachgiebige Verfolgung der Mörder Archibalds, des Subdiakons von Paris[73] einsetzt. Daß Bernhard, *vilis homuncio,*[74] dem erhabenen Patriarchen von Antiochia einige erbauliche Überlegungen zum Wesen des Bischofsamtes zu übersenden wagt, geschieht, so Bernhard, nicht aus Überhebung, sondern in Gottvertrauen und Nächstenliebe.

Auf seinem Rückweg von Rom habe ihn, wie Bernhard an Papst Innozenz berichtet, der ehemalige Bischof von Salamanca aufgesucht und es nicht für unter seiner Würde erachtet, Hilfe von einem solch unbedeutenden Menschlein *(ab homunculo)* zu erbitten.[75] Bernhard betont

[64] Ep. 13, VII. 62; 1126.
[65] Ep. 97,2, VII. 247f, um 1132.
[66] Ep. 139,2, VII. 336; 1135.
[67] Vgl. 165ff.
[68] Ep. 48,1, VII. 137; um 1130.
[69] Ep. 255,2, VIII. 162; 1135; vgl. Vacandard, Leben I. 449.
[70] Ep. 183, VIII. 3; 1139.
[71] Ep. 163, VII. 371; 1133.
[72] Vgl. BC 625.
[73] Vgl. Vacandard, Leben I. 428f.
[74] Ep. 392, VIII. 361; 1135-1139.
[75] Ep. 212, VIII. 71; ?.

im weiteren Verlauf des Schreibens die Gerechtigkeit des päpstlichen Absetzungsurteils. Dennoch wage er an Innozenz, seinen Herrn, die Bitte um Barmherzigkeit zu richten; – *CUM SIM PULVIS ET CINIS.*[76] Zahlreiche weitere Belege sind hinzuzufügen, in denen Bernhard der Kleinheit und Würdelosigkeit seiner Person, in wechselnder Terminologie Ausdruck verleiht. Als *‚nostra pusillitas'*[77] wendet er sich an die französische Königin, um ihr den Fall eines gewissen Wicard vorzutragen, der von ihr ungerecht in die Verbannung getrieben und seiner Güter beraubt worden sei.[78] Der verstorbene Malachias habe Bernhard *[nostram (...) exiguitatem]* gebeten, der hinterbliebenen Brüder sorgend zu gedenken.[79] Freudig habe er vernommen, daß ein Freund dem Rat zum Klosterleben *ab exiguis licet vilibusque personis* (denen Bernhard sich zuzählt) nachzukommen beabsichtige.[80] Daß Heinrich, der Bischof von Winchester[81] *humilitatem nostram* mit seiner Gunst bedenke, nimmt Bernhard erfreut zur Kenntnis.[82] Als *‚vilis vermiculo'* tritt er bei Papst Innozenz für den Bischof von Auxerre ein.[83] Häufig verwendet Bernhard den Begriff *parvitas* zur Kennzeichnung seiner Person. Eine Frau habe *nostrae parvitatis consilium* über den Zustand ihres Seelenheils begehrt.[84] Bezüglich des Klosters St. Stephan in Dijon übersendet Bernhard dem Bischof von Langres seinen Rat; – *si tamen dignum putatis monitis nostrae acquiescere parvitatis.*[85] *(P)arvitatis nostrae litteras*[86] habe er an den Abt Suger abgeschickt. Weitaus am häufigsten verleiht Bernhard seiner Kleinheit im Begriff *‚puer'* Ausdruck, der insbesondere in Bernhards ausgedehntem Briefwechsel mit Papst Innozenz häufige Verwendung findet.[87]
In mehreren Schreiben verschränkt sich Bernhards Bekenntnis zum persönlichen Unwert mit dem selbstbewußten Hinweis auf die durch ihn wirkende Gnade. Diese Verbindung kennzeichnete bereits Bern-

[76] Ep. 212, VIII. 72; Gen. 18,27.
[77] Ep. 511, VIII. 470; ?.
[78] Weiteres über diese Angelegenheit ist nicht bekannt.
[79] Ep. 374,2, VIII. 336.
[80] Ep. 496, VIII. 453; ?.
[81] Vgl. BC 646.
[82] Ep. 93, VII. 242; 1133.
[83] Ep. 215, VIII. 75; um 1140.
[84] Ep. 62, VII. 155; vor 1129.
[85] Ep. 59, VII. 152; 1126.
[86] Ep. 377,2, VIII. 341; 1149.
[87] Briefe an Papst Innozenz: ep. 152, VII. 353, um 1135; ep 167, VII. 378, 1138; ep 171, VII. 386, 1139; ep. 180, VII. 402, 1140; ep. 212, VIII. 71, ?; ep. 215, VIII. 74; um 1140; ep. 350, VIII. 294, um 1141.
Sonstige: ep. 358, VIII. 303, 1143 (Papst Cölestin); ep. 270,3, VIII. 180, 1151 (Papst Eugen); ep. 250,1, VIII. 145, 1147–1150 (Karthäuserprior Bernhard).

hards Handeln in den Angelegenheiten Christi.[88] *(Q)uis enim ego sum, ut de tantillo tantus princeps curetis, nisi quamdiu Deum in me credetis*[89] lautete eine jener Äußerungen, die auch den hier zu behandelnden Sachverhalt unterstreichen. Anläßlich der italienischen Wirren ausgelöst durch das Schisma von 1130 wendet sich Bernhard *(pauper ignobilisque persona)* an die Stadt Mailand, die ihn ersucht hatte, den Frieden mit der Partei Kaiser Lothars und Papst Innozenz, zu vermitteln.[90] Unter Erwähnung der vermittels seiner Person zu erhoffenden friedensstiftenden Kraft der göttlichen Gnade stellt Bernhard sein Kommen auf dem Rückweg von Pisa in Aussicht;

spero me rediturum per vos et probaturum de gratia quam promittitis. Qui autem gratiam dedit, faciat ne in me vacua sit.[91]

In Brief 144 berichtet Bernhard – nach der eindringlichen Klage über die Last der Geschäfte[92] – ebenfalls unter Verwendung von 1 Kor 15,10 über die Erfolge, die ihm in der Angelegenheit des Schismas beschieden waren:

Deinde, quod saepe non meis meritis superna gratia honestavit me in laboribus meis ET GRATIA illa IN ME VACUA NON FUIT, sicut in multis expertus sum, et vos ex parte non latuit.

So bedürfe die Kirche auch desweiteren seiner Anwesenheit *(praesentia parvitatis nostrae),* was Bernhard, wie er betont, den Mitbrüdern nicht aus Ruhmsucht, sondern zum Trost über die Dauer seines Fernbleibens mitteilt.[93]

Si semen bonum, iactum in terram bonam, fructum attulisse videtur, ipsius est gloria qui dedit semen serenti, fecunditatem terrae, semini incrementum –

schreibt Bernhard an den Bischof von Pavia, der ihn für seine Erfolge im Kampf zur Überwindung des Schismas gelobt hatte. Keinesfalls werde er für sich jenen Ruhm beanspruchen, der allein Christus gebühre. Nicht er bekehre die Seelen der Menschen, nicht er gewähre den Unwissenden die Weisheit. Der Hand spende man das Lob, die den zierlichen Buchstaben bilde, nicht der Schreibfeder.[94] Wiederum

[88] Vgl. 177ff.
[89] Ep. 271, VIII. 181; 1151.
[90] Vgl. Vacandard, Leben I. 449; Schmale, Studien 174.
[91] Ep. 133, VII. 329; 1135.
[92] Vgl. 170ff.
[93] Ep. 144,3, VII. 345f; 1137.
[94] Die enge Verbindung zwischen begnadeter Rede und begnadetem Wirken tritt deutlich daran zutage, daß Bernhard an anderer Stelle (vgl. 10 u. 282) das Bild von der Schreibfeder zum Hinweis auf die Inspiriertheit seiner Rede benutzt.

geht mit dem Bekenntnis zu Bescheidenheit und Demut das Bewußtsein um das Große einher, das durch Bernhard zu geschehen vermag: – *Fateor, ut multum tribuam mihi, LINGUA MEA CALAMUS SCRIBAE VELOCITER SCRIBENTIS.*[95] Wie an der Gewinnung des Kardinals Petrus von Pisa[96] *(illum Deus per me revocare a faece schismatis),* wird auch an den Erfolgen der Partei des Papstes Innozenz das Eingreifen Gottes offenbar, so daß im glückhaften Zusammenklang von göttlichem Willen und inspiriertem Handeln die unheilvolle Spaltung überwunden wird:

Nos in nostris partibus, una cum aliis Dei servis divino igne accensis, Deo cooperante laboravimus IN CONVENIENDO POPULOS IN UNUM ET REGES.[97]

Das Bild vom Werkzeug, von der Schreibfeder in der Hand der göttlichen Vorsehung, vom Sämann, der die Saat Gottes auswirft und deren gottgegebenes Wachstum hegend und pflegend begleitet, impliziert – neben dem selbstbewußten Gehalt der Aussage[98] – das Moment der Kleinheit des Ausführenden. Eine eingehende Darlegung des Verhältnisses von Kleinheit und Kompetenz zu politischer Einflußnahme bietet Brief 243, den Bernhard anläßlich der Vertreibung Papst Eugens aus der Stadt Rom verfaßte.[99] Wiederum versieht Bernhard seine Person mit den aus den vorausgegangenen Schreiben bekannten Attributen der Kleinheit und des Unwerts. Seine Rede ergehe an das erhabene und vornehme Volk der Römer; – *cum sim vilis exigua persona, ac nullius paene momenti homuncio.* Ausgehend von dieser Selbstcharakterisierung widmet sich Bernhard in den ersten beiden Abschnitten des Schreibens den Gründen, die seine mahnenden, sich zu heftigem Tadel steigernden Worte rechtfertigen *[(m)ea erga defensio ad eos, qui mihi hinc forte succensendum indignandumve putaverint, haec sit].* Im zweiten Abschnitt des Briefes greift Bernhard den Gedanken der *‚ecclesia‘* als Kör-

[95] Ep. 135, VII. 331; um 1135; Ps 44,2.
Vergleichbare Motive finden sich in Brief 129,1 (VII. 322f) und Brief 146. In letzterem Schreiben bestimmt Bernhard Gott als den Ursprung der spirituellen Entwicklung Burchards, eines Schülers Bernhards, wobei er sich selbst wiederum in der vermittelnden Position sieht: *Tu ergo, frater, agnosce te praeventum, et praeventum in benedictionibus dulcedinis, non a me, qui nihil sum, sed ab illo, qui me, ut de tua te salute monerem, aspirando praevenit. Nam ut multum mihi tribuas, plantator sum, rigator sum; absque illo tamen qui incrementum dat, quid sum?* (ep. 146,2, VII. 349; nach 31. Mai 1136).

[96] Ep. 213, VIII. 73; 1139; vgl. BC 625.

[97] Ep. 125,2, VII. 308; 1131–1132; Ps 101, 23.

[98] Bezeichnenderweise versieht Bernhard seine unter Anm. 95 zitierten Aussagen mit dem Zusatz *‚ut multum mihi tribuas‘.*

[99] Vgl. Vacandard, Leben II. 276ff; Gleber, Papst Eugen III. 5ff; Haller, Das Papsttum III. 56.

perschaft auf, um die Berechtigung und Notwendigkeit seines Versuches zur Einflußnahme zu begründen. Sitz des Schmerzes - so Bernhard - ist der Kopf (Rom), das Schmerzempfinden jedoch durchzieht alle Glieder: *Pervenit profecto usque ad me, quamvis omnium minimum.* Die Angelegenheit ist daher von allgemeinem Interesse, *et non est distinctio pusilli et magni,* so daß sich Bernhard, der Kleinste, zum Sprecher aller zu machen vermag.[100] Von besonderer Bedeutung für den Zusammenhang von Kleinheit und Begnadung ist der erste Abschnitt des Briefes 243. Nur unter Scham, bekennt Bernhard, wende er sich in seiner Niedrigkeit *(mea ignobilitate)* an die edlen Römer, doch weit mehr als der Scham vor Menschen sei der Zorn Gottes über das Verschweigen offenkundigen Unrechts zu fürchten. Hinzu trete die Möglichkeit der Änderung des unerträglichen Zustandes *[(q)uis scit si convertantur ad precem pauperis, qui non cedunt potentum minis, non omni armaturae fortium?].* Die hier von Bernhard formulierte Hoffnung hat zum Inhalt, daß die Dinge - nachdem die Drohungen der Großen und die Waffengewalt der Starken nichts auszurichten vermochten - durch die Intervention des Kleinen und Schwachen in wundersamer Weise eine heilsame Wendung zu nehmen vermögen. Die Berechtigung dieser Hoffnung untermauert Bernhard sogleich mit einer biblischen Belegstelle, deren legitimierende Funktion unverkennbar ist. Sei nicht auch einst das von ungerechten, alten Richtern *(senibus iniquis iudicibus)* verführte Volk Babylons *ad vocem pueri iunioris unius* zur Gerechtigkeit zurückgerufen worden? Dan 13,44-62 eignet sich vorzüglich zum Nachweis für die tiefe Berechtigung von Bernhards Eingreifen. Wiederum besteht die zentrale Aussage des dargestellten Geschehens in der Opposition ‚Groß-Klein' (hier in der Ausformung: alter, würdiger Richter - junger, unwürdiger Knabe), so daß die biblischen Ereignisse nun unschwer auf die Situation Bernhards übertragen werden können: - *Ita nunc quoque.* Denn auch für Bernhard gilt: *ADOLESCENTULUS SUM EGO ET CONTEMPTUS.* Doch Kleinheit und Nichtswürdigkeit treten vor der Allmacht Gottes zurück, der durch den Kleinen Großes wirkt, der dem Schwachen den Sieg verleiht. Und so schließt Bernhard diesen Briefabschnitt mit der Betonung der Macht Gottes, die auch Bernhards Stimme jene Kraft zu schenken vermag, die die Dinge zum Guten wendet:

POTENS EST tamen DEUS dare etiam voci meae vocem virtutis, per quam fiat ut et is populus, quem nihilominus constat esse seductum, ad iudicium revertatur.[101]

[100] Ep. 243,1-2, VIII. 130f; nach dem Januar 1146.
[101] Ep. 243,1, VII. 130f; Ps 118, 114.

7.2.1. David und Goliath

In enger Verbindung zu dem im vorangegangenen zitierten Schreiben stehen Bernhards Selbstcharakterisierungen als David. Die doppelsinnige Niedrigkeitsthematik findet ihren eindringlichsten und dichtesten Ausdruck in dieser Selbststilisierung, der somit grundlegende Bedeutung zum Verständnis Bernhards zukommt. Im ersten Abschnitt der Predigt auf den vierten Sonntag nach Pfingsten faßt Bernhard die biblische Erzählung von David und Goliath für seine Zuhörer noch einmal zusammen. Kennzeichnenderweise bedient sich Bernhard zur Beschreibung Davids jener Terminologie, die in den zuvor bearbeiteten Briefdokumenten auf Bernhard selbst Anwendung fand. Denn die Geschichte von David und Goliath hat die Erhebung des Knaben durch Gott zum Inhalt *(audivimus etiam suscitatum a Deo spiritum pueri iunioris)*. Die Bibel, fährt Bernhard fort, berichtet vom Auszug des nur mit Schleuder und Stein bewaffneten Jünglings *(procedentem adolescentulum)* gegen den furchterregenden, wohlgewappneten Riesen. *Laudavimus magnanimitatem parvuli,* denn *zelus Domus Dei* verzehrte ihn. Neben dem Motiv des Eifers, das auch Bernhard an mehreren Stellen als das seine bestimmt,[102] ist besonders die sich anschließende Formulierung von Interesse *(et opprobria exprobrantium ei a se non duceret aliena, sed tamquam ad propriam moveretur iniuriam),* die große Ähnlichkeit zu den am Eingang dieses Kapitels zitierten Äußerungen Bernhards aufweist, in denen Bernhard seine Kleinheit bekennt, zugleich aber betont, daß ihm keine der Angelegenheiten Jesu Christi bzw. der römischen Kurie fremd sei.[103] Göttliche Kraft, wie Bernhard weiter berichtet, verlieh schließlich den Sieg *[(c)ollatam denique caelitus victoriam, et divina manifeste patratam virtute],* so daß ein allein mit dem Glauben bewaffneter Knabe *(armati fide parvuli)* den furchtbaren Riesen niederzuringen vermochte.[104]

Bereits in seinem Schreiben zur Wahl Eugens wies Bernhard auf David als Beispiel für die gottgewollte Größe des Kleinen hin.[105] In Brief 535 an die englischen Zisterzienseräbte verleiht Bernhard seinem Wunsch, persönlich am Kampf gegen den Erzbischof von York teilzunehmen, im Bild vom kämpfenden David Ausdruck:

> *Minimus ego sum inter fratres meos, sed nec timerem percutere Philistaeum in funda et lapide in nomine Domini exprobrantem agminibus Israel.*[106]

[102] Vgl. 138ff u. 192.
[103] Vgl. 197.
[104] Dom IV,1, V. 202.
[105] Vgl. 330.
[106] Ep. 535, VIII. 500.

Die eingehendste Selbstdarstellung Bernhards als David findet sich in Brief 189, in dem Bernhard Papst Innozenz die Auseinandersetzung zwischen sich und Abälard auf dem Konzil zu Sens als Kampf zwischen David und Goliath schildert. In zweierlei Hinsicht eröffnet die allegorische Darstellung wichtige Aufschlüsse zum Verständnis des Geschehens. So impliziert die Charakterisierung Abälards als Goliath bereits Bernhards zentrale Beschuldigung. Gemäß der zitierten Predigt ist Goliath vor allen Dingen durch die anmaßende Überschätzung der eigenen Kräfte gekennzeichnet *(praesumentem super multa fortitudine et magnitudine corporis sui)*. Die Kraft Gottes *(divina virtute)* schenkt David, dem Kleinen, den Sieg, während sich der gewaltige Goliath vergeblich seiner Kräfte *[certamen (...) gloriantis propria in virtute gigantis]* rühmt.[107] In dieser Eigenschaft ist Goliath ein warnendes Beispiel für das Laster menschlichen Hochmuts: *(E)latus et inflatus spiritu carnis suae. Credo enim non incongrue in superbo homine superbiae vitium designari.*[108] Im Zentrum der Beschuldigungen Bernhards gegenüber Abälard steht – wie an anderer Stelle noch weiter zu belegen sein wird[109] – der Vorwurf hochmütiger Selbstüberschätzung, so daß der Inhalt der Anklage in der bildhaften Darstellung des Geschehens seine kunstvolle Entsprechung findet. Für das hier zu behandelnde Thema ist jedoch Bernhards Beschreibung des Kampfgeschehens, d. h. die Darstellung und Bewertung des Prozesses der Entscheidungsfindung, sowie seine Selbststilisierung in der Gestalt Davids von Interesse. Abälard – so die Schilderung Bernhards – rückt als Goliath aus, prächtig von Gestalt, wohlgerüstet, vor ihm sein Waffenträger Arnold von Brescia.[110] Goliath beschimpft die Schlachtenreihen der Heiligen; – *eo nimirum audacius quo sentit David non adesse.* Und während alle vor seinem Angesicht fliehen, fordert er Bernhard, *omnium minimum,* zum Einzelkampf heraus.[111]

Zu Beginn des folgenden Briefabschnittes stellt Bernhard die Gründe dar, die ihn anfänglich bewogen, der persönlichen Konfrontation auszuweichen: *Abnui, tum quia puer sum, et ille vir bellator ab adolescentia.* Weiter halte er es für würdelos, den unverrückbar in der Wahrheit gründenden Glauben menschlicher Spitzfindigkeit auszusetzen. Hinzu trete, daß ihn die Angelegenheit eigentlich nichts angehe; allein den

[107] Dom IV,1, V. 202.

[108] Dom IV,2, V. 203.

[109] Vgl. 252f.

[110] Zu Arnold von Brescia, vgl. Frugoni, Arnaldo da Brescia; Greenway, Arnold of Brescia; Suraci, San Bernardo e Arnaldo.

[111] Ep. 189,3, VIII. 14; 1140.

Bischöfen komme es zu, in Fragen des Glaubens zu richten. Er habe sich dennoch – *licet vix, ita ut flerem* – zum Kommen entschieden, da durch sein Fernbleiben der Übermut des Widersachers gewachsen wäre:

> ... *occurri ad locum et diem, imparatus quidem et immunitus, nisi quod mente illud volvebam: NOLITE PRAEMEDITARI QUALITER RESPONDEATIS; DABITUR ENIM VOBIS IN ILLA HORA QUID LOQUAMINI, et illud: DOMINUS MIHI ADIUTOR, NON TIMEBO QUID FACIAT MIHI HOMO.*

Unvorbereitet und ungerüstet, allein auf die Eingebung des rechten Wortes, auf den Beistand Gottes vertrauend, tritt Bernhard Abälard entgegen. Unverkennbar zielt die Schilderung Bernhards darauf ab, daß die Entscheidung der Angelegenheit in Gottes Hand gelegen ist, er selbst nur die Position eines Werkzeuges eingenommen hat. Die kunstvolle Gesamtanlage der Briefabschnitte 189,3–4 läßt nur diesen einen Schluß zu, den zu ziehen Bernhard folglich dem Leser selbst überläßt. Und in der Tat nehmen die Dinge (auf die ausführliche Stilisierung der Konfrontation als Kampf zwischen David und Goliath folgt die knappe Schilderung des Geschehens auf dem Konzil) eine erstaunliche, wundersame Wendung. Bereits bei der Verlesung seiner Schriften verläßt Abälard (Bernhard gibt keinen Grund für dieses Verhalten an)[112] die Versammlung, um an Rom zu appellieren. In seiner Abwesenheit prüft das Konzil die strittigen Stellen, um sie sodann zu verurteilen.[113] Keineswegs, so Bernhard weiter, dürfe der Verfolger des Glaubens Petri am Stuhle Petri Schutz und Zuflucht finden,[114] denn – wie die vorangegangenen Briefabschnitte eindringlich vermitteln – das ergangene Urteil ist von Gott über Abälard verfügt und daher gerecht und unabänderlich.

[112] Ganz im Sinne Bernhards erfolgt Gaufreds Bericht über die Geschehnisse zu Sens (VP III, V,13–14, 310–312). Petrus beharrt, *ingenii sui viribus, plurimoque exercitio disputandi infeliciter fidens,* trotz der gütigen Ermahnungen des Abtes auf seinen Irrlehren (311). In der Konfrontation zu Sens jedoch verlassen ihn gerade die Kräfte, die den Gegenstand seines hochmütigen Stolzes bilden. Gaufred spricht nicht ausdrücklich von einem Wunder, seine Darstellung ist aber durchaus in diesem Sinne interpretierbar, wenn er im folgenden (14, 311) als Grund für Abälards Schweigen eine plötzliche Geistesverwirrung angibt: *Nam et confessus est postea suis, ut aiunt, quod ea hora, maxima quidem ex parte memoria ejus turbata fuerit, ratio caligaverit, et interior fugerit sensus.*

[113] Ep. 189,4, VIII. 14f; Lk 21,14; Mt 10,19; Ps 117,6.

[114] Ep. 189,5, VIII. 15.

7.3. Bernhards Ablehnung des Bischofsamtes

Zu mehreren Gelegenheiten hat es Bernhard abgelehnt, die ihm angetragene Bischofswürde zu übernehmen.[115] In Brief 170 findet sich eine Anspielung auf den ausgeschlagenen Bischofssitz von Langres *(onera fugio)*,[116] den statt Bernhard sein Vetter und Prior Gottfried de la Roche einnehmen sollte. Eingehender widmet sich Bernhard diesem Thema in Brief 449, der dem französischen König Ludwig VII. die Gründe darlegt, die Bernhard dazu bewogen haben, den Erzbischofssitz von Reims auszuschlagen. Bernhard läßt sein Schreiben mit Dankesworten an den König beginnen, welcher der Erhöhung einer solch unwürdigen *(promotionem miseri hominis)* und armen *(pauper et inops)* Person nicht nur zugestimmt, sondern - wie aus den Worten Bernhards hervorgeht - ihn persönlich um Zusage gebeten hat. Alle Hilfe habe der König versprochen, damit den Kleinmütigen die Last des Amtes nicht ängstige *(ne onera pusillanimis reformidem)*. Dennoch könne er sowohl aus innerer *(corde pusillus)* als auch aus körperlicher Schwäche *(fractus corpore)* dem Wunsch des Königs nicht nachkommen. Hinzu trete, daß er an Würde und Vermögen *(indignus et insufficiens)* einem solch hohen und heiligen Amt nicht genügen könne. Dies - wie Bernhard betont - hätten seine Wähler bedenken müssen. Da sie es nicht getan haben, sei es nun an ihm abzulehnen und jener Forderung der Hl. Schrift nachzukommen, die dem Menschen die Sorge um das persönliche Seelenheil nahelegt: *MISERERE ANIMAE TUAE, PLACENS DEO.* Niemand kenne ihn besser als er selbst und so dürfe er allein gemäß seinem Gewissen, nicht aber gemäß dem von außen gefällten Urteil der Menschen entscheiden. Als weiteres Motiv tritt hinzu, daß Bernhard keinesfalls von seinem Kloster und den Mitbrüdern getrennt werden möchte. Bernhard spricht diesen Wunsch nicht direkt aus, sondern bringt ihn dem König nahe, indem er den Nutzen vor Augen führt, der dem König aus der Aufrechterhaltung des gegebenen Zustandes erwächst. Wichtige

[115] Im ersten Buch der Vita Prima (I. XIV,69, 265) findet sich folgende Aufzählung: *Mediolani, Remis, clero eligente, populo acclamante, in archiepiscopum nominatus est; Catalauni, Lingonis, in episcopum: et id ipsum in multis jam aliis civitatibus actum fuisset, si consensus ejus aliqua spes esse potuisset.*
Zu Langres vgl. BC 593 u. 635f; Constable, The disputed election, 141; Marcel, Les séjours, 229; Vacandard, Leben II. 35.
Zu Mailand, vgl. Landulph, Historia Mediolanensis, 61, 36f; BC 589; Vacandard, Leben I. 462.
Zu Reims, vgl. BC 595; Vacandard, Leben II. 46f.
Zu Châlons, vgl. Vacandard, Leben I. 462
Die Aufzählung der ausgeschlagenen Bischofssitze im zweiten Buch der Vita Prima (II. IV,26, 283) erweitert die Liste der Städtenamen um Genua.

[116] Ep. 170,1, VII. 383; nach dem 14. Januar 1139.

Gebetshilfe werde im Kloster für den König und sein Reich *(pro regno vestro et vestra persona)* geleistet: *Si seperatis ab invicem, id quidem difficile et crudele, non ad orandum, sed plorandum provocatis.* Daß Bernhards Ablehnung des Bischofsamtes aus Gründen mangelnder Würde und persönlicher Schwäche keineswegs den Rückzug aus dem Engagement in öffentlichen Angelegenheiten zur Folge hat, belegt der Fortgang des Briefes. Denn die Kirche von Reims, die Königin der Kirchen, müsse tränenüberströmt und ihrer Schönheit beraubt, erdulden, wie ihr Schmuck mit Füßen getreten, ihre Vornehmheit mit Mißachtung gestraft werde:[117] *CRUCIOR IN HOC FLAMMA, nec consilium refrigerii, donec veniat QUI CONSOLETUR EAM.* Um seiner Liebe zum Bräutigam willen, soll ihr - wie Bernhard bittet - König Ludwig beistehen. Entsprechend beschließt Bernhard sein Schreiben mit der Ermunterung und Bestärkung des Königs in seinen guten Absichten, nicht ohne jedoch auch auf die fatalen Folgen anzuspielen, die ein mögliches Fehlverhalten beinhalten könnte: *Sic vobis regnum contingat administrare Francorum, ut inde acquiratis regna caelorum.*[118]

Brief 449 macht in verdichteter Form die zu behandelnde Gesamtproblematik deutlich. Bernhard schlägt das ihm angetragene Amt aus, was jedoch keineswegs seinen Rückzug aus der Reimser Angelegenheit zur Folge hat. Statt Teilhabe am Entscheidungsprozeß aus der Autorität des Amtes, greift Bernhard auf das für ihn typische Instrumentarium der Einflußnahme zurück. Neben die Elemente des Rats, der Mahnung und der (in diesem Falle verhaltenen) Drohung, die sich in eine Rhetorik von höchster suggestiver Kraft eingebunden finden, tritt das demütige Bekenntnis zu Kleinheit und Unwert, das doch selbstbewußt das Wissen des Adressaten um den Ruf der Heiligkeit voraussetzt. Vor diesem Hintergrund, sowie unter Heranziehung von Predigtstellen entsprechenden Inhalts wird im folgenden die Frage nach der zurückgewiesenen Bischofswürde zu behandeln sein. Zwei Aspekte des Themas gilt es im besonderen hervorzuheben. Die Ablehnung der Bischofswürde hat erstens Anteil an der Problematik von Aktion und Kontemplation. Sie unterstreicht zweitens die gewonnenen Erkenntnisse zur Art und Weise, in der Bernhard sein Handeln legitimiert.

Als wesentliches Element der Problematik von Aktion und Kontemplation wurde die Furcht Bernhards vor Befleckung durch die Welt erkannt. Seinen sinnfälligen Ausdruck fand dieser Sachverhalt im Bild

[117] Wiederum ist die suggestive Kraft der Rhetorik Bernhards zu bewundern. Bernhard gestaltet hier die die Kirche symbolisierende Braut als vornehme schöne Dame, die Schmach und Erniedrigung zu erdulden hat. Die Art der Darstellung ist darauf angelegt, an das ritterliche Herz des Königs zu rühren.

[118] Ep. 449, VIII. 426f; 1139; Eccli 30, 24; Lk 16, 24; Thren 1, 2.

vom Staub, der an Martha haftet.[119] Das Amt des Bischofs hat Anteil an dieser Welt und wird somit für Bernhard, wie die Welt selbst, zum Objekt von Furcht und Sorge. In drastischen Bildern macht Bernhard den Cluniazensermönch Hugo[120] auf diese besondere Gefahr aufmerksam, die seinem neuen Stand als Erzbischof von Rouen innewohnt: *Quale nempe est istud, tangere picem et non inquinari ex ea, in igne sine laesione versari et in tenebris absque caligine?*[121]

Kennzeichnenderweise ordnet Bernhard in der Predigt div. 42 das Streben nach der Bischofswürde der *‚regio dissimilitudinis‘*, d. h. dem Bereich des Weltlichen zu.[122] Die Sucht nach Reichtum, nach Ruhm und Ehrenstellen kennzeichnen das Leben der Menschen im Land der Unähnlichkeit. Bezüglich der Ehrenstellen weist Bernhard auf die Gefahren hin, die auch dem Amt des Bischofs innewohnen: *Numquid in honore sine dolore, in praelatione sine tribulatione, in sublimate sine vanitate esse quis potest?* Der Kluge hingegen schnürt sein Bündel und entflieht der Welt *[(f)acit sarcinam suam mundi contemptum et fugit]*.[123] Die Warnung vor dem Weltlichen, welches zwangsläufig der Bischofswürde anhaftet, findet sich auch in jenen Predigtabschnitten, in denen sich Bernhard mit den Gründen für seine Flucht vor dem Amt auseinandersetzt. Entsprechend bestimmt er in Predigtabschnitt div. 90,3 die Opposition zwischen der Sicherheit des Klosterlebens und den Gefahren, welche die Amtsausübung beinhaltet. Weit leichter – so Bernhard – ist es, gut unter Guten zu sein als unter Bösen *(bonum esse inter malos)*; friedfertig zu sein unter Söhnen des Friedens als unter Friedenshassern *(his qui oderunt pacem exhiberi pacificum)*.[124] Über die Haltung, die es für den Mönch gegenüber dem Bischof einzunehmen gilt, äußert sich Bernhard in der zwölften Predigt auf das Hohelied, wobei Bernhards besonderes Augenmerk wiederum der mit dem Bischofsamt verbundenen Verstrickung in Weltliches gilt. Denn bisweilen nehme der Klostermann am im Leben stehenden Bischof *(qui versatur in populo)* ein weniger strenges und umsichtiges Verhalten war; – *verbi gratia in verbo, in cibo, in somno, in risu, in ira, in iudicio.* Keineswegs aber dürfe dies dazu führen, daß der Mönch den Bischof tadle: *Inhumane nempe eorum redarguis opera, quorum onera refugis.*[125] Im gleichen Sinn äußert sich Bernhard in der zitierten Predigt div. 42: *Nihil ad nos de rectoribus Ecclesiae iudica-*

[119] Vgl. 124ff.
[120] Vgl. BC 200 u. 643.
[121] Ep. 25,1, VII. 78; um 1130–1131.
[122] Vgl. 92ff.
[123] Div. 42,3, VI.I. 258.
[124] Ebd. 90,3, VI.I. 339.
[125] CC 12,9, I. 66.

re.[126] So warnt Bernhard zum Abschluß seiner Reflexion über das Verhältnis Mönch/Bischof im Rahmen der 12. Predigt auf das Hohelied vor einem doppelten Fehlverhalten; - weder darf der Mönch nach der Würde der Bischöfe trachten noch deren Vergehen tadeln,[127] wobei Bernhard, der scharfe Kritiker innerkirchlicher Mißstände, letztere Forderung keineswegs persönlich eingelöst hat.

Bernhard bedient sich zur Begründung seiner ablehnenden Haltung gegenüber den ihm angetragenen Ämtern des biblischen Berichts von der Salbung Christi (Mt 26,6 - 13) sowie jener Bilder, die bereits aus der Bearbeitung der Problematik von Aktion und Kontemplation bekannt sind.[128] Wenn er zuweilen zerknirscht zu Füßen Christi oder gar jubelnd bei dessen Haupt verweile (d. h. wenn er sich der Buße bzw. mystischen Versenkung widmet), höre er die Menschen sagen: *UT QUID PERDITIO HAEC?,* denn - so in weiterer Anlehnung an Matthäus - die Salbe könnte verkauft, der Erlös den Armen gegeben werden; d. h. die in der kontemplativen Versenkung verbrachte Zeit könnte zum Nutzen des Nächsten verwandt werden. Bernhard antwortet mit den Worten Christi, wobei im Bild vom Weiblichen[129] wiederum Kleinheit und Schwäche als wesentliche Anteile seiner Selbstcharakterisierung ihren Niederschlag finden: *QUID (. . .) MOLESTI ESTIS HUIC MULIERI?* Denn Weib - so Bernhard - nicht Mann sei er, so daß ihm keine Lasten auferlegt werden dürfen, die seine Kräfte überschreiten,[130] wobei er die zu schwere Last im folgenden bereits zitierten Predigtabschnitt als das Bischofsamt und dessen Verstrickung in Weltliches bestimmt.[131] Auch in der 18. Hoheliedpredigt nimmt Bernhard darauf Bezug, daß man ihn zum Amt zu drängen suchte.[132] Wiederum ist seine Rechtfertigung Teil von Ausführungen zum Verhältnis Ak-

[126] Div. 42,3, VI.I. 257.

[127] CC 12,9, I. 66.

[128] Vgl. 124ff.

[129] Bernhards Haltung gegenüber dem Weiblichen ist daher nicht in dem Maße positiv, wie es die Ausführungen Leclercqs (Der heilige Bernhard und das Weibliche) vermuten lassen. In obigem Zitat dient das Bild der Frau dem Zweck der Selbstverdemütigung, was zwangsläufig dessen negative Grundbedeutung voraussetzt. Ähnlich verhält es sich, wenn Bernhard in seiner Darstellung der Entartung des Ritterstandes diesem weibische Züge vorwirft (laude II.3, III. 216). In positiver Verwendung hingegen finden sich die Attribute der Weiblichkeit in Bernhards Auslegung der Braut des Hohenliedes als der gottsuchenden menschlichen Seele.

[130] CC 12,8, I. 65f. In den Predigtabschnitten div. 90, 2-3, VI.I. 338f argumentiert Bernhard ebenfalls anhand Mt 26,6 - 13, so daß diese große Ähnlichkeit zu den Aussagen des hier dargestellten Hoheliedpredigtabschnitts aufweisen.

[131] Div. 90,3, VI.I. 339; vgl. 221, Anm. 124.

[132] Bernhard bezieht sich an dieser Stelle nicht explizit auf seine Ablehnung der Bischofswürde. Die Verbindung liegt jedoch auf der Hand, so daß sie auch von der Übersetzerin der Predigten angenommen wird (Wolters, Die Schriften, Bd. 5, 135).

tion/Kontemplation, wobei Bernhard das Thema an dieser Stelle anhand des Bildes vom eingegossenen und ausgegossenen Öl behandelt, d. h. die in der Buße und mystischen Versenkung gewonnene innere Fülle als Vorbedingung zur heilsamen Tat bestimmt. Wenn daher ihn manche Menschen – *qui forte existimant de me supra id quod vident in me, aut audiunt aliquid ex me* – bedrängten, er möge von dem inneren Öl abgeben, so antworte er: *NE FORTE NON SUFFICIAT NOBIS ET VOBIS*. Denn kein Anliegen der Nächstenliebe sei jener ersten und wichtigsten Forderung voranzustellen, die an den heilsuchenden Menschen ergeht: *MISERERE ANIMAE TUAE PLACENS DEO.*[133] Die Sorge um das persönliche Seelenheil erscheint auch in der 12. Hoheliedpredigt neben der Bürde des in Weltliches verstrickten Bischofsamtes als der zentrale Grund für Bernhards ablehnende Haltung, so daß er hier anhand Mt 16,26 bemerkt: *Sed non bonum mercatum mihi, etiam si universum mundum lucrer, meipsum perdere et detrimentum mei facere.*[134] Die Furcht, den Erfordernissen der Kontemplation nicht in genügendem Maß nachzukommen, sowie die Furcht vor Befleckung durch die Welt kennzeichneten das problematische Verhältnis zum Bereich der Aktion und sind nicht minder bestimmend für Bernhards ablehnende Haltung gegenüber der ihm angetragenen Bischofswürde. Angesichts der besonderen Gefahren dieses Amtes ist die heilsgemäße Lebensführung des Amtsträgers eher die Ausnahme als die Regel, der somit – wie im Falle des im folgenden Schreiben angesprochenen Bischofs von Palancia[135] – Bernhards besonderes Lob gebührt: *O rara avis in terris, humilitas cum sublimitate et tranquilla mens in medio negotiorum!*[136]

Bernhards Flucht vor dem Amt ist zu einem wesentlichen Teil Weltflucht; seine Furcht vor den Aufgabenbereichen des Bischofs ist Furcht vor der Befleckung durch die Welt. Diese Motive durchziehen Werk und Leben Bernhards. Sie sind daher auch in diesem Kontext glaubhaft, wobei sie jedoch keinesfalls abgelöst von jenem weiteren zentralen Sachverhalt gesehen werden dürfen, der Bernhard die Ablehnung des Amtes ermöglicht. Bernhard, der Kleine und Unwerte, bedarf der Legitimation durch Größe und Würde des Amtes nicht. Entsprechend bemerkt er in der 18. Hoheliedpredigt bezüglich des Mangels an innerem Öl als Grund für seine Ablehnung des Amtes: *Servo illud mihi, et omnino nisi ad Prophetae iussionem non profero.*[137] Auf Befehl des Prophe-

[133] CC 18,3, I. 104f; Mt 25,9; Eccli 30,24. Kennzeichnenderweise verwendet Bernhard Eccli 30,24 auch im eingangs zitierten Schreiben an König Ludwig (vgl. 219), in dem er die Gründe für seine Ablehnung des Stuhles von Reims erläutert.

[134] CC 12,8, I. 65.

[135] Vgl. BC 640.

[136] Ep. 372, VIII. 332; um 1147.

[137] CC 18,3, I. 105.

ten, d. h. auf göttliche Weisung hin[138] vollzieht Bernhard den Schritt von innen nach außen. Nicht im Amt, sondern in der Begnadung besitzt jenes Wirken seinen vornehmlichen Bezugspunkt,[139] das Bernhard zugleich als in den Rahmen des kirchlichen Ordnungsgefüges eingebunden begreift.[140] In kennzeichnender Weise verbindet sich auch an dieser Stelle Demut mit hohem Selbstbewußtsein. Zu schwach sind Bernhards Schultern für die Last des Amtes, stark genug aber, um die Angelegenheiten Christi zu tragen. Die Angelegenheiten Christi jedoch sind letztlich alle Angelegenheiten von Gewicht. Weit tiefer reicht dieser Zuständigkeitsbereich in die Welt hinein als das Amt, dessen Annahme zugleich die Annahme seiner Schranken bedeutet hätte. Bernhards Ablehnung der Bischofswürde zeugt im gleichen Maß von Weltflucht wie vom machtvollen Willen, in der Welt zu wirken.[141] Von ei-

[138] An mehreren Stellen des NT wird Christus als Prophet bezeichnet. Vgl. J. Bauer, Bibeltheologisches Wörterbuch, Bd. 2, 953; W. Bauer, Wörterbuch, 1435, Abschnitt 3; Coenen, Theologisches Begriffslexikon, II,2, 1021; Leon-Dufour, Wörterbuch, 338; LThK VIII (J. Schmid), 804.

[139] Zu mit obigen Ausführungen vergleichbaren Ergebnissen bezüglich der päpstlichen Legitimationsgrundlage gelangt White in seinem Aufsatz ‚Gregorian ideal and St. Bernard'. White stellt Bernhards Haltung in Gegensatz zu einem Verständnis des Papsttums, das seinen Führungsanspruch aus der heiligenden Kraft des Amtes legitimiert. Für Bernhard hingegen „(u)ltimate authority resides, not in the sacerdotal hierarchy, but in the spiritual hierarchy" (339). Sommerfeldt relativiert in seinem Aufsatz ‚Charismatic and gregorian leadership in the thought of Bernard of Clairvaux' die Ergebnisse Whites dahingehend, daß sich beide Auffassungen bei Bernhard finden ließen: „Thus he must have recognized the existence of two hierarchies within the Church, the charismatic hierarchy of virtue and the hierarchy of office" (87). Letztlich erscheinen die Ausführungen Whites überzeugender, auch wenn die von ihm vorgenommene Entgegensetzung aufgrund der Flexibilität der Aussagen des immer der jeweiligen Situation verbundenen Abtes nicht in ihrer Ausschließlichkeit aufrechterhalten werden kann. Sommerfeldt ist entgegenzuhalten, daß die erwähnten beiden Hierarchien in jener für Bernhard charakteristischen Wertung vorliegen, gemäß der die *homines spirituales* den Himmel, den die Kirche bildet, gleichsam als zweiter Himmel überziehen (vgl. 120).

[140] Dies wird an Malachias deutlich, dessen begnadetes Wirken seine zusätzliche Bestätigung durch die Autorität des apostolischen Stuhles erfährt (vgl. 287f). Siehe hierzu auch die Bemerkung Arnolds von Bonneval über Bernhards Sonderstellung in der Kirche (226).

[141] Nicht zu Unrecht mag man daher in Bernhards Ablehnung des Bischofsamtes einen Reflex jenes Machtwillens erkennen, der selbstbewußt auf die universelle Durchsetzung seiner Ziele dringt. Obgleich die Art und Weise, in der Bernhardi Bernhards Ablehnung des Mailänder Erzbischofssitzes beurteilt, von Polemik nicht frei erscheint, ist sein Urteil dennoch nicht ganz von der Hand zu weisen: „Allein eine solche Stellung, welche seine Wirksamkeit innerhalb enger Grenzen eingeschlossen hätte, lag nicht in den Wünschen Bernhards. Er war ein viel zu unruhiger Charakter, um seine Thätigkeit in einer Erzdiözese zu beschließen. Er verlangte Macht und Einfluß überall in der christlichen Welt; die Verbreitung der Klöster seines Ordens gab ihm Gelegenheit wie er wollte herumzuschweifen und sich überall persönlich einzumischen, wo es

ner Basis aus, die sich alles Weltlichen entschlägt, gilt es, auf die Welt Einfluß zu nehmen. Unduldsamkeit und Radikalität nehmen in dieser Haltung notwendigerweise ihren Ausgang, die gegenüber jeder Möglichkeit verschlossen ist, sich am zu Beeinflussenden relativierend zu erfahren.

7.4. Die abgelehnte Bischofswürde in der Sicht von Bernhards Biographen

Die Bedeutung, welche Bernhards Ablehnung der Bischofswürde zugemessen wurde, findet ihre Bestätigung in der Sicht von Bernhards Biographen.[142] Die im folgenden zu behandelnden Belegstellen verbinden die lobende Erwähnung von Bernhards Ablehnung mit Erläuterungen zur Art und Weise seines Wirkens, wobei wiederum die charakteristische Verbindung von Kleinheit und Begnadung einen zentralen Rang in der Argumentation einnimmt. Gaufred von Auxerre greift in seiner Darstellung auf die Gestalt Davids zurück, in der sich - wie gezeigt - dieser Zusammenhang sinnfällig verdichtet. Nicht nur, so Gaufred, daß Bernhard keinerlei weltliche Güter für seine Person beanspruchte, er schlug auch die ihm häufig angetragenen kirchlichen Ehrenstellen aus. Von hier aus leitet Gaufred zum Bild des kriegerischen Königs David über. Bernhard habe keinen Sold gefordert und sogar die angebotenen Auszeichnungen verweigert: *Denique velut alter David, processurus ad bellum, bellica arma sibi graviora causatus est.* Unbewehrt, d. h. ohne die Waffen und das Schild des Amtes, zieht Bernhard in die Schlacht und trägt - in seiner Kleinheit und seinem schlichten Wesen - den Sieg davon: *et in simplicitate sua gloriosius triumphabat.* Denn, wie Gaufred weiter erläutert, die Kraft Gottes verlieh ihm eine solche Gnade, daß er, der Geringste, weit segensreicher als manche hochgestellte Persönlichkeit zu wirken vermochte:

Tantam enim gratiam virtus ei divina contulerat, ut licet abjectus esse elegisset in domo Dei, uberius tamen fructificaret in ea, quam alii quilibet in sublime porrecti; et lucens amplius illustraret Ecclesiam velut de sub modio humilitatis suae, quam caeteri super candelabra constitui.

Denn die in der Selbstverdemütigung gewonnene Erkenntnis persönlicher Kleinheit und die Größe des Nutzens, den Bernhard zu wirken vermochte, stehen für Gaufred in unmittelbarem Zusammenhang: *Nimirum quo humilior, eo semper utilior fuit populo Dei.*[143]

ihm gerathen schien. Kaum aus Bescheidenheit lehnte er daher die Ehre ab" (Bernhardi, Lothar 644).

[142] Vgl. 279.

[143] VP III. III,8, 307.

Arnold von Bonneval, der Verfassser des zweiten Bandes der Lebensbeschreibung Bernhards, behandelt das Thema in vergleichbarer Weise. Seinen Ausführungen zu Bernhards Ablehnung der Bischofswürde stellt er den Bericht über das außergewöhnliche Ansehen Bernhards bei weltlichen und geistlichen Großen sowie über die Sonderstellung voran, die die römische Kirche dem Heiligen einräumte;

cum obedirent ei principes mundi, et ad nutum ejus in omni natione starent episcopi; cum ipsa Romana Ecclesia singulari privilegio ejus veneraretur consilia, et quasi generali legatione concessa subjecisset ei gentes et regna.

Trotz seiner strahlenden, durch Wunder beglaubigten Worte und Taten, verfiel Bernhard, wie Arnold fortfährt, nie dem Stolz, sondern bewahrte stets seine Haltung der Demut. Nicht als der Urheber seiner Taten verstand er sich, sondern als deren Diener; – *venerabilium operum non se auctorem credidit, sed ministrum.* Obgleich er im Urteil aller der Höchste *(summus)* war, galt er in seinem eigenen Urteil als der Geringste *(infimus)*. Denn alles Gute, das ihm zu wirken vergönnt war, schrieb er nicht dem eigenen Vermögen, sondern allein Gott zu:

Soli Deo quidquid fecit ascripsit: imo se nihil boni aut velle, aut posse, nisi inspirante et operante Deo, et sensit, et dixit.[144]

Auch für Arnold ist Bernhards Ablehnung der Bischofswürde Gegenstand des höchsten Lobes. Nur dem Himmlischen galt sein Streben, *nec aliqua saeculi hujus ambitione pulsabatur.* So habe er auch die ihm von zahlreichen Städten angetragene Bischofswürde ausgeschlagen.[145] Im folgenden Kapitelabschnitt beendet Arnold seine Ausführungen zu diesem Thema, indem er den besonderen Charakter des Wirkens Bernhards über die Stellung legitimiert, die Moses[146] unter den Israeliten einnahm. Denn ebenso wie bei Moses erwächst auch bei Bernhard – wie der Vergleich Arnolds wohl verstanden werden darf – Ansehen und Anspruch auf Führerschaft nicht aus dem geistlichen Amt, sondern aus göttlichem Auftrag und Begnadung:

. . . et jam divulgatum erat ubique, Abbatem sic statutum in Ecclesia a Deo, sicut in Hebraeorum populo Moyses fuit, qui cum non esset pontifex, Aaron tamen unxit et sacravit pontificem; et dispositionibus ejus tota Levitica omni tempore successio paruit.[147]

[144] VP II. IV,25, 282.

[145] VP II. IV,26, 283.

[146] Im Rahmen seiner Verteidigung anläßlich des gescheiterten zweiten Kreuzzuges stellt Bernhard selbst eine Verbindung zwischen seinem Wirken und dem des Moses her; vgl. 188f.

[147] VP II. IV,27, 283.
Arnold greift an anderer Stelle (II. VIII,55, 302) noch einmal auf die Beschreibung Bernhards als Moses zurück. Anläßlich des Krieges zwischen Graf Theobald und Kö-

Den bisher vorgestellten Meinungen zu Bernhards Ablehnung der Bischofswürde entspricht die Sicht Wilhelms von St. Thierry,[148] des engen Freundes Bernhards, der das erste Buch der Vita des Heiligen noch zu dessen Lebzeiten verfaßte.[149] Auf den Bericht über die Wundertaten Bernhards läßt Wilhelm die Darstellung von Bernhards Flucht vor Amt und Würden folgen. *Summos quippe honores ecclesiasticos et saecularium principum favores* schlug er aus. Doch obgleich er vor den Ehrenstellen floh, wurde ihm dennoch Macht und Ansehen aller Ehrenstellen zuteil: *Sed cum hoc modo mundi hujus fugit honorem, omnium honorum non effugit auctoritatem.*[150] Im unmittelbaren Anschluß an den Bericht von Bernhards Flucht vor Amt und Würden widmet sich Wilhelm Umfang und Auswirkung jener ‚*auctoritas*' Bernhards, die ihm gemäß der öffentlichen Meinung zukommt:

Cujus enim voluntati sic detulit, cujus consilio sic se humiliavit omnis tam saecularis, quam ecclesiasticae dignitatis altitudo?

Hochfahrende Könige, Fürsten, Tyrannen, Ritter und selbst Räuber fürchten und verehren ihn, so daß für Wilhelm Lk 10,19 an Bernhards Wirken in Erfüllung geht: *ECCE, (...) DEDI VOBIS POTESTATEM CALCANDI SUPER SERPENTES ET SCORPIONES, ET SUPER OMNEM VIRTUTEM INIMICI, ET NIHIL VOBIS NOCEBIT.*[151]

nig Ludwig verweist Arnold auf die friedensstiftende Vermittlertätigkeit Bernhards. Einst – so Arnold – hatte Moses mit zum Himmel erhobenen Händen den Sieg errungen. Ebenso beurteilt Arnold das Eingreifen Bernhards in dieser Angelegenheit. Bernhard ruft zur Versöhnung auf *et in tempore iracundiae factus est reconciliatio, et allegationibus divinis intercurrentibus detumuere procellae.*

[148] Zum Verhältnis zwischen Bernhard und Wilhelm, vgl. Pennington, The correspondence; Ryan, The witness of William of St. Thierry.

[149] In der Einleitung führt Wilhelm zwei Gründe an, die ihn bislang vom Verfassen der Lebensbeschreibung Bernhards abgehalten hätten. Dieses Werk bedarf – nach dem Bekenntnis Wilhelms – eines geeigneteren und würdigeren Autors. Hinzu treten Probleme, die sich aus der Tatsache ergeben, daß Bernhard zur Zeit der Abfassung dieses Werkes noch lebt: *modo etiam post obitum ejus, quasi supervicturus ei, melius hoc et competentius, deliberans actitandum, cum jam homo non gravaretur laudibus suis; et tutius id fieret a conturbatione hominum, et contradictione linguarum. At ille vigens et valens, quanto infirmior corpore, tanto fortior fit et potens.* Am Ende der Einleitung betont Wilhelm daher, nur eine vorläufige Sammlung der Taten Bernhards bieten zu können, die erst nach dem Ableben Bernhards zur Herausgabe bestimmt und zudem ohne das Wissen des Heiligen verfaßt worden sei: *nec edenda vivente ipso, sicut nec scribuntur ipso sciente* (VP I. Praef. 225f).

[150] VP I. XIV,69, 265.

[151] VP I. XIV,70, 265.

7.5. Elemente der öffentlichen Wirksamkeit Bernhards

Die gewonnenen Erkenntnisse zur Legitimation und Problematik von Bernhards öffentlichem Wirken eröffnen die Möglichkeit zu Verständnis und Beurteilung grundlegender Elemente des öffentlichen Wirksamwerdens Bernhards. Bernhard wirkt als Moses, David, als Knecht und Werkzeug, dessen Kleinheit und Unwert auf das Große hindeutet, das durch ihn offenbar wird und auf Durchsetzung dringt. Die unabdingbare Voraussetzung dieses Wirkens ist Bernhards durch den Ruf der Heiligkeit und den – im folgenden Kapitel noch zu behandelnden – Ruf des Wundertäters gewonnenes Ansehen. Auf diesem Ansehen basiert seine *,auctoritas'*, d. h. die öffentliche Anerkennung seiner Befähigung zur Einflußnahme. *(T)amquam a divino oraculo* suchen daher, so der Bericht Ottos von Freising, die französischen Großen, Bernhards Rat zum Kreuzzugsplan einzuholen.[152] Ebenso betont Johann von Salisbury das außergewöhnliche Ansehen *(summa erat auctoritas)* des Abtes, *cuius consilio tam sacerdotium quam regum pre ceteris agebatur.*[153] Diese *,auctoritas'* versieht die als Bitte, Rat und Mahnung formulierten Anliegen Bernhards mit jenem Gewicht, das notwendig ist, die jeweiligen Amtsträger zur Entscheidungsfindung in seinem Sinne zu bewegen. Bernhard bedarf somit des Bischofssitzes zu einer machtvollen Umsetzung seiner Ziele nicht. Als weiterer Grund (dessen Glaubwürdigkeit sich aus der Einbindung in die lebenslange Klage ergibt) für Bernhards Ablehnung wurde die Furcht vor der Welt, vor Beschmutzung durch das Irdische erkannt. Die hier zutagegetretene Verbindung von Weltflucht mit dem machtvollen Willen, auf die Welt zum Guten hin einzuwirken, ist zum Verständnis der Person Bernhards von grundlegender Bedeutung. Ihr entspricht Anlage und Methode von Bernhards öffentlichem Wirksamwerden. Insbesondere verschiedene problematische Aspekte von Bernhards Vorgehensweise werden auf diesen Zusammenhang als die letztlich zugrundeliegende Ursache zurückzuführen sein.

7.5.1. Anmaßung

Bernhards Flucht vor dem Amt hat, wie gezeigt, keineswegs seinen Rückzug aus dem öffentlichen Leben zur Folge. Vielmehr sucht Bernhard auf Amtsträger Einfluß zu nehmen und erhebt sich so anmaßend, in dreister Kühnheit, durch seine zahlreichen Bitten den Mächtigen lästig fallend über die eigene Zuständigkeit und Position in der Hierarchie hinaus. Immer wieder versieht Bernhard seine Bitten und Rat-

[152] Gesta Freder. I.36, 200.
[153] Vgl. 263, Anm. 400.

schläge mit diesem Hinweis auf die Niedrigkeit seiner Stellung, um sodann unter Heranziehung der dargelegten Rechtfertigungsmuster[154] zum jeweiligen Sachverhalt überzuleiten. Die Freundlichkeit Bischof Attos von Troyes bewirke seine Anmaßung *(ut de vobis, cum necesse est, indubitanter praesumamus).*[155] Gegenüber Papst Innozenz bemerkt Bernhard:

Haec scribens, praesumptionis metuerem notam, si nescirem cui, et nescirer qui scribam.[156]

An anderer Stelle verleiht Bernhard der Hoffnung auf das weitere Wohlwollen des Papstes Ausdruck, *ne forte praesumptio pariet indignationem.*[157] Kühn *(audacter)* wagt Bernhard, Innozenz einen Vorschlag zu unterbreiten;[158] die Liebe verleiht Bernhard die Kühnheit *(preabet audaciam caritas),* sein Wort an den Bischof von Genf zu richten.[159] Durch seine Bitten, so Bernhard, falle er den Mächtigen lästig. *(E)roque importunus,* kündigt er Kanzler Haimerich an;[160] an Papst Eugen ergehen die Schreiben Bernhards *opportune, importune.*[161] *Importunus sum,* doch – so Bernhard weiter – *Eugenii apostolatus excusat me.*[162] Die hier bekannte Anmaßung und Kompetenzüberschreitung ergibt sich zwangsläufig aus der Anlage von Bernhards öffentlichem Wirken. Sie ist daher nicht Ausnahme, sondern in der Struktur von Bernhards Wirken angelegter Dauerzustand. *Solita praesumptione* wendet er sich an Papst Eugen;[163] *solita praesumptione* an Papst Innozenz.[164] Nichts anderes besagen jene Schreiben Bernhards, in denen sich das Eingeständnis der Anmaßung mit dem Verweis auf häufige Interventionen verbindet. Als *importunus forsitan precator* tritt Bernhard Graf Theobald wegen seiner häufigen Interventionen *(crebris interpellationibus meis)* entgegen;[165] durch die Vielzahl seiner Schreiben *(crebris litteris meis),* drohe er den Grafen zu ermüden.[166] Kühn und in *solita praesumptione* sendet Bernhard eines seiner häufigen Schreiben *(scribo vobis frequentissime)* an Innozenz.[167] An Heinrich von Sens wendet sich Bernhard als stetiger Bittsteller, der,

[154] Vgl. 177ff.
[155] Ep. 427, VIII. 409; ?.
[156] Ep. 178,5, VII. 400; 1136.
[157] Ep. 169, VIII. 382; 1138.
[158] Ep. 212, VII. 72.
[159] Ep. 28,1, VII. 81,; 1136.
[160] Ep. 20, VII. 70; 1126–1128.
[161] Ep. 328, VIII. 264; 1145.
[162] Ep. 239, VIII. 120; 1145.
[163] Ep. 275, VIII. 187; 1152.
[164] Ep. 171, VII. 386; 1139.
[165] Ep. 38,1, VII. 96; 1125.
[166] Ep. 517, VIII. 476; 1125.
[167] Ep. 215, VIII. 75; um 1140.

kaum sei eine Forderung erfüllt *(ut ne crebra impetratio preces finiat)*, mit erneuten Bitten lästig falle.[168] Häufig und in den unterschiedlichsten Angelegenheiten *[(p)ro multis et per multos memini me scripsisse ad vos]* habe Bernhard an Kanzler Haimerich geschrieben;[169] kein Tag vergehe *[(p)reces et litteras meas habetis per singulos dies]*, an dem die Bitten und Briefe Bernhards nicht Papst Innozenz erreichten.[170]

7.5.2. Betreiben

Die erwähnten Ausgangsbedingungen der öffentlichen Wirksamkeit Bernhards sowie die zahlreichen Briefe an zuständige bzw. einflußreiche Personen in unterschiedlichsten Angelegenheiten machen deutlich, daß im allgemeinen Entscheidungen von Bernhard nicht gefällt, sondern betrieben werden. Entsprechend schildert Bernhard den Bischöfen von Ostia, Tusculum und Palestrina, nachdem er ihnen zuvor mahnend ihre Pflichten vor Augen[171] geführt hat, in eindringlichen Worten die Zustände im Bistum Metz,[172] um diese zum Einschreiten gegen den Metzer Bischof Stephan von Bar zu veranlassen. Bernhard beendet sein Schreiben mit folgenden Worten:

Ego itaque, quod in me est, demonstro lupum, instigo canes; iam quid intersit vestra, vos videritis: meum non est docere doctores.[173]

Im Kontext des Streites zwischen Graf Theobald und Ludwig VII.[174] steht ep. 224 an Bischof Stephan von Préneste. Mit den Worten: *Hucusque zelus meus* schließt Bernhard die schweren Vorwürfe ab, die er zuvor gegen den französischen König erhoben hatte, um sodann die Angelegenheit in die Hände Bischof Stephans zu übergeben: *Non possum ego emendare quod potui redarguere: potui et commonere eum qui possit.*[175] Anläßlich der umstritttenen Bischofswahl von York ergeht an die römische Kurie ein emotionsgeladenes *[(u)rimur assidue]* Schreiben, das zum sofortigen Eingreifen aufordert: *Et quia corrigere nos non possumus, saltem suggerimus his ad quos spectat.*[176]
Die sich hier abzeichnende Vorgehensweise Bernhards erscheint in mehrfacher Hinsicht problematisch. Allzuleicht geraten Entscheidungen zur Machtfrage, d. h. die Entscheidungsfindung wird von Umfang

[168] Ep. 44. VII. 132; um 1128.
[169] Ep. 53, VII. 145; 1128.
[170] Ep. 351, VIII. 294; 1141.
[171] Vgl. 244.
[172] Vgl. BC 639.
[173] Ep. 230, VIII. 100; 1142–1144.
[174] Vgl. 168.
[175] Ep. 224,4, VIII. 93; 1144.
[176] Ep. 236,1, VIII. 111; 1143.

und Amtsgewalt des Personenkreises abhängig, auf den Bernhard Einfluß zu nehmen vermag. Die wiederholten Schreiben Bernhards an Päpste und Kurie anläßlich der Angelegenheit von York[177] sowie die Briefflut, die die Verurteilung des Petrus Abälard[178] bewirken soll, mögen hier zum Beleg für diese Gefahr dienen. Ein weiterer problematischer Aspekt des Betreibens von Entscheidungen trat bereits bei der Bildung einer innerkirchlichen Opposition gegen Bernhard zutage. Bernhard zog sich hier hinter die zuständigen Bischöfe zurück,[179] denen er als den Inhabern der Amtsgewalt die Verantwortung für Entscheidungen beimaß, an denen er selbst beträchtlichen Anteil hatte. Ein vergleichbares Verhalten Bernhards läßt sich in der Konfrontation mit Abälard nachweisen.[180] Unverkennbar wohnt dem Betreiben als indirekter Form der Ausübung von Macht die Gefahr inne, Verantwortlichkeit verdeckt zu halten. Bernhard schlägt das Amt aus, die Gewalt des Amtes jedoch sucht er für seine Anliegen zu nutzen. Dem jeweiligen Amtsträger kommt somit der Vollzug von Bernhards Bitte, Mahnung und Rat zu. Diese Grundsituation von Bernhards Wirken findet in der Funktion ihren Niederschlag, die Bernhard den *‚boni'*, d. h. einer nicht genau bestimmten Gruppe tugendhafter, reformwilliger Personen, denen sich Bernhard nicht zuletzt selbst zuzählt, beimißt. So betont Bernhard in einem belehrenden Schreiben an den Bischof von Genf persönliche Tugend als Vorbedingung des Amtes und zugleich die Notwendigkeit der Einbindung des Bischofs in den Kreis der Guten:

OMNIA FAC CUM CONSILIO, nec tamen omnium aut quorumcumque, sed tantum bonorum. Bonos in consilio, bonos in obsequio, bonos habeas contubernales, qui vitae et honestatis tuae et custodes sint, et testes.

Im weiteren bestimmt Bernhard die Verwiesenheit des Bischofs an die Guten als so weitgehend, daß deren Zeugnis zum untrüglichen Indiz für das persönliche und administrative Gelingen des Bischofs wird: *In hoc enim te bonum probabis, si testimonium a bonis habueris.*[181] Vergleichbare Gedankengänge über das besondere Gewicht, das der Meinung der Guten beizumessen ist, finden sich in einem Schreiben an Papst Eugen;

[177] Vgl. 236f.
[178] Vgl. 255ff.
[179] Vgl. 165ff.
[180] Vgl. 257.
[181] Ep. 28,2, VII. 82; 1136. Vgl. auch Bernhards lobende Erwähnung des Erzbischofs von Canterbury in ep. 211, VIII. 70; 1142: *vir bonus, et testimonium habens a bonis.*

Boni hoc volunt, nec potest bonus non esse qui bonis placet. Nec minus validum mihi argumentum videtur quod bonus sit, si malis e regione displiceat.

Mit dieser Argumentation legt Bernhard Papst Eugen die Einsetzung des gewünschten Kandidaten in das Bischofsamt als die einzig angemessene Entscheidung nahe; – *(d)ecet sanctitatem vestram votis assentire bonorum.*[182] Grundsätzlich bemerkt Bernhard in einem Schreiben an Papst Innozenz, daß in allen zweifelhaften, strittigen Fragen dem Urteil der Guten oberste Autorität[183] zukomme:

In omni siquidem negotio valdissimum argumentum est ad faciendam rei dubiae fidem, id semper esse melius quod placeat bonis, malis autem displiceat.[184]

Bernhard schlägt das Amt aus und somit dessen Einbindung in Sachzwänge, Rechtssetzungen sowie eine gewisse Notwendigkeit zu Ausgewogenheit und Kompromiß. Bernhard, der nicht unmittelbar in der Verantwortung steht und dem die Realisierung von Entscheidungen nicht obliegt, sucht vielmehr auf die unbedingte Durchsetzung des Guten zu dringen. Folglich wirkt Bernhard auf Amtsträger in einer Weise ein, die es oftmals an Mäßigung mangeln läßt. Bisweilen treten sogar Rechtssetzungen vor dem machtvollen Anspruch auf Verwirklichung des Guten[185] in den Hintergrund. In diesem Sinne verlangt Bernhard, der über die Person Wilhelms, des Erzbischofs von York, von seinen englischen Mitbrüdern nur einseitig informiert worden war,[186] die sofortige Absetzung des Erzbischofs von York:

[182] Ep. 249, VIII. 144; 1146.

[183] Eine eingehendere Untersuchung der Rolle der *‚boni'* bzw. *‚religosi'*, denen nicht nur bei Bischofswahlen, sondern auch in ihrer die Amtsträger beeinflussenden Funktion eine wichtige Rolle zukommt, erscheint notwendig, überschreitet jedoch den Rahmen dieser Arbeit. Festzuhalten bleibt, daß sich hier eine Theorie andeutet, die der kirchlichen Ämterhierarchie eine Tugendhierarchie beiordnet (vgl. 224, Anm. 139). Ebenso sei auf die Relevanz dieses Themas für Bernhards Haltung im Schisma von 1130 verwiesen. Die Wählerschaft des Innozenz stellt für Bernhard die *‚pars senior'* (Schmale, Studien, 221) und Innozenz somit den rechtmäßigen Papst dar.

[184] Ep. 348,2, VIII. 292.

[185] Ein vergleichbares Verhalten Bernhards wurde bezüglich der Übertritte von Mönchen aus anderen Orden in ein Zisterzienserkloster festgestellt. Vgl. 22ff.

[186] „Man kann insbesondere nicht leugnen, daß der Abt von Clairvaux, ohne es zu ahnen, verleumderische Anklagen wiederholt hat." (Vacandard, Leben II. 349). Nachdem Bernhard seit 1141 die Absetzung Wilhelms mit dem Argument der Simonie und des unwürdigen Lebenswandels vergeblich betrieben hatte, gelingt ihm dies unter dem Pontifikat seines Schülers, Eugen III. Auf den abgesetzten Wilhelm Fitzherbert folgte 1147 der ehemalige Mönch Clairvaux' und Abt des englischen Zisterzienserklosters Fountains, Heinrich Murdac (BC 647). Im Jahre 1154, nach dem Tod Bernhards, Eugens und Heinrich Murdacs, kehrte Wilhelm nach York zurück, wo seine Rechte auf den Bischofsstuhl wiederum anerkannt wurden. 1227 erfolgte die Kanonisation Wilhelms.

Quanam via procedendum sit ad eius deiectionem, – neque enim una mihi esse videtur –, non est meum dictare sapienti. Nec multum nostra interest qua parte arbor infructuosa cadat, dummodo cadat.[187]

Bezüglich der strittigen Besetzung des Bischofsstuhles von Auxerre[188] fordert Bernhard Eugen auf, eine Entscheidung aus eigener Machtvollkommenheit an die Stelle der Einhaltung der kirchenrechtlichen Bestimmungen zum Wahlvorgang[189] treten zu lassen.

Ordinatissimum est, minus interdum ordinate aliquid fieri. Claves vestras, qui sanum sapiunt, alteram in discretione, alteram in potestate constituunt.[190]

Die problematischen Aspekte der Vorgehensweise Bernhards ergeben sich aus der Anlage seines öffentlichen Wirkens. Bernhards Flucht vor dem Amt ist zu einem wesentlichen Teil Weltflucht, Flucht vor dem von Sünde zeugenden Staub, der an allem Irdischen haftet. Bernhard, der auf die Welt einzuwirken sucht, fürchtet, daß umgekehrt die Welt auf ihn einwirken könne. Folglich hält Bernhard auch in der Welt den Geist monastischer Weltabgeschiedenheit aufrecht. Doch bedeutet diese Haltung im Kloster die Konzentration aller Kräfte zur Verwirklichung der verbindlichen Werte auf höchstem Niveau, so kommt sie in der Welt einer Verkürzung der Perspektive gleich, die mit Zwangsläufigkeit in ein von mangelnder Kompromißbereitschaft und Unduldsamkeit gekennzeichnetes Handeln führt. Das Betreiben als wichtige Form des öffentlichen Wirksamwerdens Bernhards muß vor diesem Hintergrund verstanden werden. Denn die dem Betreiben innewohnende Verbindung von Machtausübung und der Tendenz des Sich-Entziehens eröffnet die Möglichkeit zur heilsamen Einflußnahme auf die Welt und zugleich die Möglichkeit, sich vor dem als unheilvoll empfundenen weltlichen Einfluß zu verschließen. Machtwille zum Guten und Weltflucht verbinden sich somit zu einer offenkundig erfolgreichen Methode, die den Vorstellungen Bernhards zur Durchsetzung verhilft, zugleich aber deren Beschränkung aufrechterhält.
Diese Kritikpunkte jedoch geben ein Unbehagen an Bernhard wieder, das keineswegs das seine ist. Für Bernhard selbst gilt es, in den Angelegenheiten Jesu Christi tätig zu werden. Dem Gewicht dieser Legitimation entsprechend, tritt die Notwendigkeit zu Ausgewogenheit und Kompromiß, ja die Frage nach Rechtmäßigkeit und Angemessenheit der hierzu verwandten Mittel in den Hintergrund. Erwiesen sich daher in den beiden vorangegangenen Belegstellen Rechtsnormen von untergeordneter Bedeutung, so trägt Bernhard im folgenden seine Anliegen

187 Ep. 240,3, VIII. 124; 1145.
188 BC 629f; Vacandard, Leben II. 522ff; Pacaut, Louis VII. et les élections, 85–90.
189 Vacandard, Leben II. 524.
190 Ep. 276,3, VIII. 188; Ende 1151–Anfang 1152.

in einer Art und Weise vor, die im besonderen für das moderne Empfinden die von der Nächstenliebe gesetzte Grenze deutlich überschreitet.[191]

7.5.3. Invektive

In der Tat gehört die Heftigkeit, mit der Bernhard seine Angriffe gegen verschiedene Personen vorträgt, zu denjenigen Eigenschaften Bernhards, die sich kaum mit der modernen Vorstellung eines Heiligen und dessen sittlich – moralischer Vorbildhaftigkeit übereinbringen lassen. Anselm Dimier faßt in seinem Aufsatz ‚Outrances et roueries de Saint Bernard' verschiedene Streitpunkte zusammen, in denen Bernhards Reaktionen übertrieben, seine Angriffe maßlos erscheinen.[192] Das hier an besonders strittigen Einzelfällen zutagetretende Verhalten Bernhards ist jedoch von übergreifender Bedeutung für die öffentliche Wirksamkeit des Heiligen. Grundsätzlich wohnt Bernhards Argumentation die Tendenz inne, die Grenzen der umstrittenen Sachfragen zu überschreiten und den Kontrahenten selbst zum Ziel der Angriffe zu machen. Zahllos sind daher die persönlichen Verfehlungen, die Bernhard an Abälard zu erkennen glaubt.[193] König Ludwig liegt als *alter Herodes*[194] mit Heinrich von Sens im Streit. Daß Gerard, der als Bischof von Angoulême und Legat für Aquitanien zuvor die öffentliche Anerkennung für seine Kompetenz und Bildung genoß,[195] die Partei des Gegenpapstes Anaklet ergriff, nimmt Bernhard zum Anlaß heftiger Angriffe auf die Person Gerards.[196] Ungezügelte Ruhmsucht und Ehrgeiz trieben diese Person, die um die Amtswürde des Legaten feilsche.[197] Hinzu tritt der Vorwurf der Heuchelei, da Gerard Selbstsucht und Ehrgeiz zu verdecken suche und sich, bis er sein Ziel erreicht habe, den Anschein der Frömmigkeit *(poterit hypocrita iustus sanctusque videri)* gebe.[198] Erneut öffne Gerard die Seite des gekreuzigten Christus: – *pro-*

[191] So bemerkt Elisabeth Gössmann (Glaube und Gotteserkenntnis, 21): „Dieser eifernde Bernhard, dessen Lehre von der Synthese von Glauben und Liebe sich nicht ohne arge Verletzung der Liebe durchsetzen lassen wollte, ..."

[192] Dimier (655–662) führt den Streit gegen den Anhänger Anaklets, Gerard von Angoulême an sowie den Streit um die Besetzung des Bischofssitzes von Langres (vgl. 186ff), die Verurteilung Abälards (vgl. 253ff) und die Wahl von York (vgl. 183 u. 236f) an.

[193] Vgl. 256.

[194] Ep. 49, VII. 141; um 1129–1130; vgl. 180.

[195] Vgl. Vacandard, Leben I. 392f.

[196] Vgl. BC 628; Claude, Autour du schisme; Schmale, Studien, 230ff; Vacandard, Leben I. 391ff.

[197] Ep. 126,1–2, VII. 309f; 1131–1132.

[198] Ep. 126,5, VII. 312f.

baret sese non christianum, sed Antichristum.[199] In einem Schreiben an Gottfried von Loroux erscheint Gerard neben Anaklet als *(a)ltera quoque bestia,*[200] als die Schlange *(vicino serpente tua),* als das wilde Tier *(fera illa vicina),* das in der Nähe haust, und deshalb unmittelbar zu bekämpfen sei.[201] Ebenfalls von Teufelsmotiven sind die Angriffe Bernhards auf die Person des Gegenpapstes durchdrungen. Dessen Name, Petrus Leonis, bietet sich hier zum Verweis auf den Löwen, in seiner den Teufel versinnbildlichenden Symbolkraft[202] an:

Bestia illa de Apocalypsi, cui datum est os loquens blasphemias et bellum gerere cum sanctis, Petri cathedram occupat, TAMQUAM LEO PARATUS AD PRAEDAM.[203]

Ihm zu folgen, bedeutet, *curvare genu ante Baal.*[204] Er ist der Antichrist.[205] Seine Anhänger haben einen Pakt mit dem Teufel geschlossen *(videntur foedus percussisse cum morte et cum inferno fecisse pactum),* so daß ein jeder, der sich gegen Innozenz aufzulehnen wagt, *aut Antichristi est, aut Antichristus.*[206]

In ep. 139 an Kaiser Lothar tritt eine weitere Dimension des persönlichen Angriffs hinzu. Denn in Anaklet halte ein Sprößling aus dem Judengeschlecht *(Iudaicam sobolem)* den Stuhl Petri besetzt. Diese Aussage Bernhards ist in zweierlei Hinsicht überraschend. Im Rahmen der tradierten Vorgaben christlicher Herabminderung des jüdischen Glaubens und Volkes[207] nimmt Bernhard gegenüber den Juden jene Haltung ein, die – nach Friedrich Ohly – für die Besten seiner Zeit kennzeichnend ist.[208] Hinzu tritt, daß das Argument der jüdischen Herkunft Anaklets in den übrigen Darlegungen Bernhards zum Schisma keine Rolle spielt. Bernhards Aussage scheint somit allein aus dem Kontext des Schreibens erklärbar, das Kaiser Lothar zur Italienfahrt und – un-

[199] Ep. 126,6, VII. 313f.
[200] Ep. 125,1, VII. 307f; 1131–1132.
[201] Ep. 125,2, VII. 308.
[202] Vgl. 72.
[203] Ep. 125,1, VII. 308; Ps 16,12; vgl. auch: ep. 189,2, VIII. 13; ep. 124,1, VII. 305.
[204] Ep. 124,2, VII. 306; 1131.
[205] Ep. 127,1, VII. 320; 1131.
[206] Ep. 124,1, VII. 305.
[207] Zum Ketzer Heinrich bemerkt Bernhard unter Anspielung auf die den Juden verborgene geistige Dimension der Bibel (vgl. 37 u. 206), daß dessen Lehren mit jüdischer Blindheit *(Iudaica caecitate)* geschlagen sei (ep. 241,2, VIII. 126; Juni 1145). Auch das Motiv des wuchernden Juden ist Bernhard bekannt (ep. 363,7, VIII. 316; 1146), wobei Bernhard an dieser Stelle hinzufügt, daß der von Christen betriebene Wucher bisweilen noch schlimmer sei.
[208] „Das Wissen von der Bekehrung der Juden vorm Ende der Zeiten, vom Kommen Christi in das Haus der Mutter, war den besten eine Warnung. Wer einen Juden tötet, schließt ihn aus von der erwarteten Bekehrung, greift frevelnd in den Heilsplan Gottes." (Ohly, Synagoge, 317).

ter Nichtbeachtung des päpstlichen Anspruchs auf Sizilien[209] – zur Bekämpfung König Rogers zu bewegen sucht:

Non est meum hortari ad pugnam; est tamen, – securus dico, – advocati Ecclesiae arcere ab Ecclesiae infestatione schismaticorum rabiem; est Caesaris propriam vindicare coronam ab usurpatore Siculo. Ut enim constat Iudaicam sobolem sedem Petri in Christi occupasse iniuriam, sic procul dubio OMNIS QUI in Sicilia REGEM SE FACIT CONTRADICIT CAESARI.[210]

Man wird den Grund für den Hinweis auf die jüdische Herkunft Anaklets darin zu sehen haben, daß Bernhard ihm Bedeutung für die werbende Wirkung seines Schreibens beimaß. Ep. 139 kann somit nicht zum Beleg des Antisemitismus Bernhards dienen.[211] Dieses Schreiben belegt jedoch nachdrücklich, daß Bernhard – auch hier der Durchsetzung des Guten und weniger dem kritischen Erwägen der zu verwendenden Mittel verpflichtet – bereit war, zur Verwirklichung des erstrebten Ziels antisemitische Ressentiments zu schüren bzw. sich diese nutzbar zu machen.

Wie schon die Anhänger Anaklets, so sind auch die Wähler des Bischofs von Rodez von übelster Art *(homines curruptissimi, qui pepigerunt pactum cum morte, et foedus cum inferno)*.[212] Ihr Kandidat besitzt den denkbar schlechtesten Ruf,[213] so daß sich Bernhard verbittet, daß derartige Ungetüme *(talia monstra)* in Amt und Würden gehoben werden.[214] *(N)on sponsum, sed monstrum*[215] lautet die von heftigen Angriffen auf angebliche persönliche Verfehlungen vorbereitete Bezeichnung für den Cluniazenserbischof von Langres. Selbst Petrus Venerabilis entgeht im Streit über die Besetzung des Stuhles von Langres nicht dem Vorwurf, jenen Erdengöttern anzugehören, die sich gegen Gott selbst erhoben haben.[216] Eine Flut persönlicher Angriffe formuliert Bernhard gegen den 1227 heiliggesprochenen Erzbischof von York. Zu dessen Amtserhebung ruft Bernhard aus: *Heu, notus est orbis triumphus diaboli!*[217] Gegen ihn erhebt Bernhard den keineswegs bewiesenen[218] Vorwurf der Simonie; Wilhelm, *fur et latro,* vertraue allein auf Reichtum

[209] Vgl. 173f.
[210] Ep. 139, VII. 335f.
[211] Folgende Aussage Kurt Flaschs (Einführung 85) kann daher in dieser Form nicht aufrechterhalten werden: „Bernhard haßte die Städte – und die Juden."
[212] Ep. 328, VIII. 264, BC 642.
[213] ... *ille, qui de abbatia in abbatiam, vel potius de abysso in abyssum descendit, ut idem sit violator virginum, et consecrator* (ep. 329, VIII. 265f; 1145).
[214] Ep. 328, VIII. 264, BC 642.
[215] Ep. 165, VII. 376; 1138.
[216] Vgl. 187f; ep. 168,1, VII. 380.
[217] Ep. 235,2, VIII. 109; Oktober 1143.
[218] Vgl. Talbot, New documents; Dimier, Outrances 660ff.

und hohle Eitelkeit.[219] Diesen Mann *(turpis infamisque persona),*[220] das Idol von York,[221] im Amt zu belassen, bedeute für die in ep. 236 angesprochene Kurie, *curvare genua ante Baal.*[222] Entsprechend heftig sind die Angriffe gegen den Bischof von Winchester[223] *(praeambulans Satanae, filius perditionis, adversator iuris et legum),*[224] der 1143 die Konsekration Wilhelms vollzog.

Im Falle Wilhelms von York, Gerards von Angoulême, Wilhelms von Sabran, des cluniazensischen Erzbischofs von Langres, sowie im Falle Abälards sind die persönlichen Angriffe Bernhards nachweislich überzogen bis unzutreffend. Auf die Gründe, die Bernhards Argumentation rasch in die persönliche Diffamierung führen, wird noch einzugehen sein. Festzuhalten bleibt an dieser Stelle die Notwendigkeit zur Vorsicht, die gegenüber derartigen Angriffen Bernhards geboten erscheint, auch wenn sie Personen betreffen, bei denen ein weniger ausgeprägtes Forschungsinteresse an einer möglichen Relativierung der Anschuldigungen Bernhards besteht. So läßt Bernhard in ep. 241 auf eine kurze Darlegung der Irrlehren des Ketzers Heinrich von Lausanne[225] heftige Angriffe gegen dessen verwerflichen Lebenswandel folgen. Dieser Mensch ist ein Wolf im Schafspelz *(sub vestimentis ovium lupus rapax).*[226] Nur vorgegeben ist seine Frömmigkeit, da er sich der Tugenden völlig entschlage *(quippe speciem pietatis habens, cuius virtutem penitus abnegavit).*[227] *(T)amquam canis ad suum vomitum* kehrte dieser ehemalige Mönch zum Schmutz der Welt zurück. Von seiner Familie wegen zahlreicher Untaten verstoßen, verkaufte er das Evangelium, in dem er sich für seine Predigt bezahlen ließ. Das eingenommene Geld verwendete er zum Spiel und für Schlimmeres, so daß er des Nachts bei Dirnen oder gar bei verheirateten Frauen angetroffen wurde.[228] Auch Arnold von Brescia[229] gibt sich nur den Anschein von Frömmigkeit; – *HABENTES FORMAM PIETATIS, VIRTUTUM ILLIUS PENITUS ABNEGANTES.* Wie Heinrich ist er ein Wolf im Schafpelz,[230] der einen

[219] Ep. 238,5, III. 118; 1145. Durch die Absetzung Wilhelms könne Eugen, so Bernhard in ep. 239 (VIII. 120; 1145), *uno ictu exstinguere Ananiam, uno Simonem Magnum ...*

[220] Ep. 235,2, VIII. 109.

[221] Ep. 239, VIII. 120; 1145, ep. 235,3, VIII. 109; ep. 520, VIII. 480; 1144f.

[222] Ep. 236,2, VIII. 112.

[223] Vgl. BC 646.

[224] Ep. 520, VIII. 481.

[225] Ep. 241,1, VIII. 125f. Zu Heinrich von Lausanne, vgl. Grundmann, Religiöse Bewegungen 41 u. 45f; ders. Ketzergeschichte, G 16f; LThK V (A. Borst), 194f.

[226] Ep. 241,1, VIII. 125.

[227] Ep. 241,2, VIII. 126.

[228] Ep. 241,3, VIII. 126f.

[229] Vgl. 217, Anm. 110.

[230] Ep. 195,1, VIII. 49f; 1142; 2 Tim 3,5.

tugendhaften Lebenswandel heuchelt *(simulatione virtutum)*.[231] Sein Haupt ist das der Taube, sein Schwanz aber der des giftigen Skorpions.[232] Arnold von Brescia –

(I)nimicus crucis Christi, seminator discordiae, fabricator schismatum, turbator pacis, unitatis divisor, cuius DENTES ARMA ET SAGITTAE, ET LINGUA eius GLADIUS ACUTUS.[233]

Wiederum finden Teufelsmotive Verwendung. Denn wie Satan ißt und trinkt Arnold nicht, sondern dürstet allein nach dem Blut der Seele;[234] *TAMQUAM LEO RUGIENS, circuiens et QUAERENS QUOS DEVORET.*[235]

Man wird zu einer Beurteilung dieser Angriffe Bernhards Eifer sowie seinen unbedingten Willen, dem Guten zur Durchsetzung zu verhelfen, in Betracht ziehen müssen. Ebenso wird eine gewisse charakterliche Disposition des zu heftigen Reaktionen neigenden Abtes in Rechnung zu stellen sein. Aber auch das theologische Vorfeld, das Bernhards Angriffen die Dimension des Persönlichen eröffnet, läßt sich bestimmen. Alles menschliche Gelingen ordnet Bernhard seinem dem klösterlichen Kontext entstammenden Verständnis von Nachfolge zu. Nachfolge vollzieht sich in den Tugenden, in der umfassenden Bildung des Menschen gemäß dem himmlischen Vorbild.[236] In den Tugenden schreitet der Mensch zu einem immer höheren Grad an Ähnlichkeit, an Zusammenklingen von menschlichem und göttlichem Willen voran. Alles Erkennen und Wissen des Menschen besitzt seine wichtigste Grundlage und Vorbedingung in den Tugenden. Untrennbar ist daher das Wissen um das Gute mit persönlicher Gutheit verbunden. Bernhards Neigung zur persönlichen Invektive läßt sich aus dem Umkehrschluß dieser zentralen Inhalte seiner monastischen Theologie verstehen. Ebenso wie das Leben in den Tugenden dem Menschen die Kenntnis der Wahrheit eröffnet, verweist der Irrtum des Menschen auf dessen Untugenden. Deutlich tritt die Verbindung von Irrtum und verwerflichem Lebenswandel an den Ketzern (dies gilt, wie nachzutragen sein wird, auch für Abälard)[237] zutage, die sich nur den Anschein von Frömmigkeit geben, die Tugenden jedoch meiden. Auch in den anderen Beispielen kommt diese Verbindung mehr oder minder ausgeprägt zum Tragen, wenn Bernhard seine Angriffe über den konkre-

[231] Ep. 195,2, VIII. 50.
[232] Ep. 196,1, VIII. 51; 1142–1143.
[233] Ep. 195,2, VIII. 50, Ps 56,5.
[234] Ep. 195,1, VIII. 49f.
[235] Ep. 195,2, VIII. 50; 1 Pet 5,8, und Ps 13,4.
[236] Vgl. 45ff.
[237] Vgl. 256f.

ten Streitpunkt hinaus auf persönliche Verfehlungen seiner Opponenten ausweitet.
Die Konsequenzen dieses Zusammenhangs sind jedoch noch weiterreichend. Untrennbar erwiesen sich Christologie und Anthropologie, das Leben in der Nachfolge, mit der Verwirklichung wahren Menschseins verbunden. Der Grad des Irrtums beschreibt den Grad an Unähnlichkeit zu Gott und somit den Grad an menschlicher Entartung. Dies ist der theologische Ort, an dem Bernhard seine Opponenten mit den Attributen des Monströsen und Animalischen versieht. Die Unähnlichkeit vermag in eine neue Ähnlichkeit von völlig anderer Art umzuschlagen. Der Mensch verähnlicht sich nun zu einem der Verstrickung in die Sünde entsprechenden Grad seinem teuflischen Vorbild. Die Natur des Menschen wird so zur Teufelsnatur,[238] die Bernhard vornehmlich zur Beschreibung der Spalter (Schismatiker und Häretiker) als der verwerflichsten aller Gegner dient.

7.5.4. Beredsamkeit

Bernhard wirkt nicht aus dem Amt, sondern wirkt auf die betreffenden Amtsträger und Machthaber ein. Diesem Ansatz gemäß ist Bernhards Einflußnahme durch das Streben nach Zugriff auf die Persönlichkeit des zu Beeinflussenden gekennzeichnet. Auch die Beredsamkeit Bernhards ist daher jenen Elementen zuzuzählen, die das öffentliche Wirken des Heiligen bestimmen. Einschränkende Bemerkungen, insbesondere zur Funktion, die die Beredsamkeit bei den modernen Interpreten Bernhards angenommen hat, werden an anderem Ort nachzureichen sein.[239] An dieser Stelle bleibt die Bedeutung festzuhalten, die Bernhards Beredsamkeit für seine Wirkkraft besitzt. Diese Beredsamkeit zeugt nicht nur von der hervorragenden sprachlichen Begabung Bernhards, sondern darüber hinaus von einer außergewöhnlichen Sensibilität gegenüber dem Menschen, an den Bernhards Rede ergeht. Das vordringliche Merkmal von Bernhards Beredsamkeit ist somit das ihr innewohnende Vermögen zur besonderen Bezugnahme auf Wesen und Wertvorstellungen der zu beinflussenden Personen. Zutreffend bringt Bernhards Sekretär und Biograph diesen Sachverhalt in folgender Beschreibung der außergewöhnlichen Befähigung Bernhards als Prediger zum Ausdruck:

Sermo ei, quoties opportuna inveniebatur occasio, ad quascumque personas de aedificatione animarum, prout tamen singulorum intelligentiam, mores et studia noverat, quibusque congruens auditoribus erat. Sic rusticanis plebibus loquebatur, ac si semper in

[238] Vgl. 96f.
[239] Vgl. 271ff.

rure nutritus: sic caeteris quibusque generibus hominum, velut si omnem investigandis eorum operibus operam impendisset. Litteratus apud eruditos, apud simplices simplex, apud spirituales viros perfectionis et sapientiae affluens documentis; omnibus se coaptabat, omnes cupiens lucrifacere Christo.[240]

Bernhard verstand es, sich den Eigenheiten und der Auffassungsgabe eines jeden anzupassen, den er für Christus zu gewinnen suchte. Dieses Urteil Gaufreds von Auxerre fand bereits zu mehreren Gelegenheiten seine Bestätigung. Dem Regularkanoniker Oger schildert Bernhard in einem kunstvollen Schreiben die Mönche als Gaukler und Toren,[241] während er einem unbekannten Laien in unmißverständlichen Worten die Weisheit der Welt als Torheit vor Gott darlegt.[242] Dem gelehrten Magister Heinrich Murdach tritt das Klosterleben als Ort wahrer Bildung entgegen;[243] das Kloster jedoch zu verlassen – so Bernhard an seinen wie Bernhard selbst aus ritterlichem Geschlecht stammenden Neffen –, kommt der Flucht inmitten der Schlacht und somit einem höchst ehrrührigen Verhalten gleich.[244] An die vornehme Jungfrau Sophia, die ihren Schmuck und alles Streben nach äußerer Schönheit abgelegt hat, sendet Bernhard ein zum Klosterleben ermunterndes Schreiben, das die Tugenden als Schmuck und Schönheit der Seele beschreibt.[245] Bernhards Friedensmahnung an den kriegführenden Herzog Konrad ergeht in einer Weise, die klarlegt, daß ein Nachgeben des Zähringers keinesfalls ein dem Ehrgefühl widersprechendes, von militärischer Schwäche zeugendes Verhalten darstellt.[246] Dem französischen König führt Bernhard die Mißstände in der Kirche von Reims unter Verwendung der Brautsymbolik vor Augen, wobei die Braut hier eine Ausgestaltung als vornehme Dame erfährt, die Schmach und Erniedrigung zu erdulden hat.[247] In geschickter Verbindung von geistlicher Drohung und Anmahnung einer dem herrschaftlichen Verhaltens- und Ehrenkodex entsprechenden Entscheidung vermag Bernhard den deutschen König für den zweiten Kreuzzug zu gewinnen.[248] Zahlreiche weitere Zeugnisse ließen sich zum Beleg der in der Tat beeindruckenden Beredsamkeit Bernhards anführen. Die Verstärkung von deren Wirkkraft im persönlichen Auftreten des charismatischen, im Ruf des Wundertäters stehenden Heiligen ist unschwer vorstellbar.

[240] VP III. III,6, 306.
[241] Vgl. 202f.
[242] Vgl. 204.
[243] Vgl. 205f.
[244] Ep. 1,13, VII. 10f; 1125. Vgl. auch: ep. 2,12, VII. 22; um 1120; und ep. 112, VII. 286; ep. 292,1, VIII. 209; ?.
[245] Ep. 113, VII. 287–291; ?.
[246] Vgl. 181f.
[247] Vgl. 220.
[248] Vgl. 272f.

Für die von seiner Predigt zu Vézelay aufgerührte begeisterte Masse muß Bernhard sein Kleid für die Stoffkreuze der Kreuzfahrer in Stücke reißen[249]. *(N)on sine lacrymis* entschließt sich Konrad auf die Rede Bernhards hin zur Kreuzfahrt.[250]

Bernhards Beredsamkeit zielt darauf ab, dem vorgefaßten Guten Eingang in den Menschen zu verschaffen. Das Mittel hierzu stellt die besondere Bezugnahme auf Wertmaßstäbe und Wesen der zu beeinflussenden Personen dar. Diesem Ansatz entsprechend ist Bernhards Beredsamkeit durch das Bestreben gekennzeichnet, das Gute in gezielter Emotionalisierung der betreffenden Inhalte, oder aber vermittels anderer Inhalte von größerer emotionaler Wirkkraft zur eindringlichen, d. h. auf Umsetzung dringenden Darstellung zu bringen. Wiederum ergibt sich die nicht unproblematische Methode Bernhards aus Anlage und Grundproblematik seines öffentlichen Wirkens. Denn die Verbindung von Weltflucht mit dem machtvollen Willen, auf die Welt zum Guten hin einzuwirken, findet ihre Entsprechung in einer Methode zur Einflußnahme, die unverkennbar an die Stelle der Bereitschaft zum Dialog die Tendenz zur Manipulation treten läßt.

Festzuhalten bleibt des weiteren die grundsätzliche Bedeutung, die der dargestellte Sachverhalt für den Umgang mit Bernhards Texten besitzt. Denn nicht jeder Text Bernhards gibt zwangsläufig seine Auffassung, die für ihn selbst verbindlichen Werte wieder. Im besonderen Maß gilt dies für Texte Bernhards, die an Laien gerichtet sind. Im Rahmen der dreigeteilten *‚ecclesia electorum‘*[251] stellen die Laien jenen Stand dar, dessen Lebensführung und Wertesystem am nachdrücklichsten von der Vorzüglichkeit des Mönchsstandes geschieden sind. Bernhards klösterliche Predigt sucht Menschen zum Voranschreiten zu ermuntern und zu bestärken, die den Weg des Heils bereits beschritten haben. Untrennbar ist diese Predigt mit einer Theologie von optimistischer Grundhaltung verbunden, in welcher der Mensch im freiwilligen, dem Geist der Liebe entspringenden Läuterungswerk die Liebestat des menschgewordenen Gottes zur jenseitigen Erfüllung des persönlichen Heilsschicksals ergänzt. Wendet sich Bernhard hingegen den Laien zu, so richtet er sein Wort an Menschen, bei denen, zumal wenn sie von vornehmem Stand sind, die Tugend kaum gefunden werden kann.[252] Bernhard trägt diesem Abstand in seinen an Laien gerichteten Texten Rechnung. Auf den beträchtlichen Unterschied bezüglich ge-

[249] Odo von Deuil, De profectione, 8f.
[250] Vgl. 272.
[251] Vgl. 13ff.
[252] *Profecto quia necessitas multorum est, virtus paucorum. Paucorum, inquam, paucorum, praesertim nobilium. Denique non multos nobiles, sed ignobilia mundi elegit Deus* (ep. 113,1, VII. 288).

genwärtiger Heilsnähe und zukünftiger Heilserwartung reagiert er mit der nicht minder beträchtlichen Verschiebung der theologischen Gewichte.[253] Den Mächtigen läßt Bernhard daher Christus in jener machtvollen Gestalt entgegentreten, die die Einbindung aller Herrschaft unter der Herrschaft Christi anmahnt. In diesem Sinne ergeht Bernhards Gruß an den englischen König; – *caelorum Regi de terreno regno servire fideliter et humiliter oboedire.*[254] Neben den drohenden Zügen,[255] die der Gestalt des herrschaftlichen Christus innewohnen, unterscheidet sich das hier entworfene Gottesbild vom menschgewordenen Christus der Predigt Bernhards, auch durch die Art der Frömmigkeit, die es vom Menschen einfordert. Weit stärker als in der Liebestheologie des Klosters, tritt hier der Gedanke des frommen Erwerbs in den Vordergrund, der auf jenseitige Gegenleistung zu verpflichten sucht. Diesen Werten entsprechend fährt Bernhard in seinem Schreiben an den englischen König fort, das den wohlwollenden Empfang der gesandten Mönche als Akt der Treue und des Gehorsams gegenüber dem obersten König und Herrscher beschreibt und dafür jenseitigen und diesseitigen Lohn in Aussicht stellt:

Assistite eis tamquam nuntiis Domini vestri, et in ipsis feudum vestrum deservite. Ipse vero ad honorem suum, ad salutem vestram, ad patriae sospitatem et pacem, laetum vos et inclytum perducat in bonum ac placidum finem.[256]

Bis in das Haus *caelestis regis* sei der Wohlgeruch der guten Taten des schottischen Königs emporgestiegen. Voll Vertrauen empfiehlt ihm Bernhard daher seine Mitbrüder; – *sperans scilicet a Christo rege regum pro mercede tua in distributione iustorum regnum sempiternum.*[257] Ebenso steht in ep. 421 der Gedanke des frommen Erwerbs im Vordergrund, so daß für das angesprochene vornehme Ehepaar freizügiges Geben auf Erden der Ansammlung himmlischer Schätze gleichkommt: *Eia, carissimi, THESAURIZATE VOBIS THESAUROS IN CAELO.*[258]

Man wird Bernhards Anpassung theologischer Aussagen an das jeweilige Gegenüber im besonderen auch bei seinen bekanntesten an Laien gerichteten Schreiben, den Kreuzzugsbriefen, in Rechnung stellen müssen. Sehr zu Recht wird in der Forschung immer wieder darauf hinge-

[253] Obige Ausführungen geben jedoch keine Ausschließlichkeit wieder. Der herrschaftliche Christus läßt sich auch in den Predigten Bernhards finden (zumeist in kriegerischer Gestalt, vgl. 88ff), besitzt aber eine dem menschgewordenen Christus nachgeordnete Bedeutung.

[254] Ep. 92, VII. 241; 1132.

[255] Vgl. 244ff.

[256] Ep. 92, VII. 241.

[257] Ep. 519, VIII. 478f; 1133–1134.

[258] Ep. 421, VIII. 405; vielleicht 1146; Mt 6,20.

wiesen, wie sehr Bernhard den Gedanken der Verdienstlichkeit des Unternehmens hervorstreicht:[259]

Si prudens mercator es, si CONQUISITOR HUIUS SAECULI, magnas quasdam tibi nundinas indico, vide ne te praetereant. (. . .) Materia ipsa si emitur, parvi constat; si devote assumitur humero, valet sine dubio regnum Dei.[260]

Aus Barmherzigkeit habe sich Gott, der durch ein Wort das Hl. Land befreien könne, zum Schuldner gemacht *(ut militantibus sibi stipendia reddat)*.[261] Der Vergleich mit den im monastischen Rahmen heilsverbindlichen Werten macht deutlich, inwieweit der im Kreuzzugsbrief vermittelte Lohngedanke dem besonderen Zuschnitt auf die zu motivierende Gruppe entstammt. Für die Mönche gilt es, selbstlose Liebe zu erstreben, Gott um Gottes willen zu lieben, ja auf der in Bernhards Schrift ‚*De diligendo Deo*' bestimmten obersten Stufe, sich selbst allein um Gottes willen zu lieben.[262] Grundsätzlich grenzt Bernhard die in sich selbst Erfüllung findende Liebe *[(i)pse meritum, ipse praemium est sibi]*[263] gegenüber jener auf persönlichen Vorteil bedachten, unreinen Liebe ab: *Suspectus est mihi amor, cui aliud quid adipiscendi spes suffragari videtur. (. . .) Impurus est, qui et aliud cupit. Purus amor mercenarius non est.*[264] Wahre Liebe sucht nicht auf Gegenleistung zu verpflichten; – *(a)ffectus est, non contractus.*[265] Nachdrücklich ist daher die der Furcht entstammende Frömmigkeit der Knechte *(servi)* sowie die auf Lohn hoffende Frömmigkeit der Mietlinge *(mercenarii)* vom Weg der in der Liebe voranschreitenden Mönche geschieden.[266] Deutlich nimmt Bernhard in der Betonung der Verdienstlichkeit des Kreuzzugsunternehmens auf Mentalität und Werte der zu motivierenden Gruppe Bezug. Nicht minder deutlich jedoch wird auch die im Bewußtsein Bernhards bestehende Kluft zwischen Mönchs- und Laienstand, wenn Bernhard in seinem Kreuzzugsschreiben Werte in heilsverheißenden Rang hebt, die im Rahmen des Klosters als inferior ausgewiesen und folglich im Streben nach stetiger Vervollkommnung zu überwinden sind.

[259] Bernhard stellte – so Mayer, Geschichte, 90 – „wie kein anderer den Lohngedanken scharf heraus".

[260] Ep. 363,5, VIII. 315; Phil 1,21.

[261] Ep. 363,4, VIII. 314.

[262] Dilig. X,27, III. 142; vgl. Delfgaauw, La nature.

[263] CC 83,4, II. 300.

[264] Ebd. 83,5, II. 301.

[265] Dilig. VII,17, III. 133.

[266] Zu mehreren Gelegenheiten greift Bernhard in seinen Predigten diese Dreiteilung auf, um in hierarchischer Stufung die dreifache Möglichkeit des Menschen zu verdeutlichen, sich auf Gott zu beziehen. Vgl. div. 3,1, VI.I. 87 u. 3,9, 92; ebd. 72,4, VI.I. 310; ebd. 115, VI.I. 392; dilig. XII,34, III. 148f. Vgl. 365f.

7.5.5. Drohungen

Die Drohung als weiteres Element von Bernhards öffentlichem Wirken[267] steht in engem Zusammenhang mit dem Themenkomplex der Beredsamkeit. Wiederum zeichnet der Zugriff auf die Person des zu Beeinflussenden Bernhards Methode aus, die hier über das Element der Furcht Rat und Bitte Eingang zu verschaffen sucht. Die vornehmliche Zielgruppe der Drohung sind weltliche Große, auf deren vom Bereich des Klosters geschiedene Frömmigkeit Bernhard unter Verwendung der herrschaftlichen Gestalt Gottes Bezug nimmt. Vereinzelt lassen sich jedoch auch Drohungen gegenüber geistlichen Würdenträgern nachweisen. So leitet Bernhard sein Schreiben gegen den Kandidaten für den Bischofssitz von Rodez mit folgenden Worten an den Bischof von Limoges ein:

Verba quae ego loquor vobis, non pro me ipso loquor, nec in eis quaero quae mea sunt. Vobis loquor pro vobis. BREVES DIES HOMINES SUNT.[268]

Nahe an Drohung grenzt die Nachdrücklichkeit, mit der Bernhard von Papst Eugen die sofortige Absetzung des Erzbischofs von York anmahnt:

Si adhuc steterit, proh dolor! verendum ne ipsius status vester sit casus, dum quidquid adiecerit, utpote mala arbor, quae non potest nisi malos fructos facere, non illi iam, sed vobis merito imputetur.[269]

Eine vergleichbare Äußerung findet sich in ep. 230 an die Bischöfe von Ostia, Tusculum und Praeneste, denen Bernhard die mit ihrem Amt verbundene Notwendigkeit zum Nutzen Gottes zu wirken vorhält, um sodann hinzuzufügen: *Alioquin deponet ille Paterfamilias potentes de sede, qui pro accepta potestate inventi fuerint suis utilitatibus defuisse.*[270]
In den meisten Fällen jedoch setzt Bernhard das Mittel der Drohung zur Einflußnahme auf weltliche Würdenträger ein. Bereits in Bernhards Legitimation über die Angelegenheiten Christi klangen drohende Züge an.[271] Deutlichere Gestalt gewinnen Bernhards Drohungen in den folgenden Belegstellen. In der Drohung verfolgt Bernhard sein Ziel, indem er über das Element der Furcht Einfluß zu nehmen sucht. Ihrem Ansatzpunkt im Menschen gemäß findet sich die Drohung in einer Weise formuliert, die deutlich genug ist, um der Furcht Raum zu geben, die Konkretisierung jedoch in ihrer die Furcht eingrenzenden

[267] Drohungen Bernhards in Schreiben, die zum Klosterleben zu überreden suchen, finden im Verlauf dieses Kapitelabschnitts keine Beachtung.
[268] Ep. 329, VIII. 265; 1145; Iob 14,5; vgl. Vacandard, Leben I. 267.
[269] Ep. 252, VIII. 149; 1145–1146.
[270] Ep. 230, VIII. 100; 1142–1144.
[271] Vgl. 181ff.

und der Überprüfbarkeit zuführenden Wirkung meidet. Insbesondere jene Drohungen Bernhards, die auf diesseitige Folgen anspielen, verbleiben notwendigerweise im Vagen, so daß sich der Inhalt kaum präzisieren, sehr wohl aber der Bereich bestimmen läßt, auf den Bernhards Drohung abzielt. Grundsätzlich vermag sich Bernhards Drohung auf diesseitige und auf jenseitige Folgen zu beziehen. In positiver, die Drohung jedoch implizierender Formulierung weist Bernhard in einem Schreiben an die englische Königin Mathilde auf die günstigen Folgen für das Reich und das persönliche Heilsschicksal hin, wenn sie Bernhards Rat *(si Deum timetis et si in re aliqua nostro vultis acquiescere consilio)*, gegen den Erzbischof von York einzuschreiten, nachkommen sollte: *(L)ibenter sed et fiducialiter suggerentes quae ad salutem vestram et gloriam regni vestri novimus pertinere.*[272] Auf die unheilvollen Folgen diverser Fehlverhalten für das persönliche Heilsschicksal macht Bernhard in den folgenden Schreiben aufmerksam. Die Mahnung an die Herzogin von Lothringen und ihren Gatten, von einer Fehde abzulassen, ergeht unter Verwendung von Mt 16,26 und Mk 8,36: *QUID PRODEST HOMINI SI MUNDUM UNIVERSUM LUCRETUR, se autem perdat, ET DETRIMENTUM SUI FACIAT?*[273] Daß Ludwig VI. die kirchlichen Würdenträger Frankreichs von der Teilnahme am Konzil zu Pisa abhielt, stellt *propriae quoque utilitatis, sed dignitatis, sed salutis (. . .) periculum* dar.[274] Das Schreiben an den kriegführenden Zähringer Konrad schließt mit dem unmißverständlichen Hinweis auf das beim jüngsten Gericht zu erwartende Urteil, wenn der Herzog die Friedensmahnung Bernhards unbeachtet lassen sollte:

> *Alioquin si nec oblatam iustitiam recipis, nec nos precantes respicis, immo Deum in nobis de tua te salute commonentem non attendis, videat ipse et iudicet.*[275]

Geschickt verschiebt Bernhard die Verantwortung für die Vertreibung von Klerikern durch Graf Wilhelm von Poitiers auf einen teuflischen Ratgeber, den beim Gericht die gerechte Strafe ereilen wird. Von hier weitet Bernhard die Drohung auf die Person des Grafen aus: *Revertere, quaeso, revertere, ne et tu, quod absit, abscidaris.*

In den meisten Fällen verbindet Bernhard die Androhung jenseitiger Folgen mit dem allgemein gehaltenen Hinweis auf negative Folgen für das diesseitige herrschaftliche Gelingen. Entsprechend fährt Bernhard mit seinen Mahnungen an den Grafen von Poitiers fort:

[272] Ep. 534, VIII. 499.
[273] Ep. 120, VII. 301; vor 1139.
[274] Ep. 255,1, VIII. 161; 1135.
[275] Ep. 97,2, VII. 248; 1132.

Revertere, inquam, et revoca amicos tuos ad pacem et clericos ad Ecclesiam; antequam irrecuperabiliter reddas tibi aversum terribilem et eum qui aufert spiritum principum, terribilem apud reges terrae.[276]

Verbunden findet sich diese Drohung mit der herrschaftlichen Gestalt Gottes, der weltliche Herrschaft zum treuen Dienst und gerechter Verwaltung verleiht. Diesen Ursprung königlicher Herrschaft führt Bernhard König Ludwig VI. in der königlichen Gestalt Gottes *(Rex caeli et terrae)* vor Augen.[277] An Ludwig VII. ergeht die eindringliche Warnung;

Nolite, quaeso, nolite, domine mi Rex, Regi vestro, immo omnium Conditori, tam evidenter in suo regno et in sua possessione audere resistere, et manum extendere tam frequenti et temerario ausu adversum terribilem, ET eum QUI AUFERT SPIRITUM PRINCIPUM, terribilem APUD REGES TERRAE.[278]

Im gleichen Sinne bestimmt Bernhard in einem Schreiben an Graf Heinrich Ursprung und Aufgabe weltlicher Macht, wobei Bernhard hier nun die königliche Gestalt Gottes der vorangegangenen Schreiben in eine allgemein herrschaftliche überführt.

Ad hoc te constituit principem super terram PRINCEPS REGUM TERRAE, ut sub eo et pro eo bonos foveas, malos coerceas, pauperes defendas, facias IUDICIUM INIURIAM PATIENTIBUS.

Sollte der Herrscher seinen Dienst *(opus Principis)* treu und gerecht versehen, so steht zu hoffen, daß Gott dies mit der Gegengabe des Gedeihens und Erstarkens der Herrschaft vergilt *(et spes est ut tuum Deus dilatare et roborare debeat principatum)*. Anderenfalls jedoch droht der Verlust von Macht und Ansehen *(timendum tibi, ne hoc ipsum quod videris habere honoris vi maioris potestatis, auferatur, quod absit, a te)*.[279] Dieser sowie vergleichbaren Drohungen bezüglich diesseitiger Folgen herrschaftlichen Fehlverhaltens[280] liegt Ps 75,12–13 *(TERRIBILI, ET EI QUI AUFERT SPIRITUM PRINCIPUM; TERRIBILI APUD REGES TERRAE)* zugrunde. Deutlich weist Bernhard hier auf den möglichen Entzug von göttlicher Gnade und Gunst als der Vorbedingung alles herrschaftlichen Gelingens, ja als der Grundlage jeglicher Herrschaftsausübung hin. Die von Bernhard angedrohten diesseitigen Folgen bestünden somit in einem Mißlingen, das bis zum Verwirken des Anspruchs auf

[276] Ep. 128, VII. 322; 1132.

[277] Ep. 45,1, VII. 133.

[278] Ep. 220,2, VIII. 83; 1143. Vgl. auch ep. 255,1, VIII. 161 an Ludwig VI.: *Regna terrae et iura regnorum tunc sane sana suis dominis atque illaesa persistunt, si divinis ordinationibus et dispositionibus non resistunt.*

[279] Ep. 279, VIII. 191; Ps 44,17; Apok 1,5.

[280] Vgl. die unter Anm. 272 u. 274 zitierten Belegstellen sowie: ep. 45,1, VII. 133; ep. 97,1, VII. 247.

Herrschaft führen kann. Eine weitergehende Konkretisierung des möglichen Mißlingens wird von Bernhard in den meisten Fällen vermieden. Wie stark jedoch gerade im Unbestimmten die Drohung ihre Wirkung zu entfalten vermag, belegt folgende Äußerung gegenüber König Ludwig VII.:

Si autem persistitis (quod absit) non acquiescere sanis consiliis, mundi nos sumus a sanguine vestro: Deus non permittet Ecclesiam suam, sive a vobis, sive a vestris diutius conculcari.[281]

Bernhards Drohung kann sich sowohl auf jenseitige als auch auf diesseitige Folgen beziehen. Ihr diesseitiger Gegenstand könnte Mißerfolg, Verlust der Herrschaft, oder auch – legt man die Wundergattung der ‚*ultio impiorum*' zugrunde[282] – ein schwerer persönlicher Schicksalsschlag bis hin zum Tod als Strafe für die Übeltat sein. Man wird Bernhards Äußerung kaum auf eine dieser Folgen festlegen, jedoch auch keine ausschließen dürfen, um so die Wirkkraft jener Drohung zu erfassen, deren unbestimmter und daher umfassender Gegenstand darauf angelegt ist, sich an den Befürchtungen des Angesprochenen zur jeweils schlimmsten Folge zu konkretisieren.
Bernhard weiß um die drohende Wirkung seiner Rede: *Acriter loquor, quia acriora vobis formido, quod non ita vehementer timerem, nisi vos vehementer diligerem.*[283] Eine vergleichbare Äußerung findet sich in ep. 221 an Ludwig VII: *Dure loquor, quia duriora vobis formido.* Wiederum droht Bernhard dem französischen König: *Dico vobis: non erit diu inultum, si haec ita facere pergitis.* Die hierauf folgende Mahnung an den König, *Ninivitae regis exemplo*[284] in demütiger Buße den Zorn Gottes zu beschwichtigen, macht am biblischen Beispiel[285] die Vernichtung der Herrschaft

[281] Ep. 226,2, VIII. 96; 1144.

[282] Vgl. 288f u. 291f. Von einem solchem Geschehen berichtet Johann von Salisbury in der *Historia Pontificalis* (ed. Chibnall, VII, 14). In der Anwesenheit vieler noch lebender Zeugen *(multi testantur adhuc)* habe Bernhard, *nescio si ex indignatione quam zelus accenderet, siue in spiritu prophetie,* über die Verbindung des seit Jahren im Konkubinat lebenden Grafen Rudolph gesagt; – *quod numquam erat de lecto illo soboles egressura que laudabilem fructum faceret in populo Dei, et quod diu non erat ad inuicem gauisuri.* Diese Prophezeiung, so Johann weiter, sei *pro parte* in Erfüllung gegangen. Die Frau Rudolphs sei bald gestorben. Drei Kinder habe sie Rudolph geboren. Der Sohn jedoch sei schon in seiner Jugend an Lepra erkrankt, und die beiden Töchter hätten trotz langjähriger Ehen keine Nachkommenschaft.

[283] Ep. 220,2, VIII. 83: vgl. Anm. 278.

[284] Ep. 221,4, VIII. 86; 1143.

[285] Nach Jon 3,1–10 kündigt der Prophet Jona der Stadt Ninive ihre Vernichtung in vierzig Tagen an. Volk und König kehren hierauf in Buße um, so daß Gott seine Drohung nicht vollzieht.

als Folge weiteren Verharrens im Bösen deutlich. In ep. 533 an den englischen König Stephan nehmen die von Bernhard angedrohten Folgen ebenfalls konkrete Gestalt an. Bernhard schreibt hier wiederum gegen den Erzbischof von York. Wenn dieser fällt und Stephan die freie Wahl garantiert, wird seine Herrschaft gedeihen *(Dominus erit vobiscum et magnificabit vos et exaltabit solium regni vestri).* Zugleich nimmt Bernhard die von Krisen und Bürgerkrieg gekennzeichnete Regierungszeit des Königs[286] zum Anlaß seiner Drohungen. *Rex regum diu flagellavit vestram regiam maiestatem tamquam maior potestas;* – bislang jedoch habe sich Gott in seinem Zorn noch barmherzig gezeigt.

Proinde humiliter consulimus et suppliciter obsecramus quatenus in his maxime causis, pro quibus maxime flagellavit vos Deus, regni scilicet et Ecclesiae, ita deinceps habeatis vos, ne causam detis Sponso Ecclesiae iterum gravius flagellandi vos aut penitus exstirpandi.[287]

In unmißverständlichen Worten droht Bernhard hier weitere schwere Schläge des zürnenden Gottes, die bis zur Vernichtung des Königs und seiner Herrschaft reichen können, an.

7.6. David und Goliath II

Der erste Kapitelabschnitt zu diesem Thema analysierte ep. 189. Das besondere Augenmerk galt hierbei dem Selbstbild Bernhards, unter dessen Verwendung er das Geschehen auf dem Konzil zu Sens in spezifischer, auf die Verurteilung Abälards durch Papst Innozenz abzielender Wertung zur Darstellung brachte. Unverkennbar stellt ep. 189 ein Dokument von äußerster Parteilichkeit dar. Nachzutragen bleibt somit die Schilderung der realen Vorgänge um die Verurteilung Abälards,[288] wobei – wie zu zeigen sein wird – die im vorangegangenen bearbeiteten Elemente von Bernhards öffentlichem Wirken auch hier bedeutsam werden. Zuvor jedoch gilt es den Inhalt des Streites mit einigen erläuternden Bemerkungen zu versehen.

[286] Vgl. Schnith, England, 790f.

[287] Ep. 533, VIII. 498; Stephan ab 1135 König.

[288] Die folgenden Ausführungen beschränken sich auf die knappe Darlegung der wesentlichen Geschehnisse und Gesichtspunkte. Zu einem detaillierteren Einblick in den Ablauf des Streites sowie dessen dogmatischen Gehalts ist die umfangreiche Literatur zu diesen Themen heranzuziehen: Vgl. Borst, Abälard und Bernhard; Gilson, La Philosophie, 278–296; Gössmann, Glaube und Gotteserkenntnis, 14–27; dies., Zur Auseinandersetzung; Grane, Peter Abaelard; Klibansky, Peter Abailard; Luscombe, The school; Murray, Abelard; Renna, Abelard; Sikes, Peter Abailard.

7.6.1. Der Streit

Bernhards Vorgehen gegen Abälard hat beträchtlich zu jener Verdunklung des Bernhardbildes beigetragen, die für weite Teile des modernen, nicht religiös motivierten Schrifttums kennzeichnend ist. Arno Borst bringt den Widerstreit der Forschungsmeinungen anläßlich dieses Streites auf den Begriff: „Wer Abälard lobt, kann Bernhard nicht lieben.“[289] Bereits 1958 jedoch sieht Arno Borst diese Polarisation von „falschen Antithesen“[290] bestimmt. In der Zwischenzeit wird man jene Betrachtungsweise, die Abälard in allzugroße Nachbarschaft zur modernen Rationalität rückt und Bernhard daher auf dumpfe Vernunfts- und Wissensfeindlichkeit festschreibt,[291] als überwunden betrachten dürfen.[292] Die moderne Forschung betont vielmehr eine gewisse Nähe zwischen beiden Personen,[293] die – freilich auf grundlegend getrennten Wegen – das gemeinsame Ziel frommen Wissens und Erkennens anstreben. Vor allem „methodische und pädagogische Fragen“[294] entfachen daher den Streit, dessen Heftigkeit nicht zuletzt der um Anhängerschaft und Schüler ringenden Konkurrenz der Kontrahenten entspringt.[295] Unverkennbar trübt hierbei Bernhards unduldsame Ablehnung der Methode Abälards seinen Blick für dessen Ergebnisse, so daß in den zusehends emotionsgeladenen Konflikt Mißverständnisse[296] und in deren Folge falsche Anschuldigungen Eingang finden. Hieraus vermag ein Streit zu entstehen, dessen äußerste Heftigkeit weniger für die Schwere der häretischen Abweichungen Ab-

[289] Borst, Abälard und Bernhard, 499.

[290] Ebd. 500.

[291] „Bernhard ist ein rein emotionaler, Abälard ein rein intellektueller Typ“. Heer, Der Aufgang Europas, 148.

[292] Vgl. Gössmann, 234; Luscombe, 110f.

[293] Vgl. Gössmann, 234.

[294] Kleineidam, Wissen, 157.

[295] Zur 1139/1140 in Paris vor den Pariser Studenten gehaltene Predigt *‚De conversione ad clericos‘* (IV. 59–116), vgl. 254.

[296] Zu Bernhards Mißverständnis von Abälards Begriff *‚existimatio‘*, der in den Augen Bernhards den Glauben für akademische Zweifel zur Disposition stellt; vgl. Gössmann, 236; Murray, 77f; Sikes, 37f. Hinzu tritt, daß Bernhard gleichnishaft gemeinte Aussagen Abälards ein wörtliches Verständnis unterlegt; vgl. Gössmann, 237; Grane, 155, u. 167ff. Diese Mißverständnisse lassen den Eindruck entstehen, daß es Bernhard hier an der nötigen Sachkenntnis mangelt. Anstelle des Originaltextes liegt ihm das Exzerpt Wilhelms von St. Thierry vor, was Anlaß zu begrifflicher Verwirrung gibt (Gössmann, 236; Murray, 76). Zum Mißverstehen von *existimatio* bemerkt Elisabeth Gössmann (236): „Es scheint von der monastischen Haltung Bernhards her durchaus möglich, daß er die Gepflogenheiten und Redeweisen bei dialektischen Disputationen nicht gekannt hat und sein Mißverständnis daher keine böswillige Unterstellung war, sondern *bona fide* zustande gekommen ist.“

älards,[297] als vielmehr für die Unbedingtheit, mit der Bernhard seinen Weg als einzig gangbaren verficht, aussagekräftig ist. Dennoch wird man nicht den Fehler begehen dürfen, Intoleranz und Unduldsamkeit allein auf seiten Bernhards anzusiedeln, der als der machtvollere beider Kontrahenten seine Position durchzusetzen vermochte. Abälards Schreiben, das die Anhänger gegen den ‚Neider' Bernhard zum Konzil nach Sens ruft,[298] zeugt von einer persönlichen Betroffenheit des in seinem Gelehrtenstolz gekränkten und um seinen Ruhm bangenden Philosophen,[299] die das ihre zur Eskalation des Streites beiträgt. Unbestreitbar jedoch steht Bernhard für eine Verurteilung in der Verantwortung, die ihre Ursache in Bernhards machtvoller Einflußnahme und nicht in jener klärenden Auseinandersetzung besitzt, die einzig zur Entemotionalisierung des Konflikts und somit zu einer sachgerechten Lösung hätte beitragen können.

Bernhards Empörung gegen Abälard wird aus dem Kontext seiner monastischen Theologie verständlich. Diese Theologie, die das Kloster als Schule verstanden wissen will, ist im wesentlichen Lebenslehre mit dem zentralen Anliegen der ‚Bildung des Menschen'. Christus ist Lehrer *(verus Magister docet)*[300] und Lehre *(haec mea subtilior, interior philosophia, scire Iesum, et hunc crucifixum)*[301] dieser Schule. Keinesfalls wird hier die Spitzfindelei der Philosophen betrieben.[302] Denn *citius (...) sequendo quam legendo* kann der Mensch zu Christus finden.[303] Zu einem immer höheren Grad verähnlicht sich der Mönch in der Nachfolge dem himmlischen Vorbild, drückt sich der Mönch in die vom Himmel herabgekommene *‚forma'* ein. Im umfassendsten und tiefgreifendsten Sinn erfolgt im Kloster die Bildung des Menschen zum Heil.[304] Alles wahre Wissen ist daher Heilswissen; alles wahre Erkennen setzt Nähe zur Wahrheit, d. h. Verähnlichung durch Läuterung und Voranschreiten in den Tugenden voraus. Der Ort dieses Erkennens ist der Kuß.

[297] „His refutations of Abelard are very weak and on certain points he is even ‚refuting' St. Anselm, whose orthodoxy was beyond question" Murray, 6f.

[298] Klibansky, 6; vgl. 269.

[299] Zu Abälards grundsätzlicher Neigung, persönliche Fehlschläge aus dem Neid von Widersachern auf seinen Ruhm und seine Leistungen zu erklären, vgl. Klibansky; 21ff.

[300] Div. 121, VI.I. 398. Ebenso: *in hac schola Christi et auditorio spirituali* (nat. Ioa. 1,1, V. 176); *Discipulus quippe proficiens, gloria est magistri. Quisquis in schola Christi non proficit, eius indignus est magistro* (ep. 385,1, VIII. 351); *O si te umquam in schola pietatis sub magistro Iesu merear habere sodalem* (ep. 106, VII. 266).

[301] CC 43,4, II. 43.

[302] *Gaudeo vos esse de hac schola, de schola videlicet Spiritus, ubi bonitatem, et disciplinam, et scientiam discatis, et dicatis cum Sancto: SUPER OMNES DOCENTES ME INTELLEXI. Quare, inquam? (...) Numquid quia Platonis argutias, Aristotelis vesutias intellexi, aut ut intelligerem laboravi?* (die pent. 3,5, V. 173, Ps 118,99).

[303] Ep. 106, VII. 266; vgl. 205f.

[304] Vgl. 58f.

Denn die Braut sucht den Bräutigam nicht mit ihren Sinnen und auch nicht unter Zuhilfenahme der Wissenschaft, sondern mit ihrer ganzen Seele;

non curiositatis humanae inanibus ratiociniis acquiescit; sed petit osculum, id est Spiritus Sanctum invocat, per quem accipiat simul et scientiae gustum, et gratiae condimentum. Et bene scientia quae in osculo datur, cum amore recipitur, quia amoris indicium osculum est.

Im Kuß erfährt die Braut *agnitionis lucem* und *devotionis pinguedinem*, d. h. ein Erkennen, dessen erleuchtende und nährende Funktion Bernhard am Bild der Wachs und Honig spendenden Biene verdeutlicht.[305] Dieses, das Heil nährende Wissen wird der Braut nicht allein für sich selbst, sondern auch zum Nutzen der Kleinen gewährt, die an ihren Brüsten die Milch der Predigt trinken. Diese Milch jedoch,

meliora vino scientiae saecularis, quae quidem inebriat, sed curiositate, non caritate: implens, non nutriens; inflans, non aedificans; ingurgitans, non confortans.[306]

In eben diesem Sinne bestimmt Bernhard in der 36. Hoheliedpredigt, daß allein dem Wissen zum eigenen und des Nächsten Nutzen kein Mißbrauch der Wissenschaft zugrundeliege.[307] Im weiteren Fortgang der Predigt stellt Bernhard dem nährenden Heilswissen das unverdaute und daher unheilvolle Wissen gegenüber. Wie die im Übermaß genossene, schlecht gekochte Speise nicht verdaut werden kann und üble Säfte bildet, führt ein Übermaß an Wissensaneignung in die Sünde. Denn das Gedächtnis des Menschen *(stomacho animae, quae est memoria)* ist auf diese Weise angefüllt mit einem Wissen, das seinen Läuterungsstand *(si decocta igne caritatis non fuerit)* und somit sein Vermögen, das Erkannte in die Tat umzusetzen, übersteigt. Wissend um das Gute, vermag er das Gute nicht zu tun, was in Gewissensbisse, Furcht und letztendlich in die Sünde führt.[308] Bernhards Ausführungen belegen sowohl die tiefe Einbindung seiner Wissenskonzeption in die Praxis klösterlichen Lebens als auch deren Berechtigung an diesem Ort. In der Tat ist die diesem Verständnis von Wissen und dessen Gefahren zugrundeliegende Menschenkenntnis zu bewundern. Problematisch jedoch erscheint der Rang von übergreifender Verbindlichkeit, in den Bernhard seine der monastischen Lebensform entstammenden Kategorien erhebt. Eben dies aber geschieht, wenn alles Wissen- und Erkennenwollen, das die von Bernhard gesetzten Vorbedingungen nicht erfüllt, un-

[305] CC 8,6, I. 39.
[306] Ebd. 9,7, I. 46.
[307] Ebd. 36,3–4, II. 5f.
[308] Ebd. 36,4, II. 6.

ter den Verdacht von Hohlheit und dem Geist anmaßender Selbstüberschätzung gestellt wird.
Nicht mit den Sinnen, nicht mit wissenschaftlicher Neugier, sondern mit liebender Seele sucht die Braut und steht somit für ein die Ganzheit des Menschen umfassendes Erkenntnisinteresse. Auf die Ganzheit des Menschen bezogen erfolgt daher auch die Antwort: der Kuß. Grundsätzlich ist dieses Erkennen von jenem Wissen geschieden, das nicht von Liebe erfüllt und daher aufgebläht ist: *Scientia ergo quae inflat, cum sine caritate sit, non procedit ex osculo.*[309] Der Wein weltlichen Wissens macht trunken nicht von Liebe, sondern von Neugier; er füllt an, aber er nährt nicht, er bläht auf, anstatt aufzubauen.[310] Bernhards Kritik bezieht sich sowohl auf die Funktion dieses Wissens als auch auf die ihm zugrundeliegende Methode. Dieses Wissen ist kein Wissen zum heilsamen Nutzen; es füllt das Innen des Menschen mit verlockenden Inhalten an, die trunken machen, jedoch nicht nähren. Der methodische Vorwurf wird am Merkmal der Aufgeblähtheit deutlich, das Bernhard immer wieder anführt, um die Opposition zum klösterlichen Liebes- und Heilswissen aufzuzeigen. ‚Aufgeblähtheit' beschreibt innere Hohlheit bei einer äußeren Umgrenzung, die den Eindruck von Substanz und Fülle vermittelt. Dieses wörtliche Verständnis eröffnet den Einblick in die Bedeutung, die *‚inflans scientia'* für Bernhard besitzt. Aufblähendes Wissen meint die äußere Anhäufung von Wissen, das vom Menschen nicht ausgefüllt werden kann, – das seinen Sitz nicht im Leben des Menschen hat. Nur vorgeblich ist hier alles Erkennen von Wahrheit, da dieses Wissen den notwendigen Bezugspunkt in wahrhaftiger Lebensführung nicht besitzt. Zwei Wege des Wissens können folglich beschritten werden. Das traurige Wissen führt in demütige Selbsterkenntnis und – in Konsequenz – auf den Weg der Läuterung. Das aufblähende Wissen hingegen gibt Fülle vor, wo Hohlheit ist; erweckt gesunden Schein, während die Krankheit im Innen wuchert. So ist das traurige Wissen als erster Schritt zum Heil und folglich auch zu allem wahrhaften Erkennen jederzeit dem aufblähenden Wissen vorzuziehen; – *quia sanitatem, quam tumor simulat, dolor postulat.*[311]
Die Schwere der Verfehlung, die das aufblähende Wissen darstellt, macht Bernhard in der Predigt auf die Himmelfahrt Christi deutlich. Denn dieses Wissen stellt einen jener die Sünde des Hochmuts versinnbildlichenden Berge dar, auf die zu steigen einem Abstieg gleichkommt.[312] Adam erstieg diesen Berg und fiel: *Pessimus mons inflans scientia, in quem tamen usque hodie tanta videas concupiscentia plurimos repe-*

[309] Ebd. 8,6, I. 39.
[310] Vgl. Anm. 306.
[311] Ebd. 36,2, II. 4.
[312] Vgl. 72f.

re filiorum Adam.[313] Bis heute lassen die Menschen nicht ab von ihrem hochmütigen Streben und türmen Wissen auf Wissen: *Sic aedificant Babel, sic putant ad Dei se perventuros similitudinem.*[314] Grundsätzlich geschieden hiervon will Bernhard den Weg der Zisterzienser verstanden wissen. Die Tiefe ihrer Selbstverdemütigung entspricht dem Grad an Ähnlichkeit zum himmlischen Vorbild, und somit dem Grad an Voranschreiten im Wissen um die Wahrheit, die Christus ist. Die Zisterzienser beschreiten somit den Weg des Abstiegs, der in die Höhe führt. Den gegenläufigen Weg des Hochmuts jedoch, des Aufstiegs, der ein Abstieg ist, weist Bernhard Abälard zu.

7.6.2. Die Verurteilung[315]

Anfang 1139 übersendet Wilhelm von St. Thierry an seinen Freund und Vertrauten Bernhard eine kurze Abhandlung gegen Abälard,[316] begleitet von einem Schreiben,[317] in dem Wilhelm seiner Empörung über Äußerungen Abälards Ausdruck verleiht, die sich, nach seinem Dafürhalten, in gefährlicher Weise von den Setzungen der Rechtgläubigkeit entfernen.[318] Bernhard, der wiederum vielbeschäftigt ist und daher noch keine Zeit zur aufmerksamen Lektüre des übersandten Traktes gefunden hat, bekennt, mit der Materie nur ungenügend vertraut zu sein *(cum horum plurima, et paene omnia, hucusque nescierim)*, und bittet daher Wilhelm zu einem klärenden Gespräch.[319] Diese Unterredung, von der Näheres nicht bekannt ist, muß zum Ergebnis gehabt haben, daß Wilhelm Bernhard von der Notwendigkeit zum Eingreifen überzeugen konnte.
Im Vorfeld der Auseinandersetzungen findet ein Gespräch zwischen Bernhard und Abälard statt, das – nach der Darstellung Gaufreds[320]

[313] Asc. 4,4, V. 140.
[314] Ebd. 4,5, V. 141.
[315] Die zahlreichen Details in ihrer teilweise schwierig zu bestimmenden chronologischen Abfolge führen, bei weitgehender Übereinstimmung in den grundlegenden Zügen, zu an verschiedenen Punkten voneinander abweichenden Rekonstruktionen der Vorgänge in der Forschungsliteratur. Wichtige Darstellungen des Geschehens bieten: Borst, Abälard; Luscombe, The school, 103ff; Sikes, Peter, 219ff; Zerbi, San Bernardo. Grundlegend für die folgende sich auf die wesentlichen Punkte des Geschehens beschränkende Darstellung sind die Arbeiten von Grane, Peter, 141ff; und Klibansky, Peter, 8ff.
[316] PL 180, 249–282.
[317] Ep. 326, PL 182, 531–533.
[318] Vgl. Borst, 506ff; Grane 142ff; Klibansky, 11; Luscombe, 106ff; Murray 36f; Sikes 224ff.
[319] Ep. 327, VIII. 263; 1140.
[320] VP III, 5,13, 507.

sowie dem Bericht der französischen Bischöfe an Papst Innozenz[321] – von freundschaftlicher Atmosphäre gekennzeichnet war, jedoch offenkundig die Zuspitzung des Geschehens nicht verhindern konnte.[322] Über den weiteren Fortgang der Ereignisse unterrichtet Abälards Schreiben, das die Freunde zur Unterstützung nach Sens ruft. In Sens – wie Abälard von Vertrauten zugetragen wurde – habe Bernhard ihn in Beisein des Erzbischofs angegriffen.[323] Die weitere Erwähnung von Angriffen in Paris, die Bernhard vor Freunden und Schülern Abälards formulierte, findet ihre Entsprechung im Bericht der französischen Bischöfe:

Plures etiam scholarium adhortatus est ut et libros venenis plenos repudiarent et rejicerent, et a doctrina quae fidem laedebat catholicam, caverent et abstinerent.[324]

Mit großer Wahrscheinlichkeit zielt diese Feststellung auf das Umfeld von Bernhards Predigt *De conversione ad clericos*[325] vor Pariser Studenten ab,[326] die die Umkehr im Sinne Bernhards und folglich die Abkehr vom Weg Abälards zum Inhalt hat.[327] Vor die Zeit des Konzils von Sens fällt Bernhards Traktat an Papst Innozenz über die Irrtümer Abälards[328] sowie ein begleitendes Schreiben an die römische Kurie,[329] das die Lehren Abälards als *laesiones fidei et iniurias Christi*[330] anklagt. Abälards Hinweis, Bernhard habe sein Werk *Theologia* als *Stultilogia* bezeichnet, belegt sein Wissen um das Vorgehen Bernhards.[331] Die Annahme weiterer Angriffe hängt von der Datierung verschiedener Bernhardbriefe entweder auf die Zeit vor oder nach dem Konzil von Sens

[321] Ep. 337,2, PL 182, 541. Bernhard habe Abälard zuerst im persönlichen Gespräch und sodann unter Hinzuziehung von Zeugen *amicabiliter satis ac familiariter* ermahnt.

[322] Zu den Gründen für das Scheitern des Gesprächs, vgl. Borst, 508ff.

[323] Klibansky, 7.

[324] Ep. 337,2, PL 182, 541.

[325] IV. 59–116.

[326] Die Herausgeber der Schriften Bernhards machen darauf aufmerksam, daß Abälard in dieser Predigt nicht namentlich erwähnt wird (vgl. IV. 61, Anm. 1). Zur Wahrscheinlichkeit der allgemeinen Annahme, daß Abälard dennoch gemeint sei, vgl. Grane, 147f u. 194, Anm. 21. Vgl. ebenso: Borst, 512; Sikes, 227.

[327] „Sie war ein offener Versuch, diesem seine Studenten abwendig zu machen, d. h., sie war ein Frontalangriff auf seinen Magisterruhm und seine Magisterehre." Grane, 148.

[328] Ep. 190, VIII. 17–40.

[329] Vgl. Zerbi, San Bernardo, 53.

[330] Ep. 188,1, VIII. 11.

[331] Abälard berichtet seinen Anhängern (Klibansky, 6): *Quod ipse tandem minime perferens Stultilogiam magis quam Theologiam censuit appellandam.* Die Bezugsstelle in Bernhards Brief an Papst Innozenz (ep 190, IV,9, VIII. 24) lautet: *Denique in primo limine Theologiae, vel potius Stultilogiae suae . . .*

ab. Grane ordnet diese Briefe der Zeit vor dem Konzil zu.[332] Den im Vergleich zu obigen Schreiben heftiger werdenden Ton erklärt Grane aus Bernhards Kenntnis der Entgegnungen Abälards auf die Angriffe in der fünften Redaktion der Theologia.[333] Klibansky hingegen sieht in diesen Briefen (gleich ob sie vor dem Konzil versandt oder nur verfaßt wurden)[334] eine Reaktion Bernhards auf die Herausforderung zu Sens.[335]

Relativ zurückhaltend formuliert Bernhard in ep. 192 seine Angriffe gegenüber Kardinal Guido, einem Freund Abälards. Bernhard bringt in diesem Schreiben die Lehren Abälards mit den Ketzern Arius, Pelagius und Nestorius in Verbindung und betont des weiteren Abälards übersteigertes Erkenntnisinteresse *(facie ad faciem omnia intuetur)*. Im besonderen jedoch sucht Bernhard dem Kardinal das alle freundschaftlichen Bindungen überwiegende Gewicht seines mit der Angelegenheit Christi identifizierten Anliegens zu verdeutlichen; – *ut in causa Christi nullum Christo praeponatis.*[336] Die übrigen Schreiben Bernhards sind an ihm vertraute Personen gerichtet.[337] Mit dem Brief an Guido haben sie die Auslegung der Lehren Abälards als Angriff auf Christus,[338] deren Zurückführung auf ein die vom Glauben und den Vätern gesetzten Grenzen überschreitendes Erkenntnisinteresse sowie die Gleichsetzung Abälards mit den antiken Ketzern gemein.[339] Bernhards besorgte Hinweise auf den Einfluß Abälards sowie heftige Angriffe gegen seine Person treten hinzu. Trotz seiner Verfehlungen – so Bernhard an Kardinal Ivo – fühle sich Abälard sicher, *quoniam cardinales et clericos curiae se discipulos habuisse gloriatur.*[340] Vergleichbare Äußerungen darüber, daß sich Abälard seines Einflusses an der römischen Kurie rühme, finden sich in ep. 331 und ep. 336. Weiter weist Bernhard auf den gefährlichen Einfluß Abälards in Frankreich hin. Ungeübte *[(r)udes et novellos]* suche er in das Geheimnis der Trinität einzuführen;[341] ver-

[332] Entgegen der älteren Forschungsmeinung hält Grane (149f u. 195, Anm. 21) eine frühere Datierung („zu einer Zeit, da Bernhard noch nicht wußte, daß er nach Sens vorgeladen würde" 149) folgender Briefe für wahrscheinlich: ep. 192 (Kardinal Guido von Citta di Castello), ep. 193 (Kardinal Ivo), ep. 331 (Kardinal Stephan von Palestrina), ep. 332 (Kardinal G.), evtl. ep. 336 (einen Abt). Auch Borst setzt diese Briefe vor dem Konzil an (511f); Murray (44) hingegen ordnet sie der Zeit nach dem Konzil zu.

[333] Grane, 151.

[334] So der Vorschlag von D'Olwer, Sur quelques lettres.

[335] Klibansky, 19, Anm. 3.

[336] Ep. 192, VIII. 43f.

[337] Grane, 152f.

[338] Ep. 193, VIII. 45; ep. 331, VIII. 269; ep. 332, VIII. 271; ep. 336, VIII. 275.

[339] Ep. 193, VIII. 45; ep. 331, VIII. 270; ep. 332, VIII. 272; ep. 336, VIII. 276.

[340] Ep. 193, VIII. 45.

[341] Ep. 331, VIII. 269f.

derblich sei seine Wirkung auf die Schüler, die er zum Wahn und nicht zur Wahrheit bekehre: *a veritate auditum avertunt, ad fabulas convertuntur.* Nicht allein wage sich Abälard an den von Glaubensgeheimnissen umwölkten Gott, *sed cum turba multa et discipulis suis.*[342] Deutlich findet das dem Konflikt innewohnende Moment der um Schüler und Geltung konkurrierenden[343] Kontrahenten auch im Bericht der Bischöfe seinen Niederschlag, die – ganz im Sinne Bernhards – sowohl den Umfang als auch die Folgen von Abälards Einfluß anklagen:

Itaque, cum per totam fere Galliam in civitatibus, vicis, et castellis, a scholaribus, non solum intra scholas, sed etiam triviatim; nec a litteratis aut provectis tantum, sed a pueris et simplicibus, aut certe stultis, de sancta Trinitate, quae Deus est, disputaretur, . . .[344]

Auch die im vorangegangenen festgestellte Tendenz Bernhards, von verfehlter Meinung und Lehre auf Verfehlungen des Menschen zu schließen,[345] findet in den Briefen gegen Abälard ihren Niederschlag.

Petrum Abaelardum, catholicae fidei persecutorem, inimicum crucis Christi, vita probat, et conversatio, et libri iam de tenebris in lucem procedentes.[346]

In untrennbarer Verbindung gehören verwerfliche Lehre und verwerflicher Lebenswandel einander an, so daß Abälard in der Darstellung Bernhards als Mensch außerhalb der Ordnung *(sine regula monachus, sine sollicitudine praelatus)*[347] erscheint, der mit Knaben disputiert und mit Frauen schlechten Umgang pflegt.[348] Grundsätzlich zielen Bernhards persönliche Angriffe darauf ab, die Gespaltenheit Abälards zwischen äußerem schönen Schein und innerer Verderbtheit zur Darstellung zu bringen:

Homo sibi dissimilis est, intus Herodes, foris Ioannes, totus ambiguus, nihil habens de monacho praeter nomen et habitum.[349]

Im selben Sinne beschreibt Bernhard Abälard als einen Menschen, der *(m)onachum se exterius, haereticum interius ostendit.*[350] Deutlich durch-

[342] Ep. 332, VIII. 271.

[343] Das Motiv der Konkurrenz wurde ebenfalls an Bernhards Theorie und Praxis bezüglich der *Transitus*-Problematik deutlich. Vgl. 19ff.

[344] Ep. 337,1, PL. 182, 540.

[345] Vgl. 238f.

[346] Ep. 331, VIII. 269.

[347] Ep. 193, VIII. 44.

[348] Ep. 332, VIII. 271. Sehr zu Recht bemerkt Borst (512) über diese Vorwürfe: „Das war eine üble Verleumdung, aber für Bernhard war sie die selbstverständliche Wahrheit; denn nur wer schlecht lebt, kann falsch lehren, und Abälard lehrte falsch."

[349] Ep. 193, VIII. 44f.

[350] Ep. 331, VIII. 269. Demselben Gedanken verleiht Bernhard in späteren Briefen Ausdruck, wenn er Abälard und Arnold von Brescia unter Verwendung von 2 Tim 3,5,

scheinen bekannte Gedankengänge die auf Brandmarkung des Ketzers abzielende Polemik Bernhards. Wiederum bringt Bernhard eine Frömmigkeit und Lehre zur Anklage, die, von Hohlheit gebläht *(inflans scientia)* bzw. von Krankheit aufgedunsen *(tumor)*,[351] nur den Anschein von Fülle und Gesundheit zu erzeugen vermag und somit den radikalen Widerpart zu dem von Bernhard geforderten Heilswissen beschreibt, das seinen Sitz in den Tugenden hat.

In Reaktion auf die dargestellten Vorgänge (denen obige Schreiben nicht mit Gewißheit zuzuzählen sind) vermag Abälard den Erzbischof von Sens für seine Absicht zu gewinnen, den verdeckten Angriffen in einer öffentlichen Disputation mit seinem Kontrahenten entgegenzutreten.[352] Bernhards in ep. 189 formulierte Klage, daß Abälard dieses bevorstehende Treffen überall publik gemacht und ihn somit in die Auseinandersetzung gezwungen habe,[353] ist aufgrund des von Klibansky herausgegeben Abälardbriefes sowie der gleichlautenden Aussage im Bericht der Bischöfe[354] glaubhaft. Nur ungern – so Bernhard weiter in ep. 189 – und von der Notwendigkeit gezwungen, Schaden für den Glauben abzuwenden, habe er sich in Sens eingefunden. Denn die unverrückbare Wahrheit des Glaubens der Spitzfindigkeit menschlicher Vernunft auszusetzen, sei unerträglich. Hinzu trete, daß er in diesen Fragen nicht zuständig sei: *Dicebam sufficere scripta eius ad accusandum eum, nec mea referre, sed episcoporum, quorum esset ministerii de dogmatibus iudicare.*[355] Auch in Brief 187, der die zu Sens versammelten Bischöfe im Sinne Bernhards auf das bevorstehende Treffen einstimmt, weist Bernhard die Angelegenheit als der bischöflichen Amtsgewalt zugehörig von sich *(quia et vestra est)* und fordert die Bischöfe auf, sich in der aufgezwungenen Auseinandersetzung als Freunde in der Not zu erweisen; – *(a)micos dixerim, non nostros, sed Christi.*[356]

Unverkennbar zeigt sich Bernhards Verhalten von dem Bestreben gekennzeichnet, die bischöfliche Amtsgewalt eigener Verantwortlichkeit vorzuordnen und sich somit den Folgen seiner Angriffe zu entziehen.[357] Als Grund für dieses Verhalten gibt Bernhard in ep. 189 die Unerträg-

charakterisiert (vgl. ep. 189,3, VIII. 14 u. ep. 330, VIII. 267): *HABENTES FORMAM PIETATIS, SED VIRTUTEM EIUS ABNEGANTIS.*

[351] Vgl. 252.

[352] Klibansky betont, im Gegensatz zu Borst (513), daß die Initiative von Abälard selbst und nicht von seinen Freunden und Schülern ausgeht (16).

[353] *Ille nihilominus, immo eo amplius levavit vocem, vocavit multos, congregavit complices (...) Disseminavit ubique se mihi die statuto apud Senonas responsurum. Exiit sermo ad omnes, et non potuit me latere* (ep. 189,4, VIII. 14).

[354] Ep. 337,2, PL. 182, 541.

[355] Ep. 189,4, VIII. 14.

[356] Ep. 187, VIII. 9f.

[357] Vgl. 230f.

lichkeit eines Disputs an, in dem objektive Glaubenswahrheiten beschränkten menschlichen Vernunftsgründen unterworfen werden. Auch dieser Grund ist glaubhaft, der freilich die Identifizierung der Position Bernhards mit der Seite des Glaubens als das Ergebnis der machtvollen Interventionen Bernhards voraussetzt. Wiederum wird Bernhard in den Angelegenheiten Christi als dem objektivsten aller Beweggründe tätig, der die Subjektivität des menschlichen Für und Wider nicht duldet. Abälard „thought of the dispute in terms of a personal contest“[358] und sucht somit eine Auseinandersetzung herbeizuführen, die Bernhard vor allen Dingen deswegen verweigert, da sie in grundlegendem Widerspruch zu seiner Legitimation und seinem Selbstverständnis steht. Das häufige Argument, Bernhard habe die Konfrontation aus Furcht vor der auf dem Gebiet der Dogmatik überlegenen Disputierkunst Abälards gemieden, erscheint einleuchtend[359], ist aber in dem Maß nachrangig, in dem Bernhards Bekenntnis zu Schwäche und Unbewehrtheit vornehmlich der Selbststilisierung als David[360] und somit dem machtvollen Insistieren auf eine Legitimationsgrundlage aus der Begnadung dient.
Der weitere Fortgang der Ereignisse auf dem Konzil zu Sens (1140)[361] ist bekannt.[362] Bernhard vermag am Vorabend des Zusammentreffens die Bischöfe in einer internen Vorbesprechung für die Verurteilung der häretischen Sätze Abälards zu gewinnen[363]. Abälard, der den Disput beabsichtigt hatte und sich nun einem Gericht mit vorgefertigtem Urteil überantwortet sah, verweigert jegliche Stellungnahme zu den von Bernhard verlesenen Auszügen aus seinen Schriften und appelliert an Rom. Wiederum versendet Bernhard zahlreiche Schreiben an Papst und Kurie, in denen er das Geschehen aus seiner Sicht zur Darstellung bringt (ep. 189)[364] und mit dem ganzen Gewicht seiner für die Angele-

[358] Klibansky, 24f.

[359] Hierfür spricht das auf 253 unter Anm. 319 zitierte Bekenntnis Bernhards, mit der Materie nicht genügend vertraut zu sein. Hinzu tritt die gefürchtete Disputierkunst Abälards, die – nach dem Zeugnis Otto von Freisings (Gesta Freder. I,50, 226) – schon bei der Provinzialsynode von Soisson dazu führte, daß er ohne Anhörung verurteilt wurde.

[360] Vgl. 217ff.

[361] Zur Datierung, vgl. Sikes, 229–231.

[362] Borst, 515ff; Grane, 160ff; Murray, 39ff; Sikes, 232ff.

[363] Belegt findet sich dieses Treffen im Bericht der Bischöfe an Papst Innozent (*Pridie ante factam ad vos appellationem damnavimus.* ep. 337,4, PL 182, 542) sowie im Bericht Johanns von Salisbury (Hist. Pontific. 9, 19) über die Reaktion der Kardinäle *(dicentes quod abbas arte simili magistrum Petrum aggressus erat)* auf Bernhards Versuch, durch vorhergehende Absprachen eine Entscheidung im Falle Gilberts de la Porrée herbeizuführen. Zu Berengars von Poitiers Darstellung des Treffenes, vgl. 259f.

[364] Vgl. 217ff.

genheit Christi stehenden Person[365] auf Verurteilung Abälards dringt. Diese ergeht, ohne vorherige Anhörung Abälards, wenige Wochen nach dem Konzil und sollte die nachhaltige Ächtung, ja das zeitweilige Vergessen der Person Abälards und seiner Werke zur Folge haben.[366]

7.6.3. Bernhards Rolle in den Prozessen gegen Abälard und Gilbert de la Porrée im Urteil der Zeitgenossen

Dem umfassenden Sieg entsprechend, den Bernhard über Abälard davongetragen hatte, finden sich unter den Zeitgenossen nur wenige[367], die Abälard zu verteidigen wagen. An erster Stelle ist Berengar von Poitiers[368], eines Schüler Abälards, zu nennen, der seine Schrift ‚*Apologeticus*‘[369] wahrscheinlich kurz nach der Verurteilung Abälards verfaßte.[370] Aus dieser Nähe zu den Ereignissen mögen sich die überspitzte Polemik und zügellosen Angriffe Berengars erklären, die seine Schrift bezüglich ihres historischen Quellenwerts nur bedingt aussagekräftig erscheinen lassen. Berengar beginnt mit heftigen Angriffen auf die wundertätige Heiligkeit Bernhards und läßt einfließen, daß Bernhard in seiner Jugend anstößige Lieder verfaßt habe.[371] Satirische Züge trägt seine Darstellung des die Entscheidung herbeiführenden Treffens am Vorabend des Konzils. Die anwesenden Bischöfe seien so übermüdet und betrunken gewesen, daß das von Bernhard geforderte *damnamus* nur noch in der verräterischen Form *namus* (wir schwimmen) über ihre Lippen zu kommen vermochte.[372] Der weitere Fortgang der Schrift ist offenkundig von der Absicht getragen, Bernhards Vorgehen gegen Abälard mit gleicher Münze zu vergelten. Berengar sucht nun umgekehrt die Irrtümer Bernhards aufzuzeigen[373] sowie nachzuweisen,

[365] *Qui personae meae assurgere solebas, assurge nunc causae meae, immo causae Christi* (ep. 333, VIII. 272). Auch im Falle Abälards handelt Bernhard, gemäß seiner Legitimation und seinem Selbstbild, in den Angelegenheiten Christi. Vgl. 180f. Die dort zitierten Briefe 333, 334, 335 entstammen mit Sicherheit der Zeit nach dem Konzil.

[366] Häring zeigt in seinem Aufsatz ‚Abelard yesterday and today‘, daß in der Folgezeit im Vergleich zu anderen Autoren nur wenige Handschriften von den Werken Abälards existieren. Offensichtlich von Abälard beeinflußte Autoren wie Petrus Lombardus (350) scheuen sich, den Namen ihres Vorbildes zu nennen.

[367] Neben den dargestellten Personen ist Robert von Melun zu nennen (Luscombe, 281–298), der die Dreieinigkeitslehre Abälards verteidigte. Über die von Bernhard berichtete Drohung des Subdiakons Hyacinthus (ep. 189,5, VIII. 16), Abälard vor der Kurie in Rom zu verteidigen, ist nichts weiteres bekannt.

[368] Vgl. Luscombe, 29–49; Sikes, 233 u. 238f; Vacandard, Leben II, 180–183; 188f.

[369] PL 178, 1857–1870.

[370] Luscombe, 31f.

[371] 1857 B.

[372] 1859 D.

[373] 1863 A, B; 1866 C – 1877 A.

daß dessen Hoheliedkommentar der Neuerungssucht entspringe, allerdings aufgrund mangelnder Befähigung im Plagiat ende.[374] Hinzu treten Angriffe auf den Stil Bernhards, der die Gesetze der Poetik verletze,[375] sowie auf die Schlichtheit seines Denkens, das Berengar anhand der Schrift ‚*De diligendo Deo*' als Torheit bloßzustellen sucht.[376]
Trotz Häme und Spott, die Berengar über Bernhard ergießt, ist sein Urteil über das Geschehen nicht gänzlich von der Hand zu weisen. Seine Empörung über eine Verurteilung ohne vorherige Anhörung[377] ist vor dem Hintergrund der geschilderten Ereignisse verständlich. Der Eindruck von übergroßer Härte, den das Verhalten Bernhards auch beim modernen Betrachter hinterläßt, findet ebenfalls im Werk Berengars seinen Niederschlag. Dieser hält Bernhard Ps 140,5 entgegen *[(c)orripiet me justus in misericordia]*, um sodann mangelnde Liebe und Barmherzigkeit seines Vorgehens anzuprangern: – *Non decet monachum sic pugnare.*
Auch der in moderner Sicht wohl problematischste Punkt am Vorgehen Bernhards findet in Berengars Schrift seine zeitgenössische Entsprechung. Grundsätzlich erscheint Bernhard auch im Fall der Verurteilung Abälards von dem Bestreben bestimmt, jene von ihm vertretenen Kategorien und Inhalte, die ihre spezifische Ausformung im klösterlichen Leben der von Bernhard geforderten Prägung erfahren haben, in den Rang von objektiver, übergreifender Verbindlichkeit zu heben. Ihren machtvoll auf Durchsetzung dringenden Ausdruck findet diese Haltung in der Identifizierung dieser Kategorien und Inhalte mit den Angelegenheiten Jesu Christi. Aus diesem Selbstverständnis ergibt sich für Bernhard die Notwendigkeit zum Kampf gegen Abälard, den Feind des Kreuzes Christi. Nachdrücklich tritt Berengar dieser auf Ausgrenzung abzielenden, die Setzungen des Glaubens und die Angelegenheiten Christi auf Bernhards Definition verkürzenden Perspektive entgegen:

Patere, quaeso, Petrum tecum esse Christianum. Et si vis, tecum erit Catholicus. Et si non vis, tamen erit Catholicus. Communis enim Deus est, non privatus.[378]

Einige Jahre später jedoch sollte sich Berengar gezwungen sehen, seine Schrift gegen Bernhard zurückzunehmen. Berengars Brief an den Bischof von Mende[379] stellt nicht nur ein wichtiges Dokument in der behandelten Auseinandersetzung dar, sondern vermag auch zum Beleg

[374] 1863–1864.
[375] 1864 C – 1865 A.
[376] 1867 B, C.
[377] *Damnatur, proh dolor! absens, inauditus et inconvinctus.* 1861 B.
[378] 1862 A.
[379] Vor 1150; vgl. Luscombe 47ff.

für den machtvollen Ruf von Bernhards Heiligkeit dienen. Offenbar hatten Berengars Angriffe[380] schwerstes Ärgernis erregt, so daß er sich ins Exil begeben mußte. Von hier aus ergeht sein Schreiben, das den Schutz des Bischofs und somit die Möglichkeit zur Rückkehr bewirken soll. Entschuldigend führt Berengar seine Jugend zur Zeit der Abfassung des ‚*Apologeticus*' an,[381] die Schrift könne jedoch aufgrund ihrer bereits erfolgten Verbreitung *per totam Franciam et Italiam* nicht zurückgezogen werden.[382] Berengar erklärt sich zur Richtigstellung möglicher falscher Anschuldigungen bereit[383] und stellt des weiteren fest, daß seine Angriffe auf die Person Bernhards als Scherz aufzufassen seien.[384] Unverkennbar beugt sich Berengar hier dem übermächtigen Druck des Ansehens, das Bernhard in der öffentlichen Meinung genießt. Das Schreiben in seiner Gesamtheit jedoch belegt Berengars Festhalten an wesentlichen Punkten seiner Kritik. Auch hier läßt Berengar von der Verteidigung Abälards *(praeceptorem meum)* nicht ab; die Empörung über die Art und Weise der Verurteilung *(et vocem ejus sine audientia strangulaverat)*[385] ist weiterhin spürbar. Berengars Haltung gegenüber Bernhard scheint an verschiedenen Stellen des Schreibens devot; seine plötzliche Verehrung des Abtes *(qui meo judicio nostrorum temporum est Martinus)*[386] eher der Not als der Überzeugung zu entspringen. Am Kernpunkt seiner an Bernhard geäußerten Kritik hält Berengar jedoch auch im Schreiben an den Bischof von Mende fest. Gerade das Wegfallen jenes Rankenwerkes aus Spott und falschen Beschuldigungen verleiht den Worten Berengars besonderes Gewicht, wenn dieser erneut auf die Notwendigkeit insistiert, die Übermächtigkeit von Gestalt und Ruf des Abtes auf ihr menschliches Maß zurückzuführen:

Nonne abbas homo est? nonne nobiscum navigat per HOC MARE MAGNUM ET SPATIOSUM MANIBUS, inter REPTILIA QUORUM NON EST NUMERUS? Cujus navis, etsi prosperiori feratur navigio, tamen severitas maris in dubio est. (. . .) Nondum sol est, nondum fixus est in firmamento; satis est, si luna est. (. . .) Ego ita sentio de abbate quod sit lucerna ardens et lucens; sed tamen in testa est.[387]

Ebenso wird man bei Petrus Venerabilis ein Unbehagen an Bernhards Vorgehen annehmen dürfen,[388] auch wenn sich dies nicht in Form von

[380] Angriffe auf die Kartäuser treten hinzu; vgl. PL 178 1875–1880.
[381] PL 178, 1872 A.
[382] 1873 B.
[383] 1872 B.
[384] *Damnabo, inquam, tali conditione, ut, si quid in personam hominis Dei dixi, joco legatur, non serio.* 1873 B.
[385] 1872 A.
[386] 1871 D.
[387] 1871 D – 1872 A.
[388] Vgl. Borst, 523ff; Grane, 176ff; Sikes, 235ff.

direkter Kritik, sondern in der von Wohlwollen und Hochachtung zeugenden Schilderung der Persönlichkeit Abälards äußert. In seinem auf den Tod Abälards am 21. April 1142 bezugnehmenden Brief an Heloise beschreibt Petrus die Zeit von Abälards Aufenthalt in Cluny bzw. im Cluniazenserkloster St. Marcel und zeigt sich voll des Lobes[389] sowohl über Abälards Gelehrsamkeit[390] als auch dessen demütigen Lebenswandel.[391] In der Schilderung der harmonischen Verbindung von Tugend und Wissen nimmt Petrus sichtlich die Gegenposition zu Bernhard ein, der umgekehrt die Gespaltenheit der Persönlichkeit Abälards in den schönen Schein von Wissen und Frömmigkeit bei gleichzeitiger innerer Verderbtheit angeprangert hatte.

Die tragende Rolle des Abtes von Cluny[392] bei der noch 1140[393] stattfindenden Versöhnung der Kontrahenten zeugt von seiner um Ausgewogenheit bemühten Sicht und wird folglich ebenfalls im Sinn einer kritischen Distanz zum Vorgehen Bernhards zu verstehen sein. Entsprechend macht sich Petrus in seinem Papst Innozenz von der Versöhnung unterrichtenden Schreiben keineswegs die verketzernde Darstellung Bernhards zu eigen, sondern legt in einschränkender Formulierung dar, daß er Abälard, – *si qua catholicas aures offendentia, aut scripsisset aut dixisset* –, zum Schweigen bzw. zum Entfernen aus den Büchern verpflichtet habe.[394]

In enger Verbindung liegt der Bericht von Bernhards Rolle bei der Verurteilung Abälards und seinem Versuch, eine Verurteilung Gilberts de la Porrée[395] zu erlangen, bei Otto von Freising und Johann von Salisbury vor.[396] Während Otto von Freising hierbei stärker den Unterschied zwischen beiden Personen und Prozessen betont,[397] verweist bei

[389] Vgl. Thomas, Die Persönlichkeit 266f.

[390] Petrus bezeichnet Abälard in Brief 115 (ed. Constable) als *vere Christi philosopho* (306) und *singulari scientiae magisterio* (307).

[391] *Cuius sanctae, humili ac deuotae inter nos conuersationi, quod quantumue Cluniacus testimonium ferat, breuis sermo non explicat. Nisi enim fallor, non recolo uidisse me illi in humilitatis habitu et gestu similem, . . .* (ep. 115, ed. Constable, Bd. I. 306).

[392] Nach Didier, Un scruple, 97, geht die Initiative zur Versöhnung von Bernhard aus. Eine vergleichbare Meinung vertritt Borst, 524.

[393] Vgl. Zerbi, Remarques.

[394] Ep. 98, ed. Constable, Bd. I. 259; vgl. Thomas, Die Persönlichkeit, 265.

[395] Vgl. Gammersbach, Gilbert; Gössmann, Glaube und Gotteserkenntnis 43ff; Häring, Das sogenannte Glaubensbekenntnis; ders., The case; ders., San Bernardo; Vacandard, Leben II. 359ff.

[396] Ebenso bei Bernhards Sekretär und Biographen Gaufred (VP III. V,13ff, 310ff) auf dessen Bericht im weiteren nicht näher eingegangen wird.

[397] Otto übernimmt den gegen Abälard erhobenen Vorwurf des Hochmuts und des übersteigerten Scharfsinns (Gesta Freder. I,50, 224/226). Entsprechend unterschiedlich bewertet er beide Fälle. Die beiden Archidiakone Gilberts hätten Bernhard für ein Vorgehen gegen Gilbert nach Art der Verurteilung Abälards gewonnen: *Sed nec eadem causa nec similis erat materia* (Gesta Freder. I,53, 236).

Johann, der sich gegen Abälard wohlwollender zeigt,[398] die an Bernhards Vorgehen gegen Gilbert lautwerdende Kritik deutlich auf sein Vorgehen gegen Abälard zurück. Über Bernhard, so Johann, seien die Meinungen geteilt,

quod uiros in litteris famosissimos, Petrum Abaielardum et prefatum Gislebertum, tanto studio insectatus est, ut alterum Petrum scilicet condempnari fecerit, alterum adhibita omni diligentia nisus sit condempnare.[399]

Ihren Ausgang nimmt die Kritik an Bernhard in der Art und Weise seines Vorgehens gegen Gilbert. Nach Darstellung Johanns versammelt Bernhard vor der öffentlichen Verhandlung gegen Gilbert die maßgebenden Gelehrten und hohen Würdenträger der englischen und französischen Kirche zu einem privaten Treffen. Bernhard betont bei dieser Zusammenkunft die Notwendigkeit, die Kirche vor Ärgernissen zu bewahren und, mahnt die Anwesenden an ihre Pflicht zur Verteidigung des Glaubens. Auf charakteristische Weise sucht Bernhard zum Handeln in seinem Sinne zu bewegen, indem er die Initiative zu einer Entscheidung ergreift, die er sogleich als dem Mönchsstand nicht angemessen bestimmt, so daß deren Umsetzung in den Zuständigkeitsbereich der Anwesenden überstellt wird:

Hec enim causa non ad monachos et heremitas pertinet, sed ad ecclesie prelatos qui tenentur animas ponere pro ouibus suis.

Um diesen das Urteil darüber zu erleichtern, ob er irre oder nicht, habe er Glaubenssätze formuliert, in denen er von der Meinung Gilberts abweiche und die er hiermit der Versammlung zur Entscheidung vorlege. Die Sätze Bernhards seien sogleich von seinem Sekretär Gaufred niedergeschrieben und zur Billigung durch die Anwesenden verlesen worden. Bernhard und sein Sekretär – so Johann – hätten sich hiermit einer Methode bedient, *quomodo fieri solet ubi decreta promulgantur aut leges.* Wiederum tritt der machtvolle Ruf Bernhards[400] deutlich zutage, wenn Johann vermerkt, daß diese Vorgehensweise den Ernsthafteren der Anwesenden zwar mißfallen habe, diese jedoch keinen Widerspruch gewagt hätten *(uerebantur abbatem et suos offendere, si non ei gererent morem).*[401] Johann berichtet weiter von der heftigen Empö-

[398] Abälard gilt ihm als *clarus doctor et admirabilis omnibus* (Metalogicon II, 10, PL 199, 867).

[399] Histor. Pontific., ed. Chibnall, VIII, 16.

[400] Bernhards außergewöhnliches Ansehen findet sich ebenfalls in Johanns Mutmaßungen über die Motive der übrigen Angreifer Gilberts belegt: *Incertum habeo an zelo fidei, an emulatione nominis clarioris et meriti, an ut sic promererentur abbatem, cuius tunc summa erat auctoritas, cuius consilio tam sacerdocium quam regnum pre ceteris agebatur* (ebd. VIII; 16).

[401] Ebd. VIII, 17f.

rung der Kardinäle, die, als sie von dem Treffen erfahren, sich an die Umstände der Verurteilung Abälards erinnern und im Falle Gilberts den Entschluß fassen, Bernhard entgegenzutreten:

(C)ondixerunt ergo fouere causam domini Pictauensis, dicentes quod abbas arte simili magistrum Petrum aggressus erat; sed ille sedis apostolice non habuerat copiam, que consueuit machinationes huiusmodi reprobare de manu potentioris eruere pauperem.[402]

Als Bernhard, so Johann weiter, von der Empörung und dem Zusammenschluß der Kardinäle gegen seine Person erfährt, wendet er sich direkt an Papst Eugen, um diesen im freundschaftlichen Gespräch und unter Verwendung bekannter Argumentationsmuster zum Eingreifen zu bewegen:

Sed nec illum latere poterat cardinalium motus, qui preueniens alios, accessit ad dominum papam familiariter, exhortans eum ut zelum et animum uirilem indueret in causa Domini, ne langor corporis Christi et fidei plaga deprehenderetur esse in capite.[403]

Auch in der an wesentlichen Punkten vom Bericht Johanns abweichenden Darstellung Ottos[404] reagieren die Kardinäle voller Empörung über das als Kompetenzüberschreitung empfundene Vorgehen Bern-

[402] Ebd. IX, 19f.

[403] Ebd. IX, 20.

[404] Drei Hauptquellen berichten über den Prozeß zu Reims: Bernhards Sekretär Gaufred (*Epistola ad A. Cardinalem Albanensem;* PL 185, 587–596), Otto von Freising sowie Johannes von Salisbury. Der gravierendste Widerspruch in den in vielfacher Hinsicht divergierenden Quellen besteht bezüglich der beschriebenen Zusammenkunft. Im Gegensatz zu Johann siedeln Gaufred und Otto das Treffen zwischen den Prozeßtagen an, wobei in der Darstellung Gaufreds die Initiative für das Treffen nicht von Bernhard, sondern von den Bischöfen und Professoren ausgeht (7, 591). Während Vacandard der *Historia Pontificalis* nur geringen Quellenwert beimaß (Leben II. 365, Anm. 2), hebt die neuere Forschung die Bedeutung des Werkes Johanns hervor (Gammersbach, 56–58 u. 67ff; Häring, Das sogenannte Glaubensbekenntnis, 64). Mag man auch Gaufreds Werk aufgrund seiner Parteilichkeit relativiert betrachten, bleibt dennoch der Widerspruch zwischen Otto und Johann bestehen, – beides Autoren, die sichtlich um eine ausgewogene, realitätsgerechte Darstellung bemüht sind. Den Versuch von Gammersbach, die widersprüchlichen Aussagen zu harmonisieren (69), lehnt Häring als unwahrscheinlich ab (Das sogenannte Glaubensbekenntnis, 65). Für den Bericht des Johannes spricht, daß dieser in Reims zugegen war, während sich Otto auf dem Kreuzzug befand. Hinzu tritt, daß Johann eindringlich die Wahrhaftigkeit seiner Schilderung des Treffens versichert und hierfür gewichtige Zeugen (u. a. Abt Suger von St. Denis und Thomas Becket) anführt (VIII,17). Vor dem Hintergrund der Ergebnisse dieser Untersuchung ist als weiteres Argument für den Bericht Johanns dessen Beschreibung Bernhards anzuführen. Bernhards Handeln für die Kirche, die Verbindung von Torheit und Eifer in seiner Argumentation während des Treffens [*(n)am si arguendo factus est insipiens, caritas et zelus fidei coegerat ipsum.* VIII. 17f], die Intervention bei Eugen in der Angelegenheit Gottes sowie im besonderen das Initiativwerden bei gleichzeitigem Bekenntnis von dessen Unangemessenheit für den Mönchsstand sprechen für eine authentische Darstellung des Abtes und somit für die Glaubwürdigkeit der Quelle.

hards. Nachdrücklich mahnen sie bei Papst Eugen dessen Einbindung in den Kreis der römischen Kurie an *(sed nostrum potius esse oportere nec privatas et modernas amicitias antiquis et communibus preponere)* und erheben heftige Klage gegen Bernhard:

Sed quid fecit abbas tuus et cum eo Gallicana ecclesia? Qua fronte, quo ausu cervicem contra Romane sedis primatum et apicem erexit? Hec est enim sola que claudit, et nemo aperit, aperit, et nemo claudit.[405]

Durch Eugens Beschwichtigung der aufgebrachten Kardinäle sowie die demütige Antwort des vom Papst zur Rede gestellten Abtes – so der Fortgang von Ottos Bericht – habe jedoch ein tiefergehendes Zerwürfnis zwischen der französischen Kirche und ihrem römischen Haupt vermieden werden können. Das Konzil endet in der Darstellung Ottos[406] mit dem Glaubensentscheid Eugens bezüglich des ersten Anklagepunktes, dem sich Gilbert demütig unterworfen habe. Über drei weitere Lehrsätze habe aufgrund jener Vorkommnisse keine Entscheidung gefällt werden können, so daß Gilbert *cum ordinis integritate et honoris plenitudine* in seine Diözese zurückzukehren vermochte.[407]
Von kritischer Distanz gegenüber seinem Ordensbruder ist die Haltung gekennzeichnet, die Otto im Konflikt zwischen dem von ihm geschätzten Bischof von Poitiers und dem Abt von Clairvaux einnimmt. Zum Abschluß seines Berichts zeigt er zwei Alternativen auf, die den Konflikt beider in so hohem Ansehen stehender Personen zu erklären vermögen. Ob entweder Bernhard aus menschlicher Schwäche *(ex humane infirmitatis fragilitate)* einem Irrtum erlegen sei, oder aber der hochgebildete Bischof seine wahre Ansicht verborgen habe und dadurch der Verurteilung entgangen sei, könne er nicht entscheiden. Die im weiteren von Otto herangezogenen Beispiele von Irrtümern der Weisen und Heiligen belegen jedoch deutlich, daß Otto der ersten beider Möglichkeiten zuneigt. Selbst David, *in quem spiritus Domini directus asseritur,* vermochte der Täuschung durch einen Knecht nicht zu entgehen. Der heilige Epiphanius, *tam eximie, ut mortuum quoque suscitaret, sanctitatis,*[408] ließ sich von den Nebenbuhlern des Johannes Chryostomos derartig gegen diesen aufbringen, daß er nicht mehr mit ihm ver-

[405] Gesta Freder. I,61, 256.
[406] Über die differierenden Berichte zur Entscheidung im Prozeß gegen Gilbert, vgl. Gammersbach, 71–75 u. 98ff.
[407] Gesta Freder. I,61, 258.
[408] Der Sinn der Erwähnung der Totenerweckung durch Epiphanius an dieser Stelle läßt sich in seiner vollen Tiefe nur vor dem Hintergrund der Feststellung verstehen, daß Otto hier die Möglichkeit eines Irrtums gegenüber Bernhard als einer Person verficht, die im öffentlichen Ruf des Wundertäters steht.

kehren wollte und sogar das Volk gegen ihn aufhetzte.[409] Gerade das Beispiel des heiligen Epiphanius ist für Ottos Einschätzung der Rolle Bernhards erhellend. An den Beginn seiner Ausführungen zum Prozeß gegen Gilbert stellt Otto den Bericht über die Archidiakone Arnold und Kalo, die den Abt von Clairvaux auf ihre Seite zu ziehen und somit gegen Gilbert aufzubringen vermögen.[410] *Erat enim predictus abbas tam ex Christiane religionis fervore zelotipus quam ex habitudinali mansuetudine quodammodo credulus,* daß er Anschuldigungen gegen Gelehrte, die sich allzusehr auf menschliche Vernunft verließen, bereitwillig Glauben schenkte *(facile aurem preberet).*[411] Die Parallelität der Fälle ist offenkundig, so daß Otto am Beispiel des aufgehetzten und sodann selbst aufhetzenden Epiphanius dem weiteren Verhalten des Abtes ein deutlich kritisches Zeugnis ausstellt, ohne dies direkt aussprechen zu müssen. Die von Otto gegen Bernhard vorgebrachte Kritik[412] trägt Bernhards Ruf der Heiligkeit Rechnung. Dennoch insistiert Otto nachdrücklich auf der Möglichkeit des Irrtums,[413] selbst wenn die Heiligkeit des Irrenden unbestreitbar und durch Wundertaten ausgewiesen ist. Auf diplomatischen und elaborierten Wegen gelangt Otto zu einem Urteil über Bernhard, das die Notwendigkeit zur Reduzierung von dessen übermächtiger Heiligkeit auf ihr menschliches Maß anmahnt. Seine Kritik weist somit eine deutliche Ähnlichkeit zur revidierten, der Verleumdung entkleideten Position Berengars auf,[414] die infolge der Selbstdiskreditierung des Autors durch die zügellose Invektive seiner Verteidigungsschrift bislang kaum in der Forschungsliteratur als ernstzunehmendes Urteil aufgegriffen worden ist.

[409] ... *adversus Iohannem Crisostomum, cuius hodie in ecclesia viget memoria, tam acriter ab emulis eius induci potuit, ut eum in propria civitate declinans communicareque nolens etiam populum sibi commissum, quantum in ipso fuit, contra illum concitaret* (Gesta Freder. I,62, 260/262).

[410] Ebd. I,49, 222/224.

[411] Ebd. I,50, 224.

[412] Es ist das Verdienst von Glaser in Ergänzung zu Constable (The second crusade), auf die kritische Haltung Ottos gegenüber Bernhard aufmerksam gemacht zu haben (129): „... das Bernhardbild Ottos, je weiter es ausgeführt wird, ist von Skepsis und Zweifel, ja von andeutender Kritik bestimmt". Diese Aussage wäre vor dem Hintergrund der hier gewonnenen Erkenntnisse schärfer zu fassen. Daß Otto Bernhard andererseits mit den tradierten Formulierungen des Lobes belegt sowie dessen Heiligkeit und Wunderkraft erwähnt (vgl. 297 u. 302), steht hierzu nicht im Gegensatz, da, wie gezeigt, Ottos Kritik unter Wahrung und Anerkenntnis von Bernhards öffentlichem Ruf der wundertätigen Heiligkeit erfolgt.

[413] Im gleichen Sinne argumentiert Otto anläßlich des Scheiterns des zweiten Kreuzzuges, wenn er zu Bernhard bemerkt: ... *quamquam et spiritus prophetarum non semper subsit prophetis* (Gesta Freder. I,66, 270).

[414] Vgl. 260f.

Von andersgearteter inhaltlicher Ausrichtung ist die abschließende Betrachtung, der Johann von Salisbury den Konflikt zwischen Bernhard und Gilbert de la Porée unterzieht. Auch Johann stellt die beiden Personen einander gegenüber, zeigt sich aber weit stärker als Otto um eine Darstellung bemüht, welche die kritische Bewertung meidet, sondern vielmehr den Nachweis der Berechtigung einer jeder der beiden Positionen zu erbringen sucht. Dieser auf Harmonisierung bedachten Grundhaltung entsprechend verleiht Johann seiner Überzeugung Ausdruck, daß die Kontrahenten nun nicht mehr miteinander im Widerspruch lägen; – *quia semel semper optatam inspiciunt ueritatem.*[415] Grundsätzlich trägt Johanns Darstellung Bernhards machtvollem Ruf der Heiligkeit Rechnung: – *Erat enim uir potens in opere et sermone coram Deo ut creditur, et ut publice notum est, coram hominibus.*[416] Deutlich spürbar ist folglich die Argumentationsnot, in die Johann bei dem Versuch gerät, Bernhards Ruf von Heiligkeit und Begnadung mit seinem auf Ausgewogenheit bedachten Urteil übereinzubringen. Zu zahlreichen Gelegenheiten habe Bernhard in seinen Schriften gegen Gilbert Stellung bezogen, u. a. in seinem Kommentar auf das Hohelied, *quam procul dubio per os eius dictauit Spiritus sanctus.*[417] Zu Beginn des folgenden Kapitels gibt Johann die Meinung einiger wieder, die behaupten, Gilbert sei durch geheuchelte Demut und spitzfindige Argumentation einer Verurteilung entgangen.[418] Johann hingegen betont, daß ein letztgültiges Urteil in dieser Angelegenheit das menschliche Vermögen übersteige:

Hoc tamen ad humanum non spectat examen, quia nemo nouit penitus quid sit in homine, nisi spiritus qui in ipso est, et conscientiarum Iudex, qui solus nouit abscondita cordis.[419]

Den Grund für das Zerwürfnis sieht Johann in der Unterschiedlichkeit der Wege, die beide Männer zum gemeinsamen Ziel der Wahrheit hin einschlagen *[(e)rant tamen ambo optime litterati et admodum eloquentes sed dissimilibus studiis],* so daß er diese abschließend in einer vergleichenden Gegenüberstellung behandelt, die sichtlich auf die Betonung des jeweiligen Eigenwerts der widerstreitenden Methoden angelegt ist. Der elegante Stil Bernhards, des vorzüglichen Predigers *[predicator (. . .) egregius],* gehe völlig im Wort der Bibel auf. Der eingehenden Bibelkenntnis Bernhards stehe Gilberts tiefgehende Kenntnis der Väter gegenüber. In den weltlichen Wissenschaften sei Bernhard nur we-

[415] Histor. Pontific. VIII, 16f.
[416] Ebd. IX, 20; vgl. auch den auf 247 unter Anm. 282 angeführten Bericht Johanns über die prophetische Gabe Bernhards.
[417] Ebd. XI, 25.
[418] Ebd. XII, 26.
[419] Ebd. XI, 25.

nig erfahren. Gilbert hingegen suche seine tiefen Kenntnisse in diesen Gebieten des Wissens der Theologie nutzbar zu machen *(theologie seruire),* so daß auch Zitate der Philosophen, Poeten und Rhetoren in seine Werke Eingang fänden. Johann schließt seine vergleichende Darstellung mit der Betonung der Einzigartigkeit eines jeden der beiden Männer auf dem ihm eigenen Gebiet:

Utrumque in suis studiis multi conati sunt imitari, sed nec unus, quod meminerim, alterutrum assecutus est.[420]

In der Gegenüberstellung zweier verschiedener theologischer Methoden nimmt der ‚*Dialogus Ratii et Evarardi*'[421] des Everardus von Ypern eine den Ausführungen Johanns vergleichbare Richtung, wobei der Verfasser des ‚*Dialogus*' ohne Zweifel der Position Gilberts zuneigt. Trotz der Parteilichkeit dieses Textes erfährt hier Bernhard eine Darstellung, die von überzogener Polemik frei ist, so daß der Autor zu einer ernstzunehmenden Bewertung der Geschehnisse gelangt. Die Gegenüberstellung erfolgt in Form des Streitgespräches zwischen dem Mönch Everardus und dem Griechen Ratius. Everardus betont als Verteidiger Bernhards dessen tiefes aus dem Gebet und dem kontemplativen Verweilen unter den Buchen[422] geschöpftes theologisches Wissen. Ratius hingegen hält Everardus Bernhards mangelnde Kenntnis in den freien Künsten und folglich in der theologischen Wissenschaft entgegen.[423] Entsprechend verurteilt er nachdrücklich Bernhards Vorgehen gegen Gilbert als einen dem Glaubenseifer entspringenden Übergriff auf ein Gebiet, das sich dem Urteilsvermögen des Abtes letztlich entziehe. Dennoch zeigt sich auch Ratius um eine angemessene Würdigung der theologischen Verdienste Bernhards bemüht. Er unterscheidet hierzu zwischen ‚*theologia theorica*' und ‚*theologia practica*', um sodann Bernhard in der letzteren beider Disziplinen eine dem hl. Martin und dem hl. Benedikt gleichkommende Stellung zuzusprechen. *(I)n scientia recte vivendi et scientia recte vivere docendi* besteht für Ratius Inhalt und Verdienst dieser Theologie,[424] die ihren Sitz im klösterlichen Leben, ihr spirituelles Zentrum in der Lehre vom Leben in der Nachfolge besitzt.

Wie bereits in der Auseinandersetzung zwischen Bernhard und Abälard tritt der Widerstreit der Methoden und somit das Motiv der Konkurrenz offen zutage, das den zeit seines Lebens für ein Klosterleben in

[420] Ebd. XII, 26f.

[421] Haring, A latin dialogue; vgl. auch: Gammersbach, Gilbert, 121ff. Dieser Text ist etwa 30 Jahre nach Gilberts Tod, d. h. um 1184 verfaßt (Gammersbach, 121).

[422] Vgl. 206f.

[423] Haring, A latin dialogue, 271.

[424] Ebd. 272.

der zisterziensischen Ausprägung werbenden Abt auch im Falle Gilberts mitbewogen haben mag. Dieses Motiv wird man als wahren Kern der von Johann zitierten Aussage Arnolds von Brescia ausmachen dürfen, auch wenn dieser in sichtlicher Empörung und Verbitterung Abälards Bewertung des Verhaltens Bernhards übernimmt.[425]

Abbatem, cuius nomen ex multis meritis clarissimum habebatur, arguebat tamquam uane glorie sectatorem, et qui omnibus inuideret qui alicuius nominis erant in litteris aut religione, si non essent de scola sua.[426]

Wie schon die Sichtweise Abälards reduziert auch dieser Angriff Bernhards Verhalten zu sehr auf individuelle Beweggründe, um dem öffentlichem Auftreten des Abtes in seiner spezifischen Vehemenz gerecht werden zu können. Auch hier wird Bernhard in den Angelegenheiten Christi tätig, so daß seine auf Ausgrenzung des Gegners dringende Unduldsamkeit ihren stärksten Antrieb aus der Objektivsetzung eigener Maßstäbe und Werte bezieht. Vor diesem Hintergrund wird insbesondere das differenzierte Urteil Ottos von Freising, aber auch die revidierte Position Berengars hervorzuheben sein. Beide mahnen nachdrücklich das menschliche Maß in seiner Verbindlichkeit auch für die übermächtige Gestalt Bernhards an, und unterziehen somit das öffentliche Auftreten des Abtes an seinem Kernpunkt einer ernstzunehmenden und tiefgreifenden Kritik.

[425] *Ille quippe occultus iam dudum inimicus, qui se huc usque amicum, immo amicissimum simulavit, in tantam nunc exarsit invidiam, ut (nunc) scriptorum meorum titulum ferre non posset, quibus gloriam suam tanto magis humiliari credidit, quanto magis me sublimari putavit.* (Klibansky, Peter Abailard, 6). Zum Verhältnis zwischen Abälard und Arnold, vgl. Luscombe, 26ff.

[426] Histor. Pontific. XXXI, 64.

8. DIE WUNDER BERNHARDS

8.1. Problemstellung

Die Wundertätigkeit Bernhards muß wohl als der für den modernen Betrachter problematischste Bereich an Gestalt und Wirken des Heiligen betrachtet werden. Die Fragestellung dieser Untersuchung, in der es Beziehungen zwischen Bernhards Frömmigkeit und seinem öffentlichen Wirken aufzuzeigen gilt, macht jedoch die Behandlung dieses Themas unumgänglich. Die Wunder Bernhards werden als Bindeglied zwischen innerer Begnadung und äußerem Wirken zu bestimmen – ihre den Begnadungsstand der außerklösterlichen Welt vermittelnde Funktion wird aufzuzeigen sein. Bevor es allerdings diese Thesen zu belegen gilt, bevor sich Bernhards Auffassung vom Wunder sowie seinem Ruf als Wundertäter zugewandt werden kann, erscheinen einige Vorbemerkungen angebracht, um den besonderen Schwierigkeiten Rechnung zu tragen, die dem Thema des Wunders im modernen aufgeklärten Denken zukommen.

8.1.1. Forschungspositionen

Den Wundern Bernhards wurde im Rahmen der historischen Forschung bislang kaum Relevanz zu einem Verständnis von Gestalt und Wirken des Heiligen zugebilligt. Während die moderne Forschung die Wundertätigkeit Bernhards zumeist übergeht,[1] läßt sich in manchen älteren Forschungsbeiträgen eine gewisse Bereitschaft feststellen, Bernhards Selbstverständnis als Wundertäter Rechnung zu tragen. So vermerkt Bernhardi 1883 in seinen Ausführungen zum 2. Kreuzzug Bernhards „Thätigkeit in Wundern, von deren Realität er selbst überzeugt gewesen zu sein scheint".[2] Von der Faktizität der Wundertaten Bernhards geht 1894 sein Biograph Vacandard aus, der zu diesem Schluß über eine kritische Würdigung der Viten, der Aussagen von Zeitgenossen sowie persönlicher Bemerkungen Bernhards gelangt.[3] Eingehend beschäftigt sich 1886 Georg Hüffer in seinen ‚Vorstudien zu einer Darstellung des Lebens und Wirkens des heiligen Bernard von Clairvaux' mit dem Thema der Wunder Bernhards. 1889 sieht sich

[1] Äußerungen, wie die Arno Borsts (Abälard, 498), der von der „wunderwirkende(n) Heiligkeit" Bernhards spricht, bilden eher die Ausnahme.

[2] Bernhardi, Konrad III., 527.

[3] Vacandard, Bernhard, vgl. bes. Bd. I, 20ff.

derselbe Autor gezwungen, heftigen Angriffen von Fachkollegen,[4] insbesondere bezüglich seiner Darstellung der Wundertätigkeit Bernhards, mit dem Artikel ‚Die Wunder des hl. Bernhard und ihre Kritiker' im historischen Jahrbuch der Görresgesellschaft entgegenzutreten. Besonders bei Hüffer darf angenommen werden, daß sich Ansatz und Interesse der Forschung in die persönliche Gläubigkeit des Autors eingebunden finden.[5] Zeitgeist und Person des Verfassers beeinflußten ebenso die Arbeiten Hüffers, wie heute ein gewandelter Zeitgeist sowie eine gewandelte, gegenüber verschiedenen Aspekten des Glaubens kritischer gewordene Frömmigkeit die Auseinandersetzung mit dem Phänomen der Wunder erschwert, wenn nicht gar verunmöglicht. Unzweifelhaft ist der Stand der Forschung zwischenzeitlich vorangeschritten, müssen verschiedene Ergebnisse Vacandards und Hüffers als überholt betrachtet werden.[6] Dennoch haben beide Autoren bezüglich der Wunderthematik wichtige Vorarbeiten geleistet, auf die im Verlauf dieser Darlegungen zurückzugreifen sein wird.

8.1.2. Wunder und Beredsamkeit

Den Wundern Bernhards wird im Rahmen dieser Untersuchung eine wichtige vermittelnde Funktion zugesprochen. Anhand der Wunder wird Bernhards Begnadungsstand einem Personenkreis offenbar, dem es an Einsicht und Verständnis für jene elaborierten Zusammenhänge um Läuterungs- und Verähnlichungsgrade mangelt, die für die monastische Lebensform in der von Bernhard geforderten Ausprägung bestimmend sind. Bernhard wirkt – wie dargelegt – im allgemeinen nicht aus dem Amt, sondern aus einer *‚auctoritas'*, welche die weitreichende Anerkennung seines Begnadungsstandes voraussetzt. Die diesem Sachverhalt zugrundeliegende Legitimations- und Vermittlungsproblematik findet in der Forschungsliteratur kaum Niederschlag. Als wichtiges Bindeglied zwischen den Intentionen Bernhards und erfolgter Einflußnahme wird hingegen immer wieder die Beredsamkeit des Heiligen bestimmt. Es wird zu zeigen sein, daß diese Position den Blick auf Wesentliches eher verdeckt als freigibt. Bernhard ist, so Haller,[7] ein „Meister des Wortes in jeder Form, (ein) feuriger Prediger, der die Massen zu erschüttern und fortzureißen versteht". „Unter dem überwältigenden Eindruck der Worte Bernhards von Clairvaux" nehmen, nach

[4] Zu den Inhalten dieser Auseinandersetzung, vgl. Hüffer, Die Wunder, 23ff.

[5] Der letzte Satz von Hüffers Aufsatz ‚Die Wunder' (806) lautet: „Gott hat Wunder gewirkt durch die Hand des heiligen Bernhard."

[6] Neuere Erkenntnisse zur Vita Bernhards bietet: Bredero, La canonisation; ders., Études sur la Vita prima.

[7] Haller, Das Papsttum, III. 8.

Fuhrmann,[8] König Konrad und König Ludwig das Kreuz. Zur Kreuzzugspredigt Bernhards vermerkt Mayer:[9] „Die von allen Zeitgenossen gerühmte Beredsamkeit des ‚honigfließenden Doktors‘ (doctor mellifluus) ... verfehlte ihre Wirkung nicht.“ „Bernhard von Clairvaux, vom Papst mit der Kreuzzugspredigt betraut, entfachte durch seine Beredsamkeit eine gewaltige Kreuzzugsbewegung“ schreibt Karl Jordan;[10] so weit reicht, nach Engels,[11] Bernhards Überredungsgabe, daß er Konrad „gegen mancherlei Vernunftgründe zur Teilnahme am Zweiten Kreuzzug beweg(t)“. Unzweifelhaft verfügt Bernhard über eine außergewöhnliche Redegabe von höchster suggestiver Kraft. Dennoch verdecken die dargestellten Meinungen einen zum Verständnis für Bernhards Wirken wesentlichen Aspekt. Bernhards Beredsamkeit bedarf, soll sie greifen, eines Gegenübers, das sich bereden läßt. Daß man auf Bernhards Rat und Rede hört, setzt die Anerkennung seiner Legitimation und Kompetenz, d. h. die Anerkennung der Heiligkeit und Begnadung seiner Person voraus.
Im Falle der Kreuznahme Konrads befinden wir uns im Besitz eines Berichtes über die Umstände, unter denen diese Entscheidung getroffen wurde, sowie einer Stellungnahme Konrads, in der er die Gründe für seinen plötzlichen Entschluß darlegt. Somit ist es anhand dieses Ereignisses möglich, sowohl den Vorgang der ‚Beredung‘, als auch die Reaktion des ‚Beredeten‘, d. h. die Art und Weise, in der sich das Auftreten Bernhards dem Betroffenen vermittelt, näher zu beleuchten. Nach zwei vergeblichen Versuchen gelingt es Bernhard in Speyer, so die Darstellung der Vita,[12] Konrad für das Kreuzzugsunternehmen zu gewinnen. Bernhard hebt an zu predigen und führt – („in einer Sprache, als sei er Christus selbst“ Runciman, 560) – Konrad die Worte Christi vor Augen, die er, falls er mit leeren Händen vor dem Thron des höchsten Richters erscheinen sollte, am Jüngsten Tag vernehmen wird: *O homo! quid debui tibi facere, et non feci?* Sodann zählt Bernhard die Gaben auf, mit denen Christus den Herrscher bislang begünstigte, worauf Konrad tief bewegt *(non sine lacrymis)* dem Heiligen ins Wort fällt:

Agnosco prorsus divina munera gratiae; nec deinceps, ipso praestante, ingratus inveniar: paratus sum servire ei, quandoquidem ex parte ejus submoneor.

[8] Fuhrmann, Deutsche Geschichte, 146.
[9] Mayer, Geschichte der Kreuzzüge, 89f.
[10] Jordan, Investiturstreit, 105.
[11] Engels, Die Staufer, 34.
[12] VP VI. IV,15, 381f. Zu den Vorgängen in Speyer, vgl. Bernhardi, Konrad III., 529ff; Mayer, Geschichte, 92; Runciman, Geschichte, 559f. Alle drei Autoren folgen an wesentlichen Punkten ihrer Ausführungen dem zitierten Bericht der Vita Bernhards.

Nicht nur Bernhards Rhetorik, auch seine Fähigkeit der besonderen Bezugnahme auf die zu beeinflussende Person, treten deutlich zutage. Drohend führt Bernhard das Jüngste Gericht vor Augen und mahnt zugleich eine den herrschaftlichen Ehr- und Verhaltensnormen entsprechende Entscheidung an. Seine Funktion als Werkzeug Gottes wird nicht zuletzt an der Art seiner Rede offenbar: aus seinem Mund sind die Worte zu vernehmen, die Christus am Jüngsten Gericht sprechen wird.[13]

Bernhards Zugriff auf die Person Konrads scheint erfolgreich gewesen zu sein. Geistliche Drohung und Mahnung zu ehrenvollem Verhalten zeigen Wirkung. Untrennbar hiermit verbunden ist Konrads Anerkennung der den Willen Gottes vermittelnden Funktion Bernhards, so daß sich ihm im nachhinein die getroffene Entscheidung als Werk des Hl. Geistes darstellt, der *mirabili digito* an sein Herz zu rühren vermochte. Zwar habe er den Entschluß – so Konrads Bericht an Papst Eugen – zu einer solch beschwerlichen Reise ohne Wissen Eugens getroffen;

(s)ed spiritus sanctus, qui ubi vult spirat, qui repente venire consuevit, nullas in captando vestro vel alicuius consilio moras nos habere permisit; sed mox ut cor nostrum mirabili digito tetigit, ad sequendum se sine ullo more intervenientis spacio totam animi nostri intentionem impulit.[14]

Auch der zitierte Bericht der Vita Bernhards betont die wunderbare Qualität der Ereignisse. Bernhard selbst soll den plötzlichen Sinneswandel des Herrschers als *miraculum miraculorum* bezeichnet haben.[15] Gegenüber diesem außergewöhnlichen Wunder treten hier – ganz im Gegensatz zur Überfülle an Wundern, von der das sechste Buch der Vita ansonsten berichtet – andere Wundertaten Bernhards in den Hintergrund. Otto von Freising hingegen vermerkt auch anläßlich der Versammlung in Speyer Wundertaten Bernhards:

Quo veniens predictus abbas principi cum Frederico fratris sui filio aliisque principibus et viris illustribus crucem accipere persuasit, plurima in publico vel occulto faciendo miracula.[16]

Kennzeichnenderweise findet sich hier die Wundertätigkeit der ‚Beredung' zugeordnet. In der Tat besteht zwischen Wort und Wunder ein enges Verhältnis, das im weiteren auch im Werk Bernhards nachzuweisen sein wird.[17] Zweifellos verfügt Bernhard über eine außergewöhnliche rhetorische Begabung. Dennoch vermag Bernhards Bered-

[13] Zur begnadeten Rede, vgl. 199, Anm. 11.
[14] MGH DD IX, 333.
[15] Eine solche Äußerung ist bei dem Gewicht, das Bernhard den ‚Wundern des Innen' beimißt, durchaus vorstellbar; vgl. 284ff.
[16] Otto von Freising, Gesta Freder. 208.
[17] Vgl. 282ff.

samkeit nicht allein seine Wirkkraft zu erklären. Diese setzt vielmehr seine Anerkennung als Werkzeug Gottes, d. h. eine Legitimation voraus, an der für viele Zeitgenossen Bernhards Wundertätigkeit beträchtlichen Anteil hat.[18]

8.1.3. Wunder und Öffentlichkeit

Selbstverständlich vermag das Wunder, in christlicher und in Bernhards Auffassung, überall zu geschehen. Dennoch läßt sich den spektakulären Wundertaten Bernhards ein Ort zuweisen, an dem sie vornehmlich zu geschehen pflegen: die Öffentlichkeit. Bernhards Biograph berichtet, daß, gerade als Bernhard im Begriff war, das Kloster zu verlassen, ihm ein Vater seinen kranken Sohn brachte:

Nam intra monasterium quidem infirmis imponere manum difficilius acquiescebat, ne videlicet, si concursus illuc hominum fieret, quies coenobii turbaretur, et disciplina periret.[19]

Der Bericht des Biographen gibt treffend das Gesamtbild der Wundertätigkeit Bernhards wieder. Weitaus die meisten in der Vita berichteten Wunder finden in der Öffentlichkeit statt.[20] Beide Quellen, in denen Bernhard auf seine Wunder anspielt,[21] zielen auf in der Öffentlichkeit gewirkte Wunder ab. Die Gründe, die Bernhards Biograph für die Abneigung des Heiligen angibt, innerhalb der Klostermauern Kranke zu heilen, leuchten ein. Immer wieder ist von tumultuösen Aufläufen staunender und hilfesuchender Menschen bei öffentlichem Erscheinen Bernhards die Rede;[22] – ein Phänomen, das nur schwerlich mit der Forderung nach klösterlicher Abgeschiedenheit und Ruhe zu vereinbaren ist.[23] Jedoch erscheint noch ein weiterer Aspekt am in der Öffent-

[18] Von daher dürfte das folgende Urteil Bernhardis (Konrad III., 531) über die Vorgänge in Speyer den Sachverhalt zutreffend wiedergeben, gemäß dem Konrad „(u)nter dem Eindruck einer Persönlichkeit, in der die Mehrheit der Lebenden gleichsam ein unmittelbares Werkzeug Gottes zu erkennen meinten", zur Kreuznahme veranlaßt wurde.

[19] VP IV. VIII,44, 347.

[20] *In remotis etiam regionibus, quocunque eum Ecclesiae sanctae necessitas traxit, virtus est prosecuta signorum* (VP IV. IV,29, 337).

[21] Vgl. 290f.

[22] Zur Ankunft Bernhards in Brienne-le-Chateau vermerkt die Vita (IV. VII,42, 346): *obvium habuit populum multum, sicut ubique semper et undique in ipsius occursum confluebat innumera multitudo.* Ähnliches geschieht in Trier (IV. V,32, 339): *ex more obviam ruit populus universus;* – und in Mailand (II. III,20, 279): *Augebatur adventantium numerus, et mirifica opera ad se populos invitabant; nec usquam Viro Dei dabatur requies, dum ex ejus lassitudine alii sibi requiem procurarent.*

[23] Zur Störung der klösterlichen Ruhe durch Wundergläubige, vgl. Demm, Zur Rolle des Wunders, 308.

lichkeit gewirkten Wunder wesentlich: „(D)as Volk hat den Heiligen in erster Linie als Thaumaturgen erfahren, in der Volksfrömmigkeit blieb das Wunder das primäre Kriterium der Heiligkeit.“[24] Im weiteren Verlauf dieses Kapitels wird Bernhards differenzierte Sicht des Wunders, die ein besonderes Gewicht auf die Wunder im Innern des Menschen legt und somit auf das Nachdrücklichste von naiver Wundergläubigkeit geschieden ist, darzulegen sein. Welten liegen zwischen jener Haltung Bernhards und dem kaum von Magie und Aberglauben zu unterscheidenden Stellenwert, den das Wunder in der Volksfrömmigkeit[25] besitzt. Mit Gewißheit war sich Bernhard dessen bewußt, und es gibt gute Gründe zu der Annahme, daß er diesem Sachverhalt Rechnung getragen hat. Bernhards Sicht des Wunders, die dem klösterlichen Rahmen entstammt und in diesem durchaus auch Gültigkeit besitzt, stünde somit eine andersgeartete Praxis der Wundertätigkeit im Rahmen der Öffentlichkeit gegenüber. Diese Annahme fügt sich nahtlos in die Ergebnisse zur Beredsamkeit Bernhards.[26] Es zeigte sich, wie stark Bernhards Aussagen sowohl der jeweiligen Situation als auch der Eigenheit des jeweils zu Beinflussenden Rechnung tragen. So wurden die Kreuzzugsbriefe Bernhards als Texte von werbendem Charakter bestimmt, die sich durch den besonderen Zuschnitt auf die zu motivierende Personengruppe auszeichnen. Die in den Kreuzzugsbriefen vermittelten Anschauungen und Werte erwiesen sich als durchaus nicht mit denen identisch, die nach Maßgabe Bernhards für das klösterliche Leben verbindlich sind.[27] Überträgt man diese Erkenntnisse auf die Wunderproblematik, wird die offenkundige Diskrepanz erklärbar, die sich zwischen Bernhards Theologie des Wunders und seinem öffentlichen Auftreten als Wundertäter auftut. Die im monastischen Rahmen entwickelte Auffassung des Wunders mit ihren spezifischen Wertun-

[24] Demm, Zur Rolle des Wunders, 325.

[25] Auf die besondere Bedeutung, die dem Wunder in der Volksfrömmigkeit des Mittelalters zukommt, weist Eberhard Demm hin. Im Gegensatz zu den Einschränkungen und differenzierten Argumentationsgängen der Theologen finden sich hier Wunderkraft und Heiligkeit untrennbar miteinander verknüpft. Im frühen Mittelalter bewirkte die zur Anerkennung der Heiligkeit *per viam cultus* ausschlaggebende Stellung des Volkes, daß „aus Rücksicht auf die öffentliche Meinung“ (314) die Wunderberichte unverzichtbar waren. Auch nach der Ausbildung eines formellen Kanonisationsverfahrens bleibt – so Demm – diese nach dem Wunder verlangende Volksmeinung für die Anerkennung der Heiligkeit von erheblichem Gewicht: – „Das Volk hat nun die intellektuellen Bedenken wunderfeindlicher Kreise keinesfalls geteilt. Seine magische Erwartungswelt war allein auf das körperliche Wunder ausgerichtet, und dadurch bestimmte sich auch seine Heiligkeitskonzeption“ (315). Zur Volksfrömmigkeit, vgl. auch: Delaruelle, La piété populaire; Manselli, La religion populaire; Gurjewitsch, Mittelalterliche Volkskultur.

[26] Vgl. 239ff.

[27] Vgl. 242f.

gen wäre somit durch eine öffentliche Wundertätigkeit Bernhards zu ergänzen, in der Bernhard weltlich gesinnten, d. h. dem Materiellen verhafteten Menschen,[28] geistige Inhalte in sinnlich faßbarer Form zu vermitteln sucht.[29]

8.1.4. Zur Problematik des Wunders

Der Einbeziehung des Wunders in den Komplex der für das öffentliche Wirken Bernhards konstitutiven Faktoren stehen beträchtliche Schwierigkeiten entgegen. Denn letztlich wird hier von der Geschichtsmächtigkeit eines Phänomens ausgegangen, dessen Existenz gemäß einem breiten Konsens wissenschaftlich-aufgeklärten Denkens höchst fragwürdig, wenn nicht gar gänzlich in Abrede zu stellen ist. Mit gewisser Zwangsläufigkeit rückt daher für den modernen Betrachter die Frage nach der Faktizität der Wunder Bernhards in den Vordergrund. Überschreitet die Beantwortung dieser Frage (die ja zugleich die Frage nach dem Wunder an sich ist) auch die Kompetenz des Historikers bei weitem, so lassen sich von seiten der historischen Wissenschaft doch einige Aspekte der vielschichtigen Problematik beleuchten. So ermöglicht die Auswertung der Quellen die für das hier zu behandelnde Thema zentrale Feststellung, daß Bernhard bei vielen seiner Zeitgenossen im Ruf des Wundertäters stand. Mit ebenso großer Sicherheit kann festgehalten werden, daß das Phänomen des Wunders für Bernhard Realität besaß. Verschiedene Äußerungen Bernhards belegen weiter, daß er selbst von der ihm verliehenen Wunderkraft überzeugt war.
Doch auch die Frage nach der Faktizität von Bernhards Wundern gilt es jenem historischen Kontext zuzuweisen, dem sie angehört. Denn diese Frage zielt auf den materiellen Gehalt des Wunders – auf Meßbarkeit und Nachweisbarkeit eines empirisch zu prüfenden Geschehens ab. Ihr liegt ein Begriff von Wirklichkeit und Wahrheit zugrunde, der selbst ein historisch gewordener und somit keineswegs mit dem

[28] Die Einschränkung des Personenkreises auf Laien griffe zu kurz, auch wenn diese hiervon in besonderem Maß betroffen sind. Wie an anderer Stelle (vgl. 163, Anm. 79) betont, unterscheidet Bernhard die drei Stände der Kirche nach dem Grad ihrer Bindung an die Welt, ihres Verhaftetseins im Materiellen. Den Stand der Kleriker ordnet Bernhard im Rahmen dieser Kategorisierung eher dem Bereich des Weltlichen als dem nach radikaler Vergeistigung strebenden Stand der Mönche zu. Hierin gründet Bernhards Flucht vor dem Amt; hierin findet Bernhards strenger Reformwille seinen Ausgang. Der Begriff des weltlich gesinnten, dem Materiellen verhafteten Menschen gibt somit die Zielgruppe der Wundertätigkeit zutreffender wieder, auch wenn er die verschiedenen Stände in unterschiedlicher Gewichtung betrifft.

[29] Vgl. 295f.

Bernhards identisch ist.[30] Für Bernhard zielt der Begriff des Wirklichen auf den spirituellen, geistigen Bereich ab. Wirklich und wahr ist Gott.[31] Auch das Materielle, das Irdische, die Schöpfung zeugt von dieser Wahrheit, aber nur insofern sie auf Gott verweist. Außerhalb dieser Funktion ist das Irdische nicht Wahrheit, sondern ganz im Gegenteil; – Blendwerk.[32] Ist daher die Frage nach der Faktizität der Wunder durchaus legitim, so erscheint es dennoch notwendig, darauf aufmerksam zu machen, daß eben diese Frage für Bernhard nicht minder von Unvernunft und Verblendung gezeugt hätte, wie umgekehrt das moderne Denken den Wundergläubigen unter den Verdacht von Unvernunft und Verblendung stellt.[33]

8.1.5. Zur Quellenlage

Auch die dem hier zu behandelnden Thema zugrundeliegende Quellenlage bedarf einiger einleitender Bemerkungen. Die Überlieferung zu den Wundern Bernhards setzt sich aus verschiedenen Zeugnissen zusammen, denen ein unterschiedlicher Stellenwert bezüglich ihrer Aussagekraft beizumessen ist. Das größte Gewicht wird Äußerungen zuzubilligen sein, in denen sich Bernhard direkt auf seine Wundertätigkeit bezieht.[34] Auch seine Aussagen zum Wunder an sich sind in die-

[30] *Sed quid dicit in Evangelio Dominus? NOLITE, ait, IUDICARE SECUNDUM FACIEM, SED IUSTUM IUDICIUM IUDICATE. (...) Ergo iudicium fidei sequerere, et non experimentum tuum, quoniam fides quidem verax, sed et experimentum fallax* (quad. 5,5, IV. 374).

[31] ... *et totum quod de ipso* (Jesus, M.D.) *est, vere est, quando ipse est non aliud sane quam ipsa Veritas.* (CC 75,2, II. 248).

[32] Deshalb gilt es ja, die Sinne abzutöten. Aufgrund der strengen asketischen Übungen war Bernhard sehend blind, hörend taub und ohne Geschmackssinn *(videns non videbat, audiens non audiebat; nihil sapiebat gustanti, vix aliquid sensu aliquo corporis sentiebat).* Weder wußte er – so sein Biograph Wilhelm weiter – ob die Decke des Raumes, den er während seines Noviziats bewohnt hatte, gewölbt oder flach war, noch vermochte er zu sagen, wieviele Fenster der Chor der Klosterkirche besaß (I. IV,20, 238). Versehentlich habe er rohes Tierfett als Butter gegessen, Öl als Wasser getrunken, ohne daß ihm der Unterschied aufgefallen wäre (I. VII,33, 247). Eine ganze Tagereise – so Bernhards Biograph Gaufred – sei der Heilige am Genfer See entlang geritten, ohne das Gewässer zu bemerken (III. II,4, 305f). Nur scheinbar stehen die anderenorts behandelten Aussagen Bernhards (vgl. 206f), in denen er die Naturbetrachtung über die Buchgelehrsamkeit stellt, im Widerspruch zum Bericht der Biographen. Vielmehr findet hier die doppelte Möglichkeit, die der materiellen Schöpfung innewohnt, ihren Niederschlag. Zugleich ist sie Ort fleischlichen Verderbens und spiritueller Erkenntnis. Entsprechend ist die Haltung, die Bernhard zu ihr einzunehmen vermag, eine doppelte: blind oder sehend.

[33] Vermutlich spielt von den Steinen (Vom heiligen Geist, 195) hierauf an, wenn er anläßlich der vielen Wundertaten, die Bernhard in seiner Vita des Malachias berichtet, bemerkt: „Für uns ist das eine Stilisierung des Wirklichen, für Bernhard wäre unsere Sehart Verflauung des Wirklichen."

[34] Vgl. 290ff.

sem Zusammenhang von Relevanz,[35] da hier Bedeutung und Stellenwert des Wunders in einem Bereich offenbar zu werden vermögen, der nicht durch die Forderung nach persönlicher Demut und Bescheidenheit eng umgrenzt ist. Insbesondere der Vita des heiligen Malachias werden einige erhellende Äußerungen zu entnehmen sein.[36] Wichtige Aufschlüsse sind weiter von Äußerungen der Zeitgenossen Bernhards zu erwarten.[37] Von eingeschränkter, jedoch nicht gänzlich zu negierender Bedeutung ist der vielfache Niederschlag, den die Wundertätigkeit Bernhards in der Historiographie des 12. Jahrhunderts gefunden hat.[38] Aus relativ geringem zeitlichen Abstand berichten diese Zeugnisse von der öffentlichen Wundertätigkeit Bernhards; – ein zeitlicher Abstand, der andererseits jedoch jener Legendenbildung Raum läßt, die sich schon bald um die Gestalt Bernhards rankt. Die bezüglich ihrer Aussagekraft am schwierigsten zu beurteilende Quellenart stellt ohne Zweifel die Vita Bernhards dar. Die Bedeutung der Legende für die historische Wissenschaft sowie der Stand der Legendenforschung wurde bereits von František Graus in erschöpfender Weise diskutiert,[39] so daß an dieser Stelle nur einige grundlegende Bemerkungen notwendig sind. „Das Heiligenleben (. . .) veranschaulicht eine ethisch-religiöse Idee; nicht um das Individuum geht es, sondern um die vorbildhafte Bedeutung einer idealen christlichen Persönlichkeit;“[40] – was zur Folge hat, daß die Legende bezüglich ereignisgeschichtlicher Fragestellungen nur sehr sorgsam zu Rate gezogen werden kann.

Obgleich dieser lange Zeit als Makel betrachtete Sachverhalt durchaus zutrifft, bedarf er dennoch der ergänzenden Betrachtung. Mag der Wert der Legende für die Ereignisgeschichte auch begrenzt sein, so trifft dies doch keineswegs für die Ideengeschichte zu. Sehr zu Recht schlägt Friedrich Lotter in seiner Besprechung der Arbeit von František Graus eine Brücke zu den Forschungen Helmut Beumanns.[41] Grundlegende methodische Erwägungen, denen auch für den hier behandelten Zusammenhang Geltung zuzusprechen ist, finden sich bereits 1955 in Beumanns Aufsatz zur Historiographie des Mittelalters.[42] Besitzt diese nicht nur als Zeugnis realen Geschehens, sondern auch als

[35] Vgl. 280ff.

[36] Vgl. 286ff.

[37] Vgl. 297ff.

[38] Vgl. 299ff.

[39] Graus, Volk, Herrscher und Heiliger, bes. 25–88; vgl. auch: Walter, Hagiographisches.

[40] Lampen, Mittelalterliche Heiligenleben, 127; zur Legende, vgl. auch: Selzer, Zur kritischen Analyse; Zoepf, Das Heiligenleben.

[41] Lotter, Legenden als Geschichtsquellen, 197.

[42] Beumann, Die Historiographie; vgl. auch: ders., Methodenfragen der mittelalterlichen Geschichtsschreibung.

„Selbstinterpretation des Zeitalters“[43] Aussagekraft, so trifft dies nicht minder auf die Legende zu.
Auf einen zweiten wichtigen Problemkomplex macht Beumann aufmerksam, wenn er jene Elemente am Karlsbild Einhards, die dem modernen Betrachter als „wirklichkeitsfremde Beimischung“ erscheinen, als „Teil einer historischen Realität, um deren Erkenntnis wir uns zu bemühen haben“ bestimmt.[44] Ebensowenig vermag bezüglich der Legende eine Sichtweise zu überzeugen, die das komplexe Verhältnis Idee – Wirklichkeit zur Opposition verkürzt.[45] Ohne Zweifel ist die Legende ein zweckgerichteter Text. Im Falle Bernhards tritt hinzu, daß die erste Fassung der Vita zum Streitobjekt seiner Nachfolger wurde und als Konsequenz der Querelen eine Überarbeitung zur heute noch vorliegenden Fassung erfuhr. Diese stand in enger Verbindung mit der Absicht, die Kanonisation Bernhards zu erlangen.[46] Zugleich ist sich jedoch gerade an dieser Stelle zu vergegenwärtigen, daß Bernhard selbst als Hagiograph tätig war. Man wird kaum annehmen dürfen, daß Bernhard, in seiner konsequent auf Verinnerlichung dringenden Spiritualität, die gattungsspezifischen Vorgaben der Vita als bedeutungsentleerte Formeln verwandte. Hagiographische Muster und Wertsetzungen waren ihm daher nicht nur geläufig, sondern Beispiele des Gelingens der Besten, d. h. kostbare Form und strenges Korrektiv

[43] Beumann, Die Historiographie, 42.

[44] Ebd. 44.

[45] Entsprechend problematisch erscheint es, wenn Lampen seine unter Anm. 40 zitierte Definition des Heiligenlebens wie folgt fortführt (127): „Ziel ist die Darstellung des Exemplarischen, nicht die Abbildung der gelebten Wirklichkeit.“

[46] Zur Vita Bernhards, vgl: Bredero, La canonisation; ders., The canonization; ders., Études. Die Kanonisation Bernhards erfolgte erst 1174. Ein bereits 1163 unternommener Versuch scheiterte, da er – so Bredero, The canonization, 85ff – in eine Zeit des Wandels fiel, die durch das Bestreben des Papsttums gekennzeichnet war, die Entscheidung zur Kanonisation gänzlich in die Kompetenz des Papstes zu verlegen (vgl. hierzu auch: Klauser, Zur Entwicklung; Schwarz, Heiligsprechungen). Im Zusammenhang mit dem Scheitern des ersten Versuchs, die Heiligsprechung zu erlangen, steht die Überarbeitung der Vita Bernhards. Die Kriterien dieser Überarbeitung beschreibt Bredero (88) wie folgt: „The revision of the text untertaken in the years 1163–1165 took into account the fact that, in the new petition for canonization, the newly submitted Life would also be tested on the credibility of the information it provided. However, since such a narrative, dealing with the practice of virtue and with stories of miracles, had to be to a large extent a standard text, it could not longer contain any clues that could lead to verification. In this way the principal motive for the revision becomes understandable. It consisted mainly in the omission of miracle stories in which well-known persons were mentioned as witnesses. In some cases the miracle was retained and even further elaborated, while the name of the witness disappeared, at least if at the time he were still alive. The authenticity of the narrative was no longer allowed to be open to a historical research.“ Vgl. hierzu die ergänzenden Ausführungen Goodrichs (The reliability), der die Aussagekraft der Vita zu einem Verständnis Bernhards betont.

eigener Lebensführung. Zweierlei scheint somit bezüglich der Aussagekraft und des Quellenwertes der Legende bedenkenswert. Der Legende liegt eine Tradition zugrunde, deren Vorgabe von so machtvoller Verbindlichkeit war, daß man die Wirklichkeit in das überkommene Muster beugte. Gerade weil aber diese Tradition so machtvoll wirkte, wird man nicht minder davon auszugehen haben, daß die Legende zugleich auch jene Wirklichkeit zu stiften vermochte, von deren überhistorischer Gültigkeit sie Zeugnis ablegt.[47]

8.2. Zur Wunderauffassung Bernhards

Seit ihren biblischen Ursprüngen ist die christliche Auffassung vom Wunder durch das Hervorheben der Elemente des Glaubens sowie des verweisenden Charakters der Wundertat gekennzeichnet. Der Glaube sowohl des Wundertäters als auch des Empfängers nimmt einen zentralen Rang im wunderbaren Geschehen ein. Das Geschehen selbst tritt hinter den ihm innewohnenden verweisenden Charakter zurück, der Zeugnis von Gott, vom Anbruch der Gottesherrschaft ablegt. Eingebettet findet sich all dies in das Bild von einer Welt, die vom Wirken Gottes durchwaltet ist, so daß dem Wunder zwar der Grad an Außergewöhnlichkeit zukommt, dessen es als Zeichen und Hinweis bedarf, ihm jedoch nicht jene Qualität des Spektakulären zugeeignet wird, die es im Rahmen des modernen aufgeklärten Weltbildes besitzt.[48] Seit ihren Ursprüngen sucht die Theologie diese besonderen Merkmale des christlichen Wunderbegriffes zu bestimmen und zu bewahren, so daß neben die selbstverständliche Anerkennung des Wunders das kritische Bemühen um Abgrenzung gegen vereinfachende Sichtweisen tritt, die das Wunder in bedenkliche Nähe zu Magie und Aberglauben rücken. Entsprechend betonten Augustinus und Papst Gregor I. das besondere Gewicht von Tugend und Frömmigkeit, denen als *'miracula spiritualia'*

[47] Zu vergleichbaren Schlüssen gelangt Dalarun (Erotik, 112): „Hier liegt auch die fruchtbare Zweideutigkeit des Begriffs Vita, der gleichzeitig Lebensgeschichte und Existenz bedeutet, was den heutigen Historikern zu schaffen macht. Und so setzt sich die Schilderung des Lebens eines Heiligen aus zahlreichen früheren Schriften zusammen, die der Heilige zu neuem Leben erweckte oder die vielmehr den Heiligen bei jedem Schritt beseelten, denn das Wort war die Quelle des Lebens. Diese philosophische Sicht, von der insbesondere die Geistlichen ganz und gar durchdrungen waren, schuf notwendigerweise eine psychologische Wahrheit. So darf man nicht grundsätzlich die historische Wahrheit eines Ereignisses bezweifeln, auch wenn es sich überwiegend aus literarischen Reminiszenzen zu rekrutieren scheint."

[48] Vgl. HThG II (J. Gnilka; H. Fries), 876ff; LThK X (A. Vögtle; A. Kolping; J. B. Metz), 1255ff; RGG VI (E. Käsemann; J. Bauer), 1835ff; ThW II (Grundmann), 286–318; Guardini, Wunder und Zeichen; Lais, Das Wunder; Mensching, Das Wunder; Schütz, Die Wunder Jesu.

ein höherer Stellenwert als den materiellen Wundern zukomme.[49] Die Kenntnis jener theologischen Positionen sowie das Wissen um die Wunderlosigkeit großer Heiliger wie Paulus ist dem mittelalterlichen Theologen gegenwärtig.[50] Bernhards Auffassung vom Wunder findet sich in diese Tradition eingebunden. Sie hat Anteil an einer Jahrhunderte währenden Reflexion über das Wunder in seiner spezifisch christlichen Ausformung und ist somit nachdrücklich von naiver Wundergläubigkeit geschieden.
Aus der Behandlung anderer Themenkreise bekannte Schwierigkeiten im Umgang mit dem Werk Bernhards finden auch an dieser Stelle ihren Niederschlag. Wiederum gewinnen die Aussagen Bernhards am jeweiligen Predigtgegenstand Gestalt, so daß von keiner geschlossenen Theologie des Wunders gesprochen werden kann. Auch hier gilt es daher verstreute Aussagen zu sammeln und zu einem Gesamtbild zusammenzufügen, das die Problematik des Wunders in den für Bernhard charakteristischen Gewichtungen darzulegen sucht.

8.2.1. Das Wunder in den Predigten und Traktaten Bernhards

Das Thema des Wunders nimmt im Werk Bernhards einen im Vergleich zu den großen um Christus und die Umgestaltung des Menschen kreisenden Themen eher geringen Raum ein. Dennoch ist die Faktizität des Wunders Bernhard selbstverständlich. So erinnert er seine Mitbrüder an die Totenerweckungen und Krankenheilungen des heiligen Martin. Auf Martins Gebet hin habe eine vom Himmel herabgesandte Säule ein gottloses Bildwerk zerstört.[51] Bernhard berichtet weiter von den Dämonenaustreibungen des hl. Victor;[52] allein durch seinen Schatten habe Petrus – gemäß Apostelgeschichte 5,15 – Kranke zu heilen vermocht.[53] Zahlreiche Wunder berichtet Bernhard aus dem Leben des hl. Malachias.[54] Am Ende seines ausführlichen Berichts von verschiedensten Wundergeschichten faßt Bernhard noch einmal die tradierten Wunderarten *(antiquorum genere miraculorum)* zusammen, die Malachias zu seinen Lebzeiten wirkte und somit für Bernhard als reales Geschehen ausgewiesen sind:

[49] Vgl. Demm, Zur Rolle, 304, Anm. 22.

[50] Vgl. Demm, Zur Rolle, 303ff; Schmeidler, Antiasketische Äußerungen, 44ff; Schreiner, Discrimen, 20f; ders., Zum Wahrheitsverständnis; Ward, Miracles.

[51] Fest. Mart. 1,12, V. 407.

[52] Nat. Vict. 1,4, VI.I. 31f.

[53] Asc. 3,5, V. 134.

[54] Vgl. Maddux, St. Bernard as hagiographer; Steinen, Heilige als Hagiographen; Renna, St. Bernard; Ward, Miracles, 175f.

Si bene advertimus pauca ipsa quae dicta sunt, non prophetia defuit illi, non revelatio, non ultio impiorum,non gratia sanitatum, non mutatio mentium, non denique mortuorum suscitatio.[55]

Im unmittelbaren Anschluß an diese Aufzählung hebt Bernhard zum Lob Gottes an *[(p)er omnia benedictus Deus]* und betont somit die ihm selbstverständliche Auffassung, daß das Wunder nicht im Wundertäter, sondern in Gott seinen Ursprung nimmt. Exemplarisch wird dies an Malachias deutlich: *Immo vero non ipse, sed Deus in ipso. Alioquin TU ES DEUS, inquit, QUI FACIS MIRABILIA.*[56] Hierin gründet die äußerste Zurückhaltung, die sich ein Mensch aufzuerlegen hat, vermittels dessen Gott das wunderbare Geschehen wirkt. Ruhm und Ehre für gewährte Gaben gilt es allein Gott zuzusprechen und keinesfalls sich selbst; – *fraudis merito arguaris, et fraudis in Deum.*[57] Dies gilt grundsätzlich, jedoch im besonderen für das Löbliche und Wunderbare, das an den Heiligen offenbar wird; – *ipsi quidem suo non imperio, sed ministerio foris exhibent nova nobis et insueta; Deus vero in ipsis manens, ipse facit opera.*[58] Alle Gunst, so Bernhard weiter, die von Gott stammt und ihm nicht zugesprochen wird, ist ihm gestohlen. Denn der Geist heiligt: *Spiritus dico non tuus, sed Dei.* Wenn sich daher jemand durch Zeichen und Wunder *(prodigiis ac signis)* hervortut, so geschehen sie zwar vermittels seiner Hand, ihre Ursache besitzen sie jedoch in der Kraft Gottes *(in manu tua fiunt, sed virtute Dei).* Nicht anders verhält es sich bei der Gabe der Rede: *Nam lingua tua quid, nisi calamus scribae?*[59]
An der zitierten Predigt wird die enge Verbindung offenbar, die für Bernhard zwischen der inspirierten Rede und dem Wunder besteht. Beide Gnadengaben[60] gehören einander an, denn beide sind zum gleichen Zwecke verliehen: die Menschen zu überzeugen, zum Glauben hinzuführen. Jene Verbindung zwischen Beredsamkeit und Wundertätigkeit, die in den Eingangsbemerkungen als zum Verständnis des Wirkens Bernhards notwendig bestimmt wurde, läßt sich auch aus den Schriften Bernhards belegen. Gleichsam das Urbild eines solchen Wirkens stellen die Apostel dar, deren Aufgabe darin bestand, *illuminare oculos cordis et suadere fidem hominibus praedicatione pariter et ostensione signorum.*[61] In der 59. Predigt auf das Hohelied führt Bernhard die Ver-

[55] VSM, XXIX,66, III, 370.
[56] Ebd. XIX,44, III. 350.
[57] CC 13,2, I. 69.
[58] Ebd. 13,6, I. 72.
[59] Ebd. 13,7, I. 73.
[60] Beide haben ihren Ursprung im Hl. Geist und setzten die innere Fülle, d. h. den hohen Läuterungs- und Begnadungsstand voraus, aus dem der Mensch – wie Bernhard an anderer Stelle (vgl. 113ff) bemerkt – zum Nutzen für den Nächsten überfließt.
[61] Asc. 6,10, V. 155.

bindung zwischen Wort und Zeichen anhand der Verse 2,12–13 [die Blumen sind erschienen in unserem Lande (...) der Ruf der Turteltaube läßt sich in unserem Lande hören] näher aus. In dem durch das Erscheinen Christi eingeleiteten Zeitalter ist nunmehr die Wahrheit offen zutage getreten. Für den Menschen ist sie durch Auge und Ohr wahrnehmbar geworden. Denn die Blume kann gesehen, der Ruf gehört werden. Die Blume aber bedeutet das Wunder: *(V)oci accedens, fructum parturit fidei.* Zwar kommt nach Röm 10,17 der Glaube vom Hören; – *sed ex visu confirmatio est.* Auf diese Weise ergänzen und beglaubigen sich Wort und Zeichen gegenseitig, zur Bestätigung jener Wahrheit, von der sie Zeugnis ablegen:

Intonat tuba salutaris, coruscant miracula, et mundus credit. Cito persuadetur quod dicitur, dum quod stupetur ostenditur.

Bernhards Ausführungen beziehen sich auf die Zeit des Wirkens der Apostel. Am Ende des Predigtabschnittes jedoch hebt Bernhard seine Aussagen in den Rang überzeitlicher Verbindlichkeit, die immer dort zur Gegenwart wird, wo es der Wahrheit Eingang in die Menschen zu verschaffen gilt:

Ita haec duo ubique pariter, vox et signum, ad introducendam fidem ex divina largitate concurrunt, ut latus ad animam per utrasque fenestras ingressus pateat veritati.[62]

In diesem Sinne eignet Bernhard den ‚*homines spirituales*' aller Zeiten, die wie ein zweiter Himmel den Himmel überziehen, der die Kirche ist, jenes Überzeugungswerk der Apostel zu, das solange vonnöten ist, bis die Geschichte ihre Erfüllung im Heil gefunden hat:

Et hi pluentes pluviam verbi salutarem, tonant increpationibus, coruscant miraculis.[63]

Neben der positiven Funktion, die den Wundern im Überzeugungswerk zukommt, lassen sich in den Schriften Bernhards auch warnende Bemerkungen zum Wunder finden. Wiederum erschließt sich der Wechsel in der Bewertung aus dem veränderten Kontext, in dem sich Bernhard nun zum Phänomen des Wunders äußert. Nachdrücklich betont Bernhard an mehreren Stellen, daß die Vorbildfunktion der Heiligen in ihrer Tugendhaftigkeit und nicht etwa in ihrer Wundertätigkeit besteht. Sorgsam sind daher die Bereiche zu unterscheiden, die an der Gestalt des hl. Martin *ad admirationem* oder *ad imitationem* dem heilsuchenden Menschen gegeben sind.[64] Warum – so Bernhard in der Predigt auf den hl. Benedikt – habe er von dessen Wundern berichtet; – *(n)umquid ut miracula facere velis?* Der Wunderbericht erfolgte ganz im

[62] CC 59,9, II. 140f.
[63] Ebd. 27,12, I. 190; vgl. 120.
[64] Fest. Mart. 1,12, V. 407.

Gegenteil zur Erbauung und zum freudigen Wissen um die Größe des Hirten,[65] dessen Herde sich Bernhard und seine Mitbrüder zugehörig fühlen. Eine vergleichbare, zur Vorsicht mahnende Äußerung findet sich in der Malachiasvita, wo Bernhard zu Beginn seines Berichts über die Wundertaten einschränkend bemerkt: *Quamquam libentius, fateor, imitandis immorer quam admirandis.*[66] In der Predigt auf den hl. Victor unterscheidet Bernhard wiederum zwischen der Vorbildhaftigkeit, die in den Tugenden, nicht aber in den Wundern besteht *[(i)n his forma est cui imprimamur, in miraculis gloria a qua reprimamur]*[67] und benennt zugleich die Gründe seiner Sorge. Denn Wundertaten *sine salutis periculo possunt non fieri.* Weit sicherer ist es daher, sich in den Tugenden zu üben, als den Ruhm des Wundertäters zu erstreben.[68]
Bernhard fürchtet die Gefahr von eitler Ruhmsucht und - wie aus dem Gesamtbild seiner Frömmigkeit rückgeschlossen werden darf - die Ablenkung spiritueller Energie vom Selbst, d. h. vom Streben nach Vervollkommnung in den Tugenden und der Nachfolge. Diese strenge Innerlichkeit der Spiritualität Bernhards findet auch und gerade in seiner Auffassung vom Wunder ihren Niederschlag. Bereits in der eingangs zitierten Aufzählung der Wundertaten des Malachias fand die *‚mutatio mentium‘* Erwähnung.[69] Dieses Wunder, sowie vergleichbare ‚Wunder des Innen‘, welche im modernen, das materielle Geschehen betonenden Verständis nur schwerlich mit dem Attribut des Wunderbaren versehen werden können, nehmen in der Wunderauffassung Bernhards einen zentralen Rang ein. Zu mehreren Gelegenheiten gelangt Bernhard zum Thema der inneren Wunder über die Frage nach dem Rückgang bzw. der gewandelten Qualität der Wundertaten im Verlauf der auf Christus folgenden Heilsgeschichte. Während Bernhard in der Vita des Malachias einen Rückgang als gegeben feststellt,[70] äußert er sich in der Predigt auf die Himmelfahrt Christi zurückhaltender *(perpauci nostris videntur habere temporibus).*[71] Auf diese Bemerkung hin läßt Bernhard eine Auslegung der Zeichen auf die Verdienste des

[65] Nat. Ben. 1,7, V. 6f.
[66] VSM, XVIII,42, III. 348.
[67] Nat. Vict. 1,3, VI.I. 31.
[68] Ebd. 1,2, VI.I. 31.
[69] Vgl. 282.
[70] Zum Abschluß der Wundererzählungen aus dem Leben des Malachias schreibt Bernhard (VSM, XXVIX,66, III. 370, Ps 73,9): *Haec dicta sint, pauca quidem de pluribus, sed multa pro tempore. Non enim signorum tempore haec, secundum illud: SIGNA NOSTRA NON VIDIMUS; IAM NON EST PROPHETA.* Wiederum ist der Kontextgebundenheit der Äußerungen Bernhards Rechnung zu tragen. Den Grund, warum Bernhard hier eine Aussage trifft, die er in den folgenden Belegstellen einer differenzierteren Betrachtung unterwirft, darf man wohl in der Absicht sehen, die Verdienste des Malachias im besonderen Maß hervortreten zu lassen.
[71] Asc. 1,2, V. 124.

Menschen in der Lebensführung folgen, so daß diese zu Heils- und Glaubenszeichen *(signa credulitatis . . . et salutis)* werden.[72] Vergleichbare Überlegungen Bernhards finden sich in der Predigt auf Pfingsten. Kündigte sich einst das Kommen des Hl. Geistes in der sichtbaren Gestalt feuriger Zungen an *(signis visibilibus invisibilis Spiritus suum declarabat adventum)*, so wirkt er im Heute Bernhards in gewandelter, ja vervollkommneter Form: *(n)unc eius signa quo spiritualiora sunt, eo magis congrua, eo magis videntur Spiritu Sancto digna.*[73] Bernhards Ausführungen zielen auf die Spiritualisierung des Wunders, auf die Überwindung seiner materieller Erscheinungsform im geistigem Geschehen ab. In diesem Kontext wird die Differenzierung und Wertung der Wundertaten des Malachias verständlich, die Bernhard gemäß dem Kriterium der Innerlichkeit vornimmt. Den Ausgangspunkt der Darlegungen bildet eine tobsüchtige Frau *(spiritus iracundiae et furoris)*, die durch das Gebet des Malachias eine tiefgreifende Wandlung zu Sanftmut und Milde erfährt. Mit diesem Wunder vergleicht Bernhard eine Totenerweckung des Malachias, von der er zuvor berichtet hatte.

(E)go istud superiori suscitatae miraculo mortuae censeo praeferendum, quod exterior quidem ibi, hic vero interior revixerit homo.[74]

Dieser Wertsetzung entspricht die Entscheidung, die Bernhard im Vergleich zwischen der Persönlichkeit und den Wundern des Malachias trifft: *Et meo quidem iudicio primum et maximum miraculum, quod dedit, ipse erat.*[75]

Bernhard äußert sich weder systematisch noch ausführlich zum Problem des Wunders. Eine weitergehende Bestimmung von Funktion und Wesen des Wunders läßt sich somit aus seinem Werk nicht ableiten. Festzuhalten bleibt an dieser Stelle Bernhards besondere Hervorhebung der Wunder des Innen. Dieser Haltung liegt eine Spiritualisierung und Verinnerlichung des Wunderbegriffs zugrunde, die jedoch keinesfalls die materielle Erscheinungsform des Wunders in Zweifel zieht, sondern vielmehr von dieser als einer selbstverständlichen Gege-

[72] Bernhard geht von Mk 16,17, den Worten des auferstandenen Christus an die Apostel aus: *IN NOMINE MEO DAEMONIA EIICIENT: LINGUIS LOQUENTUR NOVIS: SERPENTES TOLLENT: ET SI MORTIFERUM QUID BIBERINT, NON EIS NOCEBIT: SUPER AEGROS MANUS IMPONENT, ET BENE HABEBUNT.* Die Zerknirschung des Herzens kommt in der folgenden Auslegung einem Exorzismus gleich, die gewandelten Worte des Gläubigen dem Reden in einer neuen Sprache. Einflüsterungen des Bösen zu widerstehen, bedeutet, Schlangen aufzuheben, der Begierlichkeit des Fleisches zu entsagen, den tödlichen Trunk zu überleben. Der Heilung durch Handauflegen kommt das Bedecken der verderblichen Neigungen des Menschen mit guten Werken gleich. (asc. 1,3, V. 125f).

[73] Die pent. 1,2, V. 161.

[74] VSM XXV,54, III. 358.

[75] Ebd. XIX,43, III. 348.

benheit ausgeht. Untrennbar ist dieser Wunderbegriff mit den Erfordernissen des klösterlichen Lebens verbunden, dessen vornehmliches Ziel innere Wandlung, nicht äußere Wirkung ist. Festzuhalten bleibt auch die enge Verbindung zwischen Wort und Zeichen – den beiden Fenstern, durch die das Heil Eingang in die Herzen der Menschen findet. Dieser Aspekt des Wunders, der sein Vorbild im Heilswerk der Apostel besitzt, ist weit mehr als der verinnerlichte Wunderbegriff auf äußere Wirkung angelegt und zum Verständnis Bernhards, dessen Wirken in der Tradition der Apostel steht, von nicht minderer Relevanz. Auch zu diesem Problemkreis stellt die Vita des heiligen Malachias eine wichtige Quelle dar. Wiederum weisen die Wertsetzungen, gemäß derer Bernhard Person und Wirken des Malachias gestaltet, auf Bernhard selbst zurück. Mißt Bernhard auch den inneren Wundern des Heiligen den größeren Wert bei, so mangelt es in dessen Wundertätigkeit jedoch nicht an aufsehenerregenden Wundern. Während die ‚Wunder des Innen' weitgehend unsichtbar geschehen, sind jene Wunder, die auf äußere Wirkung abzielen, spektakulär. Ihr Ort ist die Öffentlichkeit, ihr Ziel ist es, die Blicke der Menschen auf sich zu ziehen. Im sichtbaren Geschehen führen sie die Gottgesandtheit des Wundertäters vor Augen, und verschaffen so dem Wort, das aus seinem Mund verlautet, dem Guten, das vermittels seiner Person auf Umsetzung dringt, Eingang in die Herzen der Menschen.

8.2.2. Wunder und Öffentlichkeit in der Vita des Malachias

Bernhard berichtet von zahllosen Wundertaten des Malachias. Das öffentliche Wissen um diese Wunderkraft geht – wie zu zeigen sein wird – einher mit der Anerkennung der Begnadung des Wundertäters, weist ihm eine besondere Kompetenz zu und eröffnet somit die Möglichkeit zur Einflußnahme. Notleidende, Hilfe- und Ratsuchende wenden sich voll Vertrauen an den Wundertäter, furchtsam blicken die Bösen auf die von seiner Person ausgehende Kraft. Bereits an der Wundertätigkeit des Malachiaslehrers Malchus verdeutlicht Bernhard die anziehende Wirkung, die von einer Person ausgeht, die im Ruf des Wundertäters steht. Aus der Vielzahl der Wunder des Malchus greift Bernhard exemplarisch die Heilungen eines Wahnsinnigen und eines Tauben heraus, um sodann auf die Wirkung in der öffentlichen Meinung hinzuweisen:

Pro his atque huiusmodi fama crebrescente, nomen grande adeptus est, ita ut ad eum Scoti Hibernique confluerent, et tamquam unus omnium pater et omnibus coleretur.[76]

[76] Ebd. IV,8, III. 317.

Nicht anders verhält es sich um die Wirkung der Wundertätigkeit des hl. Malachias. Die Kunde von der Heilung des schottischen Königssohnes Heinrich durch Malachias findet schnelle Verbreitung,[77] so daß die Menschen zu Malachias strömen *(de finitimis locis infirmos et male habentes illo portare consueverunt, et sanantur multi)*.[78] Doch nicht nur Notleidende und Kranke erhoffen Hilfe und Beistand des Malachias. An seiner Wundertätigkeit wird für die öffentliche Meinung vielmehr eine Kompetenz offenbar, die in weit umfassenderer Weise Geltung besitzt.

Etenim universi confluebant ad eum; nec modo mediocres, sed et nobiles et potentes, illius se sapientiae et sanctitati instruendos, corrigendos, regendos committere festinabant. Et ipse interdum ibat et exibat seminare semen suum, disponens et decernens tota auctoritate de rebus ecclesiasticis, tamquam ex Apostolis unus. Et nemo illi dicebat: IN QUA POTESTATE HAEC FACIS? videntibus cunctis signa et prodigia quae faciebat, et quia ubi Spiritus, ibi libertas.[79]

Von überall strömen nicht nur einfache Menschen, sondern auch vornehme und mächtige Personen zu Malachias,[80] um sich dem Rat und der Weisung seiner Heiligkeit zu unterwerfen. Während für Bernhard die Begnadung des Malachias hauptsächlich an vorbildlicher Lebensführung und Tugendhaftigkeit, d. h. den ‚Wundern des Innen', deutlich wird, legitimiert sich für die öffentliche Meinung die Kompetenz des Malachias aus den gewirkten Wundern. Niemand, so Bernhard, wagt daher nach Berechtigung und Machtvollkommenheit seines Handelns zu fragen, nachdem diese durch Zeichen und Wunder offenbar geworden ist. Im Wunsch, völlig sicher zu gehen, so Bernhard im unmittelbaren Anschluß, bricht Malachias nach Rom auf, um sich dort seine Tätigkeit durch die Verleihung des Palliums[81] bestätigen zu lassen.[82] Diese Legitimation durch die Autorität des apostolischen Stuhles steht keineswegs im Gegensatz zum begnadeten Wirken, sondern ist vielmehr – gemäß der Abfolge und Gewichtung in der Darstellung Bernhards – als Zusatz und Rückversicherung zu verstehen. Sie belegt die für Bernhard selbstverständliche Notwendigkeit, daß sich der aus dem Geist Wirkende in den Rahmen des kirchlichen Ordnungsgefüges

[77] Ebd. XVII,40, III. 345.

[78] Ebd. XVII,41, III. 346.

[79] Ebd. XIV,32, III. 339f.

[80] Man erinnere sich hier an Bernhards Klage über die zahlreichen rat- und hilfesuchenden Menschen, die ihn nicht mehr zur Ruhe kommen lassen und somit von den Erfordernissen des klösterlichen Lebens abhalten, vgl. 155.

[81] LThK VIII (T. Klausner), 7ff.

[82] *Visum tamen sibi non tute satis actitari ista absque Sedis Apostolicae auctoritate, et Romam proficisci deliberat, maximeque quod metropolicae sedi deerat adhuc, et defuerat ab initio, pallii usus, quod est plenitudo honoris* (VSM XV,33, III. 340).

eingebunden findet. Auch an dieser Stelle wird somit an der Gestalt des Malachias ein Sachverhalt deutlich, der zum Verständnis von Bernhard selbst bedeutsam ist.[83]
Folgender Bericht Bernhards über eine strittige Bischofswahl macht am konkreten Fall die bestätigende Funktion des Wunders deutlich. Zwei Parteien vermögen sich nicht zu einigen, da beide ihren eigenen Willen, nicht aber den Willen Gottes durchzusetzen suchen *(dissensere partes, quibusque, ut assolet, praesulem volentibus constituere suum, non Dei)*. Malachias überzeugt die Gegner davon, die Entscheidung seiner Obhut zu übertragen. Überraschend bestimmt er einen weiteren Kandidaten, der allerdings so krank ist, daß er nicht aus eigener Kraft aufzustehen vermag. Wie von Malachias vorausgesagt, gesundet jener schnell, so daß er in sein Amt eingesetzt werden kann.

... clero et populo collaudente. Hoc ita in pace factum est, quia nec illi ausi sunt Malachiae voluntati in aliquo obviare, videntes signum quod fecerat, nec ille parere dubitavit, tam evidenti argumento factus securior de Domini voluntate.[84]

An einer weiteren Stelle der Vita wird die bestätigende Funktion des Wunders deutlich, die hier das Wort des Malachias als vom Himmel gesandt ausweist. Eingebunden findet sich dieser Beleg in die Darstellung des umfassenden Heilswirkens des Malachias, das Bernhard nunmehr mit jenen kämpferischen Zügen versieht, wie sie auch für seine Person charakteristisch sind.

Ubique semen spargitur salutare, ubique intonat tuba caelestis. Ubique discurrit, ubique irrumpit, evaginato gladio linguae ad faciendam vindictam in nationibus, increpationes in populis. Terror eius super facientes mala. (...) et quaecumque promulgaverit, tamquam caelitus edita acceptantur, tenentur, scripto mandantur ad memoriam posterorum. Quidni caelitus missa crederentur, quae tot caelestia confirmant miracula?[85]

Terror eius super facientes mala; – neben der Kompetenz zu Hilfe, Rat und Weisung wird ein weiterer, ebenfalls für die öffentliche Meinung relevanter Aspekt der Wundertätigkeit des Heiligen deutlich. In der Zusammenfassung der verschiedenen von Malachias gewirkten Kategorien des Wunders, zählt Bernhard diesen die *,ultio impiorum'* zu.[86] Die von dieser Wundergattung berichtende Episode aus dem Leben des Malachias führt die schreckliche Bestrafung derjenigen vor Augen, die Malachias nach dem Leben trachteten. Auf das Gebet des Malachias hin zieht ein Unwetter auf, das allein über den Bösen niedergeht.[87] Ein Blitz streckt die Anführer nieder, deren Leichen man am nächsten Tag

[83] Vgl. 224.
[84] VSM XXII,51, III. 355f.
[85] Ebd. XVIII,42, III. 347f.
[86] Vgl. 282.
[87] Ebd. XI,22, III. 333.

halbverkohlt in Baumästen aufgespießt findet.[88] Voll Sorge blicken die Bösen auf die von Malachias ausgehende Kraft, durch die sie ihre Pläne immer wieder durchkreuzt sehen. In der Absicht, den von Malachias vermittelten Frieden zu brechen, zieht ein bewaffneter Trupp Vornehmer aus. Als jedoch ein zu durchquerendes Flüßchen überraschend zum Strom angeschwollen ist, entschließt man sich zur Umkehr:

Digitus Dei est iste, et Dominus saepit vias nostras propter sanctum suum Malachiam, cuius sumus praevaricati pactum, transgressi mandatum.[89]

Nachdem Malachias durch sein Gebet einer Seuche Einhalt geboten hat, müssen andere Widersacher des Heiligen erkennen, daß Malachias von einer Kraft getragen wird, mit der sie sich nicht zu messen vermögen. Ängstlich lassen sie daher von ihren unheilvollen Plänen ab: *Fugiamus Malachiam, quia Dominus pugnat pro eo.*[90]

Nicht die Authentizität eines jeden der hier berichteten Wunder, sondern die an diesen Ereignissen zutagetretende Konzeption des Heiligen, dessen Wirken vor der Öffentlichkeit aus seinen Wundern beglaubigt wird, ist in diesem Zusammenhang von Interesse. Festzuhalten bleibt somit, daß der im Ruf des Wundertäters Stehende zum Anziehungspunkt für Notleidende und Hilfesuchende wird, die sich Heilung, Beistand und Rat erhoffen. Die Kompetenz des Wundertäters umfaßt jedoch weit mehr als persönliche Hilfestellung in Notlagen. Im besonderen erstreckt sie sich auf Angelegenheiten, in denen es gemäß dem göttlichen Willen zu handeln gilt, d. h. sie reicht – gleich dem Wirken in den Angelegenheiten Christi – bis tief in das öffentliche Leben hinein. Respekt vor seinem Urteil, aber auch Furcht vor der von ihm ausgehenden Kraft kennzeichnen die Haltung der Öffentlichkeit gegenüber dem Wundertäter.

Gilt es auch der gattungsspezifischen Idealtypik der Malachiasvita Rechnung zu tragen, so werden die Aussagen Bernhards zur eigenen Wundertätigkeit das Gewicht bestätigen, das den hier erarbeiteten Ergebnissen zu einem Verständnis der öffentlichen Tätigkeit Bernhards zukommt. Auch die Vita Bernhards wird im folgenden heranzuziehen sein. In ihr findet die aus der Malachiasvita bekannte Konzeption nunmehr auf Bernhard selbst Anwendung. Man wird folglich die Aussagekraft der Vita Prima für das Selbstverständnis Bernhards nicht unterschätzen dürfen, nachdem – wie deutlich werden wird – deren Wertsetzungen durch Parallelstellen in der Malachiasvita in ihrer Verbindlichkeit für Bernhard ausgewiesen sind.

[88] Ebd. XI,23, III. 333.
[89] Ebd. XXVII,59, III. 363.
[90] Ebd. XIII,30, III. 337f.

8.2.3. Aussagen Bernhards über die eigene Wundertätigkeit

In der Erwähnung eigener Wundertaten legt sich Bernhard äußerste Zurückhaltung auf. Zweifellos wird man den Grund hierfür in der Notwendigkeit zur Demut finden dürfen, da, wie Bernhard betonte,[91] sich der Wundertaten zu rühmen, ein von Hochmut zeugender Betrug an Gott und somit eine Verfehlung schwerwiegendster Art darstellt. Besonders hoch ist daher die Aussagekraft jener wenigen Belegstellen zu bewerten, in denen sich Bernhard zu seiner Wundertätigkeit bekennt. In der charakteristischen, bestätigend auf das Wort rückverweisenden Funktion erfolgt Bernhards Erwähnung eigener Wundertaten in ep. 242. Bernhard wendet sich hier an die Bürger von Toulouse, in deren Stadt er sich 1145 aufhielt, um den Irrlehren des Ketzers Heinrich entgegenzutreten.[92] Bernhard sucht in diesem Schreiben die errungenen Erfolge in der Ketzerbekämpfung zu festigen, lobt das Festhalten der Bürger am rechten Glauben und ruft noch einmal die Zeit seiner Anwesenheit in der Stadt ins Gedächtnis: *Veritate nimirum per nos manifestata, manifestata autem non solum in sermone, sed etiam in virtute, . . .*[93]

Wie ep. 242 bezieht sich auch die zweite Belegstelle auf wunderbare Geschehnisse, die das öffentliche Auftreten Bernhards begleiten. Sie entstammt Bernhards Apologie[94] auf das Scheitern des zweiten Kreuzzuges in der Papst Eugen gewidmeten Schrift ‚*De consideratione*'. Bernhard, nunmehr zur persönlichen Rechtfertigung angesichts des gescheiterten Unternehmens gezwungen, verwendet hier das Wunder zur Bestätigung seiner Person und Mission, und somit in eben jener legitimierenden Funktion, die ihm im Rahmen dieser Untersuchung zugesprochen wird.

Den Ausgangspunkt der Argumentation Bernhards bilden kriegerische Unternehmungen Israels, die trotz ihres gottgefälligen Charakters zuerst mit Niederlagen verbunden waren. Über die Gestalt des Moses, der auf den durch Wundertaten bestätigten Befehl Gottes hin zum Auszug aus Ägypten aufrief sowie über den erst im dritten Anlauf siegreichen Stamm Benjamin, gelangt Bernhard zu seiner eigenen Person. Was, so Bernhard an Papst Eugen, hätte er wohl von den Kreuzfahrern zur Antwort erhalten, wenn er sie ein zweites, ein drittes Mal zum Kampf gerufen hätte?; – *Unde scimus quod a Domino sermo egressus sit? Quae signa tu facis, ut credamus tibi?* Diese Worte, die Bernhard anstelle

[91] Vgl. 282.
[92] Vgl. 237f.
[93] Ep. 242,1, VIII. 128; um das Ende 1145. Näheres über die Wundertaten Bernhards in Toulouse berichtet Gaufred (VP III. VI,17–19, 313f), vgl. 296, Anm. 126.
[94] Vgl. 188ff.

der Kreuzfahrer ausspricht, weisen zurück auf die Zeit der Kreuzzugspredigt, in der – nach dem Selbstverständnis Bernhards und dem Empfinden der Zeitgenossen – die Wunder Bernhard als Werkzeug des göttlichen Willens beglaubigten. Nach der Katastrophe jedoch sind die Wundertaten Bernhards, ist die Begnadung seiner Rede zweifelhaft geworden. Eugen soll nun an der Stelle Bernhards davon berichten, was er gehört und gesehen hat, d. h. die Wahrheit dessen bezeugen, was ungefestigten Personen im Glauben (dies besagt letztlich die Entgegensetzung von Israeliten und Kreuzfahrern) als Trugbild und Blendwerk erscheint:

Non est quod ad ista ipse respondeam: parcendum verecundiae meae. Responde tu pro me et pro te ipso, secundum ea quae audisti et vidisti, aut certe secundum quod tibi inspiraverit Deus.[95]

Obwohl sich Bernhard in ep. 315 nicht ausdrücklich auf seine Wunderkraft bezieht, bedarf dieses Schreiben aufgrund seiner thematischen Verwandtschaft zur hier behandelten Problematik dennoch der Erwähnung. Bernhard schließt diesen Brief an die englische Königin Mathilde mit folgender Bemerkung: *De cetero bene servate mihi filium, quem nunc peperistis, quia et ego quoque, – si Regi non displicet –, in eo mihi vindico portionem.*[96] Nach dem Bericht Gaufreds[97] drohte die hochschwangere Mathilde an ihrem Kind zu sterben. Auf Anrufung des Namens Bernhards hin brachte sie wohlbehalten ein gesundes Kind zur Welt. Gaufred berichtet von diesem Ereignis im Kontext mit anderen Begebenheiten, die alle die Wirkkraft Bernhards bei körperlicher Abwesenheit zum Thema haben,[98] und mißt ihm somit wunderbare Qualität bei. Gleich ob sich Bernhard in ep. 315 auf dieses Vorkommnis bezieht oder aber auf erfolgreiche Gebetshilfe anspielt, – wie die vorangegangenen Äußerungen belegt auch dieses Schreiben Bernhards tiefe Überzeugtheit von der wunderbaren Kraft, die vermittels seiner Person zur Wirkung zu gelangen vermag.

Vor dem Hintergrund der von Bernhard angeführten Wundergattung der *‚ultio impiorum‘* gilt es abschließend auf einen weiteren Aspekt der Wundertätigkeit Bernhards in ihrem Verhältnis zur Öffentlichkeit hinzuweisen. Respekt, aber auch Furcht kennzeichnen – wie an Malachias deutlich wurde – die Haltung der Menschen zum Wundertäter. Ver-

[95] Cons. II. I,3, III. 412f.

[96] Ep. 315, VIII, 248; ca. 1142.

[97] VP IV. I,6, 345f. Der Herausgeber der Briefe Bernhards verweist auf diesen Bericht der Vita als ep. 315 zugehörig.

[98] Auch Bernhard kennt derartige Wundertaten. Seinen Bericht über Wundertaten des Malachias bei persönlicher Abwesenheit leitet er wie folgt ein: *Denique audi quid alibi fecerit, non autem per praesentiam suam. Et utique potuit praesens, quod absens valuit* (VSM, XX,45, III. 350).

gleichbares findet im Wirken Bernhards seinen Niederschlag, für den, neben Rat und Bitte, die Drohung einen wichtigen Bestandteil des Instrumentariums zur Einflußnahme darstellt. Sollen diese Drohungen greifen, bedürfen sie eines Gegenstandes, einer zu fürchtenden Folge, die die Drohung in Aussicht stellt. In einigen der in anderem Kontext zitierten Belegstellen[99] wird man unschwer die *‚ultio impiorum'* als den impliziten Bezugspunkt der Drohungen Bernhards erkennen dürfen.

8.2.4. Wunder und Öffentlichkeit in der Vita Prima

Nicht minder zahlreich und vielfältig wie die Wundertaten des Malachias sind die Wunder Bernhards, von denen seine Vita zu berichten weiß. Wesentliche Gedanken Bernhards zum Phänomen des Wunders kehren in der Vita Prima wieder und finden nunmehr auf Bernhard selbst Anwendung. Unter dem Hinweis auf die Malachiasvita bezeichnet Bernhards Sekretär Gaufred Bernhard als *primum et maximumque miraculum*[100] und fällt somit ein den Wertsetzungen Bernhards entsprechendes Urteil. Gegenüber seinen Erfolgen und insbesondere gegenüber seiner Wunderkraft nimmt Bernhard, nach Arnold von Bonneval, jene Haltung ein, die in Bernhards Schriften als vorbildlich ausgewiesen ist;

> *sed de se semper humiliter sentiens venerabilium operum non se auctorem credidit, sed ministrum.*[101]

Von vergleichbarem Inhalt ist die von Gaufred berichtete Reflexion Bernhards über die Frage, wieso Gott durch eine so unwürdige Person wie ihn Wunder wirke.[102]

Auch in diesem Kapitelabschnitt gilt wiederum das bevorzugte Interesse nicht den Wundern selbst, sondern der Funktion, die ihnen im Rahmen von Bernhards öffentlichem Wirken zukommt. Bernhards Konzeption von Wort und Zeichen, die in ihrer sich wechselseitig verstärkenden und bestätigenden Funktion als Fenster zu den Herzen der Menschen dienen, findet in der Vita Prima ihre Entsprechung. Der dieser Konzeption zugrundeliegenden apostolischen Tradition ordnet Gaufred die Wundertätigkeit Bernhards zu. Als *(v)ir apostolicae gratiae* tritt Bernhard heilend und predigend in der Öffentlichkeit auf.[103] An Bernhard, so wiederum Gaufred anläßlich Bernhards Aufenthalt in

[99] Vgl. 247f.
[100] VP III, I,1, 303.
[101] Ebd. II. IV,25, 282.
[102] Ebd. III. VII.20, 314f.
[103] Ebd. IV. V,32, 339.

Deutschland zur Kreuzzugspredigt, sollte sich die apostolische Tradition erfüllen *[quod de sanctis Apostolis legitur, qui videlicet PROFECTI PRAEDICAVERUNT UBIQUE, (...) ET SERMONEM CONFIRMANTE, SEQUENTIBUS SIGNIS].*[104] Wilhelm von St. Thierry, der enge Freund und Vertraute Bernhards,[105] leitet ebenso die Wunderkraft Bernhards aus der Tradition der Apostel ab und bestimmt sie neben anderen Gnadengaben als zum Nutzen der Menschen verliehen. Bisweilen, so Wilhelm, wurde an ihm im besonderen Maß offenbar, was der Apostel (1 Kor 12,7) *MANIFESTATIO SPIRITUS AD UTILITATEM* nennt;

sermo scilicet fecundior sapientiae ac scientiae cum gratia prophetiae, operationes virtutum, et diversarum opitulationes sanitatum.[106]

Ebenfalls als zum Nutzen der Menschen gewährt, läßt Gaufred Bernhard das Wunder in der erwähnten Reflexion über die eigene Wunderkraft definieren:

Scio, inquit, hujusmodi signa non ad sanctitatem unius, sed ad multorum spectare salutem. (...) Neque enim pro eis fiunt haec, per quos fiunt; sed pro eis magis qui vident illa, vel sciunt. Nec eo fine per eos ista Dominus operatur, ut ipsos probet caeteris sanctiores, sed ut caeteros magis amatores et aemulatores faciat sanctitatis.[107]

Ist die Gnadengabe des Wunders zum Nutzen der Menschen verliehen, so ist zugleich die Öffentlichkeit als bevorzugter Ort des Wunders ausgewiesen. In den Berichten der Vita Prima über das von Wundern begleitete öffentliche Wirken Bernhards kehren die aus der Vita des Malachias bekannten Motive wieder. Der Wundertäter wird zum Anziehungspunkt für Notleidende und Ratsuchende. Die Bösen fürchten die von ihm ausgehenden Macht. Mission und Person werden durch das Wunder bestätigt, denn es beglaubigt Wort und Tat und führt zugleich den Nachweis der Kompetenz des Wundertäters zu weitreichender Einflußnahme.

Als Bernhard zur Zeit des Schismas nach Mailand gelangt, um dort die Bürger mit Papst Innozenz zu versöhnen, zieht seine Wunderkraft die Blicke aller auf sich. Das Volk schließt in seiner einfachen Frömmigkeit aus seinen zahlreichen Heilungen und Teufelsaustreibungen, *ut quid-*

[104] Ebd. IV. V,30. 338; Mk 16,20.

[105] Abt Burchard von Balerne betont daher im Nachwort zum ersten Buch der Vita die besondere Eignung Wilhelms für diese Aufgabe: *Fuit autem praefato fideli viro specialis causa scribendi, amicitia et familiaritas, quibus viro Dei multo tempore conjunctus erat. Unde et tantam apud illum invenerat gratiam, ut vix alter magis intimus inveniretur ad secreta mutuae dilectionis communicanda, ad spiritualium mysteriorum conferenda colloquia* (VP I. 266).

[106] VP I. VII,42, 252.

[107] Ebd. III. VII,20, 315.

quid a Domino peteret, impetraret.[108] Von Fasern seiner Kleidung, vom Kontakt mit Gegenständen, die mit dem Abt in Berührung kamen, erhofft man sich nun Heil und Heilung.[109] Dieser Begeisterung entsprechend erfolgreich endigt Bernhards Mission in Mailand. Auch im Falle der Vermittlung des Friedens zwischen der Stadt Metz und den feindlichen Nachbarn[110] bestärkt und belegt das Wunder die Gottgewolltheit von Bernhards Mission. Sinnfällig macht hier Bernhard durch die Heilung eines Tauben Heinrich von Salm die Frevelhaftigkeit der Tatsache deutlich, daß er vor Bernhards Bitte um Frieden die Ohren verschließt: *Tu nos, inquit, audire contemnis, quos continuo coram te audiet surdus.*[111] An weiteren Stellen betonen die Vitenschreiber die Wort und Tat Bernhards beglaubigende Funktion der Wunder. Zur Kreuzzugspredigt Bernhards bemerkt Gaufred: *Evidenter enim verbum hoc praedicavit, Domino cooperante, et sermonem confirmante sequentibus signis.*[112] Am Ende des Berichts über Bernhards höchstes Ansehen bei kirchlichen und weltlichen Großen betont Arnold, daß er trotz seiner Wunderkraft *(cum etiam, quod gloriosius judicatur, facta ejus et verba confirmarentur miraculis)* niemals die Haltung der Demut verlor.[113] Das Wunder beglaubigt Wort und Tat sowie – untrennbar hiermit verbunden – die Person Bernhards, *cujus gratia, operante Domino, signis et miraculis declaratur.*[114] Bernhards Wirken legitimiert sich nicht aus dem Amt, sondern einer *‚auctoritas'*, die sich zwar als eingebunden in das kirchliche Ordnungsgefüge versteht, ihren gewichtigsten Bezugspunkt jedoch in der persönlichen Begnadung Bernhards besitzt.[115] Derart bevollmächtigt, vermag allein Bernhard, als Lothar die Rückgabe der Investitur fordert, sich kühn *(audacter)* dem König entgegenzustellen: *verbum malignum mira liberate redarguit, mira auctoritate compescuit.*[116] Wunderbare Gewalt und Freimut aus dem Geist kennzeichneten auch Person und Auftreten des Malachias, den niemand zu fragen wagte: *IN QUA POTESTATE HAEC FACIS?*, nachdem seine Bevollmächtigung offenbar geworden war *(videntibus cunctis signa et prodigia quae faciebat, et quia ubi Spiritus, ibi libertas).*[117] Unverkennbar besitzt somit – gemäß den Aussagen der Ma-

[108] Ebd. II. II,10, 274.

[109] *Vellicabant etiam pilos quos poterant de indumentis ejus, et ad morborum remedia de pannorum laciniis aliquid detrahebant, omnia sancta, quae ille tetigisset, judicantes, et se tactu eorum vel usu sanctificari* (ebd. II. II,9, 274).

[110] Vgl. Vacandard, Leben II. 546ff.

[111] VP IV. VIII,49, 349.

[112] Ebd. III. IV,9, 308.

[113] Ebd. II. IV,25, 282.

[114] Ebd. II. Praef. 267.

[115] Vgl. 219ff.

[116] VP II. I,5, 271f.

[117] VSM XIV,32, III. 339f, vgl. 287.

lachiasvita sowie der Vita Prima – die Anerkennung der Wunderkraft durch die Öffentlichkeit gewichtigen Anteil an der ‚*auctoritas*'[118] des aus der Begnadung Wirkenden.
Ehrerbietung, aber auch Furcht kennzeichneten in der Malachiasvita die Haltung der Öffentlichkeit zum Wundertäter. Bernhard, so Wilhelm,

dignus in conscientiis omnium, qui in timore et amore Dei timeatur et ametur: quo praesente, ubicumque fuerit, nihil contra justitiam audeatur; cui ubicumque aliquid loquitur vel agit pro justitia, obediatur.[119]

Ohne Begründung ergreift anläßlich Bernhards Friedensbemühungen in Metz die weiter auf Krieg sinnende Partei die Flucht:

Ne sane ex contemptu aliquo, sed ex motu reverentiae ejus iniere fugam: siquidem verebantur, ne praesentium mentes, quamlibet improbas, facile flecteret.[120]

Durch wiederum mit tumultuösen Volksaufläufen und Emotionsausbrüchen[121] verbundene Heilungen sehen sich jedoch auch die bislang verstockten Großen zum Einlenken gezwungen:

Oportet nos libenter eum audire quem, ut ipsi cernimus, Deus diligit et exaudit: et audito eo multa facere, pro quo tanta faciat Deus in oculis nostris.[122]

Wie schon bei den Bürgern von Mailand sind auch in obigem Fall sowohl aufbrechende Gefühle als auch Folgerungen, die aus dem Geschehen gezogen werden, vom Charakter der Volksfrömmigkeit bestimmt. Bereits in den Eingangsbemerkungen[123] wurde die Annahme formuliert, daß Bernhard in seiner Wundertätigkeit diesen Gegebenheiten der Volksfrömmigkeit Rechnung trägt; – daß er dem Irdischen verhafteten Menschen seine Ziele in sinnlich faßbarer Form[124] nahezu-

[118] Vgl. 227.

[119] VP I. XIV,69, 265.

[120] Ebd. V. I,4, 353.

[121] *Quae res* (die Heilung einer am ganzen Leib heftig zitternden Frau, M.D.) *in tantam admirationem etiam durissimos quosque permovit, ut percutientes pectora sua, per horam fere dimidiam cum lacrymis acclamarent. Tantus denique factus est impetus et concursus procidentium et deosculantium Viri Dei sacra vestigia, ut propemodum comprimeretur, donec tollentes eum fratres, et imponentes in naviculam a terra modice subduxerunt* (ebd. V. I.5, 354).

[122] Ebd V. I,5, 354.

[123] Vgl. 274ff.

[124] Diese Aussage gilt allgemein für Bernhards Wundertaten in der Öffentlichkeit, findet aber an verschiedenen Stellen der Vita besonders dichten Ausdruck. So, wenn in der zuvor zitierten Wundergeschichte derjenige, der nicht hören will, durch die Heilung eines Tauben überzeugt wird. Dasselbe Prinzip liegt dem Bericht über die Gewinnung des Fürsten von Aquitanien für Papst Innozenz zugrunde. Bernhard erreicht sein Ziel, indem er dem gegen Argumente verschlossenen Fürsten sinnfällig vor Augen führt, daß die von ihm betriebene Angelegenheit die Angelegenheit Jesu Christi ist. Als Bernhard eine Messe zelebriert, schreitet er mit der Hostie auf der Patene nach der

bringen sucht. Die Berichte der Vita belegen in der Tat, wie sehr Bernhards öffentliche Wundertätigkeit in Anlage und Wirkung von der dem monastischen Leben zuzuordnenden Wunderauffassung mit ihrer besonderen Wertschätzung der ‚Wunder des Innen' differiert.
Aber auch die These, daß die öffentliche Wundertätigkeit die besondere Bezugnahme auf den zu beeinflussenden Personenkreis impliziert, findet im Rahmen des Berichts über Bernhards Wirken gegen den Ketzer Heinrich[125] ihren Niederschlag. Kennzeichnenderweise geht der betreffenden Belegstelle die Darstellung von Geschehnissen voran, in denen Bernhard in einer Weise auf die von magischen Vorstellungen und Aberglauben durchdrungene Wundergläubigkeit des Volkes eingegangen ist, die den Rahmen des theologisch Zulässigen letztlich überschreitet.[126] Die Gründe für Bernhards Verhalten werden im Fortgang des Berichts der Vita deutlich. Bernhard hebt hier zum Gebet an, um einen gelähmten, todkranken Kleriker zu heilen:

Quid exspectas, Domine Deus? Generatio haec signa quaerit. Alioquin minus apud eos nostris proficimus verbis, nisi abs te fuerint confirmata sequentibus signis.[127]

Man wird, wie bereits betont, die Aussagekraft der Vita Prima für das Selbstverständnis Bernhards nicht unterschätzen dürfen. Die Autoren der Vita unterwerfen Gestalt und Wirken Bernhards einem tradierten Muster des Verstehens, das an wesentlichen Punkten, wie die Parallelen zwischen Vita Prima und den Schriften Bernhards aufzeigen, auch für Bernhard selbst verbindlich ist.
Daß die Akzeptanz dieses Musters über den Kreis der erwähnten Personen hinausreicht, läßt sich nicht nur aus der Wirkung, die Bernhard zu erzielen vermochte, schlußfolgern, sondern auch aus den Äußerun-

Wandlung auf den Fürsten zu: *Rogavimus te, inquit, et sprevisti nos. Supplicavit tibi in altero quem jam tecum habuimus conventu, servorum Dei ante te adunata multitudo, et contempsisti. Ecce ad te processit Filius Virginis, qui est caput et Dominus Ecclesiae, quam tu persequeris. Adest Judex tuus, in cujus nomine omne genu curvatur, coelestium, terrestrium, et infernorum. Adest Judex tuus, in cujus manus illa anima tua deveniet. Nunquid et ipsum spernes? nunquid et ipsum, sicut servos ejus contemnes?* Auf diese Rede hin stürzt der Fürst *membrisque tremebundis metu et dissolutis, quasi amens* nieder und gibt im weiteren den Forderungen Bernhards nach (VP IV. VI,38, 290).

[125] Im Kontext dieser Geschehnisse erfolgte Bernhards Erwähnung eigener Wundertaten in ep. 242; vgl. 230.

[126] In Sarlat, einer Ortschaft nahe von Toulouse, predigt Bernhard gegen den Ketzer Heinrich (vgl. 237). Bernhard segnet das vom Volk herbeigebrachte Brot. Daran, daß Kranke durch den Genuß dieses Brotes wieder gesunden, soll – so Bernhard – das Volk die Falschheit der Ketzerlehren und die Richtigkeit seines Rates erkennen. Besorgt fällt ihm daraufhin der Bischof von Chartres ins Wort: *Si bona (. . .) fide sumpserint, sanabuntur.* Bernhard jedoch besteht auf seiner Sicht: *Non hoc ego dixerim, (. . .) sed vere qui gustaverint, sanabuntur* (VP III. IV,18, 313f).

[127] Ebd III. VI,19, 314.

gen von Zeitgenossen sowie der Darstellung belegen, die Bernhards Wirken in den Chroniken und Annalen des 12. Jahrhunderts erfahren hat.

8.3. Zeitgenössische Zeugnisse zur Wundertätigkeit Bernhards

An erster Stelle[128] ist der Bericht Ottos von Freising zu nennen, dem als Zeitzeugen und Teilnehmer des 2. Kreuzzuges besonderes Gewicht zukommt. Obgleich Otto selbst dem Zisterzienserorden angehört, ist sein Verhältnis zu Bernhard distanziert. Es zeigte sich, daß Otto auf diplomatische Weise, d. h. unter Wahrung von Bernhards Ruf und Ansehen der Heiligkeit, unmißverständliche Kritik am Abt von Clairvaux äußert.[129] Besonders schwer wiegen daher Ottos Mitteilungen zur Wundertätigkeit Bernhards, die er, bei aller Zurückhaltung gegenüber Person und Wirken des Abtes, zu keinem Zeitpunkt in Zweifel zieht. Anläßlich der Kreuzzugspläne in Frankreich erfolgt im Rahmen der ‚*Gesta Frederici*' die erste Erwähnung Bernhards, den Otto mit zahlreichen Attributen der Vorbildlichkeit sowie dem Verweis auf die von ihm ausgehende Wunderkraft versieht:

Erat illo in tempore in Gallia cenobii Clarevallensis abbas quidam Bernardus dictus, vita et moribus venerabilis, religionis ordine conspicuus, sapientia litterarumque scientia preditus, signis et miraculis clarus.[130]

Ebenso erwähnt Otto im bereits zitierten Bericht über den Reichstag zu Speyer die mit dem Auftreten Bernhards verbundenen Wundertaten *(plurima in publico vel occulto faciendo miracula)*.[131]
Wie Otto von Freising gehört Odo von Deuil zu den Teilnehmern des Kreuzzuges. Im Anschluß an seine Schilderung der Ereignisse in Vézelay erwähnt auch er Wundertaten, ohne diese jedoch näher zu beschreiben *[(s)upersedeo scribere miracula, quae tunc ibidem acciderunt]*.[132] Da diese Bemerkung ohne namentliche Erwähnung des Wundertäters erfolgt, ist der Rückschluß auf Bernhard nicht zwingend, liegt aber aufgrund der engen Beziehung der Belegstelle zur vorangegangenen Schilderung von Bernhards Kreuzzugspredigt nahe.
Ein weiterer Beleg zur Wundertätigkeit Bernhards ist dem Psalmenkommentar Gerhochs von Reichersberg zu entnehmen. Gerhoch un-

[128] Für den folgenden Kapitelabschnitt, vgl. Hüffer, Die Wunder, bes. 789ff u. ders., Bernard, bes. 83ff.
[129] Vgl. 265f u. 269.
[130] Gesta Freder. I,36, 200.
[131] Vgl. 273.
[132] Odo von Deuil, De profectione, 10.

terbricht Anfang 1148[133] die Auslegung des 33. Psalms, um zu einem Zeitpunkt, da das Kreuzzugsunternehmen noch nicht von der Nachricht von seinem unglücklichen Ausgang überschattet ist, begeistert zu vermerken:[134]

Certatim curritur ad bellum sanctum cum iubilantibus tubis argenteis papa Eugenio II. et eius nuntiis, quorum precipuus est Bernhardus, abbas Clarevallensis quorum predicationibus contonantibus et miraculis nonnullis pariter coruscantibus, terraemotus factus est magnus.[135]

Daß Gerhoch zwölf Jahre nach dem Kreuzzug zu dessen schärfsten Kritikern gehört und in diesem Zusammenhang sogar von falschen Wundern spricht,[136] entkräftet obige Quelle nicht, sondern belegt vielmehr

[133] Vgl. Classen, Gerhoch, 133.

[134] *. . . ut nunc in anno dominicae incarnationis MCXLVIII. magna provenit consolatio Israel. Fuerat in annis preteritis magna desolatio in eo, quod persepe reges et principes convenerunt in unum adversus Dominum et adversus Christum eius, nunc autem reges et principes conveniunt in unum ad faciendam vindictam in nationibus aecclesiam Dei vastantibus et civitatem Ierusalem, in qua sepulchrum Domini est, impugnantibus* (in psal. XXXIX, MGH, Libelli de Lite III, 434).

[135] Ebd. 436.

[136] Vgl. 304ff. Die Frage, ob Gerhoch Bernhard den falschen Wundertätern zuzählt, ist strittig. Der Herausgeber der Quellensammlung (MGH, Libelli de Lite III, 383, Anm. 1) wendet sich gegen Hüffer, der Bernhard von den Äußerungen Gerhochs nicht betroffen sieht. Hüffer kann für seine Position geltend machen, daß Gerhoch zu Beginn seiner Ausführungen über den zweiten Kreuzzug Bernhard als *columnam aecclesiae ac luminare fulgidum* (s.o. c.59, 374) bezeichnet, was in der Tat kaum zu obiger Beschreibung paßt (Bernard, 83). Hinzu tritt, daß es der Kritik des Herausgebers an wissenschaftlicher Sorgfalt mangelt. So äußert sich Bernhardi vorsichtiger, als es der Querverweis des Herausgebers vermuten läßt („Von Bernhard's Wundern wird dasselbe gelten, was Geroh (. . .) über diejenigen anderer Kreuzprediger berichtet. Jahrb. Konrads III., 527, Anm. 53). Des weiteren macht der Herausgeber in seinem Zitat Hüffers nicht deutlich, daß dessen Bezeichnung Bernhards als ‚Pfeilers und Glanzgestirns der Kirche' die Übertragung einer Äußerung Gerhochs ist. Die zur Stützung der These, daß Bernhard den falschen Wundertätern zuzuzählen ist, angeführten Brauweiler Annalen erwähnen keine falschen Wunder Bernhards (vgl. 301). Die ebenfalls zu diesem Zwecke angeführten Annales S. Jacobi Leodiensis (vgl. 307) werden wie folgt zitiert: *Visa et signa mendacii creduntur.* Den vorausgehenden Satz: *Predicatur populus et a Rudolpho propheta crucizatur* übergeht der Herausgeber.
Die dargestellte Kontroverse bezieht sich auch auf die unter Anm. 135 zitierte Quelle aus dem Psalmenkommentar Gerhochs. Der Herausgeber versieht hier die Formulierung *praedicationibus contonantibus et miraculis nonnullis pariter coruscantibus* mit der Anmerkung: Hic locus G. Hüfferum, cum de sancto Bernardo scriberet, effugit. s.o. 436, Anm. 2). In seinem Aufsatz ‚Die Wunder des hl. Bernhard' widerlegt Hüffer (25ff) die Meinung von Drussels (Göttinger gelehrter Anzeiger, 1888, Nr. 1, 1–26), gemäß der Gerhochs Äußerung ironisch zu verstehen ist. Auch hier scheint Hüffer die besseren Argumente zu haben, zumal in der modernen Gerhochforschung die Belegstelle wiederum in jener positiven Bedeutung verstanden wird (Classen, Gerhoch, 133; Meuthen, Kirche und Heilsgeschichte, 138) von der Hüffer ausging und die ihr im Rahmen dieses Kapitels zugesprochen wird.

den Schock, den das Scheitern des Unternehmens auslöste, und der im Falle Gerhochs eine gewandelte Beurteilung der Geschehnisse nach sich zog.
Ebenfalls eine wichtige Quelle zur Wundertätigkeit Bernhards stellt die Äußerung des Zeitgenossen und päpstlichen Legaten für den Wendenkreuzzug, Anselm von Havelberg,[137] dar. Im ersten Buch seiner im Auftrag Papst Eugens III. abgefaßten Schrift ‚*Dialogi*'[138] bemerkt Anselm zu Bernhard:

... nostris temporibus apparuit quidam abbas, in loco qui dicitur Claravallis, nomine Bernardus, vir religiosissimus, virtute miraculorum insignis, ab Occidente usque in Orientem pro sui sanctitate famosissimus.[139]

Desweiteren ist das Zeugnis Peters von Celle[140] zu nennen. Peter, der als Schüler und Freund des Abtes mit ihm in Briefwechsel[141] stand, erwähnt in seinem kurz nach der Heiligsprechung Bernhards verfaßten Lob[142] auch die Wundertätigkeit des Abtes:

Quae, inquiens, hujus Bernardi sanctitas, quae religio, quae meritorum praerogativa? Nullus sum ego ad illius sancta praeconia referre. Vita ejus, fama ejus, opera, scripta, miracula, fides, spes, charitas, castitas, abstinentia, mortificatio demum in membris ejus, sermo, vultus, habitus et gestus ejus, et his similia, ipsa sunt quae testimonium perhibent de eo ...[143]

In großer zeitlicher Nähe zu den berichteten Ereignissen schreibt Landulph, der Chronist von Mailand.[144] Anläßlich Bernhards Aufenthalt in dieser Stadt im Jahr 1135 berichtet Landulph über die Wundertaten des Heiligen:

(A)qua in vinum mutatur; demones fugantur, contracti eriguntur, infirmi etiam a quacumque infirmitate similiter sanantur.[145]

Während für Peter von Celle Bernhards Wunderkraft nur ein Aspekt an der in vielerlei Hinsicht hervorragenden Persönlichkeit des Heiligen darstellt, rückt die Darstellung Landulphs Bernhards Wundertaten in zentralen Rang. Die These vom besonderen Gewicht des Wunders im Rahmen des öffentlichen Wirkens findet auch in den hier vorzustellenden Zeugnissen zur Wundertätigkeit Bernhards ihre Bestätigung. An-

[137] Vgl. Fina, Anselm von Havelberg; LThK I (A. M. Landgraf), 594f; LdM I (J. W. Braun), 678f; BC 62 u. 299.
[138] Die Dialoge entstehen im Frühjahr 1149; vgl. Hüffer, Die Wunder, 46, Anm. 4.
[139] Dialogues, 98.
[140] LThK VIII (F. Vandenbroucke), 355; BC 241–243.
[141] Ep. 419, VIII. 403f; ep. 293, VIII. 210f.
[142] Vgl. Hüffer, Die Wunder, 796.
[143] PL 202, 617.
[144] Landulph schreibt seinen Bericht 1136 nieder. Vgl. Anm. 145, Introduzione, VII.
[145] Muratori V. III, 37.

ders als bei Autoren, die der Spiritualität Bernhards nahestehen, nimmt die Wunderkraft in den Berichten über Bernhards öffentliches Auftreten eine bestimmende Stellung bei der Charakterisierung seiner Person ein. Im besonderen trifft dies für den Niederschlag zu, den die Kreuzzugspredigt Bernhards in der Historiographie des 12. Jahrhunderts findet. Dieser Beobachtung entspricht die Darstellung, die Bernhard in der Chronik Helmolds von Bosau[146] erfährt.
Helmolds Haltung gegenüber dem von Bernhard propagierten Wendenkreuzzuges ist ablehnend,[147] was jedoch keineswegs die zu erwartende kritische Einstellung gegenüber Bernhards das Unternehmen beglaubigenden Wundern zur Folge hat. Helmolds Darstellung des Abtes steht vielmehr stark unter dem Eindruck von dessen Wunderkraft. Die erste Erwähnung Bernhards gibt Bernhards Ruf als Wundertäter wieder, der, so Helmold, den Heiligen zum Anziehungspunkt für die Menschen werden läßt:

... *claruit Bernardus Clarevallensis abbas, cuius fama tanta signorum fuit opinione celebris, ut de toto orbe conflueret ad eum populorum frequentia cupientium videre quae per eum fiebant mirabilia.*

Im unmittelbaren Anschluß berichtet Helmold von einer Krankenheilung auf dem Reichstag zu Frankfurt, durch die Bernhard dem zweifelnden Grafen Adolf *(certius nosse cupiens ex operacione divina virtutem viri)* die Heiligkeit seiner Person und somit seiner Mission vor Augen führt.

Inter haec offertur ei puer cecus et claudus, cuius debilitatis nulla potuit esse dubitacio. Cepit igitur sagacissimus intentare sollerter, si forte posset in hoc puero sanctitatis eius experimentum capere. Cuius incredulitati veluti divinitus edoctus vir Dei remedium providens puerum preter morem (iussit) sibi applicari –, ceteros enim verbo tantum consignavit, hunc vero exhibitum manibus excepit oculisque morosa contrectacione visum restituit, deinde genua contracta corrigens iussit eum currere ad gradus, manifesta dans indicia recuperati tam visus quam gressus.[148]

Wie Helmold gehört Vinzenz von Prag zu den scharfen Kritikern des Wendenkreuzzuges.[149] Dennoch finden auch in seinen nach 1167 verfaßten Annalen die mit der Kreuzzugspredigt verbundenen Heilungen

[146] Helmolds Geburtsjahr ist kurz vor 1120 anzusiedeln (Boos, Einleitung, 3). Die Niederschrift erfolgte in ungefähr zwanzigjährigem Abstand zu den Ereignissen (Boos, Einleitung, 6f); vgl. auch: Wattenbach-Schmale I. 427ff.

[147] Beumann, Kreuzzugsgedanke, 141; Briske, Untersuchungen, 9; Kahl, Ergebnis, 280; Lotter, Die Konzeption, 71; Mayer, Geschichte der Kreuzzüge, 93; Schwinges, Kreuzzugsideologie, 360.

[148] Helmold, Chronica Slavorum, 214–216.

[149] Vgl. Briske, Untersuchungen, 108; Lotter, Die Konzeption, 72.

Bernhards Erwähnung *(plurimos egros orationibus suis sanare referebatur)*.[150]
Ebenso vermerken die der Kreuzfahrt nicht minder ablehnend gegenüberstehenden Magdeburger Annalen das mit Wundertaten verbundene Kreuzzugsengagement Bernhards:

Huius expeditionis auctor et instigator exstitit Bernhart Clarevallensis abbas, qui tunc miraculis coruscare ferebatur.[151]

Auch der Chronograph von Korvey verweist anläßlich seines Berichts über eine Klosterverleihung an Korvey auf dem Reichstag zu Frankfurt auf die Wunderkraft Bernhards:

... domno Burghardo episcopo id iudicante, domnoque Bernhardo Clarevallensi abbate id nihilominus suadente, magnificentia signorum iam late ipsum notificante et exornante ...[152]

In den Brauweiler Annalen finden sowohl die Enttäuschung über das gescheiterte Unternehmen als auch die Wundertätigkeit Bernhards Eingang, so daß der Eintrag zum Jahr 1147 in sich seltsam widersinnig wirkt. Auf Zweifel an der göttlichen Sendung Bernhards folgt der Bericht über seine das Unternehmen beglaubigenden Wundertaten.

Eodem autem tempore, nescio an hominis an Dei spiritu tactus, Bernhardus abbas Clarevallensis, vir totius sanctitatis et mirabilium patrator operum (...) viam Iherosolimitane expeditionis (...) indixit (...) et mirabilium operum adtestatione ad huius amorem incitavit.[153]

Die Durchsicht der bislang vorgestellten Zeugnisse zur Wundertätigkeit Bernhards während der Kreuzzugspredigt bietet überraschende Ergebnisse. Bei übereinstimmend negativen Beurteilungen des Gesamtunternehmens berichten die Autoren entweder in referierender Form oder aber in den tradierten Formulierungen des Lobes von der Wunderkraft Bernhards. Verschiedene Autoren verbinden sogar zweifelnde Äußerungen an der Gottgewolltheit des Unternehmens und somit Zweifel an der den Willen Gottes vermittelnden Position Bernhards mit dem Bericht über Bernhards Wundertaten. Ihren dichtesten Ausdruck findet diese widersprüchliche Haltung in den Brauweiler Annalen. Bei näherem Betrachten läßt sie sich jedoch auch in den Berich-

150 MG SS XVII, 662; vgl. Constable, The second crusade, 224; Hüffer, Bernard, 84, Anm. 2.

151 MG SS XVI, 188; der unbekannte Verfasser schrieb seit 1170, vgl. Wattenbach-Schmale, I. 390f.

152 Jaffé, Bibl. rer. germ. 1, 58. u. MGH SS III, 16. Der Bericht wurde um 1146/47 verfaßt; vgl. Wattenbach-Schmale, I. 376; Hüffer, Die Wunder, 32.

153 MGH SS XVI, 727. Die Eintragungen reichen bis 1179; vgl. Wattenbach-Schmale I; Hüffer, Die Wunder, 29 u. 791.

ten anderer Autoren nachweisen. Helmold, der auf Bernhards Ruf als Wundertäter Bezug nimmt und ausführlich über ein Wunder Bernhards berichtet, bemerkt über die Beweggründe Bernhards zur Kreuzzugspredigt: *nescio quibus oraculis edoctus.*[154] Eine Sonderstellung nimmt die differenzierte Position Ottos von Freising ein, der anläßlich Bernhards Vorgehen gegen Gilbert am Beispiel des aufgehetzten und sodann selbst aufhetzenden hl. Epiphanius klarlegt, daß Wunderkraft und Irrtum aus menschlicher Schwäche einander nicht ausschließen.[155] Von derselben Grundhaltung ist Ottos Stellungnahme zum Scheitern des Kreuzzuges gekennzeichnet. In einem Satz von „grausamer Beiläufigkeit"[156] bemerkt er zu dem an anderer Stelle als Wundertäter gepriesenen Abt: *quamquam et spiritus prophetarum non semper subsit prophetis.*[157] In der Tat erscheint Otto somit als der einzige unter den vorgestellten Autoren, der es verstanden hat, die einander widersprechenden Komponenten des als unfaßlich empfundenen Geschehens zu einer in sich stimmigen Erklärung zusammenzufügen.

Ein Grund für die innere Widersprüchlichkeit der übrigen Quellen wird in der tiefen Verwurzelung von Bernhards Ruf als Heiligem und Wundertäter in der öffentlichen Meinung zu suchen sein. Die Autoren tragen diesem Ruf in der Verwendung von tradierten Formulierungen, die Wunderkraft und Heiligkeit zuordnen, Rechnung. Ihr persönliches Unbehagen an Bernhard formulieren sie in rhetorischen Zweifelsfragen, die die Kritik zwar vermitteln, jedoch nicht offen aussprechen. Vielleicht jedoch findet in den widersprüchlichen Aussagen mancher Quellen auch der Schock über den unbegreiflichen[158] Ausgang eines Unternehmens, das durch Predigt und Wunder als gottgewollt ausgewiesen war, seinen Niederschlag. Unverbunden stehen die das Unternehmen bestätigenden Wunder und das Wissen um dessen Scheitern nebeneinander und verdeutlichen so die Ratlosigkeit über ein Geschehen, von dem selbst Bernhard sagt, daß es zu jenen Ratschlüssen Gottes gehört, an dessen Abgründen der Mensch verzweifeln möchte.[159]

Da diese Untersuchung – im Gegensatz zu Hüffer[160] – nicht auf den Nachweis der Echtheit von Bernhards Wundern abzielt, sondern die öffentliche Wirkkraft des im Ruf des Wundertäters stehenden Heiligen zum Thema hat, besteht keinerlei Notwendigkeit, kritische Stimmen

[154] Chronica Slavorum, 59, 216.
[155] Vgl. 265f.
[156] Glaser, Das Scheitern, 130.
[157] Gesta Freder. I, 66, 270.
[158] Die Tendenz mancher Quellen, auf irrationale Erklärungsmuster wie kosmische Zeichen und Prophezeiungen (Glaser, Das Scheitern, 116f, Anm. 2) auszuweichen, scheint diese Überlegungen zu bekräftigen.
[159] Vgl. 190.
[160] Vgl. 271, Anm. 5.

der Zeitgenossen zur Wundertätigkeit Bernhards zu entkräften. Dererlei Zeugnisse könnten vielmehr ebenfalls zum Beleg der vorgestellten These dienen, da sie den Ruf des Wundertäters zwingend voraussetzen, wenn sie ihn auch mit grundlegend gewandelter Bewertung versehen. Dieser Wunderkritik, die besonders infolge der gescheiterten Kreuzfahrt auftritt, gilt im weiteren das Interesse.

Giles Constables Aufsatz ‚The second crusade as seen by contemporaries' schildert auf breiter Quellenbasis die tiefe Erschütterung der Zeitgenossen durch das katastrophale Ende des Kreuzzuges.[161] Constable ordnet die Quellenzeugnisse nach den Erklärungsmustern für das Scheitern. Neben Zeugnissen, die die Feindseligkeiten der Griechen und die Gefährlichkeit des Weges, d. h. objektive Gründe hervorheben,[162] treten verschiedene Möglichkeiten der geistlichen Auslegung des Scheiterns. Für Gerhoch von Reichersberg und den Würzburger Annalisten stellt die Kreuzfahrt ein Werk des Antichristen dar.[163] Autoren wie Bernhard und Otto von Freising ordnen das Scheitern dem verborgenen Ratschluß Gottes zu.[164] Zahlreiche Chronisten und Annalisten sehen im Scheitern die von Gott verhängte Strafe für Sünde und Entartung im Kreuzfahrerheer.[165] Kennzeichnenderweise führt Constable in seiner Einteilung keine Quellenkategorie an, die die Schuld für das Scheitern in die Verantwortung Bernhards stellt. Und in der Tat ist die Bestimmung der Person Bernhards sowie insbesondere seiner Wundertätigkeit als des Zielpunktes der Kritik problematischer als gemeinhin angenommen wird.[166]

Sicherlich wurden Kritik und Zweifel an Bernhard laut. Diese Kritik läßt sich aus der Zwangsläufigkeit folgern, mit der das gescheiterte Unternehmen auf seinen Exponenten zurückfallen mußte, sowie aus der Tatsache, daß sich Bernhard zu einer persönlichen Rechtfertigung[167] genötigt sah. Die Quellenzeugnisse jedoch kritisieren Bernhard – wie gezeigt – eher verdeckt oder aber weisen ein eigentümlich gespaltenes Verhältnis gegenüber der Person des Abtes auf. Es liegt nahe, daß bei der breiten Reflexion über das Scheitern der Kreuzfahrt verschiedentlich kritische Stimmen zu den im Vorfeld des Unternehmens geschehenen Wundern laut wurden. Bezüglich der Wundertätig-

161 Vgl. auch: Constable, A lost sermon; Hehl, Kirche 142ff; Glaser, Das Scheitern.

162 Constable, The second crusade, 266 u. 272.

163 Constable 268f; Glaser 132ff.

164 Constable 267. Die Kritik an Bernhard, die sich in der Haltung Ottos von Freising nachweisen läßt, reicht Glaser dem Aufsatz Constables nach (Glaser, 130).

165 Constable 270ff.

166 Vgl. Kugler, Geschichte, 152; Mayer, Geschichte, 98; Rousset, Histoire, 180f.

167 Vgl. 188ff u. 290f. Bernhards Biograph bemerkt hierzu: *Nec tacendum quod ex praedicatione itineris Jerosolymitani grave contra eum quorumdamque hominum vel simplicitas, vel malignitas scandalum sumpsit, cum tristior sequeretur effectus* (III. IV,9, 308).

keit im Rahmen der Kreuzzugspredigt lassen sich jedoch keine Quellenzeugnisse auffinden, die Bernhard namentlich benennen.
Wie bereits erwähnt, ist es als unwahrscheinlich zu betrachten, daß Gerhoch von Reichersberg Bernhard, den er wenig zuvor als Pfeiler und Leuchte der Kirche bezeichnet, den falschen Wundertätern zuzählt.[168] Dennoch sind die Ausführungen Gerhochs auch an dieser Stelle von Interesse. Lahme, Blinde und Halbblinde – so Gerhoch – werden von den vermeintlichen Wundertätern unter Gebet und Handauflegen gesegnet. Geben sie auf die Frage nach ihrem Befinden auch nur unbestimmte Auskunft, werden sie als geheilt emporgerissen und in der begeisterten Masse herumgereicht. Sich selbst überlassen, fallen sie in die alte Krankheit zurück, wobei Gerhoch von einigen Fällen zu berichten weiß, bei denen die Heilung zwei bis drei Tage anhielt.[169]
Gerhochs in keinerlei Hinsicht beschönigende Schilderung gewährt wichtige Einblicke in die realen Umstände der öffentlichen Wundertätigkeit. Im unguten Wechselspiel greifen die falschen Wundertäter die Wundersucht der Menge auf und schüren sie zugleich. Die außergewöhnlich suggestive Kraft des Geschehens verdeutlichen die zeitweiligen Heilungen, auf die die erneute Erkrankung folgt, als der unmittelbare Eindruck des Ereignisses zu verblassen beginnt. Eindringlich wird deutlich, wie sich in der von Kreuzzugspredigern und Wundertätern gelenkten Menge die Volksfrömmigkeit zur religiösen Hysterie radikalisiert. Im Fortgang seiner Schilderungen berichtet Gerhoch von der Auffindung eines wunderwirkenden Leichnams in Würzburg, sowie von Pogromen an der jüdischen Bevölkerung, in der man die Mörder des angeblichen Märtyrers zu erkennen glaubt. An weiteren Zeugnissen wird sich bestätigen, wie schnell sich gemäß der Eigendynamik des Geschehens der Fanatismus der Massen auf weitere Gebiete des öffentlichen Lebens erstreckt, um dort seine Blutspur zu hinterlassen.

[168] Vgl. 298, Anm. 136.

[169] *Nam et signa atque prodigia mendatia eodem tempore non defuerunt, que a Deo per quosdam illius tempestatis viros, per quosdam etiam illius vie perditissimae socios multiplicata sunt, ut eisdem mirabiliariis irruentibus nimirum ad eos turbis ac signa vel sanitates petentibus vix vacaret panem comedere. Quod ipse vidi oculis meis, fictionem vero miraculorum cui assignem ignoro, utrumnam his, per quos fieri dicebantur, an vero his, a quibus petebantur, certum non habeo, cum tamen fictio ipsa certissime in multis sit prodita. Adducebantur namque ceci vel semiceci et claudi et benedicebantur ab eis oratione facta super eos cum manus impositione. Dumque inter benedicentis verba requisiti ab ipsis violentis miraculorum exactoribus fuissent, an aliquid melius haberent illique proprie sanitatis cupidi aliqua dubie responderent, statim cum clamore sublimes rapiebantur et quasi sani inter manus vectantium ducebantur. Qui tandem sibi dimissi, non diu sanitatem potuerunt simulare, sed sue infirmitatis consueta subsidia, scamnella videlicet claudi et ceci duces resumebant. Audivimus etiam de quibusdam, quod post veram curationem duobus vel tribus diebus interpositis pristina ad eos redierit infirmitas* (de invest. antichr. c. 66, MGH Libelli de Lite III, 383).

Auch das im Kontext schärfster Kritik am Kreuzzugsunternehmen geäußerte Wort vom Pseudopropheten ist Bernhard nicht eindeutig zuzuordnen.

Etenim perrexerunt quidam pseudoprophete, filii Belial, testes antichristi, qui inanibus verbis christianos seducerent et pro Iherosolimorum liberatione omne genus hominum contra Sarracenos ire vana predicatione compellerent.[170]

Nicht zu Unrecht unterstreicht Hüffer die Tatsache, daß der Würzburger Annalist Bernhard wenig später – mit unverkennbar weiterhin kritischer Grundhaltung, jedoch thematisch von obiger Aussage geschieden – im Kontext der verschickten Kreuzzugsbriefe namentlich nennt:

Nec mirum, cum nescio qua latenti occasione ipse domnus Eugenius Romane sedis pontifex, innitente Clarevallensi abbate Bernhardo permotus, (. . .) universis demum christiane fidei ac religionis regibus regumque optimatibus ac subditis scriberet, scribendo ad hoc iter paratos esse debere admoneret . . .

Des weiteren macht Hüffer darauf aufmerksam, daß derselbe Annalist zum Jahre 1153 vermerkt: *Hoc anno domnus Bernhardus abbas Clarevallis migravit ad Dominum,*[171] was bei einer Identifizierung Bernhards mit den erwähnten Pseudopropheten nur schwerlich stimmig erscheint. Während Hüffer den Abstand zwischen der Erwähnung der Pseudopropheten und Bernhards betont und folglich als inhaltlich trennend interpretiert, hebt Waas die Nähe hervor, in die der Annalist Bernhard zu den Pseudopropheten stellt, so daß er ihn diesen zugerechnet haben müsse.[172] Beide Positionen belegen, daß die Zuordnung bzw. Trennung Bernhards von der jeweiligen Interpretation einer Quelle abhängt, deren Aussage nicht eindeutig bestimmbar ist. Sowohl in der Sinngebung des Kreuzzuges als Werk des Antichristen als auch im Umgang mit der Gestalt Bernhards weisen die Würzburger Annalen Ähnlichkeit zur Haltung Gerhochs von Reichersberg auf. Trotz negativer Sicht des Unternehmens scheuen beide vor direkten Angriffen auf den Exponenten des Unternehmens zurück. Für die Würzburger Annalen bleibt festzuhalten, daß der Autor entweder Bernhard von den Pseudopropheten schied oder aber den Pseudopropheten zuzählte, ihn jedoch nicht als solchen zu bezeichnen wagte. Beiden Möglichkeiten jedoch liegt dieselbe Ursache zugrunde; – Bernhards Ruf als Heiliger und Wundertäter, der offenbar selbst über die Katastrophe hinaus noch Wirkung zu zeigen vermochte.

[170] Ann. Herbipolenses, MGH SS XVI 3; vgl. Wattenbach-Schmale I, 149.
[171] Ebd. 8.
[172] Waas, Geschichte der Kreuzzüge, 181.

Der Würzburger Annalist berichtet zum Jahr 1147 weiter von den bereits aus der Schilderung Gerhochs bekannten chaotischen Zuständen in der Stadt, ausgelöst durch die fanatisierte, von religiöser Hysterie getriebene Menge. Beim Begräbnis eines zuvor aufgefundenen zerstükkelten Leichnams glaubt man Wunder zu erkennen; – *ita ut muti putarentur loqui, ceci videre, claudi gressum recipere, et alia signa horum similia.* Die Kreuzfahrer verehren den Getöteten als Märtyrer und führen seine Gebeine als Reliquien mit sich. Da der ortsansässige Bischof sich diesem Treiben entgegenstellt, scheut man selbst vor dessen Verfolgung nicht zurück. In den Juden[173] glaubt man die Mörder des falschen Heiligen zu erkennen, so daß Einheimische und Kreuzfahrer sich zu einem Blutbad an der jüdischen Bevölkerung berechtigt sehen:

... domos Iudeorum irrumpunt et in eos irruunt, senes, cum iunioribus, mulieres cum parvulis, indiscrete sine dilatione, sine miseratione interficiunt.

Nur wenige – so der Chronist – können durch Flucht, oder indem sie sich in ihrer Not taufen lassen, ihr Leben retten.[174] Ähnlich düstere Begleitumstände lassen weitere Quellenzeugnisse vermuten, in denen wiederum von Pseudopropheten und falschen Wundern die Rede ist. So erwähnen die Annales Scheftlarienses Maiores – auch hier getrennt vom zuvor erwähnten Wirken Bernhards – einen falschen Propheten, der in Augsburg sein Unwesen trieb:

Profanus tunc temporis quidam pseudopropheta apparuit in civitate Augusta, qui fantastica ludificatione multos sui spectaculo attraxit, qua tandem cassata dissparuit.[175]

Vom Wirken dieses Mannes berichten auch die Augsburger Annalen in ihrem Eintrag zu 1146:

Hac tempestate quidam in specie bona, griseorum scilicet habitu, Augustam intrans, zodorum et psalmistam se nominat et in principe demoniorum multa signa fatiens totam in se convertit Alamanniam.[176]

Sowohl die geschilderten Vorgänge in Augsburg als auch in Würzburg können sich jedoch nicht auf Bernhard beziehen, da sich dieser in kei-

[173] Zu den Judenverfolgungen während des zweiten Kreuzzuges Vgl. Aronius, Regesten, 107ff; Baron, A Social and Religious History IV, 116–123; Dietrich, Das Judentum, 121–123; Liebeschütz, Synagoge 131ff; Stemberger, Zu den Judenverfolgungen; Waas, Volk Gottes 417. Zur Dankbarkeit der jüdischen Gemeinden für Bernhards Eingreifen, vgl. den Bericht Rabbi Ephraims von Bonn (Shlomo, The jews, 122). Hätte sich Bernhard nicht für die Juden verwendet, „no remnant or vestige would have remained of Israel".

[174] Ann. Herbipolenses, MGH SS XVI, 4; zu dem Pogrom in Würzburg vgl. auch: Aronius, Regesten; 113f.

[175] MGH SS XVII, 336; vgl. Wattenbach-Schmale I, 255.

[176] Annales Augustani Minores, MGH SS X, 8; vgl. Wattenbach-Schmale I, 271.

ner der beiden Städte aufhielt.[177] Namentlich findet sich ein falscher Wundertäter in den Annales S. Jacobi Leodiensis erwähnt. Der Eintrag zu 1146 lautet: *Predicatur populus et a Rudolpho propheta crucizatur. Visa et signa mendacii creduntur . . .*[178] Der aus den bislang zitierten Quellen zu gewinnende Eindruck, daß an verschiedenen Orten Kreuzzugsprediger Pogromstimmung und religiöse Hysterie auslösten, findet seinen gewichtigsten Beleg in der Gestalt des oben erwähnten Zisterziensermönchs Rudolph.[179] Dessen unautorisierte Kreuzzugspredigt zeigte vor allen Dingen im Rheinland machtvolle Wirkung.[180] Wie bereits in Würzburg, so ist auch hier der Aufruf zum Kreuzzug mit schweren Pogromen an der jüdischen Bevölkerung verbunden.[181] Denn Rudolph warb nicht nur für den Kreuzzug, sondern predigte auch den Judenmord *(quod Iudei in civitatibus oppidisque passim manentes tamquam religionis Christiane hostes trucidarentur)*.[182] Ebenso wie in Würzburg vermag auch hier die Obrigkeit der fanatischen Menge nicht mehr Herr zu werden, so daß sich der Erzbischof von Mainz gezwungen sieht, Bernhard zur Hilfe zu rufen. Dieser tritt in ep. 365[183] nachdrücklich den Judenverfolgungen[184] entgegen und reist sodann über Flandern ins Rheinland, um in Mainz Rudolph zur Rückkehr ins Kloster zu bewegen. Allein der Ruf von Bernhards Heiligkeit vermochte damals – wie Otto von Freising weiter berichtet – das hierüber erboste Volk von Mainz vom offenen Aufstand abzuhalten.[185] Aufruhr, wundersüchtige Hysterie und Bluttaten an der jüdischen Bevölkerung lassen sich im Rheinland mit dem Namen Rudolphs verknüpfen, im Falle der im vor-

[177] Zur Reiseroute Bernhards, vgl. BC 603–605.

[178] MGH SS XVI, 641.

[179] Zu Rudolph, vgl. Aronius, Regesten, 109ff; Bernhardi, Konrad III., 522ff; Mayer, Geschichte 91; Runciman, Geschichte 558; Waas, Geschichte 167; Vacandard, Leben II, 204f; Williams, Citeaux 130ff.

[180] Rudolf bewog – so Otto von Freising – *multaque populorum milia* zur Kreuznahme (Gesta Freder. I. 39, 206). Die Annales Rodenses (MGH SS XVI, 718) geben an, daß *quasi decima pars* des Kreuzfahrerheeres auf die Predigt Rudolphs zurückzuführen sei. Auch die Annales Colonienses Maximi (MGH SS XVII, 761) weisen Rudolph eine exponierte Stellung in der Kreuzpredigt zu: *Huius viae auctores maxime fuerunt Bernardus abbas Clarevallensis et quidam monachus nomine Ruodolfus.*

[181] Aronius, Regesten, 109ff.

[182] Gesta Freder. I. 39, 206/208. Otto leitet seinen Bericht über die Predigt Rudolphs mit der Formulierung *hoc tamen doctrine sue non vigilanter interserens* ein, die in Anbetracht von Rudolfs offener Aufforderung zum Judenmord verharmlosend wirkt.

[183] Ep. 365, VIII. 320ff.

[184] Zu Bernhards Haltung gegenüber den Juden, vgl. 235f u. 341ff.

[185] *Maguntiam quoque veniens Radulfum in maximo favore populi morantem invenit. Quo accersito premonitoque, ne contra monachorum regulam per orbem vagando propria auctoritate verbum predicationis assumeret, tandem ad hoc eum, ut sibi promissa obedientia in cenobium suum transiret, induxit, populo graviter indignante et, nisi ipsius sanctitatis consideratione revocaretur, etiam seditionem movere volente* (Gesta Freder. I. 41, 208).

angegangenen zitierten Quellenzeugnisse sind die Prediger nicht namentlich bekannt, jedoch unverkennbar vom gleichen Ungeist getragen.[186]

Die zitierten Belegstellen rechnen Bernhard nicht den falschen Wundertätern zu, da offenkundig die Unterscheidung zwischen echten und falschen Wundern dem öffentlichen Ruf der Heiligkeit Rechnung trägt, in dem der betreffende Wundertäter steht. Dennoch werfen diese Quellen ihre Schatten auch auf das Wirken Bernhards. Die Schilderung der Vorgänge in Mainz verdeutlicht Situation und Stimmung, die Bernhard vorfand, als er deutschen Boden betrat. Trifft die in diesem Kapitel dargelegte These zu, daß sich Bernhard im Rahmen der Kreuzzugspredigt seines Rufes als Wundertäter bediente, so griff er die Wundersucht weiter Kreise auf, um sie seinen Zielen nutzbar zu machen. Unzweifelhaft verläßt Bernhard hiermit die Ebene seines dem monastischen Rahmen angehörenden, auf Verinnerlichung dringenden Wunderbegriffs. Nicht anders verhält es sich bei Bernhards Kreuzzugsbriefen, die im Gegensatz zur für Mönche verbindlichen Lehre der selbstlosen Gottesliebe den Verdienstcharakter des Unternehmens herausstreichen.[187]

Anhand von Bernhards Kreuzzugsengagement beginnt sich abzuzeichnen, inwieweit die Klage über den Staub des Irdischen, der an ihm als der zur Aktion berufenen Martha[188] haftet, Hinweise auf in der Tat problematische Züge an seinem öffentlichen Wirken enthält. In Wunder und Kreuzzugsbriefen sucht Bernhard geistliche Inhalte in sinnlich faßbarer, bzw. in über materielle Kategorien verdeutlichter Form einem Personenkreis nahezubringen, der ihm als fleischlich gesinnt, dem Irdischen verhaftet gilt. In beiden Fällen handelt es sich somit um eine von Bernhard um der zu erreichenden Wirkung willen vorgenommene Popularisierung theologischer Inhalte, in der er das für die Normen klösterlichen Lebens verbindliche Niveau beträchtlich unterschreitet. Mit Gewißheit war sich Bernhard dieser Diskrepanz bewußt. In ihr findet die tiefe Kluft zwischen geliebtem Kloster und gefürchteter Welt ihren Niederschlag, der Bernhard im Wechsel von der Weltüberwindung Marias zum befleckenden Dienst Marthas an der Welt Rechnung trägt.

[186] Nach Otto von Freising wirkte die Lehre Rudolfs bis weit über die Rheinlande hinaus (Gesta Freder. I. 39, 208): *Quod doctrine semen in multis Gallie Germanieque civitatibus vel oppidis tam firmiter radicem figens germinavit, ut, plurimis ex Iudeis hac tumultuosa seditione necatis, multi sub principis Romanorum alas tuitionis causa confugerent.* Auch der Würzbuger Annalist vermeldet zahlreiche Pogrome, von denen das berichtete in der Stadt Würzburg nur ein Beispiel sei (Ann. Herbipolenses, MGH SS XVI, 3).

[187] Vgl. 242f u. 365ff.

[188] Vgl. 124ff.

Die sich hier abzeichnende Problematik des öffentlichen Wirkens reicht jedoch über den persönlichen Konflikt Bernhards hinaus. An den Quellenzeugnissen über die falschen Wundertäter wurde deutlich, inwieweit die derart entfachte religiöse Begeisterung in sich bereits den Keim des Unguten trägt. Die Berichte von Predigt und Wundern Bernhards unterscheiden sich von diesen Zeugnissen (abgesehen von Bernhards Eintreten für die verfolgten Juden) im wesentlichen nur durch die Qualität der Echtheit, die man seinen Wundern beimißt. Die Massenszenen[189] jedoch gleichen sich. Mag bei Rudolph[190] und anderen Kreuzzugspredigern persönliche Unbildung und primitive Frömmigkeit ihren adäquaten Ausdruck in populärer Predigt und dem Auftreten als Wundertäter gefunden haben, so handelt es sich im Falle Bernhards um die bewußte Bezugnahme auf die Mentalität des zu beeinflussenden Personenkreises. Hier wie dort jedoch zeigen Predigt und Wunder die gleichen Folgen; – nicht Läuterung und Umkehr des einzelnen wird bewirkt, sondern die Radikalisierung einfacher Glaubensformen zur primitiven Religiosität der fanatisierten Menge. Die Vorgänge in Würzburg belegen, inwieweit der derart entfachten Massenbegeisterung die Tendenz innewohnt, noch weitergehenden Vulgarisierungen von Glaubensinhalten den Weg zu bereiten. Fromme Begeisterung des Volkes wandelt sich zur religiösen Hysterie der Masse; die Verdienstlichkeit des Unternehmens gerät zu christlich bemäntelter Mordlust und Raubgier. Letztlich steht Bernhard als Wundertäter und Kreuzzugsprediger auch hierfür in Mitverantwortung, selbst wenn sich dies aufgrund der Eigendynamik des Geschehens, d. h. gegen seine Absicht, ja – wie im Falle der Juden – gegen seinen erklärten Willen zu ereignen vermochte.

Nachzutragen bleiben zwei Autoren, die sich in der Tat kritisch zur Wundertätigkeit Bernhards äußern.[191] Berengar, der Schüler Abälards, verfaßt die Verteidigungsschrift *Apologeticus*[192] für seinen Lehrer nach dem Konzil zu Sens (1141).[193] Die Erwähnung von Wundern Bernhards ist im polemischen Kontext der Schrift unverkennbar ironisch.[194] Wal-

[189] Vgl. 274, Anm. 22 u. 293f.

[190] Otto von Freising bemerkt zu Rudolph: *litterarum notitia sobrie imbutus* (Gesta Freder. I. 39, 206).

[191] Vgl. hierzu: Hüffer, Bernard 89, Anm. 2; ders., Die Wunder, 797ff.

[192] PL 178, 1857ff.

[193] Zu Berengar und seiner Schrift, vgl. 259f.

[194] Derartige negative Aussagen zur Wundertätigkeit Bernhards widerlegen – wie bereits erwähnt – die hier erarbeiteten Ergebnisse nicht. Berengar geht vielmehr von Bernhards Ruf als Heiligem und Wundertäter aus *[(i)amdudum sanctitudinis tuae odorem ales per orbem fama dispersit, praeconizavit merita, miracula declamavit.* PL 178, 1857], um diesen dann mit Kritik und Spott zu überziehen. Nicht anders verhält es bei der ironischen Darstellung der Wundertätigkeit Bernhards im Werk Walter Maps.

ter Map[195] greift ebenfalls Bernhards Ruf als Wundertäter in seiner um 1190 verfaßten Schrift ‚*De nugis curialium* auf'. In drei schwankhaften Episoden von bisweilen derbem Humor schildert er Bernhards eifriges Bemühen um Wundertaten, das jedoch von keinerlei Erfolg gekrönt ist.[196]

[195] LThK VI (G. Karp), 1369; Manitius, Geschichte III, 264–274.

[196] MGH SS XXVII, 64f. Eine Dämonenaustreibung und zwei Totenerweckungen mißglücken.

9. ZIEL UND INHALT DES WIRKENS

9.1. Zur Geschichtsauffassung Bernhards

Von Bernhard, dem das Leben als Tod, der Tod hingegen als Leben gilt, ist keine eingehende Beschäftigung mit innerweltlichen Vorgängen zu erwarten,[1] auch wenn diese – wie dem mittelalterlichen Geschichtsschreiber selbstverständlich[2] – in tradierten heilsgeschichtlichen Mustern erfolgen sollte. Dennoch zeigte sich Bernhards Denken machtvoll vom Wissen um die Geschichtlichkeit von Welt und Mensch bestimmt. Grundlegend für die Geschichtsauffassung Bernhards ist – wie in Kapitel 2 erarbeitet – deren enge Anbindung an die Christologie. Das Zentrum geschichtlichen Geschehens und dessen stetiger Bezugspunkt, von dem aus Vergangenheit und Zukunft auf ihre Bedeutung hinterfragt werden kann, stellt die Gestalt Christi dar. Erst in Christus wird Geschichte zur Heilsgeschichte, d. h. zu einem Verständnis zeitlichen Geschehens, das dessen Verlauf einem auf jenseitige Erfüllung abzielenden Sinn zum Guten zuordnet. Deutlich bezieht Bernhards Auffassung der Heilsgeschichte ihr in den Kernpunkten optimistisches Gepräge aus Freude und Hoffnung, die dem Menschen aus der Heilstat Christi erwächst.

Die Gründe zeichnen sich ab, die den methodischen Ansatz der vorliegenden Arbeiten zur Eschatologie Bernhards[3] problematisch erscheinen lassen. Denn diese stellen Bernhards Ausführungen zum Antichristen in das Zentrum der Betrachtung, während der um die Christologie als dem Herzstück der Theologie Bernhards gruppierte Teil eschatologischer Aussagen weitgehend unbeachtet bleibt. Allzuleicht verbindet sich für das moderne Empfinden mittelalterliches Endzeitbewußtsein mit einem Szenario des Schreckens und der Angst,[4] das den Blick auf die Tatsache verstellt, daß sich für Autoren wie Bernhard im Ende und Untergang der Welt zugleich die Erfüllung aller christlichen Hoffnung vollzieht. Beiden der Eschatologie Bernhards innewohnenden

[1] Von daher trifft folgende Aussage Dempfs (Sacrum Imperium, 221) den Kern, auch wenn sie in ihrer Pointiertheit nicht aufrechtzuhalten ist: „Er konnte nicht Geschichtsphilosoph sein, denn er hatte kein Zeitbewußtsein, weil das Ewigkeitsbewußtsein in ihm wie in keinem andern lebendig war."

[2] Vgl. 38, Anm. 54.

[3] McGinn, St. Bernard; Steiger, Der heilige Bernhard; Radcke, Die eschatologischen Anschauungen.

[4] Vgl. 314, Anm. 17.

Aspekten wird daher im folgenden Rechnung zu tragen und Bedeutung beizumessen sein. Denn McGinns Unterscheidung zwischen einem allgemeinen, dem mittelalterlichen Menschen selbstverständlichen Endzeitbewußtsein, dessen Aussagekraft gegenüber einer expliziten, das Kommen des Antichristen unmittelbar in Aussicht stellenden Eschatologie vernachlässigbar ist,[5] erscheint in ihrer Anwendung auf Bernhard nur wenig hilfreich. Zahlreiche Belegstellen, welche die Gegenwart sowie die in der Gegenwart notwendigen Werke in ihrer Zurichtung auf das Ende bestimmen, entfallen. Ebenso entfallen Hinweise auf das nahe Ende, die auch in diesem Kontext erfolgen können. Ohne Zweifel bedient sich Bernhard in jenen Belegstellen, die das Ende nicht in Gestalt des Antichristen konkretisieren, tradierter Muster und allgemeiner Formulierungen, die meist biblischen Ursprungs sind,[6] ja oftmals die Nähe der letzten Dinge in Form des Bibelzitats vor Augen rücken. Keineswegs jedoch kann hieraus auf die mindere Relevanz, sondern allein auf die besondere Bedeutsamkeit dieser Aussagen geschlossen werden, in denen Bernhard auf jene charakteristische Weise seine Worte mit denen der Heiligen Schrift durchwebt, die das Gotteswort in der direkten Anrede des Menschen vergegenwärtigt und es zugleich beglaubigend auf das Wort Bernhards zurückverweisen läßt.

9.1.1. Utinam et nunc sit!

Gemäß dem von Bernhard am häufigsten verwendeten zeitlichen Ordnungsschema,[7] der dreigeteilten Heilsgeschichte, erfolgt in Christus jene grundlegende Erneuerung, die in der auf Christus folgenden, die Gegenwart Bernhards umfassenden Zeit[8] auf ihre jenseitige Erfüllung zustrebt. Zu mehreren Gelegenheiten verdeutlicht Bernhard dies anhand Hl 2,11–12: *IAM HIEMS TRANSIIT, IMBER ABIIT ET RECESSIT, FLORES APPARUERUNT IN TERRA NOSTRA*. In seiner Schrift über die Gottesliebe hebt Bernhard Frucht und Blüte als die kennzeichnenden Merkmale des Heilswerks Christi hervor. Denn in Christus, der die Vergangenheit erfüllt und die Zukunft erschließt, verschränken sich

[5] McGinn, 164.

[6] Bultmann, Geschichte und Eschatologie; Kümmel, Verheißung und Erfüllung; Scheckle, Neutestamentliche Eschatologie. Vgl. auch unter den Stichwörtern ‚Eschatologie‘ und ‚Heilsgeschichte‘: Lexikon der katholischen Dogmatik (J. Finkenzeller), 137ff; HThG I (A. Winklhofer) 327ff u. (P. Bläser; A. Darlapp), 662ff; LThK III (R. Schnakkenburg), 1088ff u. V (R. Schnackenburg), 148ff; RGG II (H. Conzelmann; H.Kraft), 665ff.

[7] Vgl. Steiger, 96ff.

[8] Vgl. 39, Anm. 57.

Ende und Neubeginn. Gleich roten Äpfeln[9] sind die Wundmale der Passion *(fructus agnosce anni quasi praeteriti, omnium utique retro temporum)*. Die Ehrenmale der Auferstehung hingegen versinnbildlichen die Blüten der neuen Zeit *(in novam sub gratia revirescentis aestatem)*. Die Braut verleiht ihrer Freude über dieses Geschehen in den Worten des Hohenliedes Ausdruck (Hl 2,11–12). Denn in der Heilstat Christi hat sich der Wandel zum Guten bereits vollzogen *(HIEMS TRANSIIT)*. Der Frost des Todes ist in der milden Frühlingsluft des Neubeginns *(in vernalem quamdam novae vitae temperiem)* überwunden. Der Sommer naht, *quorum fructum generalis futura resurrectio in fine parturiet sine fine mansurum.*[10]

Ebenso legt Bernhard in der 58. Hoheliedpredigt Vers 2,11–12 auf den in Christus beginnenden Abschnitt der Heilsgeschichte aus. Den Ausgangspunkt seiner Reflexionen bildet die Frage nach dem Zeitpunkt für das heilsgeschichtlich notwendige Handeln, das der Bräutigam anhand des Bildes vom zu beschneidenden Weinberg beschreibt. Auch Paulus – so Bernhard – spricht von jener Zeit des Handelns, wenn er ausruft: *ECCE NUNC TEMPUS ACCEPTABILE, ECCE NUNC DIES SALUTIS,* denn nun ist die Zeit des Beschneidens und Ausrodens gekommen,[11] damit die Pflanzungen zum Guten der Ernte entgegenreifen. Im anschließenden Predigtabschnitt gelangt Bernhard zu einer von den im vorangegangenen zitierten Ausführungen abweichenden Bestimmung des Winters. Dieser umfaßt nunmehr die Spanne von der Zeit, als sich Christus vor den Juden, die ihn töten wollten, verborgen hielt, bis Pfingsten.[12] Denn Frost befiel die Herzen der Gläubigen und der Regen des Unglaubens bedeckte die Erde.[13] Zu Beginn der anschließenden Zeit legten sich die Unwetter, Friede kehrte auf die Erde zurück; – *creverunt vineae, et propagatae, et dilatatae sunt, et multiplicatae sunt super numerum,* so daß der Zeitpunkt des Beschneidens gekommen war.[14]

Der zweite Abschnitt der Heilsgeschichte umfaßt die Zeit von der Ankunft[15] bis zur Wiederkunft Christi und somit auch die Gegenwart Bernhards. Die verschiedenen heilsgeschichtlich notwendigen Aufgaben, die diese Epoche kennzeichnen, werden im weiteren noch zu konkretisieren sein. Festzuhalten bleibt an dieser Stelle die Hinordnung des in Christus beginnenden Jetzt auf seine jenseitige Erfüllung. Die in

[9] Dilig. III,7, III. 124f.
[10] Ebd. III,8, III. 126.
[11] CC 58,4, II. 125; 2 Kor 6,2–3.
[12] Ebd. 58,5, II. 129f.
[13] Ebd. 58,5–8, II. 130ff.
[14] Ebd. 58,9, II. 133.
[15] Verschiedene Konkretisierungen sind möglich, vgl. 39, Anm. 58.

obigen Belegstellen verwandten Motive sind im wesentlichen aus Kapitel 2 bekannt. Am Bild von Christus als der dem Zenit zustrebenden Sonne sowie an der Beschreibung der Geschichte als Pflanzung zum Heil wurde Bernhards optimistische Auffassung von Heilsgeschichte, ein seiner Darstellung des geschichtlichen Verlaufs als Wachstumsprozeß innewohnendes Fortschrittsbewußtsein deutlich.[16] Beide Elemente sind nicht minder prägend für Bernhards Sicht der letzten Dinge. Unverkennbar treten die Schrecken des Antichristen vor der Hoffnung in den Hintergrund, daß sich das Zustreben der Geschichte in jenseitigem Heil erfüllen wird. Nicht Furcht vor dem drohende Weltende, sondern sehnsuchtsvolle Erwartung und Hoffnung auf das Nahen der himmlischen Heimat kennzeichnet die Haltung, die Bernhard und seine Mitbrüder gegenüber den letzten Dingen einnehmen:[17]

At vero captivitas nostra, fratres, quando finietur, quae tot annis, ab initio utique mundi, protenditur? Quando liberabimur a servitute ista? Quando restaurabitur Ierusalem, civitas sancta?[18]

Nur schmerzlich ist die sich allzulang erstreckende Zwischenzeit, die Verzögerung der Ankunft Christi[19] zu ertragen, so daß Bernhard zu unverrückbarem Verharren in der Hoffnung mahnt:

„Sed dum ille moratur", inquies, „sine aliqua consolatione esse non possum". Immo vero, SI MORAM FECERIT, EXSPECTA EAM, QUIA VENIET, ET NON TARDABIT.[20]

Gleich dem traurigen Ruf der Turteltaube (Hl 2,12) ertönt das Seufzen der Frommen, die das Kommen des Bräutigams herbeisehnen und unter Tränen *regni dilationem* beklagen.[21] Auch die Kirche in ihrer Gesamtheit zeigt sich traurig über das Scheiden Christi und besorgt um seine Rückkehr *(sollicita exstitisse de reditu)*. Denn untröstlich war die junge Braut, als sie den Geliebten ziehen lassen mußte, jedoch nicht ohne ihn zu einer schnellen Rückkehr zu mahnen *(saltem promissum denuo maturaret adventum)*.[22]

[16] Vgl. 38ff.

[17] Diesen Sachverhalt verkennt Radcke, der in seiner Dissertation das Endzeitbewußtsein Bernhards über dessen apokalyptische Anschauungen zu entwickeln sucht. Entsprechend glaubt Radcke bei Bernhard eine „gewaltige Angst" zu erkennen, die in seinen „apokalyptischen Befürchtungen" (Die eschatologischen Anschauungen, 19) gründe. Ein ebenso düsteres Bild vermittelt Radcke, wenn er von „Bernhards Angst vor dem baldigen Eintritt des jüngsten Gerichts" (14) spricht.

[18] Sept. 1,4, IV. 348.

[19] Vgl. 321, Anm. 61.

[20] Asc. 6,14, V. 158; Hab 2,3.

[21] CC 59,4, II. 137.

[22] Ebd. 73,3, II. 235.

Die sehnsüchtige Erwartung der Rückkehr Christi verleiht der Gegenwart ihre Zurichtung auf das Ende. Dies gilt für den einzelnen, aber auch für die Kirche[23] als die Gemeinschaft derer, die zur Himmelsbürgerschaft erwählt sind. Untrennbar ist die Verbindung zwischen den einzelnen und der Gemeinschaft, deren Teil sie sind, so daß beide durch die zur himmlischen Hochzeit bestimmte Braut[24] bezeichnet werden können. Auch in den folgenden Belegstellen kommen Motive des Wachstums und Fortschritts zum Tragen, die hier über die doppelte Bedeutungsdimension der Braut Eingang in Bernhards Darlegungen finden, so daß das auf die Einzelseele bezogene Motiv des Voranschreitens in den Tugenden seine Entsprechung in der fortschreitenden Zurichtung der Gemeinschaft auf jenseitige Erfüllung findet. Wiederum ist die Beziehung zwischen Braut und Bräutigam durch das Element der Ähnlichkeit[25] bestimmt, so daß sich am Beginn der Kirchengeschichte die arme Braut in den armen Bräutigam verliebte *(adamatus est ab inope pauper, factus dilectus propter similitudinem)*.[26] Im gleichen Maß ist das Moment der Ähnlichkeit zwischen Kirche und Christus für die Erfüllung am Ende der irdischen Geschichte kennzeichnend, in der dem himmlischen, in herrschaftlicher Pracht erscheinenden Bräutigam die Braut in makelloser Schönheit zugeführt wird, der Bernhard unter Verwendung von Eph 5,27 Ausdruck verleiht:

[23] Das Verständnis von Bernhards Ausführungen zur Kirche wird beträchtlich durch seine ungenaue Terminologie erschwert. Oftmals unterscheidet Bernhard nicht präzise zwischen *‚ecclesia‘* und *‚ecclesia electorum‘* (vgl. 13, Anm. 23) und trägt somit wohl dem diesseitigen Zustand der Ungeschiedenheit beider Kirchen Rechnung. Im Kontext jenseitiger Erfüllung jedoch kann nur die Kirche der Erwählten gemeint sein, auch wenn Bernhard in allgemeiner Form von *‚ecclesia‘* spricht.

[24] *... non virum et feminam, sed Verbum et animam sentiatis oportet. Et si Christum et Ecclesiam dixero, idem est, nisi quod Ecclesiae nomine non una anima, sed multarum unitas vel potius unanimitas designatur* (CC 61,2, II. 149). Siehe auch den Predigtabschnitt post oct. epi. 2,2, IV. 320: *Sponsa vero nos ipsi sumus, si non vobis videtur incredibile, et omnes simul una sponsa, et animae singulorum quasi singulae sponsae ...*
Die Bedeutungsdimensionen sind getrennt, nicht austauschbar und dennoch über das Element gegenseitiger Verbundenheit, das den einzelnen als Teil der Gemeinschaft, die Gemeinschaft jedoch als aus einzelnen bestehend begreift, aufeinander verwiesen. Vgl. Hödl, Bild, 668: „Bis ins 12. Jahrhundert sang die Kirche das Hohe Lied und verstand es typologisch von der Gemeinschaft der Erlösten, vom Erlösten in der Gemeinschaft. Im Typologischen fallen das Einzelne und Einzigartige und das Gemeinsame und Allgemeine zusammen.“ Zu Bernhards Auslegung der Braut auf die Kirche, vgl. Moritz, The church. Zur mittelalterlichen Tradition der Auslegung der Braut des Hohenliedes auf die Kirche, vgl. Ohly, Hohelied-Studien; Riedlinger, Die Makellosigkeit.

[25] Vgl. 45ff.

[26] CC 70,4, II. 209.

... Christus vero quam adamavit ignobilem adhuc et foedam, gloriosam sibi exhibebit Ecclesiam, non habentem maculam neque rugam ...[27]

In der Zwischenzeit hält die Kirche durch wohlgeordnete innere Verhältnisse, die sie freudig den Blicken Christi darbietet,[28] sowie durch die sich jeglicher selbstsüchtigen Verstrickung in Weltliches entschlagende Ausrichtung am Nutzen Jesu Christi,[29] mit dem Bräutigam Gemeinschaft:

Nec enim se sponsi contubernio aut quietis eius putat arcendam consortio, quae semper non quae sua, sed quae illius sunt, quaerere consuevit.[30]

Der Ähnlichkeit zum Bräutigam (hier zum Felsen nach Hl 2,14) gilt daher nicht nur das Ringen des einzelnen, sondern auch das Bestreben der Kirche, die ihr von den Zügen der Liebe und Milde gezeichnetes Antlitz zum milden und liebevollen Herrn zu erheben wagt:

Hanc cum omni fiducia levat ad Petram, cui similis est. (...) Quo pacto humilis ab humili confundetur, a pio sancta, a mansuetudo modesta? Non plane abhorrebit a puritate Petrae pura facies sponsae, non magis quam a virtute virtus, a lumine lumen.[31]

Solange die Kirche jedoch noch nicht in himmlischer Schönheit erstrahlt, ist ein Werk der Reinigung, d. h. der Reform notwendig, das der Braut bereits auf Erden jene heilsverheißende Gestalt verleiht, die sich im Jenseits vollenden wird:

Nunc abluitur sponsa, nunc purificatur, ut in caelestibus illis nuptiis sponso suo sine omni macula praesentetur.[32]

Denn ebenso wie die heilsuchende Einzelseele sich mit Tugenden schmückt und mit einem aus Lehre und Lebensführung der Apostel gewirkten Gewand umgibt, sucht auch die Kirche sich in die Pracht der Gnaden und Tugenden zu kleiden, um sich auf diese Weise für die himmlische Hochzeit zu bereiten:

[27] Post oct. epi. 2,2, IV. 321. Vgl. auch qui hab. 17,6, IV. 491: *Nimirum extunc videre merebitur quod optavit, cum sibi Rex gloriae gloriosam exhibet Ecclesiam, non habentem maculam ob splendorem diei, sed neque rugam ob omnimodam plenitudinem sui.*

[28] *Notandum vero pulchre omnem Ecclesiae statum brevi uno versiculo comprehensum, auctoritatem scilicet praelatorum, cleri decus, populi disciplinam, monachorum quietem. In horum prorsus, cum recte sunt omnia, sancta mater Ecclesia consideratione laetatur; et tunc ea quoque offert intuenda dilecto ...* (CC 46,4, II. 57).

[29] Vgl. (325f) im Gegensatz hierzu den Eigennutz des verdorbenen Klerus im die Gegenwart Bernhards bildenden dritten Abschnitt der Verfolgungsgeschichte der Kirche durch den Widersacher.

[30] CC 46,4, II. 58.

[31] Ebd. 62,5, II. 158f.

[32] Post oct. epi. 2,6, IV. 324.

Et ideo Ecclesia, promissionem habens futurae felicitatis, curat interim praeparare se et praeornare in vestitu deaurato, circumamicta varietate gratiarum atque virtutum, quo digna et capax plenitudinis gratiae inveniatur.[33]

In der eingangs zitierten 58. Hoheliedpredigt auf Vers 2,11–12 beschreibt Bernhard die Notwendigkeit zur Beschneidung des Schädlichen *[quod (. . .) impedire fructum salutis possit]* und zur Pflanzung der Tugend in den Weinbergen des Herrn,[34] d. h. ein umfassendes Werk zum Guten, das die Gemeinschaft der Kirche und die Seelen der einzelnen in der Gegenwart auf das verheißene Ende zurichtet und vorbereitet. Wiederum ergänzen sich die Bedeutungsebenen im Zusammenklang, so daß die Weinberge die Seelen der einzelnen, aber auch die Kirchen bedeuten können,[35] auf deren Besserung und Heil es nun hinzuwirken gilt:

Porro invitatio ipsa quid est, nisi intima quaedam stimulatio caritatis, pie nos sollicitantis aemulari fraternam salutem, aemulari decorem domus Domini, incrementa lucrorum eius, incrementa frugum iustitiae eius, laudem et gloriam nominis eius?[36]

Die Läuterung der einzelnen, die Reform der Kirche sowie das Anwachsen des Seelengewinns für Christus beschreiben ein Werk, das auf allen Ebenen das Heil zu mehren sucht. In vorbildhafter Weise findet sich ein solches Werk durch den hl. Malachias verwirklicht, der in der apostolischen Tradition *[(f)orma apostolica]* und insbesondere in der Nachfolge Pauli selbstlos *(omnium se servum fecit)* dem Nutzen aller und nicht dem Nutzen für den eigenen Magen dient: *Malachias, imitans Paulum, manducat, ut evangelizet.*[37] Wiederum finden die Motive der Rodung und Pflanzung hier auf das Werk am Volk der Iren Anwendung, dessen unchristliche Sitten Bernhard mit barbarischer Roheit und Verwilderung identifiziert,[38] so daß der in den Metaphern agrarischer Kultivierung beschriebenen Reform zugleich eine befriedende und zivilisierende Funktion zukommt.[39]

Et ecce linguae sarculo coepit evellere, destruere, dissipare, de die in diem factitans prava in directa et aspera in vias planas. (. . .) Diceres ignem urentem in consumendo criminum vepres. Diceres securim vel asciam in deiciendo plantationes malas, exstirpare barbaricos ritus, plantare ecclesiasticos.[40]

[33] CC 27,3, I. 184.
[34] Ebd. 58,4, II. 129.
[35] *Et vineas quidem animas esse, vel ecclesias . . .* (ebd. 58,3, II. 128).
[36] Ebd. 58,3, II. 128.
[37] VSM XIX,44, III. 349.
[38] Ebd. VIII,16, III. 325.
[39] Die Verbindung zwischen Aggressivität und Unglauben ist auch in Bernhards Heidenbild nachzuweisen. Vgl. 389f.
[40] Ebd. III,6, III. 315.

Allem Falschen *(quidquid incompositum, quidquid indecorum, quidquid distortum)*[41] gilt die tätige Sorge des Malachias, der das Christentum über das Land verbreitet, indem er es in die Herzen der Menschen vertieft *(Malachias in dilatanda caritate gloriatur)*.[42] In umfassender Hinsicht wirkt Malachias ein Werk der Verwirklichung des Guten *(sic mutata in melius omnia)* und Mehrung des Heils, so daß sich, nachdem die christliche Ordnung an die Stelle barbarischer Ungezähmtheit getreten ist, die Herzenshärte und Wildheit des Volkes legt *[(c)essit duritia, quievit barbaries]* und von ihm nunmehr in den Worten des Propheten gesprochen werden kann: *QUI ANTE NON POPULUS MEUS, NUNC POPULUS MEUS*.[43]

Der Zurichtung und Vorbereitung sowohl des einzelnen als auch der Gemeinschaft auf ein Ende, in dem sich der Verlauf irdischer Zeiten in der Ankunft des Herrn erfüllt, gilt das Ringen in der Gegenwart. Über den Zeitpunkt der verheißenen Ankunft jedoch ist dem Menschen keine Gewißheit gegeben: *Profecto scire QUIA VENIET DOMINUS, etsi quando veniet, scire non possumus*.[44] In diesem Sinne wird der oftmals zum Beleg für das wenig ausgeprägte Endzeitbewußtsein Bernhards herangezogene Brief 56[45] zu verstehen sein. Bernhard berichtet hier von der tiefen Überzeugtheit *(certissime se scire protestatus est)* Norberts von Xanten,[46] daß die Verfolgungen des Antichristen noch zu Lebzeiten der jetzigen Generation hereinbrechen würden. Den von ihm erfragten Gründen für die Gewißheit Norberts *(certitudinem)*, so Bernhard weiter, habe er jedoch nicht zu folgen vermocht *(non me illud pro certo credere debere putavi)*.[47]

Trotz dieser dem Menschen versagten Gewißheit lassen sich im Werk Bernhards Aussagen über die Zeitspanne bis zur Ankunft Christi finden, die die Gegenwart in die Nähe zum Ende rücken. Belegstellen, in denen Bernhard im Kontext des Antichristen sowie der Anklage innerkirchlicher Mißstände das nahe Ende im pessimistischen Szenario der Schrecken des Widersachers vor Augen führt, werden im weiteren nachzureichen sein.[48] Wesentlich an den folgenden Zeugnissen ist die von Optimismus und Hoffnung gekennzeichnete Grundhaltung, die auch angesichts der letzten Dinge beibehalten wird. Dies trifft selbst für die folgende Belegstelle zu, in der Bernhard zwar den Antichristen

[41] Ebd. III,7, III. 315.
[42] Ebd. XIX,44, III. 349.
[43] Ebd. VIII,17, III. 326; Os 2,24.
[44] Vig nat. 3,3, IV. 213. Vgl. auch: grad. hum. IV,10, III. 24
[45] Vgl. McGinn, St. Bernard, 169f; Steiger, Der heilige Bernhard, 100ff.
[46] Vgl. Vacandard, Leben II, 261ff.
[47] Ep. 56, VII. 148; um Ende Nov. 1124.
[48] Vgl. 324ff.

erwähnt, dessen Wirkkraft in der Gegenwart jedoch nicht auf innerkirchliche Mißstände auslegt. Entsprechend entfallen die Schrecken des Antichristen in einem Predigtabschnitt, der auf die Ermutigung der Zuhörer und Leser angelegt ist und somit die Freude über den nahen Sieg Christi in das Zentrum der Betrachtung stellt:

Numquid non Dominus dies est? Dies plane illustrans et spirans: spiritu oris sui fugat umbras, et destruit larvas illustratione adventus sui.

Denn Christus ist der herannahende Tag, der – nach Röm 13,12: *NOVISSIMA HORA EST: NOX PRAECESSIT, DIES AUTEM APPROPINQUAVIT* – die Macht des ihm vorangehenden Antichristen brechen wird. Dies aber wird – wie Bernhard betont – bald geschehen: *Quod utique oportet fieri cito.*[49] Ebenso geht Bernhard vom raschen Kommen des Gottesreiches aus, wenn er in der Predigt auf den neunzigsten Psalm die Ankunft Christi wiederum als nahenden lichten Tag bestimmt, dem – wie Bernhard in allgemeiner, den Antichristen nicht erwähnender Form betont – die Schatten des Bösen weichen werden: *Siquidem protinus adspirabit dies et inclinabuntur umbrae, cadent hinc inde principes tenebrarum.*[50]

Auch die beiden eingangs zitierten Auslegungen von Hoheliedvers 2,11–12 enthalten Aussagen über die sich bis zum Ende erstreckende Zeitspanne, die die Ankunft Christi in baldige Aussicht stellen und somit die Nähe des Jetzt zum kommenden Gottesreich bestimmen. Denn der Wandel zum Guten ist in Christus bereits vollzogen, *cuius mox odorem in campo convallis nostrae revirescunt arida, recalescunt frigida, mortua reviviscunt.*[51] Im selben Sinne siedelt Bernhard in der 58. Hoheliedpredigt den Zeitpunkt des heilsgeschichtlich notwendigen Beschneidungswerks kurz vor der Reife *(operandi commoditatem, frugum vicinitatem ac fructuum)* an.[52] Bernhard unterstreicht diese Aussagen im weiteren Verlauf der Predigt mit den Worten Christi (Jo 4,35), die die Erntezeit als unmittelbar bevorstehend ankündigen:

NONNE VOS DICITIS, inquit, QUIA QUATUOR MENSES SUNT, ET MESSIS VENIT? ECCE DICO VOBIS: LEVATE OCULOS VESTROS ET VIDETE REGIONES, QUIA ALBAE SUNT IAM AD MESSEM.[53]

Bernhards ‚Bald' gehört eher dem Bereich der Seelsorge als dem einer ausgearbeiteten eschatologischen Reflexion an. Seine Darstellung der letzten Dinge unterliegt daher einer mit dem Gegenstand und der Ab-

[49] CC 72,5, II. 228f.
[50] Qui hab. 7,9, IV. 418.
[51] Dilig. III,8, III. 126.
[52] CC 58,2, II. 128.
[53] Ebd. 58,4, II. S.129.

sicht der Predigt wechselnden Gestalt,[54] immer jedoch zielt sie auf den Menschen ab und stellt dessen Leben unter die drängende Notwendigkeit der Zurichtung auf das nahe Ende. Sowohl in ermutigender als auch in mahnender Funktion vermag Bernhards ‚Bald' zu erfolgen, das dem Frommen die Erfüllung aller christlichen Sehnsucht, dem Sünder jedoch die Notwendigkeit zur Umkehr vor Augen stellt. Neben der Bestimmung der Gegenwart als Endzeit enthält Bernhards ‚Bald' eine auf das Individuum bezogene Dimension, die mit Nachdruck auf sofortige Entscheidung dringt. Nur kurz noch ist die Dauer der Welt; kurz nur sind die Tage des Menschen. Nicht immer lassen sich beide Bedeutungsdimensionen unterscheiden, die – wie bisweilen der Eindruck entsteht – auch gar nicht voneinander geschieden werden sollen, so daß im doppelten ‚Bald' die Gefahr auf das eindringlichste verdeutlicht und die notwendige Entscheidung eingefordert wird. In diesem Sinne führt Bernhard Thomas,[55] der zur Einlösung seines Versprechens in Clairvaux einzutreten bewegt werden soll, die Vergänglichkeit all jener irdischen Güter vor Augen, die ihn noch zurückhalten:

... de mundo sunt haec, et mundus quod suum est diligit. Sed quousque? Non solum enim non semper, utpote qui non semper erit, verum nec diu quidem. Diu siquidem ista in te mundus habere non poterit, et te quippe ipsum in brevi non habiturus, nam BREVES DIES HOMINIS SUNT.[56]

In beiden Fällen jedoch ist die Gegenwart als Zeit der Entscheidung von höchster Bedeutsamkeit. *ECCE NUNC TEMPUS ACCEPTABILIE, ECCE NUNC DIES SALUTIS;* wobei 2 Kor 6,2 im Predigtabschnitt de div. 17.3, davor warnt, die Lebenszeit mit eitlen Beschäftigungen zu vertun,[57] während das Pauluswort an anderer Stelle in eindeutig heilsgeschichtlichem Kontext die Notwendigkeit zum Handeln anmahnte:[58] In Predigtabschnitt CC 75,4, verschränken sich wiederum die Bedeutungsebenen:

Ceterum nunc tempus acceptabile, nunc dies salutis sunt: tempus plane et quaerendi, et invocandi, quando plerumque, et antequam invocetur, adesse sentitur.

Im Erlösungswerk Christi gründet die Heilsfülle der gegenwärtigen Zeit *(benignitas haec et facultas temporis quod nunc est)*. Um diese zu nutzen, ist dem Menschen die Zeit seines Lebens gesetzt *(tempus ... quod constituit tibi Deus),* so daß sich Gunst und Gelegenheit des gegenwärti-

[54] Vgl. 334f.
[55] Vgl. Vacandard, Leben I. 205.
[56] Ep. 107,2, VII. 268; vor 1131; Iob 14,5.
[57] Div. 17,3, VI.I. 152.
[58] Vgl. 313, Anm. 11.

gen Abschnitts der Heilsgeschichte in der Gegenwart des einzelnen aktualisiert und verwirklicht.
Die vorgestellten Zeugnisse machen deutlich, daß die verkürzte Quellenbasis sowohl von McGinn als auch von Steiger zu einer um wesentliche Elemente verkürzten Darstellung von Bernhards Geschichtsauffassung führt. Das im folgenden Kapitelabschnitt zu bearbeitende Verständnis zeitlichen Verlaufs als eine Abfolge sich verschärfender Angriffe des Widersachers ist durch eine optimistische Auffassung von Heilsgeschichte zu ergänzen, die dem in der Gegenwart gebotenen Werk der individuellen Besserung und umfassenden Mehrung des Guten seine Zurichtung auf jenseitige Erfüllung verleiht. In beiden Darstellungen geschichtlichen Verlaufs finden sich Aussagen, welche die Gegenwart in der Nähe zu den letzten Dingen ansiedeln. Aufgrund der verbreiterten Quellenbasis wird somit dem Endzeitbewußtsein Bernhards eine weitreichendere Bedeutung als in obigen Untersuchungen beizumessen sein, die ihre Ergebnisse ausschließlich über Stellungnahmen Bernhards zur Nähe des Antichristen herleiten.[59] Dieses Endzeitbewußtsein findet unverkennbar über seinen biblischen Ursprung Eingang in Bernhards Werk und Denken. Für Bernhard, dem jede Silbe der Bibel als Träger kostbarer Bedeutung gilt,[60] der die Bibel nicht aus historischem Abstand zitiert, sondern als unmittelbare Anrede Gottes in die Gegenwart des Menschen stellt, besitzt auch das biblische ‚Bald'[61] den Rang gegenwärtiger Verbindlichkeit. Der heilsgeschichtliche Ort der Gegenwart erfährt folglich eine Bestimmung, die ihn in die Nähe zu frühchristlicher Zeit rückt, während die sich zwischen Frühzeit und Gegenwart erstreckende Zeitspanne für den Verlauf der Heilsgeschichte von minderer Relevanz erscheint. Grundsätzlich ist

[59] Die Untersuchungen Steigers und McGinns führen auf unterschiedlichen Wegen zu vergleichbaren Ergebnissen. Steiger, der Bernhards Titulierung des Gegenpapstes als Antichrist wörtlich nimmt, sieht eine gewisse Zunahme endzeitlichen Denkens anläßlich des Schismas sowie in der Spätzeit Bernhards (102). McGinn, der in der Beurteilung von Bernhards Angriffen auf den Gegenpapst zurückhaltender ist, gelangt über die Datierung zentraler Belegstellen zum Antichrist (CC 33,7, Ende 1138; qui hab. 6,7, Beginn 1139; vgl. 184) sowie über die Möglichkeit einer eschatologische Dimension an Bernhards Kreuzzugsengagement (181ff) in Verbindung mit den Äußerungen Bernhards im Prolog zur Malachiasvita (vgl. 326f) zu einer ähnlichen zeitlichen Zuordnung.

[60] Vgl. 66, Anm. 190

[61] Bultmann, Geschichte und Eschatologie, 44ff; Cullmann, Parusieverzögerung; ders., Das ausgebliebene Reich Gottes; Grässer, Das Problem der Parusieverzögerung; Gräßler, Die Naherwartung, 11ff; Kümmel, Verheißung und Erfüllung 13ff; Lohfink, Zur Möglichkeit christlicher Naherwartung; Schelkle, Neutestamentliche Eschatologie, 729ff; vgl auch: Lexikon der kathol. Dogmatik (Naherwartung: J. Finkenzeller), 386ff; LThK VII (Naherwartung: R. Schnackenburg), 777ff u. VIII (Parusie: E. Pax, K. Rahner), 120ff; RGG V, 130–132 (Parusie).

darauf hinzuweisen, daß Bernhard in allen heilsgeschichtlichen Periodisierungsmustern die der Gegenwart vorangehende Epoche in christlicher Frühzeit abbrechen läßt und somit seine Gegenwart in deren unmittelbare Traditionsfolge stellt.[62] Insbesondere bezüglich der notwendigen Heilswerke ist dieser Sachverhalt bedeutsam, so daß Bernhard den heilsgeschichtlichen Ort des Pontifikats Eugens sowie die sich hieraus ergebenden Aufgabenbereiche in der direkten Nachfolge der Apostel bzw. Väter bestimmt.[63] Dem für den modernen Betrachter augenfälligen Problem des sich zwischen christlicher Frühzeit und Gegenwart Bernhards erstreckenden Zeitraumes wendet sich Bernhard nur am Rand zu. So findet sich in der Predigt auf den Vorabend des Festes des hl. Andreas ein kurzer Hinweis, in dem Bernhard tröstend die Relativität der verstrichenen Zeitspanne angesichts der zu erwartenden Ewigkeit vor Augen führt.[64] Besonders kennzeichnend für die Haltung Bernhards erscheint eine weitere Bemerkung aus seiner Papst Eugen gewidmeten Schrift ‚*De consideratione*'. Bernhard setzt hier im Werk der Heidenmission eine Unterbrechung des *cursus salutaris* in frühchristlicher Zeit an, um sodann die Wiederaufnahme der notwendigen Heilswerke im Pontifikat Eugens anzumahnen. Bernhard konstatiert diese Unterbrechung, für die er jedoch – wie er im weiteren bezeichnenderweise hinzufügt – keine Erklärung zu geben vermag.[65] Gerade am Problem des sich zwischen christlicher Frühzeit und Gegenwart erstrekkenden geschichtlichen Ablaufs wird deutlich, wie wenig Bernhards Sicht die eines Historikers ist. An der Sammlung von weitgehend innerweltlichen Ereignissen und deren Zuordnung in ein Muster heilsgeschichtlicher Sinngebung[66] ist Bernhard offenkundig nicht interessiert.

[62] Im Rahmen der dreigeteilten Heilsgeschichte beginnt die Gegenwart mit Christus. Das in die Gegenwart hineinreichende Heilswerk der Weinbergbeschneidung läßt Bernhard an Pfingsten beginnen (vgl. 313). In der viergeteilten Geschichte der Kirche folgt die Gegenwart auf die Zeit der Väter (324ff).

[63] Vgl. 337ff.

[64] *Est autem universum praesentis paenitentiae tempus vigilia quaedam sollemnitatis magnae et aeterni sabbatismi quem praestolamur. Nec causaberis vigiliam longiorem, si aeternitatem festivitatis attendas. Licet enim habere praeparationem soleant sollemnia diurna diurnam, illa, cum aeterna sit, non exigit tamen aeternam* (vig. s. And. 1,2, V. 424).

[65] Vgl. 344f.

[66] Auch für Bernhard hat letztlich die Heilsgeschichte in Christus ihren Abschluß gefunden. In der Tradition Augustins bestimmt sich die Stellung des Menschen zum Heil nicht aus dem linearen Verlauf heilsgeschichtlicher Zeit, sondern in der individuellen Bewährung: „... die Lebensfrage jedes einzelnen ist sozusagen vertikal zwischen Himmel und Hölle, nicht horizontal zwischen Vergangenheit und Zukunft gestellt." (Grundmann, Studien, 85; vgl. auch Löwith, Weltgeschichte, 170 u. Wendeborn, Gott und Geschichte, 196ff). Die konsequente Ausgestaltung der bei Bernhard anklingenden Fortschrittsmotive bedarf der erweiterten typologischen Methode eines Joachim von Fiore. Der Joachimkenner Herbert Grundmann (vgl. Studien, 126) widerspricht einer Entgegensetzung von Eschatologie und Mystik und stellt bezüglich der mysti-

Für ihn steht die Zwischenzeit vielmehr unter dem schmerzlichen Eindruck der verzögerten Parusie sowie – trägt man obiger Äußerung Rechnung – des Ausbleibens der die Parusie vorbereitenden Werke. Konsequent findet diese Haltung ihre Umsetzung in einer Bestimmung des Ortes der Gegenwart im Lauf der Geschichte, die sich nicht an chronologischer Abfolge, sondern an heilsgeschichtlicher Relevanz orientiert. In stetigem Rückbezug vergegenwärtigt Bernhard das biblische Geschehen, mahnt er die Vorbildlichkeit der Apostel für die Gegenwart an. Innere Verbundenheit läßt hier den Abstand der Jahrhunderte in den Hintergrund treten und hebt die Gegenwart in die Nähe zu frühchristlicher Zeit, in deren Traditionsfolge es nunmehr das begonnene Heilswerk zu vollenden gilt.
Das irdische Dasein des Menschen strebt seinem Ende, der Lauf der Geschichte seiner Erfüllung zu. Die Gegenwart steht somit unter dem Eindruck der doppelt dringlich gewordenen Entscheidung zur Umkehr.

Nimirum verba vitae aeternae habet, et venit hora – utinam et nunc sit! – quando mortui audient vocem eius, et qui audierint vivent: siquidem VITA IN VOLUNTATE EIUS. Et si vultis scire, voluntas eius conversio nostra. (. . .) Et occurrit interim verbum breve, sed plenum, quod os Domini locutum est, ut Propheta testatur: DIXISTI, ait, loquens sine dubio ad Dominum Deum suum: CONVERTIMINI, FILII HOMINUM.[67]

Der zitierte Beleg gibt wesentliche Aspekte von Bernhards Geschichtsauffassung wieder. Erneut bestimmt Bernhard die Gegenwart als Zeitspanne vor einem Ende, das nicht Gegenstand von Furcht und Schrekken, sondern von sehnsüchtiger Hoffnung ist. Zugleich benennt Bernhard die zentrale Forderung, die an die Menschen in der verbleibenden Zwischenzeit *(interim)* ergeht: *CONVERTIMINI, FILII HOMINUM.* Man wird in der Umsetzung dieser Forderung Zielpunkt und Kern von Bernhards vielfältigem Wirken erkennen dürfen. Auf allen Ebenen menschlicher Verstrickung in die Sünde erscheint *‚conversio'* als das gleichermaßen Gebotene. *‚Conversio'* stellt somit nicht nur Bernhards zentrales Anliegen, sondern zugleich auch das Bindeglied für ein sich vom Kloster bis in die Welt erstreckendes Heilshandeln dar. Die verschiedenen Inhalte, in denen Bernhards Forderung nach Umkehr den unterschiedlichen Ausformungen menschlicher Verkehrtheit Rech-

schen Reflexion über Abläufe und Entwicklungsprozesse im Menschen eine Verbindung zu Joachim her. Das Fortschrittsmotiv, das über die doppelte Bedeutungsdimension der Braut in Bernhards Sicht der Kirchengeschichte gelangt (vgl. 315ff), bestätigt die Meinung Grundmanns. Vor diesem Hintergrund erschiene eine Untersuchung über den Einfluß lohnend, den Bernhard, der von seinem Ordensbruder Joachim hochgeschätzt war, auf den kalabrischen Abt ausübte.

[67] Convers. I,1, IV. 69f; Ps 89,3.

nung trägt, werden aufzufächern und zu präzisieren sein. An dieser Stelle jedoch bleibt die zentrale Bedeutung des Begriffes *,conversio'* festzuhalten, der die individuelle Dimension einer umfassenden Verwirklichung des Guten beschreibt, die allein in der persönlichen Umkehr des jeweils einzelnen vollzogen werden kann.
Bernhards Werk in der auf das Ende hingeordneten Gegenwart gilt dem heilsgeschichtlich Notwendigen und besitzt somit eine eschatologische Dimension. Weltüberwindung kennzeichnete seine monastische Theologie. Es beginnt sich abzuzeichnen, daß das Moment der Weltüberwindung nicht minder bestimmend für sein Heilshandeln ist. Die verbleibende Zeit für das notwendige Werk umreißt Bernhards ‚Bald'. Dessen Präzisierung – so Bernhard – ist dem Menschen nicht gegeben, so daß es zumeist in tröstender und mahnender Funktion Eingang in Bernhards Werk findet. Zu wenig wendet sich Bernhard diesem Themenbereich zu, als daß sich eine Präzisierung aus der Zusammensicht und Bewertung der Quellen erschließen ließe. Hierin mag auch die Tatsache gründen, daß persönliche Erfahrungen und infolge inhaltliche Schwankungen[68] Eingang in Bernhards Erwartung und Bewertung der letzten Dinge zu finden vermögen. Grundsätzlich gewahrt jedoch bleibt der im ‚Bald' umrissene zeitliche Rahmen,[69] der die Gegenwart als Zeit der dringlich gewordenen Entscheidung bestimmt und den notwendigen Heilswerken ihre Zurichtung auf die letzten Dinge verleiht. Von hier aus wird letztlich das öffentliche Wirken Bernhards verstanden werden müssen. In Erfüllung des in der Gegenwart Notwendigen sucht er der verheißenen Zukunft den Weg zu bereiten, so daß sich das nur schmerzlich zu ertragende ‚Bald' in das ersehnte ‚Nun' *(utinam et nunc sit!)* zu wandeln vermag.

9.1.2. Antichrist

Bernhards positive Sicht der Heilsgeschichte, die den Verlauf der Zeiten optimistisch bewertet und dem Ende voll Hoffnung entgegensieht, ist durch eine weitere Sicht zu ergänzen, die zeitliches Geschehen nunmehr zum Objekt pessimistischer Schilderung und Klage macht. Beide Sichtweisen gelten der Endzeit und den letzten Dingen, betrachten ihren Gegenstand jedoch unter verschiedenen Gesichtspunkten. Wäh-

[68] Vgl. 346f.
[69] Divergieren auch die Aussagen von ep. 56 und der Einleitung zur Malachiasvita (326f) bezüglich des Zeitpunkts der Ankunft des Antichristen, so ist seine Nähe doch in beiden Zeugnissen selbstverständlich. Eine gewisse Sonderstellung nehmen Äußerungen Bernhards in der Schrift *,De consideratione'* ein, in der unter dem Eindruck der gescheiterten Kreuzfahrt das ersehnte Ende in weitere Ferne rückt, vgl. 339 u. 345, Anm. 179.

rend sich Optimismus und Freude um die Heilstat Christi gruppieren, stehen Bernhards Ausführungen zum Antichristen[70] in den weitaus meisten Fällen im Kontext der heftigen Klage über innerkirchliche Mißstände.[71] In eben diesem Zusammenhang erfolgt Bernhards Erwähnung des Antichristen im Rahmen der 33. Hoheliedpredigt. Bernhards Ausführungen nehmen in der Interpretation von Psalm 90,5–6 *(NON TIMEBIS A TIMORE NOCTURNO; A SAGITTA VOLANTE IN DIE, A NEGOTIO PERAMBULANTE IN TENEBRIS, AB INCURSU, ET DAEMONIO MERIDIANO)* ihren Ausgang, wobei Bernhard den vierfachen Angriff des Feindes zuerst in bezug auf die Versuchungen der Seele des einzelnen[72] und sodann in seiner auf die Geschichte der Kirche bezogenen Bedeutungsdimension auslegt.[73] Das nächtliche Grauen beschreibt hierbei die Zeit der Märtyrer, der am Tag fliegende Pfeil die Zeit der frühchristlichen Häresien.[74] Die Gegenwart ist durch den im Finstern schleichenden Handel, d. h. die Heuchelei *(hypocrisis)* der Hausgenossen gekennzeichnet, deren Angriffe auf die Kirche Bernhard mit äußerster Heftigkeit anprangert:

Serpit hodie putida tabes per omne corpus Ecclesiae, et quo latius, eo desperatius, eoque periculosius quo interius.

[70] Ernst, Die eschatologischen Gegenspieler; Schmaus, Von den letzten Dingen, 184ff; Preuß, Der Antichrist; vgl. auch: Lexikon der katholischen Dogmatik (J. Finkenzeller), 18f; LThK I (R. Schnackenburg; K. Rahner; H. Tüchle), 634ff; RGG I (R. Schütz; W. Maurer; E. Schlink), 431ff. Zur mittelalterlichen Vorstellung vom Antichristen: Beinert, Die Kirche, 343ff; Bernheim, Mittelalterliche Zeitanschauungen, 70ff; Bousset, Der Antichrist; Erdmann, Endkaiserglaube; Günther, Der Antichrist; Kamlah, Apokalypse; McGinn, Visions; Spörl, Das Alte, 515ff.

[71] Keine Aufnahme in diesen Kapitelabschnitt findet Bernhards Titulierung des Gegenpapstes Anaklet als Antichrist (ep. 124, 125, 126, VII. 307ff). Hier erscheint Mcginns Hinweis auf die mittelalterliche Tradition berechtigt, den Gegenpapst mit dem Antichristen zu identifizieren. Folglich warnt McGinn vor einer Überbewertung dieser Belegstellen (168). Hinzu tritt, daß Bernhard auch an anderer Stelle Gegner als Antichrist [Gerard von Angoulême (234f)] oder als in Verbindung zum Antichristen stehend [Abälard, (ep. 336, VIII. 275)] angreift. Teufelsmotive finden gegen den Erzbischof von York und den Bischof von Winchester (236f) sowie gegen Arnold von Brescia (237f) Verwendung. Diese Angriffe gehören, zumal ihnen das im folgenden vorzustellende Umfeld der historischen Reflexion fehlt, eher dem Bereich der Invektive an (234ff), in dem sie ein solches Maß der Verstrickung ins Böse beschreiben, daß die Natur des Menschen zur Teufelsnatur wird.

[72] CC 33,9ff I. 239ff.

[73] Das Schema der viergeteilten Kirchengeschichte des neuen Bundes ist in verschiedenen Variationen auch den Zeitgenossen Bernhards geläufig. Siehe: Beinert, Die Kirche 338ff; Kamlah, Apokalypse; McGinn, Bernard 173ff; Timmermann, Studien, 162ff Otto von Freising nimmt auf dieses Schema zu Beginn des die letzten Dinge behandelnden achten Buches seiner Chronik Bezug (Chronica, 588).

[74] CC 33,14, I. 243.

Während sich die Kirche bislang offener Angriffe zu erwehren hatte, so sind es nun die Angriffe im Verborgenen, welche die Kirche von jenen Amtsträgern erleidet, die allein auf ihren eigenen Vorteil *(et omnes quae sua sunt quaerunt)* bedacht sind:

Inde is, quem quotidie vides, meretricius nitor, histrionicus habitus, regius apparatus. Inde aurum in frenis, in sellis, in calcaribus: plus calcaria fulgent quam altaria. Inde mensae splendidae et cibis, et scyphis; inde commessationes et ebrietates; ...[75]

In einer Zeit äußeren Friedens muß die Kirche die heimtückischste aller Verfolgungen erdulden, so daß sie an einer unheilbaren inneren Wunde leidet *[(i)ntestina et insanabilis est plaga Ecclesiae]*, die sie mit Js 38,17 klagen läßt: *ECCE IN PACE AMARITUDO MEA AMARISSIMA.*[76] Diejenigen aber, die ihr diese Wunde zufügen, indem sie ihr kirchliches Amt mißbrauchen, dienen nicht Christus, sondern dem Antichristen: *Ministri Christi sunt, et serviunt Antichristi.*[77] Denn auf sie folgt die vierte Versuchung durch den Mittagsteufel:

Ipse enim est Antichristus, qui se non solum diem, sed et merediem mentietur, et extolletur supra id quod dicitur aut quod colitur Deus.

Sodann jedoch wird - nach 2 Thess 2,8 - Christus den Antichristen mit dem Hauch seines Mundes töten und als wahrer, ewiger Mittag den Verführer mit dem Lichtglanz seiner Ankunft vernichten.[78]
Auch in Bernhards Darlegungen zum Antichristen lassen sich Äußerungen finden, die den zeitlichen Ort der Gegenwart in Nähe zum Ende bestimmen. Ein in der Tat von der vorgestellten positiven Sicht heilsgeschichtlichen Verlaufs beträchtlich abweichendes Zeugnis stellen Bernhards Bemerkungen zur Nähe bzw. bereits wirksamen Anwesenheit des Antichristen in der Einleitung zur Malachiasvita dar. Bernhard beklagt hier den Mangel an Heiligen, der die Gegenwart im Vergleich zur Vergangenheit kennzeichnet. Als Begründung für diesen Zustand fügt Bernhard eine Schilderung der Gegenwart an, die von den Schrecken des Antichristen bestimmt ist:

[75] Ebd. 33,15, I. 244.
[76] Ebd. 33,16, I. 244.
[77] Ebd. 33,15, I. 244.
[78] Ebd. 33,16, I. 245. Derselben Anlage wie die zitierte Hoheliedpredigt folgt Bernhards sechste Ansprache auf den 90. Psalm. Wiederum legt Bernhard die Psalmenstelle 90, 5-6 auf die Versuchungen der Einzelseele aus (qui hab. 6,1ff IV. 404ff), um sodann zur viergeteilten Kirchengeschichte überzuleiten. Auch an dieser Stelle nimmt Bernhard die dritte Phase (hier die Zeit der falschen Brüder) zum Anlaß zu heftiger Kritik an innerkirchlichen Mißständen: *Ipsa quoque ecclesiasticae dignitatis officia in turpem quaestum et tenebrarum negotia transiere, nec in his animarum salus, sed luxus quaeritur divitiarum.* Wie in CC 33 stellt die vierte und letzte Versuchung die des Mittagsdämons, d. h. des Antichristen dar (qui hab. 6,7, IV. 410f).

Et, ut suspicor ego, aut praesto, aut prope est, de quo scriptum est: FACIEM EIUS PRAECEDET EGESTAS. Ni fallor, Antichristus est iste, quem fames ac sterilitas totius boni et praeit, et comitatur. Sive igitur nuntia iam praesentis, sive iamiamque adfuturi praenuntia, egestas in evidenti est. Taceo vulgus, taceo vilem filiorum huius saeculi multitudinem: in ipsas Ecclesiae columnas volo oculos leves.[79]

Relativierend mag bei dieser Aussage ihre Einbindung in einen Kontext mitbedacht werden, der auf die Hervorhebung von Heiligkeit und Verdiensten des Malachias angelegt ist und in die heftige Anklage von Mißständen innerhalb des Standes der Kleriker mündet. Dennoch vermag dies letztlich nicht die Bedeutung dieser Schilderung von außergewöhnlicher Düsternis zu entkräften. Vielmehr wird dieser dem Jahr 1152 entstammende Beleg[80] jenen pessimistischen und resignativen Äußerungen Bernhards zuzuordnen sein, die sich in seinen letzten Lebensjahren mehren und offensichtlich unter dem Eindruck des gescheiterten Kreuzzuges stehen.[81]
Ebenso stellte Bernhard in der 72. Hoheliedpredigt die Ankunft Christi, der als nahender Tag die vorangeschrittene Nacht des Antichristen brechen wird, in baldige Aussicht.[82] Die dargelegte Bestimmung der Gegenwart als dritter Abschnitt der viergeteilten Verfolgungsgeschichte der Kirche impliziert eine Nähe zu den letzten Dingen, die Bernhard anläßlich einer weiteren Bearbeitung desselben Themas in der 6. Parabel feststellt: *Incursus daemonii meridiani vicinum iam tempus est Antichristi.*[83] Ebenso geht Bernhard in der 4. Parabel von der Nähe des Antichristen aus, so daß dieser bereits unheilvoll in den die Gegenwart bildenden dritten Abschnitt der Kirchengeschichte hineinwirkt:

Qui iam mysterium iniquitatis operatur, praenuntiis eius iam undique Ecclesiae suggillantibus: ECCE HIC, ET ECCE ILLIC.[84]

Die literarische Gestalt der ‚Parabolae' bietet Bernhard die Gelegenheit, die als dramatisch empfundenen Mißstände in angemessener, d. h. in dramatisierter Form anzuprangern. Eingebunden findet sich diese Kritik in eine Darstellung zeitlichen Verlaufs, welche die Heilsgeschichte als Geschichte jener Liebe beschreibt, in der Braut (Kirche) und Bräutigam (Christus) zueinander entbrannt sind. Bereits zur Zeit des Alten Testamentes beginnt der Bräutigam, um die Braut zu werben, und sendet David, damit dessen liebliche Lieder an das Herz der

[79] VSM, Praef. III. 308.
[80] Vgl. Einleitung zur Vita des Malachias, III. 297.
[81] Vgl. 347.
[82] Vgl. 319.
[83] Para. VI. VI.II. 287.
[84] Ebd. IV,7, VI.II. 281.

in ägyptischer Gefangenschaft verzagenden Braut rühren.[85] Ermutigt durch die Patriarchen und Seher erhört die Braut das Werben, so daß sich zur Zeit des irdischen Daseins Christi die Vermählung zwischen Braut und Bräutigam vollzieht, die Bernhard in der poetischen Bildersprache des Hohenliedes beschreibt.[86] Sodann jedoch muß der Bräutigam die Braut verlassen: *Osculansque eam osculo oris sui, et valedicens ei ABIIT IN REGIONEM LONGINQUAM ACCIPERE SIBI REGNUM, ET REVERTI.*[87] Die sich anschließende Zeit der Angriffe durch den Widersacher (hier Pharao) unterteilt Bernhard wiederum in die bekannten vier Epochen der Kirchengeschichte. Auf die Zeit der Apostel und Märtyrer[88] folgt die Epoche der den Häresien entgegentretenden Väter.[89] Trotz der Verfolgungen jedoch wächst die Kirche, deren Erde durch das Blut der Märtyrer fruchtbar geworden ist,[90] so daß Pharao seinen zu Beginn der dritten Epoche herbeigerufenen tapfersten Heerführern *(spiritum fornicationis, spiritum gulae, spiritum avaritiae)* bekennen muß: *„Videtis (. . .) quia nihil proficimus, et iam totus mundus post ipsos abiit."* Dennoch läßt der Widersacher von seinen Verfolgungen nicht ab, so daß seine Heerführer in die Kirche einzudringen und durch diejenigen schlimmste Verwirrung zu stiften vermögen, die dem Eigennutz, nicht aber dem Nutzen Jesu Christi dienen *(omnes seipsos amantes, quae sua sunt omnes quaerentes, non quae Iesu Christi)*. Die allegorische Anlage des Textes bietet Bernhard an dieser Stelle die Gelegenheit, sein Anliegen der Anklage innerkirchlicher Mißstände in einer Weise zu gestalten, die sichtlich an die Herzen seines auch im Mönchsgewand noch ritterlich empfindenden Publikums[91] rühren soll. Denn diejenigen, deren Pflicht die Sorge um die schutzlose Braut wäre, entreißen der heftig Klagenden und sich verzweifelt Wehrenden allen Tugendschmuck und selbst noch das mit dem Blut des Erlösers gefärbte Kleid der Liebe.[92] Händeringend erfleht sie von ihren Kindern Erbarmen

[85] Ebd. IV,1, VI.II. 277f.

[86] *Occurrit sponsus festivus et hilaris; tenensque manum dexteram eius, et in voluntate sua deducens eam, et cum gloria suscipiens eam, introduxit in civitatem regni sui, et in cubiculum genitricis suae. Et in lectulo caritatis suae collocans eam, et gratiae suae ornamentis eam condecorans, laevamque suam sub capite eius ponens, et dextera sua eam amplexans: . . .* (ebd. IV,2, VI.II. 278). Zu dieser und vergleichbaren Textstellen ist auf das Urteil Schellenbergs (Ein Lied, 16) hinzuweisen, der die Freiheit und Unbefangenheit betont, in der erotische Bilder Verwendung in den Texten der frühen Zisterzienser finden „ohne auch nur den leisesten Anklang einer fragwürdigen Kompensation" aufkommen zu lassen.

[87] Ebd. IV,2, VI.II. 278; Hl 1,1; Lk 19,12.

[88] Ebd. IV,3, VI.II. 279.

[89] Ebd. IV,4, VI.II. 279.

[90] *Sed terra Ecclesiae sanguine martyrum impinguata, fidelium segetes multiplici quodam germine refundebat* (para. VI,3, VI.II. 279).

[91] Vgl. 89, Anm. 36.

[92] Para. IV,5, VI.II. 280f.

und erntet doch nur deren Spott. Allein ein kleiner Rest an Kanonikern und Mönchen ist ihr noch verblieben, die Bernhard als Tuchfetzen beschreibt *(panniculos quosdam canonicae vel monasticae religionis),* mit denen die Braut in letzter Kraft ihre Blöße zu bedecken sucht. Doch selbst diese noch will man ihr entreißen, auf daß die Braut entweder an der Bosheit ihrer Verfolger erfriere oder aber aus Scham über ihre Nacktheit von der Erde fliehe: *Haec sunt nostra, haec sunt Ecclesiae periculosa tempora, in quibus in pace facta est amaritudo eius amarissima.*[93]
Unverkennbar ist die Abfolge der Angriffe durch das Element der Steigerung bestimmt, das Bernhard durch die variierte Verwendung von Js 38,17[94] kenntlich macht. Die Bitterkeit des ersten Angriffs verstärkt sich im Wirken der Häretiker *[(a)maritudo enim eius prius amara, nunc facta est amarior, cum vipereo quodam malo a filiis suis deflebat discerpi viscera sua],*[95] dem sodann die Gegenwart als Zeit der höchsten Bitterkeit folgt. Allein die vierte Versuchung steht noch aus, in der sich der Engel Satans in einen Engel des Lichts verwandeln und als der Herr ausgeben wird. Seine Kundschafter wirken bereits in der Gegenwart verderblich auf die Kirche ein, so daß Bernhard mit der eindringlichen Mahnung an die Braut schließt, in Treue auf die Wiederkunft des Herrn zu warten.[96]
In den wesentlichen Punkten sind die Aussagen von Parabel VI mit Parabel IV identisch.[97] Wiederum verschränken sich Motive des Fortschritts mit denen des Niedergangs. Die Kirche, die in der Zeit der Apostel und Märtyrer Wachstum und Ausbreitung erfährt,[98] muß zugleich Verfolgungen erdulden, die sich in der Gegenwart zum Angriff durch die Heuchler, d. h. die selbstsüchtigen Hausgenossen, steigern.[99]
Wie in Parabel IV steht die Gegenwart unter dem Eindruck eines sich verschärfenden Prozesses der Auslese *[(e)t revera multi hodie viam deserunt, et in tabernis diaboli esse iucundantur],* so daß der Kirche nur wenige

93 Ebd. IV,6f, VI.II. 281.

94 Vgl. 326, Anm. 76.

95 Ebd. IV,4, VI.II. 279.

96 *Sed, o sponsa Christi, noli credere, noli ire; sed sustine sponsum tuum, qui te non despicit, nec obliviscitur in tribulatione* (para. IV,7, VI.II. 281).

97 Parabel VI beginnt mit dem aus Parabel IV und CC 33 bekannten, von Psalm 90,5 abgeleiteten Viererschema (para VI. VIII. 286f), endet jedoch mit einer Abwandlung dieser Einteilung, in der sich die Verfolgungen der Apostel der Zeit der Märtyrer vorgeordnet finden, so daß die Gegenwart zur vierten Phase der Kirchengeschichte wird (293ff) Zu den Parabolae IV und VI, vgl. Timmermann, Studien, 153–173.

98 Ebd. VI. VI.II. 294.

99 Ebd. VI. VI.II. 287 u. 294f.

Getreue verbleiben, die dem Stand der Mönche[100] und regulierten Kanoniker entstammen *(paucos monachos et paucos regulares canonicos)*.[101] Bei genauer Betrachtung bestätigen sich die aus Parabolae IV und VI gewonnenen Ergebnisse an den im vorangegangenen bearbeiteten Quellen. Die Gesamtanlage der 33. Hoheliedpredigt zeigt sich ebenfalls von den Motiven des Fortschritts und des Niedergangs bestimmt, so daß Bernhard seinen optimistischen Ausführungen zu Christus als der dem Zenit entgegenstrebenden Sonne[102] die vorgestellte Auslegung von Ps 90,5–6 folgen läßt. Beide Elemente setzt Bernhard in der 6. Predigt auf den 90. Psalm zueinander in Bezug, indem er die dritte Epoche der Kirchengeschichte mit dem Hinweis auf die Gleichzeitigkeit von Wachstum und Mangel[103] einleitet: *MULTIPLICASTI GENTEM, Domine Iesu, SED NON MAGNIFICASTI LAETITIAM.* Als Grund hierfür gibt Bernhard die strenge Auslese an, die den Prozeß des Wachstums begleitet *(quoniam multi vocati, pauci vero electi)* und in der Gegenwart an Schärfe zunimmt: *Omnes christiani, et omnes fere quae sua sunt quaerunt, non quae Iesu Christi.* Wiederum führen Bernhards Darlegungen in die harsche Kritik innerkirchlicher Mißstände und von hier aus zur letzten und schlimmsten Verfolgung durch den Antichristen, der jedoch um der Erwählten willen vom Glanz der Ankunft Christi vernichtet werden wird.[104]

Die Ausführungen zu den vier Versuchungen durch den Widersacher bieten Bernhard die Gelegenheit, den Wachstumsverlauf der ihrem letzten Sieg entgegeneilenden Kirche mit einem sich verschärfenden Prozeß der Auslese zu kontrastieren. Dieser kulminiert in der Gegenwart als einer Zeit von höchster Gefährlichkeit, die in der Nähe (oder

[100] In den Parabolae IV und VI verblieben allein Teile der Mönche und Regularkanoniker der Braut als Getreue. Eine vergleichbare Einordnung des Mönchsstandes findet sich in Otto von Freisings Klage über die Verderbnis und Sündhaftigkeit der Gegenwart (Chronica VII, 34, 558–560): *Tanta postremo preteritorum memoria, praesentium incursu, futurorum metu discriminum urgemur, UT RESPONSUM MORTIS IN NOBIS accipientes ETIAM TEDEAT NOS VIVERE, presertim cum tam ex peccatorum nostrorum multitudine quam tumultuosissimi temporis feculenta improbitate haut diu stare posse mundum putaremus, nisi sanctorum meritis vere civitatis Dei civium, quorum in toto orbe copiosa varie et pulchre distincta florent collegia, sustentaretur* (2 Kor 1,8f).

[101] Ebd. VI. VI.II. 295.

[102] CC 33,4ff I. 235ff; vgl. 39f.

[103] Vergleichbare Gedankengänge finden sich in Bernhards Predigt *‚Ad clericos de conversione‘* (XX,34, IV. 111), wobei sich hier der dem Wachstum gegenübergestellte Niedergang auf die Sitten des Klerikerstandes bezieht: *Dilatata siquidem videtur Ecclesia; ipse etiam cleri sacratissimus ordo super numerum multiplicatus est. Verum, etsi multiplicasti gentem, Domine, non magnificasti laetitiam, dum nihil minus appareat decessisse meriti quam numeri accessisse.*

[104] Qui hab. 6,7, IV. 410f; Is 9,3.

in bereits wirksamer Verbindung) zu den Schrecken des Antichristen steht. Nunmehr gilt es in der letzten und entscheidenden Schlacht dem Widersacher machtvoll entgegenzutreten, der mit aller Kraft den Lauf des Heils zu hindern versucht. Wiederum weisen die Texte Bernhards die Gegenwart als Zeit der dringlich gewordenen Entscheidung aus und mahnen somit die Notwendigkeit zur sofortigen Umkehr an. Denn der Ort, an dem die Schlacht geschlagen wird, sind die Seelen der Menschen. Im doppelt finalen Ringen fällt hier die Entscheidung über das persönliche Heilsschicksal, die zugleich Anteil am Schicksal des Heils im auf Erfüllung zustrebenden Lauf der Zeiten hat.

Die Einordnung innerkirchlicher Mißstände als dritter Ansturm des Widersachers macht die äußerste Erbitterung und Schärfe verständlich, die Bernhards Kirchenkritik sowie sein öffentliches Auftreten in diesbezüglichen Angelegenheiten kennzeichnen. Entfällt bei folgenden Belegstellen auch die direkte Einbindung in die viergeteilte Kirchengeschichte, so bleibt die sich hieraus ergebende Bewertung als Angriff des Widersachers spürbar in den Vorwürfen enthalten, die an den Kernpunkten mit Bernhards Schilderung des dritten Abschnitts der Verfolgungsgeschichte der Kirche identisch sind. Im Zentrum der Angriffe steht wiederum der Vorwurf des Eigennutzes, der in jener charakteristischen Formulierung[105] vorgetragen wird, die für Bernhard all die ungeheuerlichen Verfehlungen eines Klerikerstandes beinhaltet, der sich, anstatt seinen Pflichten der Seelsorge nachzukommen, weltlichen Genüssen hingibt. Aufgeputzt und geschmückt stolzieren diese Kleriker einher, so daß man sie – wie Bernhard mit beißender Ironie bemerkt – eher für die Braut selbst hält als für deren Beschützer. Finanziert werden Prunk und Völlerei durch den Raub an der Braut:

Inde est quod illa pauper et inops et nuda relinquitur, facie miseranda, inculta, hispida, exsangui. Propter hoc non est hoc tempore ornare sponsam, sed spoliare; non est custodire, sed perdere; non est defendere, sed exponere; non est instruere, sed prostituere; . . .

Mit besonderer Erbitterung prangert Bernhard Vernachlässigung und Mißbrauch der seelsorgerischen Pflichten an; – *non est pascere gregem, sed mactare et devorare.*[106] Denn weit beklagenswerter als das Schicksal, das diese Unbelehrbaren treffen wird, ist, daß sie die ihnen anvertraute Herde mit ins Verderben reißen: *Inde est ut non parcant suis, qui non*

[105] Nur wenige erweisen sich als Freunde, indem sie nicht dem Eigennutz (*non quae sua sunt quaerant;* CC 77,1, II. 261), sondern dem Nutzen Jesu Christi und somit dem Gemeinwohl dienen (*qui non quaerunt quae sua sunt, sed quae Iesu Christi, nec quod sibi utile est, sed quod multis;* convers. XIX,32, IV. 109). Siehe die vergleichbaren, unter Anm. 75, 78 u. 92 zitierten Formulierungen, die sich ebenfalls an 1 Kor 13,5 anlehnen.

[106] CC 77,1, II. 262.

parcunt sibi, perimentes pariter et pereuntes.[107] Diese schlimmste aller Folgen hebt Bernhard auch im Rahmen seiner eingehenden Kirchenkritik in der Predigt ‚*Ad clericos de conversione*' hervor:

Vae vobis qui clavem tollitis non scientiae solum, sed et auctoritatis, nec ipsi introitis, et multipliciter impeditis quos introducere debuistis![108]

Ebenso wendet sich Bernhard diesem Thema in der Predigt auf die Bekehrung des Paulus zu. Seelsorge ist die letzte Sorge dieser Kleriker, die in ihrer Verdorbenheit das Verderben des Volkes verschulden: *Misera eorum conversatio, plebis tuae miserabilis subversio est.* Seinen Ausgang nimmt das Übel in den Oberen der Kirche *(egressa est iniquitas a senioribus iudicibus, vicariis tuis),* die nun im Begriff stehen, die Kirche in ihrer Gesamtheit dem Verderben preiszugeben:

Arcem Sion occupaverunt, apprehenderunt munitiones, et universam deinceps libere et potestative tradunt incendio civitatem.[109]

Die höchste Gefährlichkeit des Geschehens für die Kirche als Ganzes macht deutlich, daß Bernhard auch an dieser Stelle die Mißstände innerhalb des Klerus als Angriff des Widersachers bewertet. Denn Sodom und Gomorrha, die einst vom Höllenfeuer ausgetilgt wurden, leben nunmehr in der Kirche selbst wieder auf:

Vae, vae, inimicus hominum sulfurei illius incendii reliquias infelices circumquaque dispersit, exsecrabili illo cinere Ecclesiae corpus adspersit, . . .[110]

Dies – so Bernhard an anderer Stelle in seiner Predigt vor den Pariser Klerikern – ist der Angriff der Schlange, die sich in einen Basilisken verwandelt hat.[111] In der 14. Predigt auf den 90. Psalm erläutert Bernhard die Gefahr, die vom Basilisken[112] als einer der Erscheinungsformen des Widersachers ausgeht. Der Blick des Basilisken ist tödlich, doch nur für denjenigen, der den Basilisken nicht sieht. Bernhards Ausführungen gelten hier der Gefahr, welche die eitle Ruhmsucht für das Seelenheil des einzelnen darstellt,[113] sind aber nicht minder zur Charakterisierung der vom entarteten Klerus ausgehenden Gefahr bedeutsam. Denn die falschen Brüder und Heuchler geben Frömmigkeit vor, wo Lasterhaftigkeit herrscht, und entziehen sich somit den Blikken der Menschen, deren Verderben sie bewirken.

[107] Ebd. 77,2, II. 262f.
[108] Convers. XIX,32, IV. 109.
[109] Conv. s. P. 1,3, IV. 328f.
[110] Convers. XX,35, IV. 112.
[111] *Non miramur, fratres, quicumque praesentem statum Ecclesiae miseramur, non miramur de radice colubri regulum orientem.* (convers. XIX,33, IV. 110).
[112] Vgl. LThK II (M. Hain), 45f; Physiologus 94ff.
[113] Qui hab. 14,7, IV. 473.

Wiederum erklärt sich die äußerste Schärfe der Ausführungen Bernhards aus der Tatsache, daß er in seiner Kritik innerkirchlicher Mißstände nicht allein der Nachlässigkeit und Lasterhaftigkeit von Menschen, sondern dem hieran offenbar werdenden Angriff des Widersachers entgegentritt. Entsprechend reicht Bernhards Sorge über das Seelenheil der einzelnen hinaus, gilt der Kirche als Ganzes und folglich dem gesamten Heilswerk, um das in der von falschen Brüdern und Heuchlern durchdrungenen Kirche die Schlacht des gegenwärtigen Abschnitts der Heils- und Verfolgungsgeschichte geschlagen wird. Unauflöslich ist das Schicksal des über die Zeiten hinweg auf jenseitige Erfüllung zustrebenden, Himmel und Erde umspannenden Heils mit dem Geschehen um die in der Gegenwart ringende Kirche verbunden: *Nonne de statu et consummatione Ecclesiae finis omnium pendet?* Denn ohne die Kirche – so Bernhard weiter – wartet die Schöpfung, warten die Patriarchen und Propheten vergeblich auf Vollendung, und selbst die Herrlichkeit der Engel erscheint nicht ohne Makel, bis die Lücken in ihren Reihen wieder aufgefüllt sind:[114] *Caelum non habet infantes, habet Ecclesia.*[115] Sinn und Zweck der in die Zeit gestellten Kirche, der Geschichte, ja der ganzen irdischen Schöpfung[116] ist es, über den Lauf der Zeiten hinweg die Seelen der Erwählten zu sammeln, auf daß die Lücken in den Engelschören, in den Mauern des himmlischen Jerusalem geschlossen werden.[117] Untrennbar und daher schicksalhaft ist die Verbindung zwischen den in der Zeit stehenden einzelnen und der überzeitlichen Gemeinschaft[118] so daß derjenige, der das Heil der Menschen in der Gegenwart hindert, zugleich dem auf jenseitige Erfüllung zustrebenden Lauf des Heils in der Geschichte entgegenwirkt. Vor diesem Hintergrund wird man den weiteren Verlauf der Predigt auf die Bekehrung Pauli zu verstehen haben. Denn der Widersacher bedient sich des verdorbenen Klerus zum Verderben der Seelen und somit zu einem Angriff, der, indem er auf das Heil der einzelnen abzielt, dem Heil selbst gilt, und folglich von Bernhard als Angriff auf den Heiland ausgelegt wird: *impedire salutem esse persequi Salvatorem.*[119] Konsequent

[114] CC 68,4, II. 199.
[115] Ebd. 68,5, II. 199.
[116] In Predigtabschnitt die pent. 3,4, (V. 173) führt Bernhard den doppelten Zweck der Schöpfung aus, die Gott um seiner und um der Seinen willen geschaffen hat: *Omnia fecit propter semetipsum, gratuita videlicet bonitate; omnia propter electos suos, pro eorum scilicet utilitate, ut illa quidem efficiens causa sit, haec finis.* Im gleichen Sinne bestimmt Bernhard das Heilswerk Christi (circum 1,3, IV, 275): *Propter hoc siquidem circumcisus est, propter quod natus, propter quod passus. Nihil horum propter se, sed omnia propter electos.*
[117] Vgl. 11ff.
[118] Vgl. 315, Anm. 24.
[119] Conv. s. P. 1,4, IV. 330.

fährt Bernhard fort, indem er den entarteten Klerus mit den Schlimmsten der Verfolger Christi, d. h. mit denjenigen identifiziert, die Christus nach dem Leben trachteten. Niemand – so Bernhard – verdient mehr den Zorn als der Feind, der sich als Freund ausgibt, so daß diese Kleriker, die, während sie das Übel wirken, heuchlerisch in der Kirche Gemeinschaft mit Christus halten, Judas gleichen: *IUDA, OSCULO FILIUM HOMINIS TRADIS, homo unanimis, qui simul cum eo dulces capiebas cibos, qui in paropside manum pariter intinxisti!*[120] Die Juden verfolgten den Herrn und vergossen sein Blut.[121] Weit schlimmer jedoch ist die Verfolgung, die Christus nun von denjenigen zu erdulden hat, die das Heil der Seelen zu hindern suchen:

Agnoscite, dilectissimi, expavescite consortia eorum, qui salutem impediunt animarum. Horrendum penitus sacrilegium, quod et ipsorum videtur excedere facinus, qui Domino maiestatis manus sacrilegas iniecerunt.[122]

Höchste Vorsicht und gesteigerte Anstrengungen im Kampf um das Seelenheil sind daher in einer Zeit von höchster Gefährlichkeit und eines sich verschärfenden Prozesses der Auslese notwendig, wie Bernhard seinen Brüdern, die den Schritt des Paulus bereits vollzogen haben, im Fortgang seiner sich nun der Läuterungs- und Vervollkommnungsthematik zuwendenden Predigt nahelegt. Im Falle der Kleriker von Paris jedoch steht diese Entscheidung noch aus, die allein in den Gefahren und Abgründen der Gegenwart Rettung verspricht und deshalb von Bernhard nachdrücklich angemahnt wird.[123]

Obgleich bezüglich Inhalt und vermittelter Stimmung nachdrücklich voneinander geschieden, schließen sich die optimistische Darstellung des Verlaufs der Heilsgeschichte und die in der Versuchung durch den Antichristen gipfelnde Beschreibung der Kirchengeschichte als Zeit der Verfolgungen nicht aus.[124] Auch an dieser Stelle ist zu bedenken, daß Bernhards Texte auf Menschen einwirken wollen. Während die Heilstat Christi den geschichtlichen Verlauf in lichtesten Zügen erstrahlen läßt, erfolgt die Anklage innerkirchlicher Mißstände im düstersten Umfeld sich steigernder Schrecknisse des Widersachers. Der überharte Kontrast, der im direkten Vergleich zwischen beiden Sichtweisen empfunden werden mag, erklärt sich auch hier aus der stringenten Gestaltung des jeweiligen Gegenstandes, die im einen Fall zum Voranschrei-

[120] Convers. XIX,32, IV. 109.

[121] Conv. s. P. 1,2, IV. 328.

[122] Ebd. 1,3, IV. 328.

[123] Vgl. 323f.

[124] Siehe hierzu Funkenstein, Heilsplan, 58: „Die Geschichtstheologie aber, die sich um eine begründete eschatologische Gegenwartsbestimmung bemüht, weiß zwar auch vom Umwälzenden der Endzeit, sieht aber neben der Steigerung des Bösen die sichtbare Steigerung auch der Heilskräfte . . .“

ten ermutigen, im anderen Fall hingegen warnen und sofortige Umkehr anmahnen soll. Letztlich jedoch gelten beide Sichtweisen demselben Gegenstand, der unter dem Aspekt der Heilstat Christi die Gestalt des Fortschritts, unter dem Aspekt der Wirkkraft des Widersachers und menschlicher Sündhaftigkeit die Gestalt des Niedergangs annimmt.[125] Eine jede der beiden Sichtweisen bleibt (wenn auch im Hintergrund) in der jeweils anderen enthalten, so daß die voranschreitende Heilsgeschichte ebenso den Verfolgungen durch den Widersacher unterliegt, wie umgekehrt die Geschichte der Verfolgungen ihre grundlegende Zurichtung auf das Heil beibehält.[126] In der Verbindung beider Motivstränge, die Bernhard ansatzweise am Bild des ausgebreiteten Glaubens, aber der nicht gemehrten Freude Christi durchführt,[127] verschränken sich Elemente des Fortschritts mit denen des Niedergangs zu einer Gesamtsicht zeitlichen Geschehens, die den der Erfüllung entgegenwachsenden heilsgeschichtlichen Verlauf mit einem strengen Prozeß der Auslese ergänzt und kontrastiert. Dieser kulminiert in der Gegenwart, die sowohl in der Heils- als auch in der Verfolgungsgeschichte als nahe dem Ende und somit als Zeit der dringlich gewordenen Entscheidung zur Umkehr ausgewiesen ist. Wie schon Bernhards optimistische Auffassung der Heilsgeschichte, so verleihen auch die Ausführungen zur Verfolgungsgeschichte Bernhards Handeln eine eschatologische Dimension. Galt es zuvor den Seelengewinn für Christus, den Schmuck der Kirche zu mehren, so gilt es hier in der Reform innerkirchlicher Mißstände dem Widerspiel der teuflischen Mächte entgegenzutreten. In beiden Fällen jedoch zielt Bernhards Handeln auf die Erfüllung der Geschichte, die sieghafte Überwindung des unter der Wirkkraft des Bösen stehenden Irdischen in der ersehnten Ankunft Christi ab.

[125] So in sent. III,110, VI.II. 186, in der Bernhard dem voranschreitenden Heil in der Geschichte das zunehmende Maß gegenordnet, in dem menschliche Sündhaftigkeit unerträglich wird. In der Zeit von Adam bis Moses *(lex carnalis)* hatten die sündigenden Menschen *(male peccaverunt)* eine gewisse Entschuldigung, da das Gesetz noch nicht bestand. In der Zeit von den Propheten bis zur Ankunft des Herrn *(lex spiritualis)* vermochten die sündigenden Menschen *(peius peccaverunt)* als kleine Entschuldigung anführen, daß der zweite Adam noch nicht gekommen war. Für das dritte Zeitalter bis zum Gericht jedoch gilt: *Silemus tertio legem divinam, piam, ineffabilem amittentes. Heu, heu quam pessime et perniciose cadentes, nobis nulla est occasio.*

[126] Auch Bernhard erweist sich somit von dem auf Augustinus zurückgehenden „aller christlichen Geschichtstheologie immanente(n) Grundsatz von der Geschichte als dualistischer Spannung von Gut und Böse mit optimistischem Vertrauen auf den Sieg des Guten" (Meuthen, Kirche und Heilsgeschichte, 112f) bestimmt.

[127] Vgl. 330.

9.2. Aufgabenbereiche der Gegenwart

Die Analyse des Briefes 237 hatte zum Ergebnis, daß das Urteil Glebers, der Bernhard nur wenig Zutrauen in die Befähigung Eugens für das ihm auferlegte Amt zuspricht, nicht aufrechterhalten werden kann.[128] Die im folgenden zu bearbeitenden Zeugnisse belegen im Gegenteil die Hoffnung auf einen Wandel zum Guten, die sich für Bernhard mit dem Pontifikat seines Schülers Eugen verknüpft. Was ep. 237 der römischen Kurie, die den ‚Unwerten' in die höchste Stellung gehoben hatten, nahelegte, spricht Bernhard nun in ep. 238, dem ersten Schreiben an Eugen nach dessen Wahl, offen aus:

Digitus Dei est iste, suscitans DE PULVERE EGENUM ET DE STERCORE erigens PAUPEREM, UT SEDEAT CUM PRINCIPIBUS ET SOLIUM GLORIAE TENEAT.[129]

In ep. 238 bekennt Bernhard seine väterliche Sorge um den in höchste, d. h. gefährlichste Stellung gewählten Sohn.[130] Zugleich jedoch verleiht Bernhard seiner besonderen Hoffnung Ausdruck, die er in die Erhebung des Geringen setzt. Denn Bernhard will die Amtsführung des Papstes nicht als Herrschaft, sondern als selbstlosen Dienst an der Braut verstanden wissen, so daß die zuvor durch Machtgier und Bereicherungssucht Geknechtete wiederum in den ihr gebührenden Rang der Freien eingesetzt wird. Im besonderen Maß scheint Eugen für diese Aufgabe geeignet, da er Voraussetzungen erfüllt, die ihn gleichsam zum Gegenbild des selbstsüchtigen Klerus der dritten Verfolgung durch den Widersacher[131] erheben. Denn Eugen hat bereits im Kloster gelernt, nicht eigene Größe und persönlichen Vorteil zu suchen, sondern sein Selbst gänzlich Gott zu übereignen:[132]

Alioquin per quem alium haec tam debita libertas sperabitur, si et tu, quod absit, in Christi hereditate quaeras quae tua sunt, qui iam et ante didiceras, non dico tua non retinere, sed nec tuus esse?[133]

Auf diese Weise wird Eugen für die Kirche in ihrer Gesamtheit, die Gemeinschaft der Zisterzienser sowie für Bernhard selbst zum Träger berechtigter Hoffnung, den Bernhard aus der weit in die Vergangenheit zurückreichenden Reihe seiner unmittelbaren Vorgänger hervor-

[128] Vgl. 208ff.
[129] Ep. 238,1, VIII. 116; 1145; Ex 8,19; 1 Reg 2,8.
[130] Ep. 238,3, VIII. 117.
[131] Vgl. 325f.
[132] Zum Motiv der selbstlosen Liebe, vgl. 132ff.
[133] Ep. 238,2, VIII. 117.

hebt: *Ergo fiduciam tales habens in te, qualem in nullo praedecessorum tuorum a multis retro temporibus visa est habuisse.*[134]
Im Pontifikat Eugens eröffnet sich für Bernhard die Perspektive auf Inangriffnahme und Durchführung der heilsgeschichtlich gebotenen Werke. Entsprechend dient ep. 238 zu einer ersten Bestimmung des nunmehr Notwendigen: *Superest ut facta hac mutatione tui, ipsa quoque quae tibi commissa est, Domini tui sponsa mutetur in melius.* End- und Zielpunkt dieses Wandels bildet Bernhards ersehntes ‚Nun', das dem Reformwerk Ort und Zurichtung im Lauf der Heilsgeschichte und somit eine eschatologische Dimension verleiht. Dem optimistischen Kontext des Briefes entsprechend greift Bernhard auf das in positive Kategorien gefaßte Verständnis geschichtlichen Verlaufs als eines Prozesses, der durch Besserung und Mehrung des Guten der jenseitigen Erfüllung entgegenwächst, zurück. Diesem in der Freude über die Wahl Eugens und im Vertrauen auf dessen besondere Befähigung sichtlich nahegerückten ‚Nun' gilt es durch die Reform der Kirche jenen Weg zu bereiten, an dessen Ende die zuvor zur Magd erniedrigte Braut nunmehr würdig und tugendgeschmückt der Umarmung mit dem Bräutigam[135] zugeführt werden kann:

Sic enim iam non ancilla, sed libera etiam et formosa speciosissimi sponsi per te in desideratos asciscetur amplexus.[136]

Die Bestimmung der hierzu in der Gegenwart zu bewältigenden Aufgabenbereiche erfolgt auch an dieser Stelle unter Verwendung von Hl 2,12:[137]

Multi dicunt in corde suo:„ FLORES APPARUERUNT IN TERRA NOSTRA, TEMPUS PUTATIONIS ADVENIT, in quo sarmenta sterilia recidentur, ut ea quae praevalent uberius fructum ferant.

Wiederum stehen die heilsgeschichtlich notwendigen Werke unter dem Eindruck jenes ‚Bald', das Bernhard auch hier aus seinem biblischen Kontext (Mt 3,10) in den Rang gegenwärtiger Verbindlichkeit hebt: *IAM SECURIS AD RADICEM ARBORUM POSITA EST.* Nachdrücklich ist somit auf die umgehende Notwendigkeit zu einem tiefgreifenden Reformwerk verwiesen, das Bernhard nach Vorgabe von Hl 2,12 als Werk des Beschneidens und der Rodung beschreibt. Als weiteres Aufgabengebiet tritt der Seelenfang, d. h. die Notwendigkeit zu einem

[134] Ebd. 238,3, VIII. 117.
[135] Vgl. den ab 315ff behandelten Motivkreis der durch Reform zur himmlischen Hochzeit zu bereitenden Braut (Kirche).
[136] Ebd. 238,2, VIII. 116f.
[137] Vgl. 312f.

umfassenden Bekehrungswerk hinzu, das Bernhard im sehnsüchtigen Rückbezug auf die hohe Idealität der apostolischen Zeit bestimmt:

Quis mihi det, antequam moriar, videre Ecclesiam Dei SICUT IN DIEBUS ANTIQUIS: quando apostoli laxabant retia in capturam, non in capturam argenti vel auri, sed in capturam animarum?[138]

Bernhard, der zuvor Eugen aus der weit in die Vergangenheit *(a multis retro temporibus)* zurückreichenden Chronologie seiner Vorgänger herausgelöst hatte, mahnt nun für das Pontifikat Eugens die Traditionsfolge auf die apostolische Zeit an. Deutlich entspricht hierbei das von Eugen gefordete dem von Malachias geleisteten Werk.[139] Ebenso wie bei Malachias besitzt die Vorbildhaftigkeit der Apostel für eine Amtsführung Gültigkeit, die nicht den eigenen Nutzen, sondern allein den selbstlosen Dienst am zu vollendenden Heilswerk erstrebt. Nicht minder bedeutsam jedoch ist das apostolische Vorbild für das Werk selbst, das, indem es den christlichen Glauben verbreitet und vertieft, auf die Mehrung des Heils im Lauf der ihrer Erfüllung entgegenstrebenden Geschichte abzielt.

In seiner Papst Eugen gewidmeten Schrift *‚De consideratione‘*[140] greift Bernhard die aus ep. 238 bekannten Motive auf, um sie einer eingehenderen Betrachtung und Vertiefung zu unterziehen. Wiederum nimmt die Sorge um das Seelenheil Eugens einen breiten Raum ein, der in seiner Niedrigkeit für das hohe Amt besonders geeignet, zugleich durch dieses jedoch besonders gefährdet erscheint. Entsprechend sucht Bernhard durch Mahnungen und Ratschläge auf seinen Schüler einzuwirken, daß dieser sich – in einem Umfeld, das die Guten eher zu Schlechten werden läßt als die Schlechten zu Guten[141] – die von Tugendhöhe zeugende Niedrigkeit klösterlicher Selbstverdemütigung bewahre und nicht in der gefährlichen Höhe seiner Stellung zum wahrhaft Niedrigen werde:

Illud dico indignum tibi, citra perfectum agere de tanta assumpto perfectione. Quidni erubescas minimus inveniri in magnis, qui te recordaris magnum in minimis exstitisse?[142]

Deutlich finden in der Sorge um Eugen die Motive Eingang, die sich bereits für Bernhards Sorge um das eigene Seelenheil als bestimmend erwiesen, so daß sich auch in der Schrift an Papst Eugen die Aktion als

[138] Ebd. 238,6, VIII. 118f.

[139] Vgl. 317f.

[140] Zu Bernhards Schrift an Papst Eugen, siehe: Kennan, The ‚De Consideratione‘; dies., Antithesis; Leclercq, Problèmes,117ff.

[141] In Abschnitt cons. IV. IV,11, III. 457 bemerkt Bernhard über die römische Kurie: *Quod si plures in ea defecisse bonos quam malos profecisse probavimus . . .*

[142] Ebd. II. V,8, III. 415.

gefahrvoller Bereich ausgewiesen findet, welcher der Ergänzung durch einen Bereich der inneren Sammlung und besinnenden Erwägung bedarf.[143]
Auch im Traktat *,De consideratione'* hebt Bernhard das Vorbild der Apostel hervor, die sowohl in ihrer Auffassung vom Amt als Dienst und nicht als Herrschaft[144] als auch in ihrer Ablehnung allen Prunkes[145] beispielgebend für das Pontifikat Eugens sind. Wiederum grenzt Bernhard Eugen von der Reihe seiner unmittelbaren Vorgänger ab, deren Irrtümer Eugen nur allmählich korrigieren könne.[146] In kennzeichnender Formulierung *(si de bonis, et non de novis, sumamus exempla)* verweist Bernhard sodann auf die Zeit Gregors des Großen zurück, um das Vorbild eines Papstes anzuführen, der selbst in höchster Bedrängnis sich der heilsamen Muße zu widmen verstand.[147]
Im Gegensatz zum optimistischen Brief 238, dessen Formulierungen die Gegenwart in die Nähe zur jenseitigen Erfüllung rücken *(formosa speciosissimi sponsi per te in desideratos asciscetur amplexus)*, vergrößert sich in Bernhards Traktat der zeitliche Abstand zum Ende. Wiederum bindet Bernhard das zu leistende Werk in eine Traditionsfolge ein, die über die Propheten und Apostel zu Eugen, jedoch in diesem Falle auch über ihn hinaus reicht:

Non plane totum emundare qui vere Prophetae: aliquid filiis suis Apostolis quod agerent reliquerunt, aliquid ipsi parentes tui tibi. Sed nec tu ad omne sufficies. Aliquid profecto tuo relicturus es successori, et ille aliis, et alii aliis usque in finem.[148]

Wenn auch die enttäuschten Hoffnungen über die gescheiterte Kreuzfahrt die Vollendung des Heilswerkes sichtlich in die Zukunft rückt, so

[143] *Si quod vivis et sapis, totum das actioni, considerationi nihil, laudo te? In hoc non laudo. (. . .) Certe nec ipsi actioni expedit consideratione non praeveniri* (ebd. I. V,6, III. 399f). Auch an dieser Stelle ist Bernhards Einfühlungsvermögen in den Menschen und dessen Lebenssituation zu bewundern. Bernhard trägt der gewandelten Stellung Eugens Rechnung, indem er den eher ein Leben in klösterlicher Abgeschiedenheit voraussetzenden Begriff *contemplatio* durch den stärker das rationale Moment betonenden Begriff *consideratio* ersetzt. Bernhard unterscheidet beide Begriffe wie folgt: *Iuxta quem sensum potest contemplatio quidem diffiniri verus certusque intuitus animi de quacumque re, sive apprehensio veri non dubia, consideratio autem intensa ad vestigandum cogitatio, vel intensio animi vestigantis verum.* Trotz dieser Unterschiede sind beide Begriffe insbesondere in ihrer die Aktion ergänzenden Funktion miteinander verwandt, so daß sie, wie Bernhard abschließend betont, oftmals synonym verwandt werden: *Quamquam soleant ambae pro invicem usurpari* (ebd. II. II,5, III. 414).
[144] Ebd. II. VI,10, III. 418.
[145] Cons. II. VI,13, III. 420f.
[146] *Nec potes eorum omnia simul et subito vel errata corrigere, vel excessus redigere in modum. Erit cum acceperis tempus, ut secundum sapientiam tibi a Deo datam paulatim et opportune id studeas. Interim sane malo alterius utere in bonum quod potes* (ebd. I. IX,12, III. 407).
[147] Ebd. I. IX,12, III. 407.
[148] Ebd. II. VI,9, III. 417.

bleibt dessen Zurichtung auf die letzten Dinge *(usque in finem)* dennoch erhalten. Vor dem Hintergrund dieser eschatologischen Dimension wird die Zusammenfassung der anstehenden Aufgabenbereiche zu beurteilen sein, die Bernhard zu Beginn des dritten Buches seines Traktats an Papst Eugen unternimmt. Bernhard leitet seine Ausführungen mit der Bestimmung des umfassenden Zuständigkeitsbereichs des Papstes in der Tradition der Apostel ein: *Eis tu successisti in hereditatem. Ita tu heres, et orbis hereditas.*[149] Wiederum legt Bernhard größtes Gewicht auf ein Amtsverständnis als Dienst und nicht als Herrschaft *[(p)raesis ut prosis],*[150] d. h. auf ein tugendgeläutertes Papsttum, das sich der selbstsüchtigen Verstrickung in Weltliches enthält und auf diese Weise alle Kräfte zur machtvollen Inangriffnahme der notwendigen Heilswerke zu bündeln vermag. Beide Aspekte führt Bernhard in Röm 1,14 *(SAPIENTIBUS ET INSIPIENTIBUS DEBITOR SUM)* zusammen, um so das vom Papst zu leistende Werk als universelle Schuldnerschaft zu bestimmen:

> ... *curandum summopere tibi, et tota vigilantia considerandum, quomodo et qui non sapiunt sapiant, et qui sapiunt non desipiant, et qui desipuere resipiscant.*

In besonderem Maß jedoch, so Bernhard weiter, zeuge der Unglauben von Unwissenheit: *Ergo et infidelibus debitor es, Iudaeis, Graecis et Gentibus.*[151] Im folgenden Kapitelabschnitt führt Bernhard den gleichen Grundgedanken aus, indem er unter kunstvoller Verwendung der Komposita von *vertere* menschliche Verkehrtheit in ihre verschiedenen Ausformungen auffächert und somit Eugens besondere Sorge für die Um- und Abkehr der einzelnen vom jeweils Bösen anmahnt:

> *Interest proinde tua dare operam quam possis, ut increduli convertantur ad fidem, conversi non avertantur, aversi revertantur, porro perversi ordinentur ad rectitudinem, subversi ad veritatem revocentur, subversores invictis rationibus convincantur* ...[152]

Die Schuldnerschaft des Papstes gegenüber jeglicher Art von Sünde zeugender Unvernunft, die ihm auferlegte Sorge für die Umkehr der ‚Verkehrten' verdeutlichen die Notwendigkeit zu einem universellen Heilswerk der Bekehrung. Im gleichen Sinne ist die folgende Aufzählung aus der 75. Hoheliedpredigt zu verstehen, in der Bernhard auf veränderter Bildebene die Nächte der Welt und somit die mit dem Licht des Glaubens zu durchdringenden Bereiche menschlicher Gottferne bestimmt:

[149] Ebd. III. I,1, III. 431.
[150] Ebd. III. I,2, III. 432.
[151] Ebd. III. I,2, III. 432f.
[152] Ebd. III. I,3, III. 433.

Nox est iudaica perfidia, nox ignorantia paganorum, nox haeretica pravitas, nox etiam catholicorum carnalis animalisve conversatio.[153]

Wie in der vorangegangenen Belegstelle wohnt dem notwendigen Heilswerk eine doppelte Zielrichtung inne. Es umfaßt das Innere der gesamten Christenheit und reicht über sie auf die noch außerhalb Stehenden hinaus. Die sich hieraus ergebenden konkreten Aufgabenbereiche des universellen Heilswerkes finden auch in Bernhards Schrift ‚*De consideratione*' ihren Niederschlag. Eingehend widmet sich Bernhard im weiteren Verlauf des dritten Buches dem inneren Reformwerk, das er in der düsteren Schilderung zahlreicher kirchlicher Mißstände nachdrücklich anmahnt.[154] Ebenso weist Bernhard Eugen auf die besondere Notwendigkeit hin, Häretikern und Schismatikern *(hi sunt subversi et subversores, canes ad scissionem, vulpes ad fraudem)*[155] machtvoll entgegenzuwirken. Als weitere Aufgabengebiete treten Juden- und Heidenbekehrung hinzu. Doch während die Bekehrung der Juden zum für Bernhard gegenwärtigen Zeitpunkt des Verlaufs der Heilsgeschichte nicht relevant ist, erscheint die Heidenmission als eine Aufgabe von großer Dringlichkeit, so daß sie von Bernhard einer eingehenderen Betrachtung unterzogen wird.

9.2.1. Juden und Heiden

Zur Frage der im Augenblick vernachlässigbaren Judenbekehrung bemerkt Bernhard zu Papst Eugen: *Esto, de Iudaeis excusat te tempus: habent terminum suum qui praeveniri non poterit. Plenitudinem gentium praeire oportet.*[156] Auch an anderer Stelle im Werk Bernhards findet diese dem Lauf der Heilsgeschichte innewohnende Reihenfolge der Bekehrung ihren Niederschlag. In der 79. Hoheliedpredigt nimmt Bernhard Vers 3,4 *(TENUI EUM, NEC DIMITTAM, DONEC INTRODUCAM ILLUM IN DOMUM MATRIS MEAE)* zum Anlaß, sich der Frage nach der Heilserwartung der Juden zu widmen. Selbst ihrer Nebenbuhlerin, der Synagoge, mißgönne die Kirche das zu erwartende Heil nicht: *Nec mirum tamen, QUIA SALUS EX IUDAEIS EST.* Entsprechend wird der Erlöser

[153] CC 75,10, II. 253.

[154] In Kapitelabschnitt I,5, 434 prangert Bernhard den Ehrgeiz in der Kirche an. In den folgenden Ausführungen kritisiert Bernhard den Mißbrauch von Appellationen (II, 6–12, 435–439), tadelt den Geiz an der Kurie (III,13, 439–441), aufsässige Prälaten und die Sucht nach Exemptionen (IV,14–15, 441–443), um sodann mit der Mahnung zur Wachsamkeit in der gesamten Kirche und insbesondere gegenüber Verfehlungen der Kleriker abzuschließen (V,19–20, 446–448). Grundsätzlich ist Bernhards gesamte Schrift von schärfster Kritik an innerkirchlichen Mißständen geprägt.

[155] Ebd. III. I,3, III. 433.

[156] Ebd. III. I,3, III. 433.

am Ende zu seinem Ausgangspunkt zurückkehren, auf daß auch der verbliebene Rest Israels gerettet werde.[157] Vor dem Hintergrund der letzten Dinge, die die sieghafte Überwindung jüdischer Herzenshärte und Blindheit[158] im gemeinsamen Heil in Aussicht stellen, ist es nunmehr sogar möglich, daß Bernhard der Verbundenheit von Juden und Christen und somit der Notwendigkeit zu einem von Wertschätzung zeugenden Verhalten Ausdruck verleiht:

Non rami radici, non matri filii ingrati sint: non rami radici invideant quod ex ea sumpsere, non filii matri quod de eius suxere uberibus.

Doch bevor Israel[159] gerettet werden kann, ist die Bekehrung der Heiden notwendig *(donec plenitudo gentium introeat, et sic omnis Israel salvus fiat),* wie Bernhard auch an dieser Stelle unter Bezugnahme auf Röm 11,25 feststellt.[160]
In dieser Reihenfolge des Bekehrungswerkes im heilsgeschichtlichen Ablauf muß der Grund für Bernhards Auftreten gegen den zu Judenpogromen aufhetzenden Mönch Rudolf[161] sowie die Mahnung an die Kreuzfahrer gesehen werden, die Juden weder zu töten noch zu verjagen.[162] Entsprechend kehren die bekannten Motive in ep. 368 wieder. Zur Strafe – so Bernhard – wurden die Juden zerstreut, um jedoch am Ende Aufnahme im Heil zu finden:

CONVERTENTUR tamen AD VESPERAM, ET IN TEMPORE ERIT RESPECTUS EORUM. Denique, cum introierit gentium plenitudo, tunc omnis Israel salvus erit, ait Apostulus.

[157] Eines der wichtigsten mittelalterlichen Zeugnisse, in dem diese Auffassung ihren Niederschlag findet, stellt das staufische Spiel vom Antichristen dar. Elias und Enoch nehmen der neben der gesamten Christenheit ebenfalls verführten Synagoge (Günther, Der Antichrist, 144–146) den ihre Blindheit symbolisierenden Schleier von den Augen, so daß sie die Täuschung des Antichristen durchschaut (149) und singend bekennt: *Nos erroris penitet, ad fidem convertimur* (152). Zum *Ludus de Antichristo,* vgl. Beinert, Die Kirche 103f u. Günther, Der Antichrist sowie die bei Beinert unter Anm. 141 und bei Günther 305ff angeführten Literaturangaben.

[158] Vgl. 206, Anm. 51 u. 235f.

[159] Zu der an den wesentlichen Punkten mit der Haltung Bernhards übereinstimmenden Auffassung der Zeitgenossen, vgl. Beinert, Die Kirche, 100–104 u. 356–368 sowie die dort zahlreich angeführte Literatur.

[160] CC 79,5, II. 275. Vergleichbare Gedankengänge finden sich (ebenfalls unter Bezugnahme auf Röm 11,25) in den Predigtabschnitten CC 14,2, I. 76 und CC 76,2, II. 255.

[161] Vgl. 307f. Im Brief an den Erzbischof von Mainz (ep. 365,2, VIII. 321; Anf. Nov. 1146) widerlegt Bernhard Rudolfs Judenhetze und bedient sich hierbei in den Kernpunkten – wiederum unter Hinweis auf Röm 11,25–26 – der gleichen Argumente wie in ep. 363.

[162] Vgl. Hehl, Kirche, 132ff.

Die Tötung des Juden stellt somit einen schweren Eingriff in den göttlichen Heilsplan dar, denn die vor der Vollendung Getöteten fallen dem ewigen Tod anheim *[(i)nterim sane qui moritur, MANET IN MORTE]*.[163] Bernhard beendet seine Ausführungen zur Judenfrage mit der Mahnung zu christlicher Milde gegenüber den bereits Unterworfenen, aus deren Volk die Erzväter und - dem Fleische nach - Christus selbst stammen,[164] und versieht somit sein Anliegen mit einem abschließenden Argument, das auch den theologisch weniger Gebildeten unter seinen Zuhörern eingeleuchtet haben mag.

Die dargelegte Reihenfolge im heilsgeschichtlichen Ablauf, welche die Heidenbekehrung zur dringlichen Aufgabe der auf die Erfüllung zustrebenden Gegenwart macht, ist biblischen und insbesondere paulinischen Ursprungs.[165] Der Beginn dieses das Licht des Glaubens zu den Völkern tragenden Bekehrungswerkes reicht bis in die Zeit der Apostel zurück: *Unde putas in toto orbe tanta et tam subita fidei lux, nisi de praedicato Iesu?* Im besonderen hebt Bernhard das Werk des Paulus hervor, an den der universelle Auftrag *(coram regibus, et gentibus, et filiis Israel)* ergangen war, die Finsternis des Unglaubens mit dem Licht des Glaubens zu durchdringen.[166] Dem raschen Dahineilen des Wortes zu allen Völkern[167] entspricht hierbei die Schnelligkeit, mit der sich die Kirche über den ganzen Erdenkreis auszubreiten vermochte:

Nunc vero videntes velociter currere verbum, et populos nationum ad Dominum in omni facilitate converti, concurrere in unitatem fidei tribus et linguas, atque in unam colligi matrem catholicam terminos terrae . . .[168]

An die Stelle des einen Weinbergs der Juden - so Bernhard in der Predigt auf Hoheliedvers 1,5: *POSUERUNT ME CUSTODEM IN VINEIS*

[163] Ep. 363,6, VIII. 316 ; 1146, Ps 58,15; Sap 3,6; Röm 11,25-26; 1 Io 3,14.

[164] Ep. 363,7, VIII. 317.

[165] „Ja die Mission ist geradezu eschatologisches Vorzeichen und enthält von der biblischen Hoffnung aufs Ende ihren stärksten Antrieb." (Cullmann, Eschatologie und Mission, 348).
Zum eschatologischen Charakter der Mission: Schmaus, Von den letzten Dingen, 175ff; Pesch, Voraussetzungen und Anfänge; Rossano, Theologie der Mission, 503ff; Schnackenburg, Die Kirche, 46-51 u. 122-126; Schneider, Der Missionsauftrag Jesu; Vicedom, Missio Dei, 36ff. Vgl. auch: HThG II (F. Kamphaus), S. 160ff; LThK VII (T. Ohm), 453f; RGG IV (J. Margull), 973ff.
Zu Eschatologie und Mission bei Paulus, siehe: Cullmann, Der eschatologische Charakter des Missionsauftrags; Schelkle, Paulus, 243ff; Schnackenburg, Gottes Herrschaft, 199ff; Zeller, Theologie der Mission bei Paulus.
Zu Röm 9-11 und der Heilserwartung Israels, siehe: Kümmel, Das Problem von Römer 9-11; Schelkle, Paulus, 236ff; Schlier, Der Römerbrief, 282ff; Zeller, Juden und Heiden, 108ff.

[166] CC 15,6, I. 85f.

[167] *Eadem sane in brevi etiam universae terrae persuasio facta est, . . .* (CC 59,9, II. 140).

[168] Ebd. 78,5, II. 269.

– sind die Weinberge der gläubigen Völker getreten,[169] so daß deren Hüterin, die Kirche, die Grenzen ihrer Weinberge über den ganzen Erdenkreis ausdehnte *[per orbem (...) vineas dilataverit terminos suos]*. Denn an sie, die ihr Herz weitete, damit die Fülle der Völker in ihm Aufnahme fand,[170] erging gemäß Mk 16,15 der Auftrag:

ITE IN MUNDUM UNIVERSUM, PRAEDICATE EVANGELIUM OMNI CREATURAE, ipsa prorsus missa est in gentem magnam. Num in maiorem potuit, quam in universitatem? Et facile universitas cessit portanti pacem, gratiam offerenti.[171]

Bereits in christlicher Frühzeit vermag der Heilslauf des über den Erdenkreis dahineilenden Wortes die ganze Welt zu umspannen.[172] Denn eine der Blumen der Auferstehung Christi stellt das schnelle Anwachsen der Zahl der Gläubigen dar: *adeo in brevi crevit florum numerus, id est credentium multitudo.*[173] Rasches Wachstum der Kirchen kennzeichnete die Zeit der Apostel *(creverunt vineae, et propagatae, et dilatatae sunt, et multiplicatae sunt super numerum)*,[174] so daß sich die Kirche – nach Ps 71,8 – von Meer zu Meer, vom Strom bis an die Enden des Erdenkreises erstreckte[175] und jenen universellen, die ganze Welt umspannenden Weinberg des Herrn bildete, den die Kirche in Bernhards Auffassung[176] zum Zeitpunkt seiner Gegenwart darstellt.[177]
Trotz des in apostolischer Zeit rasch voranschreitenden Heilswerkes stehen zu Lebzeiten Bernhards immer noch Heiden außerhalb, denen folglich Bernhards besonderes Interesse zu Beginn des bereits zitierten dritten Buches der Schrift *‚De consideratione‘* gilt. Zur Begründung dieses Zustandes führt Bernhard eine Unterbrechung im Heilslauf des auf universelle Bekehrung abzielenden Wortes an:

Quid visum est patribus ponere metam Evangelio, verbum suspendere fidei, donec infidelitas durat? (...) Quis primus inhibuit hunc salutarem cursum?

Unter Zuhilfenahme dieser Erklärung sucht Bernhard das umfassende Bekehrungswerk, welches sich gemäß dem in obigen Belegstellen entwickelten Weltbild bereits weitgehend verwirklicht hat, mit dem Wis-

[169] Ebd. 30,2, I. 211.

[170] ... *dilata sinum et collige plenitudinem gentium* (ebd. 30,4, I. 212).

[171] Ebd. 30,5, I. 212.

[172] Dies entspricht der Darstellung von Wachstum und Ausbreitung des Christentums in der viergeteilten Kirchengeschichte, vgl. 328ff.

[173] Ebd. 58,8, II. 133.

[174] Ebd. 58,9, II. 133.

[175] *Videsne quales in se habeat Ecclesia caelos, cum sit nihilominus ipsa, in sua quidem universitate, ingens quoddam caelum, extentum a mari usque ad mare, et a flumine usque ad terminos orbis terrarum?* (ebd. 27,12, I. 190; Ps 71,8).

[176] Vgl. 394f.

[177] *Illam loquor, quae implevit terram, cuius et nos portio sumus: vineam grandem nimis, Domini plantatum manu ...* (ebd. 65,1, II. 172).

sen um die bis in die Gegenwart reichende Existenz der Heiden übereinzubringen. Einen positiven Sinn jedoch vermag Bernhard – auch wenn er zugesteht, daß es hierfür Gründe und Notwendigkeiten gegeben haben mag –, dieser Unterbrechung in der Verbreitung des Evangeliums nicht beizumessen: *Et illis causa forte, quam nescimus, aut necessitas potuit obstitisse.*[178] Mit Nachdruck mahnt Bernhard daher die Wiederaufnahme des unterbrochenen Missionswerkes im Pontifikat Eugens an: – *Nobis quae dissimulandi ratio est? Qua fiducia, quae conscientia Christum non vel offerimus eis qui non habent?* Denn die Fülle der Heiden muß *quandoque*[179] eintreten (Röm 11,25), so daß die Mission der noch außerhalb Stehenden, die Verkündigung des Evangeliums an die Ungläubigen (*Quomodo credent sine praedicante?* betont Bernhard unter Bezugnahme auf Röm 10,14) zur nunmehr notwendigen Aufgabe wird. Bernhard schließt seine Ausführungen zur Heidenfrage mit dem Hinweis auf Bekehrungen durch Petrus und Philippus. Wiederum übergeht Bernhard die Reihe der direkten Vorgänger Eugens bis in die Väterzeit und führt als neueres Beispiel *(exemplum recentius)* einer gelungenen Missionstätigkeit Papst Gregor den Großen an.[180] In der unmittelbaren Traditionsfolge zu den Aposteln und Vätern gilt es daher für Eugen die unterbrochene Verbreitung des Wortes wiederaufzunehmen und somit den auf jenseitige Erfüllung zugerichteten Lauf des Heils voranzutreiben.

9.3. Schlußbemerkungen

Bernhards Geschichtsauffassung erweist sich sowohl von einer optimistischen Darstellung der dem Ende entgegenwachsenden Heilsgeschichte, als auch von der gegenläufigen Konzeption der sich im zeitlichen Verlauf steigernden Schrecknisse des Widersachers gekennzeichnet. In der Zusammensicht dieser ihrem jeweiligen Kontext verbundenen und daher zumeist getrennt behandelten Motivstränge zeigt sich Bernhards Verständnis des geschichtlichen Verlaufs zugleich von einem in der Gegenwart kulminierenden Prozeß strengster Auslese sowie von einem Wachstumsprozeß der über die Zeiten hinweg ihrer Erfüllung entgegenstrebenden *‚ecclesia electorum‘* bestimmt. Beiden Sichtweisen wohnt die Bestimmung der Gegenwart als Endzeit inne,

[178] Cons. III. I,3, III. 433.

[179] Auch an dieser Stelle ist die Vollendung des Heilswerkes in weitere Ferne gerückt, vgl. 339.

[180] *Petrus ad Cornelium, Philippus ad Eunuchum missi sunt et, si exemplum recentius quaerimus, Augustinus, a beato Gregorio destinatus, formam fidei tradidit Anglis* (ebd. III. I,4, III. 433; Apg 10,25; 8,26).

die den in der Gegenwart notwendigen Werken ihre Zurichtung auf die letzten Dinge verleiht. Das Moment der Weltüberwindung besitzt auch für Bernhards Wirken zentralen Rang, so daß sein Heilshandeln einem Ende den Weg bereitet, das die Erfüllung aller Sehnsucht in der Rückkehr zur himmlischen Heimat darstellt. Bernhards ‚Bald' bestimmt die Gegenwart als Zeit der dringlich gewordenen Entscheidung. Da Bernhards Sicht nicht die des Historikers ist, erscheint sein ‚Bald' durch keine eingehende eschatologische Reflexion präzisiert und gefestigt, so daß es sich – im weiterhin verbindlichen Rahmen der als Endzeit bestimmten Gegenwart – Schwankungen unterworfen zeigt.

Seine häufige Einbindung in den Bereich der Seelsorge macht dieses ‚Bald' kontextabhängig; – jedoch scheinen auch persönliche Komponenten Eingang in die wechselnde Bestimmung zu finden. Der Auffassung, daß in Bernhards späten Lebensjahren die Zunahme eines die letzten Dinge in unmittelbare Nähe rückenden Endzeitbewußtseins festzustellen ist,[181] sind die zitierten Belegstellen aus der Schrift *‚De consideratione'* entgegenzuhalten,[182] die auch in dieser Phase seines Lebens auf Schwankungen in der Sicht Bernhards hinweisen. Dennoch erscheint die Interpretation der wenigen Belegstellen, in denen sich der zeitliche Abstand zum Ende konkretisiert, zu einem Verständnis der Spätzeit Bernhards aussagekräftig. Im Vertrauen in Eugens besondere Befähigung zum Amt sowie in die rasche und erfolgreiche Inangriffnahme der gebotenen Heilswerke fand die Hoffnung auf ein nahes Ende in das 1145 Papst Eugen übersandte Schreiben Eingang. Diese Zuversicht fehlt in dem nach der Kreuzfahrt verfaßten Traktat *‚De consideratione'*, obgleich auch hier die notwendigen Heilswerke angemahnt und erläutert werden. Wiederum in die Nähe rückt das Ende im 1152 geschriebenen Prolog zur Malachiasvita, wobei der Wechsel von der hoffnungsfrohen Sicht des Briefes 238 zur pessimistischen Schilderung einer von der lähmenden Düsternis und den Schrecken des Antichristen beherrschten Gegenwart ein bezeichnendes Licht auf die Enttäuschung und Erschütterung Bernhards durch das Scheitern des zweiten Kreuzzuges wirft. Einen eindringlichen Beleg für die zunehmend pessimistische Grundstimmung Bernhards in seinen letzten Lebensjahren stellt das dem Jahr 1150 entstammende Schreiben an Hugo, den Bischof von Ostia[183] dar. Deutlich treten Spannungen im Verhältnis zu Papst Eugen zutage, die anläßlich der Bestimmung des Nachfolgers

[181] Vgl. 321, Anm. 59.
[182] Vgl. 339 u. 345, Anm. 179.
[183] Zu Hugo, der zuvor Abt des Tochterklosters von Clairvaux, Troisfontaines, und mit Bernhard freundschaftlich verbunden war, vgl. BC 640.

Hugos für den Abtsstuhl von Troisfontaines aufgebrochen waren[184] und Bernhard am Ende seines Briefes zu dem Bekenntnis veranlassen, bislang zu sehr sein Vertrauen auf einen Menschen gesetzt zu haben:

De cetero benedictus Deus, qui et hoc quod dederat, et de quo mihi forte immoderatius blandiebar, solatium ante exitum tulit, vestram scilicet et domini mei gratiam, ut vel proprio experimento discam, non ponere spem meam in homine.[185]

Die folgende Beurteilung, die Bernhard über seine Werke abgibt, erfolgt zwar im Kontext des erwähnten Streitpunktes, ist aber dennoch in der gewählten allgemeinen Formulierung für Befinden und Selbstbild des Abtes in seiner Spätzeit kennzeichnend. Das passive Moment, welches bereits Bernhards Selbstverständnis als Werkzeug innewohnte, schlägt hier in die lähmende Erfahrung eines über ihn verhängten Wirkens um, das ängstigt und sich allem Verstehen entzieht: *Vereor omnia opera mea, et quod operor non intelligo. Unde certus non sum, certum vos facere minime possum.*[186] Von vergleichbarer Grundstimmung erscheint Bernhards Äußerung in der Malachiasvita zu einem Zeitpunkt, da sich auch die Pläne zu einer erneuten Kreuzfahrt[187] zerschlagen haben. Hier nun sieht sich Bernhard in eine Gegenwart gestellt, die nicht vom auf Verwirklichung dringenden Guten bestimmt, sondern von der Finsternis des Antichristen beherrscht wird. Die Zusammensicht der Quellen ergibt somit ein schlüssiges Bild der letzten Lebensjahre. Optimismus und Hoffnung in die erfolgreiche Inangriffnahme der gebotenen Werke weichen in steigendem Maß Pessimismus, ja dem Gefühl der Lähmung gegenüber einer Welt, die sich zunehmend Bernhards gestaltendem Zugriff entzieht.

Die vorgestellte Eschatologie Bernhards wird als grundlegend zu einem Verständnis für sein Kreuzzugsengagement zu betrachten sein. Dieses hat Anteil am umfassenden Werk der Zurichtung der Welt auf die letzten Dinge, das Bernhard, ermutigt und befähigt durch das Pontifikat Eugens, machtvoll in Angriff nimmt. ‚*Conversio*‘ als die auf das Individuum bezogene, im ‚Bald‘ dringlich gewordene Entscheidung stand sowohl in ihrer auf das Innere der Christenheit als auch in ihrer auf die noch außerhalb Stehenden bezogenen Dimension im Zentrum der für die Zwischenzeit notwendigen Werke. In eben dieser doppelten Funktion wird sich ‚*conversio*‘ als zentraler Zielpunkt des Kreuzzuges erweisen. Deutlich trat Bernhards stetiger Rückbezug auf biblisches Ge-

[184] Vgl. BC 169f; Vacandard, Leben II, 536ff.

[185] Ep. 306,5, VIII. 225.

[186] Ebd. 306,4, VIII. 225.

[187] Vgl. BC 406ff; Gleber, Papst Eugen, 127ff; Mayer, Geschichte, 98; Runciman, Geschichte, 590; Waas, Geschichte, 182; Vacandard, Leben II, 472ff; Willems, Cîteaux, 143.

schehen und biblische Motive zutage, der die in der Gegenwart voranzutreibenden Heilswerke an die christliche Frühzeit anbindet und zugleich höchste Maßstäbe für die zu verwirklichenden sittlichen Normen setzt. Die unmittelbare Traditionsfolge auf die Apostel und Väter mahnt Bernhard für das Werk der Heidenbekehrung an. Warum Bernhard durch sein aggressives Auftreten gegen die Heiden dennoch in so fataler Weise von diesen, gemäß seiner Ausführungen in *‚De consideratione'* auch für ihn verbindlichen tradierten Vorgaben abweicht, wird im folgenden Kapitel einer eingehenden Betrachtung zu unterziehen sein. Abschließend ist der tiefgehende Einfluß paulinischen Gedankenguts hervorzuheben, dessen ohnehin breite Rezeption im Gesamtwerk Bernhards bezüglich des in diesem Kapitel behandelten Themenkreises noch gesteigert erscheint. Rudolf Schnackenburg hebt die Bedeutung von innerer Vertiefung und äußerer Verbreitung des Christentums für eine dem Ende entgegenstrebende Welt bei Paulus hervor[188] und beschreibt somit ein doppeltes, auf die letzten Dinge zugerichtetes Werk, dessen Charakterisierung im gleichen Maße für das Werk Bernhards aussagekräftig ist.

[188] „Äußeres und inneres Wachstum entsprechen sich und sollen miteinander Hand in Hand gehen", Schnackenburg, Gottes Herrschaft, 222.

10. DER ZWEITE KREUZZUG

Die tragende Rolle Bernhards beim Unternehmen des zweiten Kreuzzuges wird als diejenige Phase seines öffentlichen Wirkens zu betrachten sein, die von seiten der historischen Wissenschaft am eingehendsten untersucht worden ist und das Bild Bernhards am nachhaltigsten geprägt hat.[1] Vor dem Hintergrund der in dieser Untersuchung gewonnenen Erkenntnisse ist auf die Schwierigkeiten aufmerksam zu machen, die der Behandlung dieses Themas innewohnen. Diese gründen im besonderen Charakter der Hauptquellen für Bernhards Kreuzzugsengagement. Bernhards Kreuzzugsbriefe[2] wollen Laien zur Kreuznahme bewegen.[3] Gerade für Bernhard sind die christlichen Stände im Rahmen einer hierarchischen Ordnung, die sich aus der Möglichkeit zu jenseitiger Erfüllung ableitet und bereits auf Erden im unterschiedlichen Niveau spirituellen und folglich menschlichen Gelingens ihren Niederschlag findet, nachdrücklich voneinander geschieden.[4] Entsprechend zeichnet Bernhards Beredsamkeit die besondere Bezugnahme auf Werte und Lebensumstände des zu beeinflussenden Personenkreises aus.[5] Denn, so Bernhard in der Predigt div. 3, die Geschöpfe nehmen den Schöpfer gemäß ihrer verschiedenen seelischen Verfaßtheit unter verschiedenen Gesichtspunkten wahr *(sed quod a creatura Creator,*

[1] Zur Ereignisgeschichte, vgl: Bernhardi, Konrad III. 563ff; Berry, The second crusade; Grousset, Histoire; Kugler, Studien; Mayer, Geschichte, 87ff; Runciman, Geschichte, 551ff; Waas, Geschichte 166ff; Wollschläger, Die bewaffneten Wallfahrten 52ff; Zöllner, Geschichte 97ff; vgl. auch: Mayer, Bibliographie, Nr. 2058ff; ders., Literaturbericht. Zur Rolle Bernhards, vgl.: Congar, Henry de Marcy, 77ff; Delaruelle, L'idée; Gleber, Papst Eugen, 53ff; Rousset, Histoire d'une idéologie, 67ff; Schmugge, Zisterzienser; Seguin, Bernard; Pfeiffer, Die Stellung; Willems, Cîteaux.

[2] Leclercq, L'Encyclique; ders., Pour l'histoire; Rassow, Die Kanzlei.

[3] Dieser bekannte Sachverhalt wurde in bislang nicht ausreichendem Maß zu einer Interpretation der Kreuzzugsbriefe Bernhards herangezogen. Symptomatisch für die auch bei anderen Autoren anzutreffende ungenügende Beachtung des Werbecharakters dieser Schreiben ist folgende Bemerkung Hehls (Kirche, 130): „Das wichtigste Zeugnis für die Auffassung Bernhards vom Kreuzzug ist seine weit verbreitete Kreuzzugsenzyklika". Bernhards Kreuzzugspredigt jedoch ist „Laienpredigt" (Wolter, Bernhard von Claivaux, 182) bzw. „Volkspredigt" (Cramer, Kreuzpredigt, 187). Grundlegende Züge von Kreuzzugsbrief und -predigt faßt Ursula Schwerin (Die Aufrufe, 42) zusammen: „Das Wesentliche ist, wie für alle Propaganda, auch hier die Verwendung von Vorstellungen und Motiven, die einer möglichst breiten Masse vertraut sind und bei ihr den gewünschten Widerhall erwecken."

[4] Vgl. 13ff.

[5] Vgl. 239ff.

pro diversis eiusdem creaturae affectibus, diversis sentiatur respectibus).[6] Bernhard fügt dies erläuternd zur dreifachen Möglichkeit des Menschen hinzu, sich als Sklave, als Mietling *(mercenarius)* oder als Sohn auf Gott zu beziehen. Deutlich findet in Bernhards Kreuzzugsbrief die zweite Möglichkeit ihren Niederschlag *[(s)i prudens mercator es].*[7] In der Tat läßt sich Bernhards Hervorhebung des Lohngedankens, die im Gegensatz zu den im klösterlichen Leben verbindlichen Werten der selbstlosen Liebe steht,[8] allein aus der Wirkkraft erklären, die Bernhard diesem Motiv für den zu beeinflussenden Personenkreis beimaß. Vergleichbare Schlüsse lassen sich aus den Erläuterungen zur Wundertätigkeit Bernhards ziehen, gemäß denen der Übergang von einem spirituellen, die ‚Wunder des Innen' hervorhebenden Wunderbegriff in der monastischen Theologie Bernhards[9] zu den konkreten Wundern im Rahmen der Werbung für den Kreuzzug zu beobachten ist.[10] Weitere Widersprüche zwischen Bernhards monastischer Theologie und den von ihm im Rahmen des Kreuzzugsunternehmens vertretenen Positionen und Werte werden im Verlauf dieses Kapitels aufzuzeigen sein.
Der in der Tat schwierig nachzuvollziehende Übergang vom Mystiker tiefster Innerlichkeit zu Bernhards Auftreten als Kreuzzugsprediger findet in einer gespaltenen Forschungslage seinen Niederschlag. Nicht ganz zu Unrecht spricht Mayer von den „schönfärbende(n) Apologeten"[11] Bernhards. Der Weg, der in diese Interpretationen Bernhards führt, wird aufgrund der festgestellten Diskrepanz deutlich. Im Vergleich zwischen Kreuzzugsbrief und mystischer Theologie tun sich Widersprüche auf, die allzuleicht zu einer harmonisierenden Interpretation verleiten, welche die von Bernhard anläßlich des Kreuzzugs verfochtenen Positionen einer relativierenden oder gar negierenden Betrachtung unterzieht. Festzuhalten bleibt an dieser Stelle die Kluft, die zwischen beiden Bereichen besteht – ja ein Befremden an Bernhard, der das auf der Ebene seiner monastischen Theologie erreichte beeindruckende Niveau religiöser Innerlichkeit in seiner Werbetätigkeit für den Kreuzzug an wesentlichen Punkten außer Kraft und Verbindlichkeit setzt. Festzuhalten bleibt ferner der problematische Charakter der Kreuzzugsbriefe als Quelle für die Motive, die Bernhard zu seinem Engagement veranlaßt haben. Mit Nachdruck ist darauf hinzuweisen, daß aus den inhaltlichen Gewichtungen und Motiven der Kreuzzugsbriefe nicht zwangsläufig auf die persönliche Haltung Bernhards rück-

[6] Div. 3,9, VI.I. 93.
[7] Ep. 363,5, VIII. 315.
[8] Vgl. 242f.
[9] Vgl. 284f.
[10] Vgl. 275f u. 308f.
[11] Mayer, Geschichte, 93.

geschlossen werden kann. Vor diesem Hintergrund nimmt es sich besonders schmerzlich aus, daß wir aus der Frühzeit des Kreuzzuges keinen Text Bernhards besitzen, der nicht von propagandistischer Natur wäre und einen direkten Einblick in seine Beweggründe bieten könnte. Allein gangbar erscheint somit der Weg, die Motive der Kreuzzugsbriefe im Kontext von Theologie und Wirken Bernhards zu überprüfen und von hier aus ihre Verbindlichkeit und Gewichtung zu einem Verständnis der Gründe zu rekonstruieren, die Bernhard zu seinem machtvollen Eintreten für die Angelegenheit des Kreuzzuges veranlaßt haben.

10.1. Jerusalem und das Heilige Land

Der bereits bezüglich der Wunderthematik deutlich gewordene Übergang vom spirituellen Wunderbegriff zur konkreten Wundertätigkeit findet seine Entsprechung an der in ein wörtliches Verständnis gewandelten Bedeutung, die Jerusalem[12] in der Werbung für die Kreuzfahrt erfährt. Im Rahmen von Bernhards Predigten hingegen beschreibt Jerusalem die im Jenseits zu vollendende Gemeinschaft, welche – in ihrer moralischen Bedeutungsdimension – die Maßstäbe für ein gelungenes menschliches Zusammenleben setzt,[13] das sich für Bernhard in vorbildlicher Weise im Kloster Clairvaux verwirklicht findet. Von daher vermag Bernhard dem Bischof von Lincoln entgegenzuhalten, daß der Kleriker Philipp, der sich auf seinem Weg nach Jerusalem zum Verbleib in Clairvaux entschlossen hatte, auf kürzerem Weg zum Ziel gelangt sei: *Et si vultis scire, Claravallis est. Ipsa est Ierusalem ...*[14] Diese selbstbewußte Ausssage ist gemäß den Werten einer im klösterlichen Leben auf tiefe Verinnerlichung des Glaubens dringenden Spiritualität durchaus schlüssig, denn für Bernhard gilt: *non locus homines, sed homines locum sanctificant.*[15] Diese Bewertung erweist sich für die Haltung bestimmend, die Bernhard bezüglich Problemfällen einnimmt, in denen das Gelübde zur Pilgerfahrt nach Jerusalem dem Wunsch zum Klo-

[12] Zur Entwicklung von der übertragenen zur konkreten Bedeutung, vgl. Erdmann, Die Entstehung 279ff; Mähl, Jerusalem.

[13] Vgl. 99ff.

[14] Vgl. 100f.

[15] Div. 30,1, VI.I. 214. Vergleichbare Gedankengänge finden sich in der Predigt auf die Kirchweih von Clairvaux (ded. 1,1, V. 370f): *Quid enim lapides isti potuerunt sanctitatis habere, ut eorum sollemnia celebremus? Habent utique sanctitatem, sed propter corpora vestra. An vero corpora vestra sancta esse quis dubitet, quae templum Spiritus Sancti sunt. (...) ... sancta sunt corpora propter animas, sancta est etiam propter corpora domus.*

stereintritt entgegensteht.[16] Wiederum findet der höchste Stellenwert, den Bernhard der klösterlichen Lebensform[17] beimißt, in der Entscheidung seinen Niederschlag, die Bernhard Bischof Gaufred von Chartres auf dessen Anfrage hin vorlegt:

(E)go non arbitror minora vota impedire debere maiora, nec Deum exigere quodcumque sibi promissum bonum, si pro eo melius aliquid fuerit persolutum.[18]

Auch im Vergleich zum Templerorden gibt Bernhard der zisterziensischen Lebensfürung offensichtlich den Vorzug,[19] wenn er dem Graf Hugo von der Champagne zu dessen Entschluß, sich den Tempelrittern anzuschließen, zwar gratuliert, jedoch sein Schreiben mit Worten beschließt, die deutlich machen, daß sich Bernhard eine andere Entscheidung gewünscht hätte: *O quam libenti animo et corpori tuo pariter et animae providissemus, si datum fuisset, ut simul fuissemus!*[20] Wie die vorangegangenen Zeugnisse entstammt auch Brief 82 an Abt Stephan von Chartres[21] der Frühzeit Bernhards. Mit Nachdruck rät Bernhard von dem Plan ab, den zugewiesenen Aufgabenbereich um einer Pilgerfahrt nach Jerusalem willen zu verlassen. Zur Verdeutlichung seiner Haltung findet Bernhard harte Worte, um das Vorhaben als selbstsüchtig *(vivere tibi)* und der Nächstenliebe widersprechend *(caritatis est detrimentum)*[22] zu brandmarken und im folgenden die Vermutung zu äußern, daß der heftige Wunsch zu diesem Unternehmen einer Einflüsterung des Teufels *(caritatis aemulus)* entstammen könne.[23] In diesem Sinne ergehen lobende Worte an den Bischof von Chartres, der sich wegen des zu befürchtenden Schadens für seine Herde gegen die Pilgerfahrt in das Hl. Land entschlossen hat.[24] Nachdrücklich tritt Bernhard in den Jahren 1124/1125 Arnold, dem Abt von Morimond,[25] entgegen, der mit einigen Mitbrüdern die Heimat verlassen hatte, um in Jerusalem ein Kloster zu gründen. Pflichtvergessenheit und Ungehorsam legt Bernhard Arnold zur Last sowie die Blindheit gegenüber den besonderen

[16] Vgl. Willems, Cîteaux, 119ff. Zur traditionellen Höherbewertung des Klosterlebens gegenüber der Fahrt ins Hl. Land, vgl. Constable, Opposition u. Hehl, Kirche, 131, Anm. 559.

[17] Vgl. 15f.

[18] Ep. 57, VII. 149; um 1127. Derselben Haltung verleiht Bernhard in ep. 459 (VIII. 437; ?)Ausdruck; *– frater tuus Henricus, ad nos divertit et, consilio nostro, salutaris signi quod acceperat propositum non deposuit, sed longe meliora.* Um der Armut Christi willen habe er die Armut und – so Bernhard weiter – daher den besseren Teil Marias gewählt.

[19] Vgl. 16ff.

[20] Ep. 31, VII. 86; nach Beginn 1125. Zu Graf Hugo, vgl. BC 652, Melanges 29.

[21] Ab 1128 Patriarch von Jerusalem; vgl. BC 282f.

[22] Ep. 82,1, VII, 215; 1127/1128.

[23] Ebd. 82,2, 215.

[24] Ep. 52, VII. 144.

[25] Vgl. BC 125–133.

Bedingungen des Ortes, die eher Krieger als Mönche notwendig mache *(plus illic milites pugnantes quam monachos cantantes vel plorantes necessarios esse)*.[26] Dieselbe Haltung behält Bernhard bei, als ihm 1131[27] König Balduin die Möglichkeit zur Gründung eines Zisterzienserklosters im Hl. Land eröffnet, so daß er – wohl aus Furcht über mögliche Beunruhigungen der klösterlichen Abgeschiedenheit[28] – den zugewiesenen Ort sowie die bereitgestellten Gelder an den Orden von Prémontré als den geeigneteren Empfänger weiterleitet.[29] Grundsätzlich bleibt für Bernhard die zisterziensische Lebensform mit dem durch innere Läuterung zu erstrebenden himmlischen Jerusalem verbunden, so daß er mit dieser Begründung einen nach Jerusalem aufgebrochenen Mönch an sein Kloster zurückschickt:

Neque enim terrenam, sed caelestem requirere Ierusalem monachorum propositum est, et hoc non pedibus proficiscendo, sed affectibus proficiendo.[30]

Auch in seinen späteren Jahren behält Bernhard diese Position bei, so daß er in ep. 544 unter Androhung der Exkommunikation den Mönchen seines Ordens untersagt, sich den Kreuzfahrern anzuschließen. Ein solches Verhalten steht für Bernhard im Widerspruch zum Mönchsgelübde, zeugt von Ungehorsam, Sondergeist *(singularitas)*[31] sowie von weltlicher Ruhmsucht und ist vor allen Dingen in sich widersinnig, da hier durch eine äußere Geste ein Bekenntnis abgelegt wird, das im Innern des Mönchs bereits vollzogen ist:

Quid crucem vestibus assuis, qui hanc corde tuo baiulare non cessas, si religionem conservas?[32]

Das früheste Zeugnis Bernhards,[33] in dem sich der Übergang von der übertragenen zur konkreten Bedeutung Jerusalems belegt findet, stellt

[26] Ep. 359, VIII, 305; Dez. 1124 – Jan. 1125. In derselben Angelegenheit ergehen die Briefe 4–7, VII. 24ff.

[27] Vgl. BC 296.

[28] Bernhards Biograph hebt die sich über alle Länder erstreckenden Klostergründungen Bernhards hervor. Allein Jerusalem bildet eine Ausnahme: . . . *excepto quod in terram Jerosolymitanam, quamvis locus esset a Rege paratus, ob incursus Paganorum et aeris intemperiem, non acquievit mittere fratres suos* (VP III. VII,22, 316).

[29] Ep. 253,1, VIII, 149f; um 1150. Vgl. auch das Schreiben an Königin Melisande, in dem Bernhard die nach Jerusalem aufgebrochenen Prämonstratenser empfiehlt (ep. 355, VIII. 299, um 1142).

[30] Ep. 399, VIII. 379f; vor 1130.

[31] Vgl. 84f.

[32] Ep. 544, VIII. 511f; Jan. – Mai. 47.

[33] Zur unsicheren Datierung von Bernhards Templerschrift zwischen 1128–1136, vgl. S. Bernardi opera, III. 207.

die Schrift zum Lob auf die Ritter des Tempelordens dar.[34] Hier nun erfahren Jerusalem und das Hl. Land als Orte des irdischen Wirkens Christi *(illa regione, olim in carne praesens visitavit Oriens ex alto)*,[35] als Erblande des Erlösers *(hereditatem domumque suam)*[36] eine Darstellung, die deren Heiligkeit und ruhmvollen Glanz vor Augen führt:

Salve igitur civitas sancta, quam ipse sanctificavit sibi tabernaculum suum Altissimus, (...) Salve civitas Regis magni, ex qua nova et iucunda mundo miracula nullis paene ab initio defuere temporibus.[37]

Von besonderem Interesse sind die auf die Aneinanderreihung mehrerer Bibelstellen zu Jerusalem folgenden Ausführungen in Kapitelabschnitt III,6, in denen Bernhard auf den vollzogenen Wechsel von der übertragenen zur konkreten Bedeutung – der offensichtlich problematisch[38] genug ist, um der Begründung zu bedürfen – Bezug nimmt. Nachdrücklich hebt Bernhard die Notwendigkeit zur spirituellen Deutung des Bibelwortes hervor und warnt vor den Irrwegen einer wörtlichen Auslegung:

Dummodo sane spiritualibus non praeiudicet sensibus litteralis interpretatio, quominus scilicet speremus in aeternum, quidquid huic tempori significando ex Prophetarum vocibus usurpamus, ne per id quod cernitur evanescat quod creditur, et spei copias imminuat penuria rei, praesentium attestatio sit evacuatio futurorum.

Zur Begründung der dennoch vollzogenen Hinwendung zu einem wörtlichen Verständnis von Jerusalem führt Bernhard sodann eine auf die Hl. Stadt bezogene Einschränkung seiner Aussagen an, da in diesem Fall die materielle Erscheinungsform den Zugang zum Ewigen nicht verstelle, sondern fördere, so daß der irdische Ruhm Jerusalems jenseitigen Nutzen nicht mindere, sondern mehre:

Alioquin terrenae civitatis temporalis gloria non destruit caelestia bona, sed astruit, si tamen istam minime dubitamus illius tenere figuram, quae in caelis est mater nostra.[39]

[34] Zu Bernhards Traktat *‚De laude novae militiae‘*, vgl. Fleckenstein, Die Rechtfertigung; Hehl, Kirche, 109–120; Schumacher, Die Idee, 375ff; Rousset, Les laïcs, 436ff. Zur Mitwirkung Bernhards an der Erstellung der Regel des Templerordens sowie zu seiner fördernden Rolle in der Frühzeit des Ordens: Bulst-Thiele, Sacrae Domus Militiae, 19ff; Cousin, Les débuts; Leclercq, Un document; Melville, Les débuts; Prutz, Die geistlichen Ritterorden 24ff; Willems, Cîtaux, 121.

[35] Laude I,1, III. 214.

[36] Ebd. III,6, III. 218.

[37] Ebd. V,11, III. 223f.

[38] Die wörtliche Schriftauslegung gilt Bernhard als der Teil der Juden und Ursache für ihre Blindheit; vgl. 206, Anm. 51; vgl. auch 277, Anm. 32.

[39] Ebd. III,6, III. 218f.

Den Gedanken der Mehrung des jenseitigen Nutzens in der diesseitigen Stadt unterzieht Bernhard keiner weiteren Präzisierung. Aus dem Kontext des Traktats wird jedoch auf die im folgenden zu behandelnde ritterliche ‚*conversio*' im Heidenkampf sowie auf die in ep. 363 angesprochene Bedeutung Jerusalems als Wallfahrtsort[40] rückzuschließen sein. Untrennbarer zeigt sich für Bernhard das Hl. Land mit einer Konzeption von ‚*conversio*' verbunden, die im besonderen Maß Bedeutung für den Laienstand hat. Diese steht letztlich im Zentrum der Schrift ‚*De laude*', in der Bernhard im Lobpreis auf Heiligkeit und Ruhm Jerusalems, in der Anprangerung der beleidigenden Freveltaten der Heiden sowie unter Heranziehung eines Christusbildes, das sich an den spirituellen Bedürfnissen des zu gewinnenden Personenkreises orientiert,[41] um die Bekehrung der Ritter im Kampf gegen die Heiden wirbt.
Auch in den Kreuzzugsbriefen rückt das Hl. Land als Erbe Christi[42] in den Rang eines in Christus geheiligten und nun von heidnischer Schändung bedrohten Ortes,[43] wobei wiederum der mit Jerusalem verbundene spirituelle Nutzen der ritterlichen ‚*conversio*' als zentraler Zielpunkt der Ausführungen Bernhards zu erkennen sein wird.
Bei einer Beurteilung der sich im Vergleich mit den eingangs zitierten Belegstellen ergebenden Diskrepanz der Aussagen Bernhards ist die Tatsache miteinzubeziehen, daß die Texte an unterschiedliche Personengruppen gerichtet sind. Im grundlegend gewandelten Stellenwert Jerusalems trägt Bernhard der tiefgreifenden Verschiedenheit der Stände Rechnung, welche für Laien die Kreuzfahrt als Mittel zur Bekehrung, den Aufbruch von Zisterziensermönchen ins Hl. Land jedoch als widersinniges und gefährliches Unternehmen erscheinen läßt. Hierbei steht sowohl in der Templerschrift als auch in den Kreuzzugsbriefen nicht Jerusalem selbst, sondern die ritterliche ‚*conversio*' im Vordergrund, so daß Bernhards Lobpreis der Hl. Stadt dem jenseitigen Nutzen unterzuordnen ist, der sich an ihr zu vollziehen vermag.

[40] *Quam multi illic peccatores, confitentes peccata sua cum lacrimis, veniam obtinuerunt, postquam patrum gladiis eliminata est spurcitia paganorum!* (363,2, VIII. 313). Beide Bedeutungen besitzen für Zisterziensermönche keinerlei Geltung, wie die eingangs zitierten Ausführungen Bernhards belegen.

[41] *Regis liberalitas* (III,4, 217); *militum Dux* (V,9, 222); *Regis magni* (V,11,223); vgl. 241f.

[42] *Hereditatem suam;* ep. 363,3, VIII. 313.

[43] . . . *quia coepit Deus caeli perdere terram suam. Suam, inquam, in qua visus est, et annis plus quam triginta homo cum hominibus conversatus est. Suam utique, quam illustravit miraculis, quam dedicavit sanguine proprio, in qua primi resurrectionis flores apparuerunt. Et nunc, peccatis nostris exigentibus, crucis adversarii caput extulerunt sacrilegum, depopulantes in ore gladii terram benedictam, terram promissionis. Prope est, si non fuerit qui resistat, ut in ipsam Dei viventis irruant civitatem, ut officinas nostrae redemptionis evertant, ut polluant loca sancta* (ep. 363,1, VIII. 312).

Dieser Sachverhalt jedoch bedarf der Ergänzung durch weitere Belegstellen, die auf eine Entwicklung in der Sicht Bernhards hinweisen, welche vor allen Dingen unter dem Eindruck der gescheiterten Kreuzfahrt bedeutsam wird. Im Zusammenhang mit seiner fördernden Rolle für den Templerorden knüpft Bernhard schon früh Kontakte zum Hl. Land. Der sich hieraus entwickelnde Briefwechsel mit Königin Melisende[44] ist für das zu behandelnde Thema von untergeordnetem Interesse, da er sich im wesentlichen auf Empfehlungsschreiben und geistliche Ermahnungen beschränkt.[45] Ein jedoch von der Interpretation der behandelten Quellen abweichendes Zeugnis stellt das zwischen 1138 und 1145 verfaßte Schreiben an Wilhelm, den Patriarchen von Jerusalem,[46] dar. Thema dieses Briefes sind Ermahnungen zur Demut und vorbildlichen Amtsführung[47] sowie das Lob Jerusalems. Den noch in der Templerschrift problematisierten Übergang von der übertragenen zur Buchstabenbedeutung vollzieht Bernhard hier mit großer Selbstverständlichkeit zu einem emphatischen Lob auf die durch Leben und Sterben Jesu geheiligte Stadt (*LOCO UBI STETERUNT PEDES EIUS;* Ps 131,7), die bei weitem die Heiligkeit des sie präfigurierenden Ortes der Gesetzesübergabe übertrifft:

Sanctus ille, sed iste sanctior. (...) Ecce locus longe sacratior illo in quo stetit Moyses, et longe nobilior, quia locus Domini.[48]

Es wird bei einer Beurteilung dieses aufgrund seiner unpräzisen Datierung nur schwer einzuordnenden und folglich zu bewertenden Schreibens nicht als Zufall zu erachten sein, daß es gerade an den Patriarchen von Jerusalem ergeht. Denn deutlich zeigt sich das Jerusalemlob Bernhards mit dem Lob der außerordentlichen Stellung, die dem Patriarchen in der gesamten Christenheit zukommt,[49] verbunden, so daß sich Bernhard hier um Freundschaft und Einfluß bei einem Mann wer-

[44] Vgl. BC 655.

[45] Vgl. ep. 206, VIII. 65, ?; ep. 289, VIII. 205f; 1153; ep. 354, VIII, 297f; 1143f; ep. 355, VIII. 299; um 1142.

[46] Vgl. BC 635.

[47] Ep. 393,3, VIII. 366f.

[48] Ep. 393,2, VIII. 365f.

[49] *Multos elegit Dominus et principes fecit in populo suo, UT SIT ILLIS SACERDOTII DIGNITAS; sed te quadam familiari gratia collocavit in domo David patris sui. Tibi soli de omnibus episcopis universi orbis comissa est terra illa, quae germinavit herbam virentem (...). Te solum, inquam, elegit Dominus PRAE CONSORTIBUS TUIS, ut sis ei in episcopum familiarem, qui per singulos dies introeas in TABERNACULUM EIUS et adores IN LOCO UBI STETERUNT PEDES EIUS* (ebd. 365; Eccl 46,16; Hl 2,1; Ps 44,8; Ps 131,7).

bend[50] zeigt, dessen Gunst und Sorge er an anderer Stelle den Orden der Tempelritter empfiehlt.[51]
Von einer in der Tat gewandelten Sicht zeugen die Schreiben an Petrus Venerabilis und Papst Eugen, in denen Bernhard die sich in seiner Rechtfertigung auf das Scheitern des Kreuzzuges bereits andeutende[52] erneute Ausrichtung einer Kreuzfahrt zu bewirken sucht. Hier nun tritt das Hl. Land als in Jesus geheiligter *(consecrata Christi sanguine et conversatione)* und von heidnischem Frevel bedrohter Ort gänzlich in das Zentrum von Bernhards Argumentation. Denn in Jerusalem ist das Herzstück, die Grundlage christlichen Heils bedroht:[53] *Quid erit hoc, nisi tollere fundamenta salutis nostrae, divitias populi christiani?* Der Ort des Verweilens Christi auf Erden (*UBI STETERUNT PEDES EIUS;* PS 131,7), die Erblande des Herrn laufen Gefahr, verloren zu gehen. Bernhard fährt in seinem Schreiben an Petrus Venerabilis fort im Lob auf Ruhm und Heiligkeit des nunmehr unter dramatischer Bedrohung stehenden Landes, um sodann die Lauheit der weltlichen Führer anzuprangern *[(i)ntepuerunt corda principum],* die der erneuten Passion Christi *(ubi et altera vice passus est)*[54] tatenlos zusehen. Um so mehr ist der Beistand des geistlichen Führers gefordert, um den im folgenden die Bitte Christi an Petrus ergeht:

Recurrit et ad vos Filius Dei tamquam ad unum de maximis principibus domus suae. HOMO enim iste NOBILIS qui ABIIT IN REGIONEM LONGINQUAM multum vobis tam interioris quam exterioris substantiae suae commissit, et necesse est ut in necessitate sua sentiat auxilium et consilium vestrum.[55]

Nicht anders als in seinem übrigen öffentlichen Wirken legitimiert Bernhard auch hier sein Eingreifen aus der Notwendigkeit für Jesus Christus,[56] wobei vor dem Hintergrund des Scheiterns die Verschränkung des Beweggrundes von höchster Objektivität mit dem Moment subjektiver Unbelehrbarkeit[57] besonders problematisch erscheint.

[50] Ep. 393 wäre somit in die lange Reihe jener Schreiben (vgl. 239ff) einzuordnen, die bei verschiedenen Inhalten der doch immer gleichen Struktur der Bezugnahme auf Person und Lebensumstände der Angesprochenen als dem grundlegenden Element der Beredsamkeit Bernhards folgen.

[51] Ep. 175, VII. 393; 1130–1131.

[52] Vgl. 188ff.

[53] Dasselbe Motiv findet sich in Bernhards Schreiben an Papst Eugen (ep. 256,3, VIII. 164; 1150): *Fundamentum concutitur, et tamquam imminenti ruinae totis est nisibus occurrendum.*

[54] Vgl. ebenfalls ep. 256,1, VIII. 163: *Exserendus est nunc uterque gladius in passione Domini, Christo denuo patiente, . . .*

[55] Ep. 521, VIII, 483f; nach 7. Mai 1150, vor 15. Juli.

[56] Vgl. 177ff.

[57] In seinem Schreiben an Papst Eugen (256,2, VIII. 164) weist Bernhard darauf hin, daß die verborgenen Ratschlüsse Gottes den Menschen nicht aus der Pflicht entlassen:

Bernhards nachdrückliche Mahnungen an Papst Eugen sowie seine eindringlichen Bitten an Petrus Venerabilis um Unterstützung und Erscheinen bei der Zusammenkunft in Chartres[58] belegen, wie bedrängend Bernhard sowohl seine persönliche Situation als auch die Situation im Hl. Land empfunden haben mag. In untrennbarer Verbindung greifen persönliche Betroffenheit und Betroffenheit über ein unfaßliches Geschehen, der Wunsch nach Wiederherstellung der persönlichen Reputation und das Streben, den Schaden für Christus und die Christenheit zu beheben, ineinander. *INTRAVERUNT AQUAE USQUE AD ANIMAM Christi, tacta est pupilla oculi eius;*[59] – schreibt Bernhard an Papst Eugen zur Schilderung der katastrophalen Folgen des Geschehens für Christus und bedient sich hierbei der klagenden, um göttlichen Beistand bittenden Worte des unschuldig Verfolgten (Ps 68,2), der alles nach göttlichem Willen getan hat und dennoch in Schmach und Schande gefallen ist. Der Fortgang der Argumentation folgt der Vorgabe des Psalms, in dem der Verfolgte all sein Vertrauen auf Gott setzt, der ihn aus dem Staub erheben und einst Zion retten wird. Entsprechend gilt es, der erlittenen Niederlage ungeachtet, einen neuen Anlauf zu unternehmen: *Nec terrebitur damnis prioris exercitus, quibus magis resarciendis operam dabit.* Denn – so Bernhard weiter – schon oft habe Gott das Übel dem Guten vorangehen lassen.[60]

Anhand der vorgestellten Dokumente läßt sich eine Entwicklung des von Bernhard in seiner öffentlichen Wirksamkeit verwandten Jerusalembegriffs feststellen, die unverkennbar die Richtung einer fortschreitenden Entspiritualisierung nimmt. Zur anfänglich ausschließlich geltenden übertragenen Bedeutung tritt in der Templerschrift und den Kreuzzugsbriefen das wörtliche Verständnis, welches sich aus dem geistigen Nutzen der ritterlichen *‚conversio‘* rechtfertigt. In der auf die Niederlage folgenden Zeit zeigt sich Bernhard über die weltlichen Führer und Ritter tief enttäuscht.[61] Entsprechend entfällt in den Briefen zur

Numquid ideo non debet facere homo quod debet, quia Deus facit quod vult? Bernhard hofft darauf, daß Gott seinen Ratschluß zum Guten ändern werde: *QUIS SCIT SI CONVERTATUR ET IGNOSCAT Deus, ET RELINQUAT POST SE BENEDICTIONEM?* Auch an dieser Stelle ist die Art und Weise von Interesse, in der Bernhard das Wort der Bibel einfügt. Ioel 2,14 erfolgt im Kontext eines Aufrufs zur Umkehr. In seiner Verwendung ersetzt Bernhard den Menschen als das Subjekt des biblischen Satzes durch *Deus.*

[58] Ep. 521, VIII. 484; vgl. auch ep. 364,2, VIII. 319; März/April 1150. Nach der überzeugenden Datierung von Constable (Letters II, 207) ist auch ep. 364 an Petrus Venerabilis dieser Briefgruppe zuzurechnen. Zum Nichterscheinen des Petrus in Chartres, vgl. Berry, Peter, 159ff.

[59] Ep. 256,1, VIII. 163; 1150.

[60] Ep. 256,2 VIII. 164.

[61] In ep. 376 (VIII. 339f; 1149) drängt Bernhard den mit der Reichsverwaltung betrauten Abt Suger zur Unterbindung von Turnieren, welche die heimgekehrten Kreuzfahrer veranstalten wollen: *Animadvertite quali voluntate viam Ierosolymitanam aggressi sunt,*

erneuten Ausrichtung der Kreuzfahrt das Motiv der ritterlichen *‚conversio'*, so daß der aus der Heiligkeit des Ortes gerechtfertigte Kampf um das Hl. Land zum Zentrum der Argumentation Bernhards wird. Insbesondere die letzte Stufe der Öffnung zu einem wörtlichen Verständnis scheint von den Ereignissen diktiert, die nunmehr das Hl. Land unter schwere militärische Bedrohung stellen. Bernhard reagiert auf die veränderten Bedingungen in seinem Kampf um den Schutz Jerusalems,[62] der zugleich zum Kampf um Selbstbild und Reputation geworden ist. Zu eng ist das im Selbstverständnis als Werkzeug verankerte Bewußtsein des Zusammenklingens mit dem göttlichen Willen (und zu bedrängend wohl ein möglicher Zweifel), als daß der im äußeren Geschehen offenbar gewordene Bruch im Inneren nachvollzogen werden könnte. Keinerlei Einsicht in persönliche Fehlentscheidungen ist von hier aus möglich, so daß Bernhard, der sich nicht mehr ändern kann, allein die Hoffnung auf den geänderten Willen Gottes[63] bleibt, der das Hl. Land befreien und zugleich die innere Gewißheit am äußeren Geschehen bestätigen wird.

Bernhard trägt der veränderten Situation durch eine weitere Öffnung zum nunmehr dominierenden Buchstabenverständnis Rechnung, das die erneute Kreuzfahrt aus ihrer Notwendigkeit für Christus als rein militärisches Unternehmen legitimiert. Dies jedoch beschreibt zugleich einen weiteren Schritt der Abkehr von den ursprünglich verbindlichen Bedeutungsdimensionen und den hiermit untrennbar verbundenen Wertsetzungen. Deutlich korrespondiert der Prozeß der Entspiritualisierung, bei dem der erste Schritt aktiv vollzogen, der zweite jedoch in Reaktion auf das Unvorstellbare erfolgt zu sein scheint, mit dem Prozeß der zunehmenden Verstrickung Bernhards in ein Geschehen, in dessen Schlußphase die Ereignisse selbst die Akzente setzen. Auf diese Weise vermag jene Rückwirkung der Welt auf den in der Welt Wirkenden zu geschehen, die Bernhard als den Staub Marthas so sehr fürch-

qui cum voluntate huiusmodi regressi sunt. Quam recte dici potest de istis: CURAVIMUS BABYLONEM, ET NON EST SANATA; PERCUSSI SUNT, ET NON DOLUERUNT; ATTRITI SUNT, ET RENUERUNT SUSCIPERE DISCIPLINAM (Ier 51,9; 5,3).

Ein vergleichbar negatives Urteil findet sich im Brief Bernhards an seinen Onkel Andreas, der als Tempelritter im Hl. Land lebte: *Vae principibus nostris! In terra Domini nihil boni fecerunt: in suis, ad quas velociter redierunt, incredibilem exercent malitiam, et non compatiuntur super contritione Ioseph. Potentes sunt ut faciant mala, bonum autem facere nequeunt* (ep. 288,1, VIII. 203; 1153).

[62] Noch auf dem Sterbelager zeigt sich Bernhard vom Schicksal des Hl. Landes bewegt (ep. 288, VIII. 203ff) und verleiht seiner Hoffnung Ausdruck, daß der Herr den Verlust seiner Erblande nicht zulassen werde.

[63] Vgl. 357f, Anm. 57.

tet und die sich hier in einer Situation zu vollziehen vermag, in der Bernhard zu bedrängt erscheint, um auch nur zu bemerken, wie sehr sich nunmehr das Geschehen des zuvor machtvoll Einflußnehmenden bemächtigt hat.

10.2. Conversio

Die Analyse der Geschichtsauffassung Bernhards rückte den Begriff ‚*conversio*' in zentralen Rang. Sowohl in der den Glauben vertiefenden als auch den Glauben verbreitenden Bedeutung, d. h. sowohl in der auf das Innere der Christenheit als auch auf die noch Außenstehenden bezogenen Funktion, beschreibt ‚*conversio*' den drängenden Aufgabenbereich der auf das Ende zuzurichtenden Gegenwart. In eben dieser doppelten Funktion findet ‚*conversio*' als doppeltes Ärgernis für den Widersacher Eingang in Bernhards Aufruf zum Wendenkreuzzug. Zähneknirschend und neiderfüllt muß dieser den Verlust erkennen, der ihm durch die Umkehr vormaliger Verbrecher zugefügt wird:

. . . multos amittit ex his quos variis criminibus et sceleribus obligatos tenebat: perditissimi quique convertuntur, declinantes a malo, parati facere bonum.

Mehr noch jedoch fürchtet der Teufel die Bekehrung der Heiden, die Bernhard unter Verwendung von Röm 11,25–26,[64] d. h. als endzeitliches, der Wiederkunft Christi unmittelbar vorangehendes Ereignis beschreibt:

Sed alium damnum veretur longe amplius de conversione gentium, cum audivit plenitudinem eorum introituram, et omnem quoque Israel fore salvandum.

Dem eschatologischen Charakter des Geschehens entspricht die Reaktion des Teufels, der gegen seine Vernichtung in der Vollendung des Heils aufbegehrt und so seinerseits nach der Vernichtung des Heils trachtet: *Hoc ei nunc tempus imminere videtur, et tota fraude satagit versuta malitia, quemadmodum obviet tanto bono.* Zu diesem Zweck bedient er sich der Söhne des Verbrechens, der Heiden *(pagani)*,[65] wobei sich im mit der gewechselten Funktion vollzogenen terminologischen Wechsel *(gentes/pagani)*[66] bereits das Zurücktreten der Möglichkeit zur Heidenbekehrung gegenüber der Notwendigkeit zum rigorosen Heidenkampf andeutet.

[64] Vgl. 342ff.
[65] Ep. 457, Ad universos fideles; VIII. 432.
[66] Vgl. 391 u. 396.

10.2.1. Ritterliche *Conversio*

Die bereits im vorangegangenen erwähnte Verbindung zwischen dem Hl. Land und der ritterlichen ‚*conversio*' findet ihren ersten Niederschlag in Bernhards Templerschrift. Ausgehend von einer Beschreibung der weltlichen Ritterschaft, die diese im denkbar schlechtesten Licht erscheinen läßt *[(q)uis igitur finis fructusve saecularis huius, non dico, militiae, sed malitiae . . .?]*,[67] gelangt Bernhard über das Lob der neuen Ritterschaft[68] zur Schilderung des sich im Wechsel von der Heimat ins Hl. Land vollziehenden veränderten Stellenwerts der Ritterschaft. Verbrecher aller Art *(sceleratos et impios, raptores et sacrilegos, homicidas, periuros atque adulteros)* ziehen ins Hl. Land, wobei deren Aufbruch ein zweifaches Gutes innewohnt:

. . . *quandoquidem tam suos de suo discessu laetificant, quam illos de adventu quibus subvenire festinant. Prosunt quippe utrobique, non solum utique istos tuendo, sed etiam illos iam non opprimendo.*

Bernhard führt den Gedanken des doppelten, sich sowohl auf die Befriedung[69] der christlichen Lande als auch die Bekriegung der Heiden beziehenden Nutzens sodann in das Thema der sich im Heidenkampf vollziehenden Wandlung des Ritters über, die Bernhard unter Beibehaltung der polaren Anlage des Textes kunstvoll vor Augen führt. Aus brutalen Verwüstern werden treue Verteidiger *(vastatores/defensores)*, aus Widerstreitern werden Verfechter des Herrn *(oppugnatores/propugnatores)*. Auf diese Weise vermag Christus durch seine Feinde über seine Feinde zu triumphieren, so daß er ebenso den Gottesfeind zum Gottesstreiter *(de hoste militem)* werden läßt, wie er einst Saulus zum Paulus wandelte *(de Saulo quondam persecutore fecit Paulum praedicatorem)*. Im Rückbezug auf das biblische Urbild weist Bernhard somit das Geschehen nachdrücklich als Bekehrung aus, deren Nutzen er ebenso hoch veranschlagt wie umgekehrt den zuvor angerichteten Schaden: *peccatoris et maligni tantis procul dubio prosit conversio, quantis et prior nocuerat conversatio.*[70] Untrennbar ist dieser Nutzen mit der Hl. Stadt verbunden, zu deren allgemeinem Lob Bernhard im folgenden Kapitelabschnitt[71] anhebt, um dieses sodann zum Lob auf den besonderen Stellenwert,

[67] Laude, II,3, III. 216.

[68] Ebd. III, 4ff, III. 217ff.

[69] Zum Motiv des inneren Friedens vgl. das Schreiben an Abt Suger (ep. 377, VIII. 340f), in dem Bernhard auf die Unerträglichkeit jeglicher inneren Beunruhigung des Reiches in der Zeit der Abwesenheit König Ludwigs aufmerksam macht. Vgl. auch die Bemerkung Ottos von Freising (Gesta Freder. I,45, 216) zur befriedenden Wirkung des Kreuzzugs für die christlichen Länder: *(R)epente sic totus pene occidens siluit, ut non solum bella movere, sed et arma quempiam in publico portare nefas haberetur.*

[70] Laude V,10, III. 223.

[71] Vgl. 354.

der Jerusalem in der Gegenwart zukommt, zu konkretisieren. Schon oft, so Bernhard, hat Gott die Bedrohung der Hl. Stadt zugelassen, um tapferen Männern die Gelegenheit zu bieten, ihr Seelenheil zu wirken *(ut viris fortibus sicut virtutis, ita fores occasio et salutis)*. Nicht anders verhält es sich nun, da die einst nur für ihre Bewohner von Milch und Honig überfließende Stadt dem ganzen Erdenkreis heilsame Medizin und zum ewigen Leben führende Speise darreicht:

Salve terra promissionis, quae olim fluens lac et mel tuis dumtaxat habitatoribus, nunc universo orbi remedia salutis, vitae porrigis alimenta.[72]

Miseratur enim populum suum Deus, et lapsis graviter providet remedium salutare; – lautet die vergleichbare Belegstelle aus Bernhards Kreuzzugsbrief an die Deutschen (ep. 363). Mit einem Wort nur könnte Gott das Hl. Land befreien,[73] der aus Erbarmen mit den Tiefgesunkenen, - d. h. der Ritterschaft, die Bernhard wiederum unter dem Aspekt der von ihr begangenen Verbrechen beschreibt[74] - eine Gelegenheit zur Rettung schafft, die ihn zum Schuldner seiner mit dem Sold ewiger Herrlichkeit zu entlohnenden Truppen macht. *Non vult mortem vestram, sed ut convertamini, et vivatis,* - betont Bernhard, so daß auch hier wiederum das Motiv der *‚conversio‘* in charakteristischer Verbindung zur Notwendigkeit des Heidenkampfes steht. Auch in den übrigen Kreuzzugsbriefen kehrt der Gedanke der durch den besonderen Gnadenerweis Gottes geschaffenen Gelegenheit, das Heil im Heidenkampf zu erwirken, wieder. *Magnum bonum, magna divinae miserationis ubertas!*[75] - bemerkt Bernhard im Aufruf zum Wendenkreuzzug und hebt im Brief an Herzog Wladislaus die sich aus der bewußt herbeigeführten oder nur vorgeblichen Bedürftigkeit Gottes *(necessitatem se habere aut facit, aut simulat, dum vestris cupit necessitatibus subvenire)* ergebende historische Einmaligkeit[76] des Geschehens und somit die einmalige Gelegenheit hervor:

[72] Ebd. V,11, III. 224. Vergleichbare Gedankengänge finden sich zu Beginn der Templerschrift (I.1, III. 214), wo Bernhard den Heidenkampf im Rahmen des Templerordens als Beweis für die in der Gegenwart überfließende Gnade Gottes beschreibt: *faciens etiam nunc redemptionem plebis suae, et rursum erigens cornu salutis nobis in domo David pueri sui.*

[73] Ep. 363,3, VIII. 313.

[74] *Quid est enim nisi exquisita prorsus et inventibilis soli Deo salvationis occasio, quod homicidas, raptores, adulteros et periuros, ceterisque obligatos criminibus, quasi gentem quae iustitiam fecerit, de servitio suo submonere dignatur Omnipotens?* (ep. 363,4, VIII. 314).

[75] Ep. 457, VIII. 432.

[76] Der Widerspruch zur unter Anm. 72 zitierten Belegstelle aus der Templerschrift muß hingenommen werden. Er unterstreicht, wie wenig Bernhard in den Kreuzzugsbriefen auf eine differenzierte Betrachtung, sondern vielmehr auf die werbende Wirkung des Superlativs setzt.

Neque enim simile est tempus istud ceteris, quae hucusque praeteriere temporibus: nova venit e caelo divinae miserationis ubertas. Beati quos invenit superstites annus placabilis Domino, annus remissionis, annus utique iubileus! Dico vobis: non fecit Dominus taliter omni retro generationi, nec tam copiosum in patres nostros gratiae munus effudit.[77]

Ecce nunc, tempus acceptabile, ecce nunc dies copiosae salutis; – schreibt Bernhard zu Beginn von ep. 363. Wie im vorangegangenen Kapitel dargelegt, findet 2 Kor 6,2 in den Predigten Bernhards in einer Weise Verwendung, die die Gegenwart als eine Zeit der Entscheidung und Tat beschreibt, die unter der drängenden Notwendigkeit der Kürze der verbleibenden Lebenszeit bzw. der Nähe des Weltendes steht.[78] Die Beurteilung von 2 Kor 6,2 in ep. 363 erweist sich sowohl infolge der bereits in den Predigten schwankenden Bedeutung als auch aufgrund des Wechsels der Textgattung, der nicht zwangsläufig eine in beiden Fällen übereinstimmende Bedeutung notwendig macht, als schwierig. Vor dem Hintergrund eschatologischer Aussagen in ep. 457[79] ist die Verwendung von 2 Kor 6,2 in einer endzeitliche Motive zum Anklang bringenden Funktion in ep. 363 nicht auszuschließen. Deutlich jedoch steht in ep. 363 das Thema der durch die überfließende Gnade Gottes geschaffenen günstigen Gelegenheit im Vordergrund, das Bernhard unter Verwendung des Pauluswortes zu Beginn des Briefes einführt. In diesem Sinne fügt sich 2 Kor 6,2 in das Gesamtbild eines Schreibens, das konsequent auf die Erzeugung von Begeisterung durch die positive Motivierung aus dem Lohngedanken angelegt ist, wobei ein untergründiges Mitschwingen endzeitlicher Motive, in ihrer auf den angesprochenen Personenkreis eher drohenden Wirkung, der Absicht Bernhards nicht widersprochen haben mag.[80]
Sowohl in der Schrift zum Lob auf den Templerorden als auch in ep. 363 zeigen sich Heidenkampf im Hl. Land und ritterliche ‚*conversio*' untrennbar miteinander verbunden.[81] Auffallend ist hierbei, daß der von Bernhard in diesem Kontext verwandte *Conversio*-Begriff seine vordringliche Bestimmmung nicht aus der vollzogenen inneren Umkehr, sondern dem äußeren Geschehen[82] der Jerusalemfahrt und des Heidenkampfes erfährt. Auch in diesem Zusammenhang scheint Bern-

[77] Ep. 458,2, VIII. 435; Ende 1146 – Beginn 1147; Ad Wladislaum ducem, magnates et populum Bohemiae.

[78] Vgl. 313 u. 320.

[79] Vgl. 360.

[80] Die eschatologischen Motive Bernhards sind stärker als aus ep. 363 abzulesen ist. Wiederum bewahrheitet sich, daß die Kreuzzugsbriefe nur sehr bedingt für die Beweggründe Bernhards aussagekräftig sind.

[81] Zur übereinstimmenden Ansicht des Petrus Venerabilis, vgl. Berry, Peter, 145.

[82] Zu Recht weist Evans (The mind, 1) auf die äußerst weit gefaßte Spannbreite von Bernhards *Conversio*-Begriff hin: „. . . for Bernard himself it implied an inward change as well as a change in outward circumstances."

hard in der Zeit zwischen Templerschrift und Kreuzzug weitere Abstriche an seinen Maßstäben vorgenommen zu haben, so daß die auf innere Aspekte der Umkehr hindeutende asketische Lebensweise, welche dem Orden der Templer seine spezifische Stellung zwischen Ritterschaft und Mönchsorden verleiht,[83] im Falle der zum Kreuzzug geworbenen Ritter entfällt. Ebenso lassen sich in Bernhards Templerschrift – neben der vorgestellten Passage, welche die ritterliche *‚conversio'* aus dem äußeren Geschehen der Fahrt ins Hl. Land ableitet – Ansätze der Bezugnahme auf das innere Geschehen in seiner für den Christen wertsetzenden Verbindlichkeit nachweisen: *Ex cordis nempe affectu, non belli eventu, pensatur vel periculum, vel victoria christiana.* Untrennbar jedoch zeigt sich Bernhards folgende Bewertung der inneren Bedeutung des Kampfgeschehens mit dem guten Zweck verbunden, der hier nicht nur die Mittel, sondern auch die Absicht heiligt:

Si bona fuerit causa pugnantis, pugnae exitus malus esse non poterit, sicut nec bonus iudicabitur finis, ubi causa non bona, et intentio non recta praecesserit.

Im in reiner Absicht und aus gutem Grund geführten Heidenkampf vermag der Tempelritter sein Seelenheil zu wirken. In charakteristischer Weise bewertet Bernhard den Unterschied zwischen Leben und Sterben in der Schlacht vor dem Hintergrund des ewigen Lebens, d. h. als unerheblich. Im Gegensatz zum weltlichen Ritter, der selbst im Sieg schwersten Schaden nimmt,[84] vermag der Tempelritter auch in der Niederlage höchsten Gewinn zu erwerben:

At vero Christi milites securi praeliantur praelia Domini sui, nequaquam metuentes aut de hostium caede peccatum, aut de sua nece periculum, quandoquidem mors pro Christo vel ferenda, vel inferenda, et nihil habeat criminis, et plurimum gloriae mereatur.[85]

Auch Bernhards Versuch, vom guten Grund auf die gute Absicht zu schließen, der in sich bereits problematisch erscheint, da ihm die kurzschlüssige Vermengung von innerem Beweggrund und äußerem Zweck zugrunde liegt, entfällt in den Kreuzzugsbriefen. Wiederum findet ein auf den Wechsel des Ortes veräußerlichtes *Conversio*-Verständnis seinen Niederschlag, das die ritterliche Schandtat, indem sie nunmehr am Heiden verübt wird, zur himmlischen Lohn verheißenden Heilstat werden läßt. Enden – so Bernhard – soll nun die Ritterunart

[83] *Ita denique miro quodam ac singulari modo cernuntur et agnis mitiores, et leonibus ferociores, ut pene dubitem quid potius censeam appellandos, monachos videlicet an milites, nisi quod utrumque forsan congruentius nominarim, quibus neutrum deesse cognoscitur, nec monachi mansuetudo, nec militis fortitudo* (laude IV,8, III. 221).

[84] *Quoties namque congrederis tu, qui militiam militas saecularem, timendum omnino, ne aut occidas hostem quidem in corpore, te vero in anima, aut forte tu occidaris ab illo, et in corpore simul, et in anima* (ebd. I,2, III. 215).

[85] Ebd. III,4, III. 217.

(non militia, sed plane malitia) des sich gegenseitigen Verderbens, indem der Ritter seinen Nächsten dem Tod und dessen Seele möglicherweise ewiger Verdammnis preisgibt und zugleich mit dem Schwertstreich seine eigene Seele durchfährt. Dies aber ist Wahnsinn, Blindwütigkeit, nicht Mut, zumal nun im Hl. Land die Gelegenheit zum gefahrlosen Kampf besteht, in dem der Sieg wahrhaftigen Ruhm und der Tod ewigen Gewinn verspricht: *Habes nunc, fortis miles, habes, vir bellicose, ubi dimices absque periculo, ubi et vincere gloria, ET MORI LUCRUM.*[86] Bernhards Ausführungen sind insbesondere vor dem Hintergrund der Tatsache erstaunlich, daß in seiner monastischen Theologie die Kategorien zu einer Kritik des in den Schriften zum Heidenkampf propagierten *Conversio*-Begriffs bereitstehen. *,Conversio'*, die in ihrer reinsten und daher von Bernhard energisch verfochtenen Form dem Eintritt in ein Zisterzienserkloster gleichkommt,[87] unterliegt in ihrer Bedeutung für das klösterliche Leben den strengsten Maßstäben einer konsequent auf religiöse Verinnerlichung dringenden Theologie. Mit Nachdruck warnt Bernhard daher seine Mitbrüder vor einem nur äußerlichen Verständnis der geforderten Umkehr. *CONVERTIMINI (. . .) AD ME IN TOTO CORDE VESTRO,* lautet das Gebot Christi, das jene geistige Bekehrung *[(n)unc autem spiritualis (. . .) conversionis nos admonet]* anmahnt, die ein ganzes Leben dauert, ohne ihr Ziel auf Erden jemals vollkommen erreichen zu können; – *utinam vel in omni vita, qua degimus in hoc corpore, valeat consummari.* Keinesfalls darf *,conversio'* im körperlichen Sinne, d. h. als von der inneren Entwicklung isolierte äußere Geste verstanden werden: *Corporis nempe conversio, si sola fuerit, erit nulla.* Allein der Anschein von Bekehrung *[(f)orma siquidem conversionis est, non veritas]* wird hier erweckt, nur vorgebliche Frömmigkeit *(vacuam virtute gerens speciem pietatis)* erzeugt, die ihren Sitz nicht in den Tugenden hat und daher hohl und eitel bleibt:

> *Miser homo, qui totus pergens in ea quae foris sunt, et ignarus interiorum suorum, putans se aliquid esse, cum nihil sit, ipse se seducit!*[88]

In diesem Zusammenhang sind ebenfalls Bernhards Ausführungen zur *,conversio'* im Rahmen seiner Schrift über die Gottesliebe von Interesse. Diese nehmen wiederum in der bekannten dreifachen Möglichkeit des Menschen, sich auf Gott zu beziehen,[89] ihren Ausgang. Auch der Hal-

[86] Ep. 363,5, VIII. 315.

[87] Anselme Dimier beschließt seinen Aufsatz ,Der heilige Bernhard und die Conversio' mit folgender Bemerkung (72): „Hier sind wir an dem Punkt angelangt, wo man versucht ist zu glauben, daß der hl. Bernhard bisweilen nicht weit entfernt ist von dem Gedanken: *Extra Cisercium nulla salus,* außerhalb von Cîteaux kein Heil."

[88] Quad. 2,2, IV. 360f; Ioel 2,12.

[89] Vgl. 242f u. 349f.

tung der Sklaven und Mietlinge mißt Bernhard hier eine, wenn auch eingeschränkte, positive Bedeutung als Möglichkeit der inferioren Bezugnahme auf Gott bei. Beide Gruppen vermögen bisweilen ein göttliches Werk *(opus Dei)* zu vollbringen. Der eine handelt hierbei nach dem Gesetz der Furcht, der andere nach dem der Begehrlichkeit und des Eigennutzes: *Sed harum nulla, aut sine macula est, aut animas convertere potest.* Allein der Geist selbstloser Liebe, der dem Sohn als der höchsten Stufe der dreigeteilten Ordnung zukommt, vermag Seelen zu bekehren *[(c)aritas vero convertit animas].* Der Geist der Furcht und des Eigennutzes hingegen bekehrt die Seele nicht *[(n)ec timor quippe, nec amor privatus convertunt animam].* Diese ändern bisweilen die Tat des Menschen, versehen dessen Miene mit dem äußeren Schein der Frömmigkeit, jedoch das Herz des Menschen vermögen sie nicht zu ändern, wo allein wirkliche Umkehr sich vollzieht: *Mutant interdum vultum vel actum, affectum numquam.*[90]
Die eklatanten Widersprüche zwischen den in Templerschrift und Kreuzzugsbriefen einerseits sowie den in Predigten und dem Traktat über die Gottesliebe andererseits vertretenen Positionen erklären sich aus dem Wechsel des angesprochenen Personenkreises. Die tiefe Kluft im spirituellen Niveau beider Konzeptionen entspricht hierbei der tiefen Kluft, die für Bernhard zwischen beiden Ständen besteht. Wurde im vorangegangenen Kapitel der äußerst breiten Spannweite von Bernhards *Conversio*-Begriff eine Definition als Umkehr von divergierenden Ausgangspunkten menschlicher Verkehrtheit unterlegt,[91] so entwickelt Bernhard an dieser Stelle die Konzeption einer Bekehrung auf niedrigstem Niveau. Hierin trägt Bernhard seiner Einschätzung des Ritterstandes Rechnung und zugleich der Tatsache, daß die strengsten Maßstäbe des auf radikale Vertiefung im lebenslangen Streben dringenden *Conversio*-Begriffes diesen letztlich an ein Leben in klösterlicher Weltabgeschiedenheit binden. Gerade daß die ritterliche *‚conversio‘* vor dem Hintergrund der für Bernhard verbindlichen Kategorien nicht bestehen kann, macht seine These vom Kreuzzug und Heidenkampf als von der göttlichen Gnade gewirkter einzigartiger Gelegenheit zur Seelenrettung der Ritter in sich schlüssig. Diesen Kernpunkt der Kreuzzugspropaganda, der somit Bernhards persönlicher Überzeugung entsprochen haben muß, gestaltet er sodann unter dem Aspekt des Lohngedankens aus. Unverkennbar zielt Bernhard dabei auf das Herzstück von Wertesystem und Frömmigkeit der zu Beinflussenden – dem Vertrauen auf die zur Gegengabe verpflichtende Kraft der dargebrachten Gabe.

[90] Dilig. XII,34, III. 149.
[91] Vgl. 323f u. 340.

Ebenso wie Bernhards Sorge um die Kirche in ihrem Kern Sorge um die *,ecclesia electorum'* ist, gilt sein Interesse dem Laienstand, insofern er der himmlischen Gemeinschaft angehören wird. Bernhards Kampf zielt auf jenseitige Erfüllung ab und ist folglich Kampf um die zur jenseitigen Erfüllung Bestimmten. Kennzeichnend für die als Endzeit verstandene Gegenwart ist eine Verschärfung dieses Kampfes in einem Prozeß der radikalen Auslese. An diesem Kampf hat das Unternehmen der Kreuzfahrt Anteil. Es bietet Menschen, die den von Bernhard objektiv, d. h. heilsnotwendig gesetzten Maßstäben nicht genügen können, die Gelegenheit, ihr Heil zu wirken. *,Pauci electi sunt'* lautet Bernhards Überzeugung bezüglich der Anzahl der Erwählten, wobei der Stand der Laien am weitaus schlechtesten für die jenseitige Erfüllung gerüstet erscheint.[92] In der Tat steht Bernhards breite Inaussichtstellung himmlischen Gewinns in den Kreuzzugsbriefen zu seiner Lehre über die eng begrenzte Zahl der Auserwählten im Widerspruch. Nur wenige werden in diesem die ganze Kirche umfassenden Prozeß endzeitlicher Auslese bestehen.[93] Hat der Kreuzzug an diesem Prozeß Anteil und unterliegt er dabei den für Bernhard generell gültigen Prinzipien strengster Scheidung und Auslese, so können es auch hier nur wenige sein, die der Mitte des Laienstandes entnommen werden, um den dritten Stand der *,ecclesia electorum'* zu seiner Vollzahl zu ergänzen.

Mit der Konzeption der ritterlichen *,conversio'* im Heidenkampf ergänzt und vollendet sich Bernhards umfassendes Werk der Zurichtung der Kirche auf ihre jenseitige Erfüllung, das die Menschen auf das nahe Ende vorbereitet und zugleich die Bedingungen schafft, daß sich das ,Bald' in das ersehnte ,Nun' zu wandeln, daß das Gottesreich Gegenwart zu werden vermag. Zu Bernhards Werk der Förderung des Zisterzienserordens und der Reform des Klosterwesens, zur Reform des Klerus tritt hier ein Werk, das die Notwendigkeit zur Umkehr auch im Laienstand vollzieht, und somit die Kirche in ihrer Gesamtheit umfaßt, aus deren Mitte die drei Stände der *,ecclesia electorum'* entstammen.

Im besonderen bei Bernhards Bemühungen um die ritterliche *,conversio'* sind die problematischen Züge seiner Einflußnahme sowie deren fatale Folgen nicht zu übersehen. Bernhard, der Weltflüchtige, erscheint denkbar ungeeignet,[94] um innerhalb desjenigen Standes Um-

[92] Vgl. 14f.

[93] Vgl. 330 u. 335.

[94] Vgl. hierzu die Bemerkungen Congars (Die Ekklesiologie, 89): „St. Bernhard hat sich nicht eben viel um das Leben der Laien gekümmert." Congar erwähnt Bernhards politische Wirkung sowie sein Engagement für den zweiten Kreuzzug, um wie folgt fortzufahren: „Dennoch ist, was das eigentliche Laientum angeht, das Ergebnis einer Durchsicht seiner Werke ein wenig enttäuschend. Er war zu sehr erfüllt von der Idee des Primates mönchischen Lebens, um sich wahrhaft für die Aufgabe des Laien zu interessieren."

kehr und Besserung zu verwirklichen, der sich am engsten mit der Welt verbunden zeigt. Notwendigerweise bleibt seine Sicht der Laien zu lieblos, um hier ein Werk zu wirken, das letztlich doch als Werk der Liebe verstanden werden will. Wiederum folgt Bernhards Einflußnahme den bekannten Strukturen, die dem vorgefaßten Guten Eingang verschaffen und zugleich die relativierende und überprüfende Rückwirkung unterbinden.[95] Mit großer Sensibilität reagiert Bernhard auf Mißstände, versteht, sich die Schwächen und Hoffnungen des Standes nutzbar zu machen, während die ergänzende Vergegenwärtigung von dessen Lebensumständen entfällt. Dem negativen Ansatz entsprechen die negativen Folgen,[96] welche in die noch weitergehende Vulgarisierung einfacher Frömmigkeit und letztlich in die Verstärkung der nunmehr mit dem legitimierenden Schein der Frömmigkeit versehenen Brutalität führen.

Der im gesamten Themenkomplex zu beobachtende Transfer von der spirituellen zur buchstäblichen Bedeutung zeigt am Konzept der Laienbekehrung im Heidenkampf seinen problematischsten Zug. Der in vulgarisierter Form in die Welt getragene Geist der Weltüberwindung nimmt nunmehr in Todesmotiven materielle Gestalt an. Diese betreffen vornehmlich die zu tötenden Heiden, erlangen jedoch bereits bezüglich der im Kampf ihr Heil wirkenden Ritterschaft Bedeutung. In fataler Weise weichen hierbei die für Bernhard verbindlichen Werte von denen des geworbenen Standes ab. Leben ist für Bernhard Tod, Tod hingegen Leben. Entsprechend definiert Bernhard Leben von seiner letztgültigen Bedeutung, d. h. vom ewigen Leben her.[97] Vor diesem Hintergrund wird irdisches Leben für das jenseitige Ziel einsetz- und opferbar. Sowohl für den Erwählten als auch für den Verworfenen wird der Unterschied zwischen Leben und Tod in der Schlacht unerheblich. Dies entspricht der lebenslang von Bernhard konsequent verfochtenen Haltung,[98] nicht aber der Sicht der Ritter und ihrer Frauen, die – wie Bernhard an Papst Eugen berichtet – in der erfolgreichen Kreuzzugspredigt zu Witwen noch lebender Männer[99] geworden sind. In der Tat klingen bereits bezüglich der ritterlichen *‚conversio'*

[95] Vgl. 224f u. 241.

[96] Vgl. 309.

[97] Vgl. 377ff.

[98] Bernhard behält diese Haltung auch angesichts des eigenen Todes bei, vgl. 176, Anm. 138.

[99] *De cetero mandastis, et oboedivi, et fecundavit oboedientiam praecipientis auctoritas. Siquidem ANNUNTIAVI ET LOCUTUS SUM, MULTIPLICATI SUNT SUPER NUMERUM. Vacuantur urbes et castella, et paene iam non inveniunt quem apprehendant septem mulieres virum unum, adeo ubique viduae vivis remanent viris* (ep. 247,2, VIII, 141; Ps. 36,9; April 1146).

jene Todesmotive an, die in der im folgenden zu behandelnden Verschränkung der Themenkreise Heidenkampf und Heidenbekehrung übermächtig werden.

10.2.2. Heidenkampf und Heidenbekehrung

10.2.2.1. Forschungspositionen

Bernhards Stellung zu Heidenkampf und Heidenbekehrung im Rahmen des zweiten Kreuzzuges ist zum Gegenstand zahlreicher Untersuchungen von bisweilen erheblich divergierenden Ergebnissen geworden. Die umstrittenste Belegstelle entstammt dem Schreiben zum Wendenkreuzzug,[100] das Bernhards oft zitierten Aufruf zur völligen Zerstörung oder aber zur Bekehrung der heidnischen Völkerschaften enthält:[101]

... *denuntiamus armari christianorum robur adversus illos, et ad delendas penitus, aut certe convertendas nationes illas signum salutare suscipere* ...

Bernhard greift auf diesen Gedanken am Ende des Schreibens noch einmal zurück. Er verbietet jeglichen mit Zahlungen verbundenen Friedensschluß, bis – nunmehr in umgekehrter Reihenfolge – entweder der Kult der Heiden oder deren Völkerschaft zerstört ist *(donec, auxiliante Deo, aut ritus ipse, aut natio deleatur)*.[102] Die von Friedrich Lotter vertretene Auffassung, daß Bernhards Position letztlich mit der Papst Eugens übereinstimme, in dessen Schreiben der Aufruf zur Bekehrung, nicht aber zur Zerstörung Eingang findet,[103] wird durch die Entgegnungen Hans Dietrich Kahls[104] als widerlegt betrachtet werden dürfen. Ne-

[100] Zum Wendenkreuzzug, vgl. Bernhardi, Konrad III. 563ff; Bünding-Naujoks, Das Imperium, 94ff; Christiansen, The northern crusades, 48ff; Kahl, Die völkerrechtliche Lösung, 184ff; ders., Wie kam es; ders., Zum Ergebnis; ders., Slawen I, 225ff; Mayer, Geschichte, 93f; Roscher, Papst Innozenz III. 194ff; Rosenkranz, Die christliche Mission. Vgl auch die umfangreichen Literaturangaben bei Lotter, Die Konzeption 82ff. Das wohl schärfste Urteil fällte Hauck (Kirchengeschichte), der Bernhards Losung als frevelhaft (629) bezeichnete und den Wendenkreuzzug zum „törichtste(n) Unternehmen“ des 12. Jahrhunderts (628) erklärte.

[101] Zur Losung Bernhards, vgl. Beumann, Kreuzzugsgedanke, 138ff; Hehl, Kirche, 134f Anm. 573; Kahl, Compellere, 227ff; Lotter, Die Konzeption, 10ff; Kedar, Crusade and mission, 70f.

[102] Ep. 457, VIII. 432f; 11.–23. März 1147.

[103] Vgl. 373, Anm. 125.

[104] Vgl. Kahl, Rezension Lotter; ders., Christianisierungsvorstellungen, 454, Anm. 4; ders., Einige Beobachtungen.

ben dem zentralen Einwand Kahls[105] sei an dieser Stelle auf den in seiner abstrakten Sicht[106] letztlich verharmlosenden Argumentationsgang Lotters aufmerksam gemacht. Lotter betont, daß Bernhard keineswegs „unmißverständlich dazu auffordert, die Heiden als Individuen zu töten, sondern immer nur von der ‚natio' oder den ‚nationes' spricht, die vernichtet werden sollen, falls sie sich der Bekehrung versagen".[107] Im weiteren gelangt Lotter zur Interpretation von Bernhards Todesalternative im Sinne einer „Auslöschung der ethnischen Identität"[108] des nunmehr der christlichen Herrschaft unterworfenen und im folgenden der Missionierung zugänglichen Volkes, so daß Bernhards Ziele mit denen des indirekten Missionskrieges[109] identisch wären.[110] Lotters These belegt die eingangs benannten Gefahren einer harmonisierenden Interpretation Bernhards,[111] die den veränderten Gegebenheiten in den nunmehr an Laien gerichteten Texten keine Beachtung schenkt. In der Tat ist es unvorstellbar, daß Bernhard, der in höchster Sensibilität gegenüber Auffassungsvermögen und Bedürfnissen der Angesprochenen der Werbewirksamkeit seiner Briefe mit gezielter Anpassung und Niveauminderung Rechnung trägt, den in die Schlacht ziehenden Rittern eine solch feinsinnige, im direkten Kampfgeschehen nicht umsetzbare Unterscheidung zugemutet hätte.[112]
Mit den Arbeiten Hans Dietrich Kahls stimmt die vorliegende Untersuchung in der Bewertung des Kreuzzuges als eines vor seinem eschatologischen Hintergrund zu verstehenden Ereignisses überein. Nicht gefolgt werden kann hier Kahls These,[113] daß Bernhard zur Zeit des Kreuzzuges unter dem Einfluß von sibyllinischen Weissagungen und Endkaiserglaube gestanden habe. Letztendlich krankt diese Position an

[105] Im besonderen weist Kahl (Einige Beobachtungen, 84ff) nach, daß in ep. 457 *‚nationes'* gleichbedeutend mit *‚gentes'* steht, da *‚natio'* zur Zeit Bernhards keinen politischen Begriff (81) darstellt.

[106] Eine vergleichbare Richtung nimmt die Kritik von Schwinges, Kreuzzugsideologie 10, Anm. 24a.

[107] Lotter, Die Konzeption, 15; vgl. auch ders., Bemerkungen.

[108] Lotter, Die Konzeption, 16.

[109] Zur Unterscheidung zwischen direktem und indirektem Missionskrieg, vgl: Beumann, Kreuzzugsgedanke, 122ff; Erdmann, Die Entstehung, 8f u. 95ff; Kahl, Bausteine; ders., Compellere, 191ff u. 223ff; ders., Deutsche Slawenmission, 161ff; ders., Die ersten Jahrhunderte, 60ff; vgl. auch 374.

[110] Lotter, Die Konzeption, 18.

[111] Lotter (ebd. 10f) geht von Bernhards milder Haltung gegen Juden und Ketzer aus, die ihm die Devise ‚Tod oder Taufe' unwahrscheinlich erscheinen läßt, vgl. 350.

[112] Entsprechend erscheint auch die modifizierte Position Lotters (Die Vorstellung, 12) nicht überzeugend, gemäß der die Zeitgenossen die in obiger Interpretation verstandene Äußerung Bernhards „im Sinne der vulgären Kreuzzugsparole ‚Tod oder Taufe' aufgefaßt haben".

[113] Vgl. auch Schwinges, Die Kreuzzugsbewegung 186f.

der Tatsache, daß keine Äußerung Bernhards existiert, aus der sie unmittelbar belegt werden könnte.[114] Daß Bernhard selbst unter den Einfluß sibyllinischer Eschatologie geraten ist, erscheint nicht wahrscheinlich. Zu stark ist der im Rahmen der Laienpredigt verlassene Rahmen spiritueller Innerlichkeit für Bernhard selbst weiterhin verbindlich, als daß in sein Denken die eschatologische Motive konkretisierende und somit vulgarisierende Endzeitkaiserprophetie Eingang finden könnte. Zu stark steht Bernhard in der auch noch in entstellender Verwendung spürbaren biblischen Tradition (Röm 11, 25–26), als daß der Rückgriff auf das außerbiblische Motiv im Grenzbereich zur Rechtgläubigkeit[115] anzunehmen wäre. Vor dem Hintergrund der bisherigen Ergebnisse dieser Untersuchung erscheint theoretisch vorstellbar, daß sybillinische Weissagungen und Endkaiserglaube Anteil am Vorgang der gezielten Niveauminderung im konkretisierenden Transfer spiritueller Inhalte haben. Doch auch hierfür läßt sich kein den Texten Bernhards entstammender Beleg anführen. Wie die Ereignisse in Würzburg[116] und um den Mönch Rudolf[117] zeigen, kann ebenfalls mit einem von Bernhard abgelösten Auftreten derartiger Motive[118] gerechnet werden. Daß Bernhard hiervon keine Kenntnis besessen hätte, ist vor dem Hintergrund der Äußerung Ottos von Freising eher unwahrscheinlich, so daß in diesem Fall die stillschweigenden Duldung von Vorstellungen

[114] Dies betrifft die Zeit vor, während und nach dem Kreuzzug. Kahl führt zur Erklärung des Fehlens von Hinweisen im umfangreichen Werk Bernhards die Sondersituation des Kreuzzuges an (Rezension, 323; Die Ableitung, 134), in der Bernhard „vorübergehend unter den Einfluß sibyllinischer Strömungen geriet“ (Die Ableitung, 134; vgl auch: Christianisierungsvorstellungen, 461). Daß für diese vorübergehenden Konzeptionen, „die dem Abt vorher fernlagen“, für die Zeit des Kreuzzuges keine Belegstellen vorliegen, erklärt Kahl aus deren Vertuschung infolge des Scheiterns der Kreuzfahrt (Fides, 298, Anm. 22).

[115] „Er folgte damit einem Überlieferungsstrang, der zwar außerkanonisch war, kirchlich nicht approbiert, doch auch nicht ausdrücklich vom kirchlichen Lehramt verworfen, . . .“ (Die Ableitung, 134).

[116] Vgl. 304ff.

[117] Vgl. 307f.

[118] Das wohl wichtigste Zeugnis stellen die Bemerkungen Ottos von Freising (vgl. McGinn, St. Bernard, 181ff) im Prolog zur *‚Gesta Frederici‘* (116) dar. Otto erwähnt im Vorfeld des Kreuzzuges das Auftreten einer Schrift, die König Ludwig die Herrschaft über den Orient prophezeite und die von den angesehensten Persönlichkeiten Frankreichs *(probatissimis et religiosissimis Galliarum)* für wahr gehalten und den sybillinischen Orakeln zugeordnet worden war. Otto, der einen möglichen Grund für die Wirkkraft dieser Schrift in der gallischen Leichtgläubigkeit *(Gallicane levitate)* sieht, steht sichtlich unter dem Eindruck des gescheiterten Kreuzzuges, so daß seine Äußerungen von einer gewissen Bitterkeit nicht frei zu sein scheinen. Eingehendere Erläuterungen Kahls auch zu diesem Quellenbeleg sind aus der angekündigten Untersuchung (Die Ableitung, 130, Anm. 5) zu erwarten, die zu diesem Zeitpunkt noch nicht vorliegt.

anzunehmen wäre, die Bernhards Zweck der Erzeugung von Kreuzzugsbegeisterung zuträglich waren.

10.2.2.2. Vernichtung oder Bekehrung[119]

Deutlicher als in den Schriften Bernhards finden in Zeugnissen aus dem Umfeld von Bernhards Wirken in der Angelegenheit des Kreuzzuges Bekehrungsmotive ihren Niederschlag.[120] Odo von Deuil berichtet vom Aufbruch zum Hl. Grab, der unternommen wurde, um entweder mit dem Blut oder aber der Bekehrung der Heiden die eigenen Sünden auszutilgen.[121] Gerhoch von Reichersberg versieht seine Predigt zu Weihnachten 1147 mit dem Wunsch, daß die Fahrt ins Hl. Land erfolgreich verlaufe sowie die Bekehrung der noch im Heidentum verharrenden Völkerschaften ermöglicht werde:

Ut igitur ille bellorum motus ad laudem et benedictionem Dei maximam proveniat atque ut gentium que adhuc supersunt reliquie salve fiant (et) in filios benedictionis commutate in vallem benedictionis ad laudandum Deum nobiscum occurrant . . .[122]

Das Motiv der Heidenbekehrung ist ebenfalls dem Bericht Helmolds von Bosau zu unterlegen, wenn dieser unter Verwendung von Röm 11,25 Bernhards Zielgebung des Jerusalemzuges wie folgt benennt:

. . . *ut proficiscerentur Ierusalem ad comprimendas et Christianis legibus subigendas barbaras orientis naciones, dicens appropiare tempora, quo plenitudo gentium introire debeat, et sic omnis Israel salvus fiat.*[123]

Bezüglich des Wendenkreuzzuges findet das Bekehrungsmotiv in der von Bernhards Kreuzzugsbrief gegen die Wenden abgeleiteten Form, d. h. im Zusammenhang mit dem Aufruf zur Vernichtung, seinen Niederschlag in der zeitgenössischen Chronistik.[124] In der Enzyklika Eu-

[119] So der Übersetzungsvorschlag von Schwinges (Die Kreuzzugsbewegung, 186), der die Belegstelle aus ep. 457 zutreffender als die „griffige Parole ‚Tod oder Taufe'" wiedergibt, letztendlich jedoch mit dieser gleichbedeutend ist.

[120] Kedar, Crusade, 65ff.

[121] *Visitare sepulcrum Domini cognovimus nos et ipse et nostra crimina, praecepto summi pontificis, paganorum sanguine vel conversione delere* (Odo von Deuil, De profectione, 70).

[122] Hg. nach Cod. Vind. 1558, fol. 50r, von Classen, Gerhoch, 132, Anm. 19.

[123] Chronica 59, 216.

[124] Vgl. Bünding, Imperium, 97; Hehl, Kirche 134, Anm. 573. Am deutlichsten geht Bernhards Losung aus dem Eintrag bei Sigeberti Auctarium Gemblacense zum Jahr 1148 hervor (MG SS VI, 392): *ipsi vicinam sibi Slavorum gentem aut omnino delerent aut cogerent christianam fieri.* Der Autor der Annales Magdeburgenses berichtet von der Losung in umgekehrter Reihenfolge (ad an. 1147; MGH SS 16, 188): *ut eos aut christiane religioni subderet aut Deo auxiliante omnino deleret.* Hehl (135f, Anm. 575) geht davon aus, daß sich das erstgenannte Ziel des Eintrags in den Magdeburger Annalen eher auf den militärischen Aspekt der Unterwerfung als auf den der Mission bezieht.

gens zum Wendenkreuzzug entfällt der Aufruf zur Vernichtung,[125] während die auf Bekehrung[126] bzw. auf Unterwerfung unter christliche Herrschaft[127] abzielende Sinngebung des Unternehmens beibehalten wird.

Bernhards Zeugnisse zu Heidenkampf und Kreuzzug weichen von den meisten der zitierten Belegstellen und sowie von der Enzyklika Eugens in erstaunlicher Weise ab. Denn weit stärker als die Zielsetzung der Bekehrung erscheint bei Bernhard das Motiv der Heidentötung bestimmend. Bereits in der Schrift zum Lob auf den Templerorden entfällt eine auf Bekehrung der Heiden gerichtete Zielsetzung. In ep. 363 ruft Bernhard ausschließlich zum Kampf gegen die Heiden im Hl. Land auf, nicht aber zu deren Bekehrung.[128] Erwähnung findet die Bekehrungsthematik in ep. 457, wo Bernhard unter Verwendung von Röm 11,25–26 die endzeitliche Bekehrung der heidnischen Völkerschaften in Aussicht stellt.[129] Dieser sucht sich der Widersacher dadurch entgegenzustemmen, daß er die zu Gefäßen des Teufels gewordenen Heiden des Ostens zum Hindernis für den Orientzug werden läßt.[130] Die einzige Belegstelle, in der Bernhard direkten Bezug auf die Bekehrung der Heiden als Ziel von Kreuzzug und Heidenkampf nimmt, stellt die bekannte Formulierung aus ep. 457 *(ad delendas penitus, aut certe convertendas nationes illas)* dar, in der – wie bereits des öfteren mit Befremden festgestellt wurde[131] – die Alternative der Vernichtung an erstgenannter Stelle steht. Dieser in der Tat nur schwer verständlichen Passage wurden von der bisherigen Forschung verschiedene Interpretationen unterlegt. Die Auffassung Lotters vom hier vertretenen Prinzip des indirekten Missionskrieges erscheint nicht haltbar,

[125] JL 9017 vom 11. April 1147; PL 180, 1203: *contra Sclavos caeterosque paganos habitantes versus Aquilonem ire, et eos Christianae religioni subjugare, Domino auxiliante, intendunt.*

[126] In diesem Sinne interpretieren Beumann, Kreuzzugsgedanke, 139; Kahl, Slawen I, 231.; ders., Ergebnis 285; u. Mayer, Geschichte, 93 die Abweichung. Insbesondere Roscher (Papst Innozenz III. 196) betont die Missionsabsichten Eugens.

[127] Hehl (vgl. Anm. 124) hebt auch an dieser Stelle in Entgegnung auf Roscher die militärisch-politische Zielsetzung hervor.

[128] Daß sich der Orientzug mit Hoffnungen auf die Bekehrung der Heiden verbunden hat, findet sich in den zitierten Zeugnissen aus dem Umfeld von Bernhards Wirken belegt. Kahl (Christianisierungsvorstellungen, 455ff) versucht in seiner Interpretation von Bernhards Verwendung der Psalmenstelle 149,7, im Eingang von ep. 457 ein Bekehrungsmotiv für den Orientzug nachzuweisen. Dem steht jedoch die Belegstelle aus ep. 363 (vgl. 383f) entgegen, in der Bernhard die zu bekämpfenden Heiden, im Gegensatz zu den der christlichen Herrschaft bereits unterworfenen Juden, aufgrund ihrer Aggressivität aus der Hoffnung auf Bekehrung ausnimmt.

[129] Vgl. 396f.

[130] *Sed quia dicit Scriptura: ANTE RUINAM EXALTABITUR COR, fiet ergo, Deo volente, ut eorum superbia citius humilietur, et non propter hoc impediatur via Ierosolimitana* (ep. 457, VIII. 433; Prov 16,18).

[131] Vgl. Hauck 628, Anm. 4; Kahl, Compellere 227.

obgleich sie unter dem Aspekt einer durchzuführenden Mission die einzig sinnvolle, auf die Tradition Augustins und Gregors des Großen[132] rückführbare Lösung darstellt, die auf die Eroberung des Landes seine missionarische Durchdringung folgen läßt. Die meisten Autoren finden in Bernhards Alternative den „Gedanken der Gewaltmission“,[133] den Aufruf zu einem direkten Missionskrieg[134] ausgedrückt. Dieses Missionsmittel jedoch stellt, wie Kahl zu Recht bemerkt, eine „theologische Ungeheuerlichkeit“ dar.[135] Daß gerade Bernhard, der bezüglich der Ketzer betont, daß man zum Glauben nicht zwingen, sondern allein überzeugen kann,[136] ein solches außerhalb der Vätertradition stehendes und letztlich auch der menschlichen Vernunft widersprechendes Missionsmittel befürwortet haben soll, erscheint unwahrscheinlich. Entsprechend gelangte Kahl zu der zwischenzeitlich durch die These von der Beeinflussung durch die sibyllinischen Weissagungen revidierten Interpretation von Bernhards Losung vor dem Hintergrund der Tatsache, daß die Bevölkerung in den ottonischen Kriegen bereits oberflächlich christianisiert worden und im Aufstand von 983 vom Christentum abgefallen war.[137] Bernhards Alternative hätte sich somit auf einen Rache- und Rückeroberungskrieg gegenüber Apostaten bezogen, an denen nur im Fall der Unterwerfung unter das Taufsakrament die Todesstrafe nicht vollstreckt wurde.[138] Besaß dieses Lösungsmodell den Vorteil, daß es Bernhard von einer widersinnigen Missionsmethode freisprach, so fand hier doch wiederum ein sehr äußerlicher Begriff von Christianisierung seinen Niederschlag, der die Folgegenerationen in die Schuld der Väter eingebunden und zudem eine eingehende Beschäftigung Bernhards mit den Verhältnissen im Osten vorausgesetzt hätte, von der nicht zwangsläufig ausgegangen werden kann.

Kahl stellte des weiteren fest, daß in Bernhards Losung – gleich ob im Sinne des direkten Missionskrieges oder des Rachefeldzugs an Apostaten verstanden – deutlich die Gesinnung des „Ausrottungskrieges“[139]

[132] Vgl. 370, Anm. 109.

[133] Hehl, Kirche, 134, ebenso: Beumann, Kreuzzugsgedanke, 127.

[134] Kahl, Deutsche Slawenmission; ders., Die Ableitung, 131; Schwinges, Kreuzzugsideologie 269.

[135] Vgl. Kahl, Compellere 228; ders., Die Ableitung 132. Über das Ergebnis dieser Missionsmethode berichtet Helmold von Bosau: *Multi igitur eorum falso baptizati sunt . . . (. . .) Taliter illa grandis expedicio cum modico emolumento soluta est. Statim enim postmodum in deterius coaluerunt, nam neque baptisma servaverunt . . .* (Chronica 65, 228).

[136] Bernhard bezieht hier gegen vom Volkszorn bewirkte Hinrichtungen von Ketzern Stellung: *Approbamus zelum, sed factum non suademus, quia fides suadenda est, non imponenda* (CC 66,12, II. 186f).

[137] Vgl. Compellere, 203ff.

[138] Ebd. 227f.

[139] Ebd. 228.

zutage tritt. Vor dem Hintergrund der Tatsache, daß in den übrigen vorgestellten Zeugnissen Bernhards die Alternative der Bekehrung entfällt, wird in der Tat auf ein Überwiegen des Todesmotives auch in ep. 457 rückzuschließen sein. Eine solche Interpretation trägt letztlich auch dem festgestellten Charakter der Kreuzzugsbriefe Bernhards Rechnung. Denn daß Bernhard den Kreuzfahrern differenzierte Betrachtungen über im unmittelbaren Kriegsgeschehen kaum zu verwirklichende Missionsziele zugemutet hätte, ist unwahrscheinlich. Am Vorabend des Krieges, zu dem Bernhards Schreiben ermuntern und aufrufen will, kann Bernhards Alternative auf den angesprochenen Personenkreis nur im Sinn eines in aller Härte zu führenden Heidenkampfes gewirkt haben. Dessen aber muß sich Bernhard, der immer weiß, wen er in welcher Weise anzureden hat, bewußt gewesen sein.

Die vorgestellten Zeugnisse Bernhards zum Heidenkampf zeigen sich durch die eigentümliche Verschränkung von Bekehrungs- und Todesmotiven bestimmt. Bereits im Falle der Gelegenheit für Ritter, im Heidenkampf ihr Seelenheil zu wirken, sind Todesmotive nachweisbar, wobei jedoch die Bewertung des Geschehens gemäß einem auf die geringen Heilserwartungen des Laienstandes zugeschnittenen Verständnis von Bekehrung überwiegt. In der Tat erscheint hier bereits die inhaltliche Bestimmung von *‚conversio'* bis an die Grenze ihrer möglichen Veräußerlichung getrieben, so daß eine weitere Vulgarisierung den Rahmen des Begriffs zu sprengen droht. Eben dies geschieht bezüglich der Alternative Tod oder Taufe, in der nunmehr auch das Element der Freiwilligkeit entfällt, so daß hier *‚conversio'* ein Verständnis zu unterlegen wäre, das sowohl vor dem Hintergrund traditioneller Vorgaben als auch angesichts der für Bernhard selbst verbindlichen Maßstäbe nicht mehr sinnvoll erscheint. Entsprechend entfällt Bekehrung als alternative Möglichkeit in den übrigen Belegstellen und geht in das nunmehr alleinbestimmende Todesmotiv über.

Die Motivkreise des Todes und der Bekehrung weisen, so nachdrücklich sie als unterschiedlichen Ebenen zugehörig voneinander geschieden sind, inhaltliche Überschneidungen[140] auf, so daß Todesmotive den Vorgang der Bekehrung als Abtötung und Auslöschung des alten Menschen beschreiben. In dieser spirituellen Bedeutung finden Todesmotive im Werk Bernhards insbesondere bezüglich einem von Läuterung und Askese geprägten Nachfolgeverständnis häufige Verwendung. In direkter Verbindung finden sich beide Begriffe in ep. 457, wobei hier gegenüber Menschen von offenbar geringster Bekehrungsaussicht das Todesmotiv konkrete Gestalt annimmt, während das Mo-

[140] In diesem Kontext ist Kahls Hinweis (Christianisierungsvorstellungen, 456f) auf den Kommentar Augustins zu Ps 149,7 von Interesse, der die Themenkreise verschränkt, indem er die Heidenbekehrung als Heidentötung auslegt.

tiv der Bekehrung als formale Möglichkeit beibehalten wird. Auch in den übrigen Zeugnissen wären aufgrund der biblischen und apostolischen Tradition Bekehrungsmotive zu erwarten, die jedoch unter den spezifischen Bedingungen des Heidenkrieges entfallen. Dennoch bleibt auch in diesen Belegstellen die Verbindung beider Komponenten im Ansatz erhalten, um sodann in das nunmehr allein bestimmende Todesmotiv überzugehen.
Von besonderem Interesse in diesem Zusammenhang sind Bernhards Ausführungen zur Heidentötung im Rahmen der Templerschrift. Dieser Kapitelabschnitt ist durch eine polare Grundanlage gekennzeichnet, die den Nutzen der Heidentötung für den Ritter und für Christus vor Augen führt. Dem Ritter gereicht sie zum Ruhm und Christus zur Verherrlichung.[141] Zu töten oder getötet zu werden *(mors pro Christo vel ferenda vel inferenda)* stellt kein Verbrechen dar, da im einen Fall Gewinn für Christus erworben, im anderen Fall Christus zum Gewinn erworben wird:

Hinc quippe Christo, inde Christus acquiritur, qui nimirum et libenter accipit hostis mortem pro ultione, et libentius praebet seipsum militi pro consolatione.

Bernhard greift diesen Gedanken noch einmal auf, um ihn in variierter Form erneut vor Augen zu führen: *Mors ergo quam irrogat, Christi est lucrum; quam excipit, suum.*[142] Bernhard unterscheidet in diesem Abschnitt ausdrücklich zwischen beiden Nutzen, so daß der Heidentod nicht in seiner die Seelenrettung des Ritters vermittelnden Form, sondern aus sich selbst einen Gewinn für Christus darstellt. Die Analyse der sprachlichen Gestalt von Bernhards Ausführungen macht seine Gedankenführung nicht überzeugender, verdeutlicht jedoch den Weg, auf dem Bernhard zu ihr gelangt. Denn der an *‚acquirere‘* und *‚lucrum‘* gebundene Themenkreis des Gewinns für Christus findet im Werk Bernhards häufige Verwendung. Er hat zentrale Bedeutung für die Bestimmung des Bereiches der Aktion, in dem die zuvor ruhende und sodann zur Tat berufene Braut vom heftigem Verlangen nach heiligem Erwerb *(acquirendi Deo qui eum similiter diligant)*, vom Wunsch, Seelengewinn für Christus zu wirken *(ad animarum lucra)*, getrieben wird.[143] Das Streben nach Gewinn für Christus ist eines der vordringlichen Attribute Marthas, der Gottesfreundin *[(a)nnon amica est, quae dominicis lucris intenta]*,[144] und hat weiter zentralen Anteil am Prozeß der sich durch Mehrung des Guten *(incrementa lucrorum eius)* und umfassende Besserung vollziehenden Zurichtung der Kirche auf das

[141] *In morte pagani christianus gloriatur, quia Christus glorificatur;* . . . (laude III,4, III. 217).
[142] Ebd. III,4, III. 217.
[143] Vgl. 116; vgl. auch 106 u. 113.
[144] Vgl. 123.

Ende.[145] Immer bezieht sich hierbei der Begriff des Gewinns für Christus auf den in der apostolischen Tradition zu wirkenden Seelengewinn. Unverkennbar gehört er somit in seiner ursprünglichen Gestalt dem Bereich der *,conversio'* an, um sodann in der zitierten Belegstelle in die gewandelte Gestalt des Todesgewinns für Christus überzugehen. Die in den Zeugnissen Bernhards zum Heidenkampf und Kreuzzug festzustellende Verschränkung von Bekehrungs- und Todesmotiven läßt im Falle der Heiden ein deutliches Übergewicht des Todesmotivs erkennen. Die Alternative der Bekehrung scheint im Fall des Wendenkreuzzugs nicht praktikabel, in der Schrift auf den Templerorden findet sie sich durch das nunmehr bestimmende Todesmotiv ersetzt und ist folglich nicht mehr als Alternative, sondern allein noch in ihren sprachlichen Spuren nachweisbar. Offensichtlich beziehen sich Bernhards Ausführungen auf Menschen, die für ihn bereits in weitreichender Hinsicht von der christlichen Hoffnung ausgenommen sind. Dieses Ergebnis erfährt in ep. 363 seine Bestätigung. Wiederum findet das Bekehrungsmotiv über Röm 11,25–26 Eingang,[146] um hier die Notwendigkeit zur Schonung des Volkes der Juden aus dessen endzeitlicher Bekehrung zu rechtfertigen. Die Heiden hingegen stehen im Augenblick ihres aggressiven Aufbegehrens nicht nur auf ewig außerhalb, sondern der auf Erfüllung zustrebenden Heilsgeschichte entgegen.[147] Vor diesem Hintergrund muß Bernhards Bewertung der Heidentötung als Gewinn für Christus verstanden werden, in der Bernhard den spirituellen Gehalt der inneren Auslöschung des alten Menschen in der Bekehrung zum Motiv der leiblichen Auslöschung des außerhalb der Bekehrung stehenden Menschen konkretisiert. Bernhards äußerste Schärfe wird vornehmlich vor dem Hintergrund seines Heidenbildes zu verstehen sein, das diese über die Elemente der Aggressivität und Böswilligkeit definiert. Hinzu tritt in ep. 457 eine Bewertung der Heiden als Werkzeuge des Bösen, so daß diese Anteil am auf Vernichtung des Heils abzielenden Widerspiel des Teufels haben. Jedoch lassen sich bereits in Bernhards Anthropologie Gedankengänge finden, die dem Vorfeld der hier vertretenen Positionen zuzuordnen und daher im folgenden darzulegen sind.

10.2.2.3. Lebendiger Tod

Bernhard definiert Leben von seiner letztgültigen Bedeutung, d. h. vom ewigen Leben her. Die irdische Existenz hingegen kommt einem Tod gleich.

[145] Vgl. 317.
[146] Ep. 363,6, VIII. 316.
[147] Vgl. 383f.

Haec enim vita, qua vivimus, magis mors est; nec simpliciter vita, sed vita mortalis. (. . .) Ibi vere vivitur, ubi vivida vita est et vitalis.[148]

Ebenso wie Leben seinen Sinn vom ewigen Leben bezieht, definiert Bernhard Tod von der ewigen Verwerfung her. Vor diesem Hintergrund besitzt das irdische Dasein des Menschen nur nachgeordnete Bedeutung und bildet bereits auf Erden das auf ewig gewährte bzw. auf ewig verhängte Schicksal des Menschen ab. Leben in den Lüsten ist somit Tod und Todesschatten *(et mors est, et umbra mortis);* Leben im Glauben hingegen ist Leben und Lebensschatten *(et vitam esse, et vitae umbram).* Der Schritt der Bekehrung kommt daher dem Schritt vom Todesschatten in den Lebensschatten, vom Tod ins Leben gleich:

Nunc autem de umbra mortis ad vitae transivimus umbram, magis autem translati sumus de morte in vitam, in Christi umbra viventes, si tamen viventes, et non mortui.[149]

Bereits dieser Beleg läßt erkennen, wie stark Bernhard an der Erstellung einer Kontinuität zwischen diesseitigem und jenseitigem Bereich gelegen ist, so daß in den folgenden Äußerungen der den Abbildcharakter des diesseitigen Zustandes verdeutlichende Begriff vom Todesschatten entfällt, obgleich der nunmehr beschriebene Tod im Leben in diesem Sinne verstanden werden muß. Lebendiger Tod ist ein für den Betreffenden nutzloses Leben, d. h. ein Leben, das nicht auf ewigen Nutzen abzielt. Töricht und nachlässig läßt er seinen inneren Weinberg verkommen, so daß er, da alles brach und verwildert darniederliegt, keinen Weinberg mehr besitzt *[(n)on est vinea stulto].* Ein solcher Mensch ist mitten im Leben tot: *Sic stultus, eo ipso quod inutiliter vivit, vivens mortuus est.*[150] Denn ein Leben in Hochmut, Genußsucht und sonstigen abscheulichen Übeln stellt nicht Leben, sondern dessen Verschwendung bis an die Pforten des Todes dar:

Non vivit qui superbia inflatur, qui luxuria sordidatur, qui ceteris inficitur pestibus, quando non est hoc vivere, sed vitam confundere et appropinquare usque ad portas mortis.[151]

Es ist das verderbliche Leben von Menschen, die Gott weder suchen noch erkennen, *et hi mortui sunt.*[152] Gleichwie die Seele den Körper belebt,[153] lebt die liebende Seele aus Gott. Außerhalb dieser Liebe ist kein Leben möglich: *Fons siquidem vitae caritas est, nec vivere animam dixerim,*

[148] Qui hab. 17,1, IV. 486.
[149] CC 48,7, II. 71.
[150] Ebd. 63,2, II. 162.
[151] Sollem. apost. 1,3, V. 190.
[152] Div. 74, VI.I. 313.
[153] Vgl. Ivanac, La structure de l'âme.

quae de illo non hauserit.[154] Ebenso überträgt Bernhard in der Predigt div. 10 das belebende Prinzip der Seele auf die Kraft der Wahrheit, die allein lebensspendend ist, so daß außerhalb von ihr Tod und Gefühllosigkeit herrscht.[155] Besser wäre es, wenn ein solcher Mensch, der dem ewig tötenden Tod[156] überantwortet werden wird, erst gar nicht geboren worden wäre, es sei denn, daß das Wort ihn zuvor vom Tod ins Leben zurückruft:

Ita ergo quae secundum carnem vivit anima, vivens mortua est, quippe cui bonum erat omnino non vivere, quam sic vivere. A qua nimirum vitali quadam morte minime umquam resurget, nisi per verbum vitae, immo per Verbum vitam, viventem utique et vivificantem.[157]

Die Perspektive einer möglichen Bekehrung findet in der folgenden Predigt keine Erwähnung. Hier nun wendet sich Bernhard wiederum dem lebendigen Tod zu, der an dieser Stelle Bedeutung für die Bewertung des leiblichen Todes erlangt. Das Thema von Bernhards Ausführungen ist die Frage nach der Lebenslänge, die kurz, aber auch lang erscheinen mag. Kurz erscheint das Leben dem Sünder. Denn die Freude an der Sünde und die Klage über die Kürze des Lebens stehen in ursächlichem Zusammenhang *[(d)um peccare delectat adhuc, gemit altius pro brevitate sua].* Besser wäre es für einen solchen Menschen, der keinen Willen zeigt, sich aus seiner Lasterhaftigkeit zu erheben, nicht geboren worden zu sein. Da dem nicht so ist, erscheint es gut, wenn hier der frühe Tod dem fortgesetzten Sterben ein rasches Ende bereitet:

Siquidem bonum est ei, si sic agere perseverat, ut flagitiis eius, quibus voluntas modum non ponit, vel necessitas finem ponat. Bonum ei qui semper anima moritur, ut citius corpore moriatur; magis autem EI BONUM ERAT, SI NATUS NON FUISSET HOMO ILLE.[158]

In seiner Schrift zum Lob auf den Templerorden nutzt Bernhard die Beschreibung der Hl. Stätten zur spirituellen Ausdeutung, die sich auf die Vermittlung einiger zentraler theologischer Inhalte beschränkt. Es wird kaum als Zufall zu betrachten sein, daß Bernhard gerade in diesem Zusammenhang das Thema des in den leiblichen Tod führenden

[154] Praec. XX,60, III. 292f.

[155] *Neque enim vivere dicenda est anima, quae veritatis non habet cognitionem, sed adhuc mortua est in semetipsa, quemadmodum et ea sine sensu, quae necdum habet dilectionem* (div. 10,1, VI.I. 121).

[156] *Haec secunda mors, quae numquam peroccidit, sed semper occidit. Quis det illis semel mori, et non moriantur in aeternum?* (cons. V. XII,26, III. 488).

[157] CC 81,4, II. 286; vgl. auch div 3,8, VI.I. 92: *Mors siquidem est iacenti in peccatis ante conversionem;* . . .

[158] Div. 1,1, VI.I. 73; Mt 26,24.

lebendigen Todes einer eingehenden Betrachtung unterzieht. Wiederum vergleicht Bernhard die den Leib belebende Funktion der Seele mit der lebensspendenden Kraft, die Gott für die Seele besitzt. Von hier aus wird die tiefe Gerechtigkeit des von Gott infolge des Sündenfalls verhängten Todesurteils einsichtig, der auf den seelischen Tod in der Sünde die Strafe des körperlichen Todes folgen läßt:

Nihil profecto congruentius, quam ut mors operata sit mortem, spiritualis corporalem, culpabilis poenalem, voluntaria necessariam.

Im Fortgang der Argumentation überschneiden sich wiederum die Ebenen des leiblichen und spirituellen Lebens, so daß Bernhard auf die bereits bei den ersten Sündern auftretende Inkonsequenz einer Haltung aufmerksam zu machen vermag, die das Leben ablehnt und doch zugleich leben will: *Peccando volontarie, volens perdidit vivere; nolens perdat et vivificare.*[159]

In inhaltlicher Verwandtschaft zum Thema des im Leben Toten und in Ewigkeit Todeswürdigen, stehen Bernhards Bemerkungen zur Nichtswürdigkeit des Menschen:

Dignus plane est morte, qui tibi, Domine Iesu, recusat vivere, et mortuus est; et qui tibi non sapit, desipit, et qui curat esse nisi propter te, pro nihilo est et nihil est.

Denn alles, was der Mensch ist, ist er durch Christus. Wer daher für sich und nicht für Christus lebt, beginnt mitten im Sein zum Nichts zu werden; – *nihil esse inter omnia incipit.*[160] Ebenso wie Bernhard die Bedeutung des Lebens vom ewigen Leben herleitet, bestimmt er daher den Wert des Menschen aus Christus: *Itaque, si notitia Dei causa est ut homo aliquid sit, ignorantia facit ut nihil sit.*[161]

Bernhards Ausführungen zur Nächsten- und Feindesliebe folgen dem bekannten Prinzip der Ableitung aus hierarchisch gefügter Ordnung, gemäß dem jenseitige Gültigkeit in diesseitige Verbindlichkeit hinüberreicht. Entsprechend steht im Zentrum des hier zu behandelnden Themas die Gottesliebe, von der aus Nächsten- und Feindesliebe ihre inhaltliche Bestimmung sowie ihre Ausrichtung auf jenseitige Erfüllung erfahren.[162] Die Sorge um die Hinwendung des Nächsten zu Gott wird

[159] Laude XI,19 III. 230f.

[160] CC 20,1, I. 114.

[161] Ep. 18,2, VII. 67; 1126 an Kardinaldiakon Petrus.

[162] In sent. III. 73, VI.II. 108ff verleiht Bernhard dieser Beurteilung im Vergleich zwischen den verschiedenen Formen der Liebe und den Sinnen des Menschen Ausdruck. Die Gottesliebe entspricht hierbei dem vornehmsten menschlichen Sinn, dem Sehen. So wie der an oberster Stelle des Hauptes angesiedelte Gesichtssinn die übrigen Sinne dominiert, bestimmt die Gottesliebe die ihr untergeordneten Formen der Liebe. Diese Anordnung, welche die Nächstenliebe von der Gottesliebe ableitet, bleibt in unterschiedlichen Varianten letztlich in allen Ausführungen Bernhards zu diesem Thema

somit zum alleinbestimmenden Inhalt einer Liebe, die den Nächsten liebt wie sich selbst und ihm daher jene Erfüllung wünscht, die das eigene brennende Verlangen ist:

Diligit ergo proximum, quem non vult malum pati, sicut nec seipsum, et quem sicut seipsum vult possidere caelum.[163]

Einer eingehenden Betrachtung unterzieht Bernhard diese Zusammenhänge in der 50. Predigt auf das Hohelied. Wiederum geht Bernhard von der Gottesliebe aus, die hier den fortgeschrittenen Grad an Liebe kennzeichnet, in der sich der Mensch als Nichts erkennt und folglich sich selbst um Gottes willen liebt.[164] Bernhard leitet sodann zu einer Definition von Nächsten- und Feindesliebe über, die unter dem Eindruck der zuvor erfolgten Bestimmung des Selbst aus der Gottesliebe steht, so daß der Nächste zu dem Grad der Liebe wert wird, in dem er Gott liebt. Vor diesem Hintergrund gelangt Bernhard zu folgendem Verständnis des Gebotes, den Nächsten zu lieben wie sich selbst:

Iam vero proximus, quem te oportet diligere sicut teipsum, ut tibi et ipse sapiat prout est, haud aliud profecto sapiet quam tu tibi, qui id est quod tu. Qui itaque te non diligis, nisi quia diligis Deum, consequenter omnes qui similiter diligunt eum, diligis tamquam teipsum.

Bernhard weitet diese Gedankengänge sodann auf das Gebot zur Feindesliebe aus. Gemäß der Bestimmung des Selbst aus der Liebe zu Gott, ist der Feind, der Gott nicht liebt, ein Nichts und kann folglich auch nicht wie das gottliebende Selbst geliebt werden: *Porro inimicum hominem, quoniam nihili est, pro eo quod non diligit Deum, non potes quidem diligere tamquam teipsum, qui Deum diligis.* Die nunmehr gebotene Liebe gilt, da der gegenwärtige Zustand nicht geliebt werden kann *(non quidem quod est, qui utique nihili est),* dem Zukünftigen *(quod futurus forsitan),* doch – so Bernhard weiter – dies ist zweifelhaft und daher fast nichts *(quod est prope nihili, quippe quod adhuc pendet sub dubio).* Sollte allerdings von jemandem feststehen, daß er nicht zur Gottesliebe zurückkehrt und daher auf Ewigkeit ein Nichts ist, so muß dieser aus

erhalten. Vgl. div. 96,5, VI.I. 359 *[(a)liud est enim desiderium quo Deus propter seipsum, aliud quo proximus diligitur in Deo vel propter Deum]* sowie die umfangreichen Darlegungen im Traktat *‚De diligendo Deo'.* Bernhard geht wiederum von der Gottesliebe aus, die in Gott selbst gründet *(causa diligendi Deum, Deus est;* dilig. VII,22, III. 137), um von hier die Nächstenliebe abzuleiten [*(u)t tamen perfecta iustitia sit diligere proximum, Deum in causa haberi necesse est;* ebd. VIII,25, III. 139].

163 Div. 103,1, VI.I. 371.

164 *Deinde sapies etiam ipse tu tibi prout es, cum te senseris nil habere prorsus unde te ames, nisi in quantum Dei es: quippe qui totum unde amas, in illum effuderis. Sapies, inquam, tibi prout es, cum ipso experimento amoris tui et affectionis quam ad teipsum habebis, nihil dignum te esse invenies quod vel a teipso ametur, nisi propter ipsum, qui sine ipso es nihil* (CC 50,6, II. 82).

dem Gebot zur Feindesliebe ausgeschlossen werden und ist als Feind Gottes des Hasses wert:

Etenim de quo constat quod ad amorem Dei non sit deinceps rediturus, sapiat tibi necesse est, non prope iam nihili, sed nihili ex toto, utpote quod in aeternum nihili est. Illo igitur excepto, qui non modo iam non diligendus, insuper et odio habendus est, secundum illud: NONNE QUI ODERUNT TE, DOMINE, ODERAM, ET SUPER INIMICOS TUOS TABESCEBAM? de cetero nulli vel inimicissimo homini negari quantulumcumque affectum caritas ambitiosa permittit.[165]

Bernhards Ausführungen sind durch das Bemühen um ein objektiviertes Verständnis der Gebote zur Feindes- und Nächstenliebe gekennzeichnet, so daß der zu liebende Mensch in dem Maß als liebenswert erscheint, in dem er objektiv der Liebe wert ist, d. h. gemäß seinem Verhältnis zu Gott. Bezüglich der Nächstenliebe gelangt Bernhard zu dieser Bestimmung, indem er dem Reflexivum aus Mt 22,39 *(DILIGES PROXIMUM TUUM, SICUT TEIPSUM)* ein aus der Gottesliebe abgeleitetes Verständnis des Selbst unterlegt. Im Fall der Feindesliebe (*DILIGITE INIMICOS VESTROS,* Lk 6,27) entfällt die Bestimmung *‚vestros'*, so daß das Gebot für eine Auslegung geöffnet wird, die den Feind mit dem Gottesfeind identisch setzt.[166] Deutlich wirkt hierbei die Ableitung der Gebote sowohl aus der übergeordneten Gottesliebe als auch aus dem bereits auf Erden aussagekräftigen Maßstab jenseitiger Erfüllung einschränkend auf deren diesseitige Verbindlichkeit zurück. Die Aufhebung des Gebotes zur Feindesliebe sowie die dem Verständnis der auf ewig außerhalb Stehenden als Gottesfeinde innewohnende Zuordnung von Böswilligkeit und Aggressivität schaffen bereits in der 50. Hoheliedpredigt die Bedingungen, die den Rückschluß von jenseitiger Nichtigkeit auf die Legitimität diesseitiger Vernichtung ermöglichen. Bernhard selbst zieht in seiner Schrift zum Lob des Templerordens einen vergleichbaren Schluß, der auf veränderter inhaltlicher Ebene erfolgt, die jedoch in ihrer Bedeutung weitgehend mit den Themen des lebendigen Todes und der Nichtigkeit des Menschen identisch ist. Wie der Gute nach dem Vorbild Christi lebt, lebt der Böse nach dem Vorbild Satans. Gleich der Nachfolge Christi unterliegt die Teufelsnachfolge dem Prinzip der fortschreitenden Verähnlichung und nachbildenden Anverwandlung. Am Ende dieses Prozesses hat sich der Mensch in einem Maß von Gott entfernt und dem Teufel verähnlicht, daß seine

[165] Ebd. 50,7, II, 82; Ps 138,21.

[166] *Utinam ego omnes adversantes mihi sine causa ita capere possim, ut Christo eos vel restituam vel acquiram* (ebd. 63,4, II. 163). Diese Verknüpfung ist für Bernhard, der in den Angelegenheiten Christi handelt, in besonderem Maß kennzeichnend und der Grund für seine außerordentliche Härte und Schärfe im Auftreten gegen Personen, die ihm nicht als persönliche Feinde, sondern als Gottesfeinde gelten. Vgl. u. a. 269.

Natur teuflisch und böse wird.[167] Von hier aus unternimmt Bernhard jenen konkretisierenden Transfer, in dem das ewige Urteil in die Welt hineingetragen wird, so daß der Böse nicht nur das Himmelreich, sondern auch das Recht auf seine leibliche Existenz verwirkt. Dem problematischen Schluß entspricht dessen problematische Vermittlung. Bernhards Rechtfertigung der Heidentötung erfolgt in unübersetzbarer Wendung *[non homicida (. . .) sed malicida]*.[168] Gleichsam als Brücke ist das Zusammenklingen der Worte über die Kluft zwischen den Ebenen geschlagen, so daß deren Vermengung Sinnfälligkeit und somit der Anschein von Folgerichtigkeit verliehen wird.

10.2.2.4. Frieden

Die vorgestellten Forschungsmeinungen sind durch eine weitere Position zu ergänzen, die insbesondere von Jean Leclercq in seinem Aufsatz ‚Saint Bernard's attitude toward war' vertreten wird.[169] Leclercq betont den defensiven Charakter, den der Heidenkampf für Bernhard besessen habe.[170] Es ist in der Tat zutreffend, daß Bernhard in den zentralen Belegstellen zur Heidentötung deren Aggressivität als Vorbedingung für den nunmehr in aller Schärfe zu führenden Kampf bestimmt. Entsprechend schließt Bernhard seine Rechtfertigung des Heidenkampfes in Kapitelabschnitt III,4 der Templerschrift[171] mit folgender Einschränkung ab:

Non quidem vel pagani necandi essent, si quo modo aliter possent a nimia infestatione seu oppressione fidelium cohiberi. Nunc autem melius est ut occidantur, quam certe relinquatur virga peccatorum super sortem iustorum, ne forte extendant iusti ad iniquitatem manus suas.[172]

Die vergleichbare Belegstelle aus ep. 363 steht im Kontext der Mahnung zur Schonung der Juden, die Bernhard aus der Verheißung ihrer endzeitlichen Bekehrung *(eorum in fine promissa salus, in fine futura conversio)* begründet. Wiederum nimmt Bernhard die Heiden aus der jenseitigen Hoffnung, die diesseitige Duldung notwendig macht, aus; – *(p)lane et gentiles, si essent similiter in fine futura subiugati, in eo quidem*

[167] Vgl. 96f.
[168] Laude III,4, III. 217.
[169] Vgl. auch Renna, Early cistercian.
[170] Leclercq bemerkt in seinem Aufsatz, der von apologetischen Tendenzen nicht frei erscheint, zur Kreuzzugsauffassung Bernhards: „he saw it as a defensive operation and, paradoxical as it may seem, oriented toward the reestablishment of peace" (22). Bezüglich der Templerschrift stellt Leclercq zwei Grundgedanken Bernhards fest: „The first is, that a defensive war, in Palestine as elsewhere, is lawful. The second is that, even in such a case, violence must be reduced to a minimum" (43).
[171] Vgl. 376.
[172] Laude III,4, III. 217.

iudicio essent similiter expectandi quam gladiis appetenti. Denn da die Heiden nun Gewalttaten verüben, ist es notwendig, der Gewalt gewaltsam entgegenzutreten *(oportet vim vi repellere).* Den grundlegenden Unterschied zwischen Heiden und Juden angesichts der letzten Dinge macht der Fortgang der Argumentation deutlich *[(e)st autem christianae pietatis, ut debellare superbos, sic et parcere subiectis],*[173] in dem Bernhard zwischen Unterworfenen und Hochmütigen trennt, so daß die Juden den ihnen zukommenden Ort in der auf jenseitige Erfüllung zustrebenden Geschichte bereits eingenommen haben, während die Heiden im hochmütigen Aufbegehren sich dem heilsgeschichtlichen Verlauf gewaltsam entgegenzustemmen suchen.

Bernhards Gewaltvorwurf stellt einen unverzichtbaren Bestandteil der in christlicher Tradition nur aus defensiven Motiven ableitbaren Rechtfertigung des Krieges dar.[174] Keinesfalls darf dieser Gewaltvorwurf abgelöst von seinem Widerpart, dem Begriff des Friedens,[175] verstanden werden, der im folgenden in seiner Bedeutung für Bernhards Beurteilung der Heiden zu untersuchen sein wird.

Den zentralen und stetigen Bezugpunkt von Bernhards Friedensverständnis stellt die Gestalt Christi dar: *Ipse est enim pax nostra.*[176] Er ist – nach 1 Kor 15,51 – der Fürst des Friedens *(PRINCEPS PACIS),*[177] da er den Menschen mit sich selbst *(hominem pacificaret sibi ipsi)*[178] und mit Gott versöhnte.[179] Mit Recht verdient allein er den Ehrennamen Salomon:

Nam usque adeo is meus Salomon Salomon est, ut non modo Pacificus, quod quidem Salomon interpretatur, sed et Pax ipsa vocetur, Paulo perhibente quia IPSA EST PAX NOSTRA.[180]

Christus ist der dargereichte, gewährte Frieden: *Ecce pax non promissa, sed missa, non dilata, sed data, non prophetata, sed praesentata.*[181] Denn in

[173] Ep. 363,7, VIII. 316f.

[174] Vgl. zu dieser auf Augustin zurückgehenden Tradition des *‚bellum iustum‘:* Bernheim, Mittelalterliche Zeitanschauungen, 32ff; Erdmann, Die Entstehung, 5ff; Hehl, Kirche, bes. 66ff, 132ff u. 188ff; Mayer, Geschichte, 20; Noth, Heiliger Krieg: Russel, The just war; Schwinges, Kreuzzugsideologie, 221ff; LThK VI (H. Gross; A. Vögtle; R. Hauser), 639ff.

[175] Vgl. LThK IV (E. Schick; E. Biser), 366ff; HThG I (E. Biser), 419ff. Bernhards Friedensbegriff ist nachdrücklich von Augustin bestimmt. Zum Einfluß der augustinischen Friedenslehre auf das mittelalterliche Denken, vgl. Bernheim, Politische Begriffe, 3ff; ders., Mittelalterliche Zeitanschauungen 29ff.

[176] Pur. 1,2, IV. 335.

[177] Div. 53,2, VI.I. 278.

[178] Div. 66,3, VI.I. 301.

[179] *Tu es enim pax nostra, qui fecisti utraque unum* (CC 13,4, I. 71).

[180] CC 27,2, I. 182, Eph 2,14; vgl. auch ebd. 28,11, I. 200.

[181] Epiph. dom. 1,2, IV. 292.

der Ankunft Christi ist jener Frieden auf Erden bereits Wirklichkeit geworden, der sich in seiner Wiederkunft erfüllen und im himmlischen Jerusalem[182] *[(e)st enim Ierusalem visio pacis]*[183] auf ewig gewährt werden wird.

Et quidem pax est nunc etiam in terra hominibus bonae voluntatis; sed quid est pax ista ad illius plenitudinem et supereminentiam pacis?[184]

Seinem Ursprung in Christus entsprechend, liegt Bernhards Friedensbegriff in spezifisch gewerteter Form vor, so daß seine Bedeutung weit in den Bereich der Tugenden hineinreicht. In enger Verbindung stehen Frieden und Gerechtigkeit,[185] deren Kuß die Heilstat Christi versinnbildlicht.[186] Der Frieden gleicht einer Quelle *(fons est, et ascensum nescit),* die naturgemäß dem Tal, d. h. den Demütigen zustrebt.[187] Auch im Begriff des Friedens ist der *Ordo*-Gedanke[188] wirksam, so daß die Weisheit der Welt, die ihren Sitz in den Lüsten und nicht in den Tugenden hat, von Verwirrung und Unfrieden zeugt: *sapientia mundi tumultuosa, non pacifica.*[189] Die enge Anbindung des Friedensbegriffs an die Tugenden bewirkt, daß außerhalb der Tugenden kein Frieden herrscht. Nach Ps 13,3 weichen die Pfade der Bösen vom Weg des Friedens ab; – *CONTRITIO ET INFELICITAS IN VIIS EORUM, ET VIAM PACIS NON COGNOVERUNT.*[190] Grundsätzlich gilt für alle Menschen, die den Lüsten, nicht aber Gerechtigkeit und Frieden dienen: *NON EST PAX IMPIIS.*[191]
Zur auf das Innen des Menschen bezogenen Bedeutungsdimension, die der Anlage von Bernhards Predigten entsprechend überwiegt, tritt *‚pax‘* in äußerer Bedeutung, die den Geltungs- und Herrschaftsbereich[192] der christlichen Friedensbotschaft beschreibt. In diesem Ver-

[182] Zu Jerusalem als Sinnbild und Inbegriff des Friedens, vgl. 99ff.
[183] Vig. nat. 2,1, IV. 204.
[184] Ebd. 4,8, IV. 225f.
[185] Zu Friede und Gerechtigkeit bei Augustin, vgl. Bernheim, Mittelalterliche Zeitanschauungen 34ff.
[186] Ann. Dom. 1,14, V. 29.
[187] Vig. nat 4,9, IV. 226.
[188] Vgl. 60f; 63f; 102ff.
[189] Nat. 1,5, IV. 248. Folgerichtig ergeht daher an Abälard und seine Anhänger der Vorwurf, den Frieden zu stören (ep. 334, VIII. 273; 1140): ... *ut pacem Ecclesiae conturbent.*
[190] Div. 26,4, VI.I. 197. Entsprechend bemerkt Bernhard zu Arnold von Brescia (ep. 195,2 VIII. 50; 1142): *ET VIAM PACIS NON cognovit.*
[191] Div. 19,2, VI.I. 162; Is 48,22.
[192] Zum imperialen Friedensbegriff, vgl: Beumann, Kreuzzugsgedanke 141; Bünding-Naujoks, Imperium; Tellenbach, Römischer und christlicher Reichsgedanke. Dieser Friedensbegriff hat gewichtigen Anteil an der Legitimierung christlicher Herrschaft und besitzt insbesondere im mittelalterlichen Kaisergedanken tragende Bedeutung. Die Grenzen des christlichen Universalreiches sind mit denen des Friedens gleichge-

ständnis findet *‚pax‘* in der bereits zitierten 58. Hoheliedpredigt[193] Verwendung. Bernhard weist hier dem Rebenschnitt, d. h. dem Werk der Reform, als angemessenen Zeitpunkt den Frieden *(nam id operis pacis tempora requirebat),* d. h. denjenigen Abschnitt christlicher Frühzeit zu, in dem sich die Unwetter der Verfolgungen gelegt haben und der Weinberg der Kirche seine Ausbreitung über den ganzen Erdenkreis erfahren hat. Deutlich tritt am Ende des Predigtabschnitts Bernhards an die Verwirklichung des Guten gebundener Friedensbegriff zutage, der notwendigerweise ein Friedensverständnis als Abwesenheit von Krieg und Gewalt überschreitet. Denn der Weinbergschnitt kann kaum in Frieden geschehen und steht dennoch nicht in Widerspruch zur Friedenszeit, die ihn notwendig macht; – *haec (. . .) omnia vix vel pacis tempore actitantur in pace.*[194]

Neben der auf das Innen des Menschen sowie auf die Kennzeichnung des christlichen Geltungs- und Herrschaftsbereichs bezogenen Bedeutungsdimension wohnt Bernhards Friedensbegriff unverkennbar eine dynamische Komponente inne. Wiederum leitet sich diese aus Christus, dem Friedensstifter *(ipse qui pacificavit in sanguine suo quae in caelis sunt et quae super terram),* ab. Nach seinem Vorbild sind diejenigen selig zu preisen und als Söhne Gottes zu bezeichnen (Mt 5,9), die in der Nachfolge Christi Frieden stiften und daher auf die Erfüllung seines Werkes hinwirken *(qui filii opus impleverint).*[195] In der Predigt div. 98 differenziert Bernhard zwischen verschiedenen Arten des Friedens sowie zwischen verschiedenen Haltungen, die der Mensch zum Frieden einnehmen kann. Weder der jüdische Scheinfrieden *(pax ficta)* noch der ungeordnete Frieden *(inordinata)* zur Zeit Adams und Evas, sondern allein der christliche Frieden *(pax christiana)* ist die Wohnstätte Gottes. Drei Klassen von Menschen unterstehen diesem Frieden in hierarchisch gestufter Ordnung. Die Befriedeten *(pacati)* empfangen den Frieden, die Zufriedenen *(patientes)* halten ihn. Die Befriedeten besitzen ihren Leib *(pacati per hanc pacem possident terram corporis sui, quia mites sunt),* werden aber durch ihre Neigung zur Sünde den erhaltenen Frieden wieder verlieren. Die Zufriedenen besitzen ihre Seele und Frie-

setzt, so daß Eroberung und Mission zum legitimen Friedenswerk wird (Beumann, Kreuzzugsgedanke 141; Bünding-Naujoks 70). Entsprechend geben die Kreuzfahrer in der Chronik Helmolds (60, 216) als Grund für ihr Unternehmen *‚propter ampliandos fines pacis‘* an. Bernhard denkt zu sehr in auf das Innen des Menschen und auf das Jenseits bezogenen Kategorien, als daß der imperiale Friedensbegriff eine wichtige Rolle in seinem Denken einnehmen könnte.

[193] Vgl. 313.

[194] CC 58,9, II. 133.

[195] Fest. omn. sanct. 1,14, V. 340. Vgl auch convers. XVIII,31, IV, 108: *Merito proinde beatificatur nomine filii, quod opus filii impleverit, ut post suam non ingratus reconciliationem, etiam alios reconciliet Patri suo.*

den in Ewigkeit. Die dritte Gruppe jedoch, die Friedensstifter *(pacifici)*, empfangen den Frieden, bewahren ihn und wirken für ihn, so daß sie nicht nur die eigene Seele, sondern auch die Seele derjenigen besitzen, denen sie den Frieden bringen *(in quibus pacem faciunt)*. Mit Recht werden daher die Friedensstifter – wiederum in Anlehnung an die siebte Seligpreisung (Mt 5,9) – Gottessöhne genannt.[196] Vergleichbare Gedankengänge finden sich in der Predigt ‚*De conversione*'. Wiederum nimmt der Friedensstifter[197] die höchste Stufe der dreigeteilten Ordnung ein, denn er wirkt Seelengewinn für Christus *(multorum animas lucrifacit)*.[198] Deutlich ist ‚*conversio*' als Zielpunkt des dynamischen Friedensbegriffs zu bestimmen, dessen Verwirklichung somit Anteil am Prozeß der Zurichtung der Welt auf ihre jenseitige Erfüllung hat.
Bernhards Bindung des Friedensbegriffes an Christus stellt die außerhalb Stehenden zugleich außerhalb des Friedens und weist ihnen somit unweigerlich aggressive Züge zu. Ebenso wie in der bereits zitierten Hoheliedpredigt derjenige, der Gott nicht lieben will, die Gestalt des Gottesfeindes annimmt,[199] gerät der außerhalb der ‚*pax christiana*' Stehende zum Friedenshasser. Über Lk 2,14 findet hierbei *(ET IN TERRA PAX HOMINIBUS BONAE VOLUNTATIS)* die Böswilligkeit als Motiv der Weigerung Eingang; – *nam pax hominibus bonae voluntatis, malevolis autem petra scandali et lapis offensionis.*[200] Ein vergleichbarer Schluß liegt der Predigt div. 98 zugrunde. Dem ganzen Menschengeschlecht *(universo generi humano)* wird der Friede durch die heiligen Prediger dargeboten; – *sed eam quidem repellent, aliqui recipiunt.* Denen, die willentlich den Frieden zurückweisen, gilt Bernhards Interesse im weiteren nicht, so daß er sie im Rückgriff auf Mt 10,14, d. h. dem in den Missionsanweisungen geforderten Verhalten gegenüber denjenigen, die das Wort der Apostel nicht hören wollen, übergeht *[(n)os vero, excutientes pulverem pedum nostrorum super odientes pacem]*, wobei ‚*super odientes pacem*' eine Ergänzung Bernhards darstellt. Der Fortgang der Predigt erscheint vor dem Hintergrund der zuvor Ausgenommenen, die den christlichen Frieden zurückweisen, problematisch. Den Befriedeten, die zwar ohne Aussicht auf das ewige Leben sind, jedoch dem christlichen Frieden unterstehen und sich daher nicht aggressiv verhalten, billigt Bernhard das Recht auf leibliche Existenz zu *(possident terram*

[196] Div. 98, VI.I. 364.

[197] In diesem Sinne bestimmt Bernhard in ep. 25,2 (VII. 79; ca. 1130–1131, an Hugo, den Erzbischof von Rouen) das Bischofsamt als Amt des Friedensstifters *(pacificum, qui vincat in bono malum)*. Ebenfalls als Friedensstifter ist der hl. Malachias tätig (VSM IV,9, III. 318), dessen umfassendes Reformwerk die Befriedung Irlands (*omnia in pace esse;* ebd. XIV,31, III. 338) zur Folge hat.

[198] Convers. XVIII,31, IV, 107f.

[199] Vgl. 381f.

[200] CC 2,8, I. 13; vgl. auch 385, Anm. 184.

corporis sui, quia mites sunt).[201] Im Rahmen des Lebens jedoch ist keine weitere Herabminderung der Rechte möglich, so daß sich hier bereits bezüglich der böswillig außerhalb des christlichen Friedens Stehenden jene über das Moment heidnischer Aggressivität legitimierte Haltung andeutet, die von jenseitiger Nichtigkeit auf das Recht zur diesseitigen Vernichtung rückschließt. Dennoch versäumt es Bernhard nicht, den Friedensstiftern die Pflicht der Friedfertigkeit auch gegenüber den Bösen zuzuweisen. Wiederum geht Bernhard von Mt 5,9 aus, um von hier die Notwendigkeit, Verfolgungen geduldig zu ertragen, anzumahnen: *Quod si ab infestatione cessare noluerint iniqui, patienter tolerent eos iusti.* Denn dem Gerechten erwächst Trost aus dem sogleich folgenden Herrenwort, das denjenigen, der um der Gerechtigkeit willen Verfolgung leidet, selig preist.[202] Bernhard gibt an dieser Stelle die hohen ethischen Normen der Bergpredigt wieder, die freilich - wie allgemein und sichtlich auch für Bernhard gilt - leichter gesagt als im Moment der Bewährung eingelöst sind.
Die für Bernhard mit dem Unglauben verbundenen Motive der Aggressivität und Böswilligkeit finden auch in anderem Kontext Verwendung. In seiner Schrift *‚De diligendo Deo‘* setzt sich Bernhard mit der Notwendigkeit zur Gottesliebe auseinander. Diese betrifft auch die Ungläubigen, die Gott durch seine zahllosen Wohltaten, die ihre leibliche Existenz erst ermöglichen, beschämt.[203] Auch für diejenigen, die Christus nicht kennen, erwächst daher aus dem Naturgesetz die Pflicht zur Gottesliebe:

> ... *dum demonstare satagimus, eos quoque qui Christum nesciunt, satis per legem naturalem ex perceptis bonis corporis animaeque moneri, quatenus Deum propter Deum et ipsi diligere debeant.*

Daß die Ungläubigen dennoch die Gottesliebe verweigern, ist folglich für Bernhard unentschuldbar: *Proinde inexcusabilis est omnis etiam infidelis, si non diligit Dominum Deum suum toto corde, tota anima, tota virtute sua.*[204] *Vae nobis a duritia cordis nostri!* - ruft Bernhard in der Predigt auf Allerheiligen aus: *Vae a peccato gentium,*[205] deren Gefühlosigkeit und

[201] Div. 98, VI.I. 364.
[202] Div. 66,3, VI.I. 301. Vgl auch: div. 16,5, VI.I. 147; Ps 119,7: *Pacem quoque non solum fratribus exhibendam dicimus in via ista; sed cum his qui oderunt pacem esse pacificum, ...*
[203] *Quod si infideles haec latent, Deo tamen in promptu est ingratos confundere super innumeris beneficiis suis, humano nimirum et usui praestitis, et sensui manifestis* (dilig. II,2, III. 121). Vgl. auch ebd. V,14, III. 130.
[204] Ebd. II,6, III. 123f; vgl. auch dom. kal. 4,2, V. 316.
[205] Fest. omn. sanct. 5,6, V. 365; Hebr 12,23.

Herzenhärte sich durch keinen noch so offenkundigen Gnadenerweis erweichen läßt.[206]

Neben dem dargestellten Friedensbegriff, dem die Tendenz innewohnt, die außerhalb Stehenden mit aggressiven Zügen zu versehen, ist weiter auf das barbarisierte Heidenbild[207] hinzuweisen, das in Bernhards Malachiasvita seinen Niederschlag findet. Bernhards Interesse gilt hier der Schilderung einer Bevölkerung, die, nur oberflächlich christianisiert, ein Leben außerhalb jeglicher Kirchenordnung, d. h. in Verrohung und unbezähmter Wildheit führt: *christiani nomine, re pagani.* Malachias wird als Bischof zu Menschen gesandt, die sich wie die wilden Tiere[208] gebärden *(tunc intellexit homo Dei, non ad homines se, sed ad bestias destinatum),* so daß sein Reformwerk deren barbarische Unbezähmtheit *[repererat (. . .) ad leges barbaros]* in die zivilisierende Ordnung kirchlichen Lebens fügt.[209] An anderer Stelle beschreibt Bernhard die irischen Zustände wie folgt:

[206] Von hier aus liegt der Schluß auf das Motiv heidnischer Verstocktheit nahe. Symbolisiert durch die Natter, die nicht hören will und daher ihr eines Ohr gegen den Boden drückt, während sie das andere Ohr mit ihrer Schwanzspitze verstopft, ist Verstocktheit eine Eigenschaft des zu ewigem Kreislaufen verdammten Teufels (72). Verstocktheit kennzeichnet zugleich diejenigen Menschen, die fortgesetzt und unbelehrbar sündigen und sich daher in einem solchen Maß in die Nachfolge des Teufels begeben, daß ihnen, die Christus nicht zum Haupt haben, ein Teufelshaupt nachwächst (96f). Auch wenn es Bernhards persönlicher Auffassung entsprochen haben mag (vgl. Dérumaux, Saint Bernard), läßt sich die Teufelsidentifizierung der Heiden über das Element der Verstocktheit in Templerschrift und Kreuzzugsbriefen nicht nachweisen. Dieses Motiv, das einen Zustand des Verharrens beschreibt, ist letztlich nicht dynamisch genug, um dem Zwecke Bernhards zu dienen. Statt dessen beschreibt er die Heiden als Werkzeuge des Bösen, die vom Teufel wider die Christenheit aufgewiegelt sind, und führt so deren Aggressivität und die von ihnen ausgehende Gefahr vor Augen.

[207] Vgl. hierzu, Jones, The image of the barbarian, der das Gegensatzpaar ‚*christianus-barbarus*‘ sowie die Identifizierung von ‚*barbarus*‘ mit ‚*paganus*‘ im Mittelalter analysiert. Zu Beginn seines Aufsatzes bestimmt Jones den in allen historischen Epochen gleichbleibenden Zweck der Entgegensetzung (377): „The antithesis which opposed civilization to barbarism was a highly useful cliché, and one which serve equally well as a means of self-congratulation and as a rationalization for aggression.“

[208] Große Ähnlichkeit zur Schilderung Bernhards weisen die Ausführungen seines Freundes und Vertrauten Wilhelm von St. Thierry im ersten Buch der Vita Prima auf. Wilhelm beschreibt die von Bernhard bewirkte Ausbreitung des Zisterzienserordens und bezieht sich im folgenden wohl auf die Übersendung von Zisterziensermönchen nach Irland (vgl. die Briefe 341, VIII. 282f; 356, VIII. 300; u. 357, VIII. 301f an Malachias). Bernhard – so Wilhelm – habe den Orden über die ganze Menschheit, ja weiter noch, ausgebreitet: *Quid dico? Ultra homines, usque ad barbaras nationes, in quibus naturalis feritas naturam quodammodo exuit humanam, religio haec profecta est: ubi per eam bestiae silvae homines fiunt, et cum hominibus assuetae conversari, discunt cantare Domino canticum novum* (VP XIII,62, 261).

[209] VSM VIII,16, III. 325.

. . . inde illa ubique, pro mansuetudine christiana, saeva subintroducta barbaries, immo paganismus quidam inductus sub nomine christiano.[210]

Deutlich bilden hier die christliche Sanftmut und das mit den Heiden identifizierte barbarische Wüten ein Gegensatzpaar, in dem beide Komponenten aneinander ihre pointierte Gestalt gewinnen, so daß den Heiden die Eigenschaft der Aggressivität als kennzeichnendes Merkmal zugewiesen ist.
Bernhards Heidenbild[211] ist von seiner Anlage her Feindbild, das im Moment der Konfrontation mit einer von Kampf und Gewalt geprägten Realität seine Bestätigung erfährt und sich daher ungezügelt zu entfalten vermag.[212] Denn nun, da sie die Christenheit angreifen, erweisen sich die Heiden als Feinde Christi.[213] Sie erheben ihr schändliches Haupt *(crucis adversarii caput extulerunt sacrilegum)* und drohen mit ihrem frevlerischen Rachen *(ore sacrilego),* das Heiligtum der christlichen Religion zu verschlingen.[214] Sie schänden die heiligen Stätten Jerusalems, die nunmehr den Hunden wie die Perlen den Schweinen vorgeworfen sind. Die Entfernung des Heidenunflats *(spurcitia paganorum)* wird zur drängenden Notwendigkeit.[215] Ihr barbarisches Toben *(saevam barbariem)*[216] und ihre tyrannische Raserei *(tyrannica rabie)*[217] machen das machtvolle Entgegentreten der Ritter des Templerordens zwingend notwendig. Sie verbreiten freche Lügen über den Herrn: *Accusatur proditionis Rex noster: imponitur ei quod non sit Deus, sed falso simulaverit quod non erat.*[218] Unerträglich ist ihre hochmütige Erhebung, die gedemütigt werden muß.[219] Eine weitere Verschärfung erfahren die Angriffe Bernhards in der Identifizierung der Heiden mit den Werkzeugen des Teufels. Sie bilden die Gefolgschaft der Mächte der Finsternis *(ipsorum satellites, filios diffidentiae).*[220] Satan, der zähneknirschend die von den Pilgern in Jerusalem vollzogene Buße und die ihnen gewährte Verzeihung sieht, bedient sich der Heiden als des Gefäßes für

[210] Ebd. X,19, III. 330.

[211] Vgl. Dérumaux, Saint Bernard et les infidèles.

[212] An den folgenden Belegstellen findet sich unübersehbar die im Prolog zur Templerschrift (III. 213) benannte Absicht verwirklicht, anstelle der unziemlichen Lanze den Griffel gegen den Feind zu schwingen: *et adversus hostilem tyrannidem, quia lanceam non licereret, stilum vibrarem, . . .*

[213] *Inimicos crucis Christi* (laude I,1, III. 214); *hostes suos* (ebd. V.10, III. 223); *hostis crucis Christi* (ep. 457. VIII. 433).

[214] Ep. 363,1, VIII. 312.

[215] Ep. 363,2, VIII. 313; *infidelitatis spurca* (laude V,9, III. 222).

[216] Laude IV,8 III. 221.

[217] Ebd. V,9, III. 222.

[218] Ep. 458,4, VIII. 436.

[219] *Debellare superbos* (ep. 363,7, VIII. 317); vgl. auch 373, Anm. 130.

[220] Laude I,1, III. 214.

seine Bosheit *(vasa iniquitatis suae)*.[221] In ep. 457 fürchtet er neben der ritterlichen Bekehrung die dem Eintritt der Juden vorangehende Bekehrung der Heiden,[222] d. h. den totalen Zusammenbruch seines Widerspiels. Entsprechend erstrebt er den totalen Schaden: *et tota fraude satagit versuta malitia.* Zu diesem Zweck läßt er die im Hinterhalt lauernden Heiden *(semen nequam, filios sceleratos)*, gegenüber denen es die Christenheit allzulang versäumt hat, ihr giftiges Haupt in den Staub zu treten *(calcaneo suo nec conterens capita venenata)*, sich nun erheben. Deutlich ordnet Bernhard im folgenden dem weltumspannenden Heilswerk das weltumspannende Widerspiel des Teufels zu, so daß die Heiden des Ostens zum gefährlichen Hindernis für den Jerusalemzug werden *(fiet ergo, Deo volente, ut eorum superbia citius humilietur, et non propter hoc impediatur via Ierosolimitana)*.[223]
Bernhards Bild des Heiden in Templerschrift und Kreuzzugsbriefen ist von den Eigenschaften der Aggressivität und Böswilligkeit sowie von der Einschätzung als Werkzeuge des Teufels geprägt. Die weitgehende Aufhebung der begrifflichen Differenzierung zwischen *,gentilis'* und *,pagani'*,[224] die im ersten Fall Heiden unter dem Aspekt ihrer zu bewirkenden Bekehrung sieht und im zweiten Fall ihnen böswilliges Festhalten am Irrglauben und aggressives Verhalten unterstellt,[225] entspricht der Eindimensionalität eines auf das Feindbild verkürzten Heidenbegriffs. Gegenüber diesen sich aggressiv und böswillig gebärdenden, vom Teufel aufgewiegelten Heiden erscheint Frieden nur noch mit dem Schwert vollziehbar. Als Friedenskämpfer ziehen die Tempelritter in die Schlacht: *Veri profecto Israelitae procedunt ad bella pacifici.*[226] Als Friedenswerk will Bernhard den Kreuzzug verstanden wissen, zu dessen Scheitern er rückblickend bemerkt: *Diximus: Pax, et non est pax.*[227] Wiederum erfährt somit ein Begriff, der in der Theologie Bernhards dem spirituellen Bereich[228] angehört und in seinem dynamischen Ver-

[221] Ep. 363,2, VIII. 313.
[222] Vgl. 360.
[223] Ep. 457, VIII. 432f.
[224] Vgl. die Verwendung von *,gentiles'* in der 383f zitierten Belegstelle aus ep. 363 und laude III,5, III. 218: *gentes quae bella volunt.*
[225] Vgl. Kahl, Compellere 205ff; ders., Die ersten Jahrhunderte 52f; Schwinges, Kreuzzugsideologie 90ff sowie die hier angeführte Literatur. Schwinges gesteht jedoch zu (91, Anm. 30), daß die terminologische Unterscheidung nicht allgemein verbindlich und daher im Einzelfall zu überprüfen ist.
[226] Ebd. IV,8, III. 221.
[227] Cons. II,1, III. 411.
[228] In ep. 355 (VIII. 299, um 1142) empfiehlt Bernhard Königin Melisande Prämonstratensermönche, die als Waffe Gottes das Schwert des Geistes führen: *Suscipite illos tamquam bellatores pacificos, mansuetos ad homines, violentos ad daemones.*

ständnis auf Umkehr als der zentralen Forderung für eine auf ihr Ende zustrebende Welt abzielt, jene charakteristische Wandlung, die das Motiv der *,conversio'* zum Todesmotiv werden läßt.

10.3. Schlußbetrachtung

Sehnsuchtsvoll – so Bernhard über die Zeit vor der Ankunft Christi – erwarteten die Menschen den prophezeiten Friedensfürsten *(Princeps pacis)*, beklagten dessen Verzögerung *(causabantur homines moras)* und forderten den Friedenskuß als Zeichen der versprochenen Versöhnung:

Quousque tollitis animas nostra? Iam olim praedictis pacem, et non venit; promittitis bona, et adhuc turbatio? Ecce hoc ipsum multifarie multisque modis et angeli patribus, et patres nostri annuntiaverunt nobis, dicentes: PAX, ET NON EST PAX.[229]

Mit fast gleichlautenden Worten[230] beklagt Bernhard das Scheitern der Kreuzfahrt:

Diximus ,Pax', et non est pax, promisimus bona, et ecce turbatio, quasi vero temeritate in opere isto aut levitate usi simus.[231]

Typologisches Denken verbindet über den Lauf der Zeiten hinweg die Generationen in ihrem Hoffen und Bangen, deren sehnsüchtige Erwartung sich im einen Fall auf die Ankunft, im anderen Fall auf die Wiederkunft Christi bezieht. Unverkennbar gilt Bernhards weltumspannendes Werk des Friedens,[232] das dem weltumspannenden Widerspiel Satans entgegentritt, der Vorbereitung der Welt auf die Ankunft Christi. Die Frage, ob Bernhard auf das Unternehmen des Kreuzzuges die

[229] CC 2,5, I. 11; Hebr 1,1.

[230] Auch McGinn (St. Bernard, 183) weist auf die eschatologische Bedeutung dieser Aussage hin.

[231] Cons. II,1, III. 411.

[232] In diesem Sinne muß auch das bei Otto von Freising (Gesta I,43, 212) und in den Annales Stadenses (MG SS XVI 327) erwähnte Sonderzeichen des Wendenkreuzzuges, das Kreuz auf einem die Erde symbolisierenden Kreis, verstanden werden (vgl. Bünding-Naujoks 100; Kahl, Die Ableitung 138). Ob dieses Sonderzeichen jedoch auf Bernhard zurückgeht, erscheint fraglich (vgl. auch Roscher, Papst Innozenz 195, Anm. 15), da Bernhard in ep. 457 (VIII, 433) die Kreuzritter gegen die Wenden auch bezüglich Kleidung und Ausstattung dem Orientheer gleichstellt: *Erit autem huius exercitus, et in vestibus, et in armis, et phaleris ceterisque omnibus eadem quae et alterius exercitus observatio, quippe quos eadem retributio munit.*

Hoffnung auf Erfüllung seiner Sehnsucht setzte, wird kaum mit Gewißheit zu beantworten zu sein. Zu schwankend erscheint Bernhards ‚Bald' und zu problembehaftet die Einschätzung von Bernhards Sicht der Heidenfrage, um ihn auf eine Gewißheit festschreiben zu können, die er selbst an mehreren Stellen seines Werkes ablehnt.[233] Festzuhalten jedoch bleibt die stetige Möglichkeit der Verwirklichung des Gottesreiches in einer durch das finale Ringen zwischen Gut und Böse[234] gekennzeichneten und daher in stetigem Bemühen auf das nahe Ende vorzubereitenden Gegenwart. An diesem Werk der Zurichtung auf jenseitige Erfüllung hat der Kreuzzug an exponierter Stelle Anteil und besitzt somit eine eschatologische Dimension. Beschreiben innere Reform und äußere Ausbreitung die beiden Aufgabenbereiche in der auf ihr Ende zuzurichtenden Welt, so ergänzt der Heidenkampf Bernhards Werk der Reform des Klosterwesens und des Klerus bezüglich des dritten Standes, dem sich nun die Möglichkeit eröffnet, sein Heil zu wirken und somit die Erwählten zu ihrer Vollzahl zu ergänzen.

Mit beträchtlichen Schwierigkeiten hingegen ist die Beurteilung von Bernhards Haltung zur Heidenfrage verbunden. Aus dem biblischen und insbesondere dem paulinischen Erbe wäre hier ein eingehendes Bemühen Bernhards um die Bekehrung der Heiden zu erwarten. Die Durchsicht von Bernhards Schriften zum Heidenkampf führt jedoch zu abweichenden Ergebnissen. Die Interpretation der strittigen Belegstelle aus ep. 457 vor dem Hintergrund der in ep. 363 erfolgten Bestimmung der angreifenden Heiden als außerhalb der Hoffnung stehend sowie der Tilgung des Bekehrungsmotivs in der Templerschrift zugunsten des Tötungsmotives, macht deutlich, daß die Losung gegenüber den zu bekämpfenden Heiden letztlich alternativlos ‚Tod' lautet. Denn diese stehen nicht nur außerhalb, sondern dem Lauf des Heils entgegen, so daß Bernhard im Moment deren aggressiven Aufbegehrens von jenseitiger Nichtigkeit auf das Recht zur diesseitigen Vernichtung rückschließt. Das Überwiegen des Todesmotivs gegenüber dem Motiv der Bekehrung findet ebenfalls seine Bestätigung an der Tatsache, daß Bernhard der Bitte des Petrus Venerabilis um Widerlegung der sarazenischen Häresie auf der Basis der von ihm veranlaßten Koranüberset-

[233] Vgl. 318.

[234] Dieses betrifft sowohl das Innen der Kirche als auch ihre Ausbreitung zur Heidenschaft. Das Auftreten des Widersachers im dritten Abschnitt der viergeteilten Verfolgungsgeschichte, der zähneknirschend nach der Vernichtung des Heils (vgl. 327ff) trachtet, weist große Ähnlichkeit zum die Heiden aufwiegelnden Widersacher der Kreuzzugsbriefe auf.

zung[235] nicht nachgekommen ist,[236] während er nur wenige Jahre später zur treibenden Kraft des Kreuzzuges werden sollte. In der Tat hätte sich hier die Möglichkeit geboten, den Feinden der Christenheit mit dem Schwert des Wortes Gottes[237] auf fundierter Basis entgegenzutreten.

Die für mittelalterliche Verhältnisse eingehende Kenntnis des Islam[238] im Umfeld Bernhards macht die Beantwortung der Frage nach seiner Einschätzung der verbliebenen Anzahl der außerhalb stehenden Heiden schwierig. In den Belegstellen zu apostolischen Kirche identifizierte Bernhard die sich bereits in der Frühzeit über den ganzen Erdenkeis ausbreitende Christenheit mit der Welt,[239] an deren Rändern verstreut[240] die Heiden leben. Hieraus ließe sich ableiten, daß Bernhard von einer nur geringen Anzahl an Heiden ausging.[241] Dieser Einschät-

[235] Zur schwierigen Frage nach dem Verhältnis von ep. 111 der Briefsammlung des Petrus zu der ebenfalls an Bernhard adressierten ‚*Epistola de translatione sua*', vgl. Constable, The letters II. 275ff. Ep. 111 enthält die ‚*Epistola*' und als Einschub fast die Hälfte der ‚*Summa*'. Die ‚*Epistola*' bildet zusammen mit der ‚*Summa totius haeresis Saracenorum*' die Einführung in den ‚*Corpus Toletanum*', das neben anderer ins Latein übertragener arabischer Schriften die Übersetzung des Koran enthält (vgl. Glei, Petrus XVff; Kritzeck, Peter, 51–112; ders., Toledan Collection). Petrus ließ diese Übersetzungen auf seiner Spanienreise 1142–1143 anfertigen (vgl. Bishako, Peter). Constable datiert den betreffende Teil von ep. 111 auf das späte Frühjahr oder frühen Sommer 1144 (172 u. 275) und geht im weiteren davon aus, daß dieser Brief nach der ersten Fassung der ‚*Epistola*' und der ‚*Summa totius haeresis Saracenorum*' verfaßt wurde. Kritzeck (Peter, 29) stellt ep. 111 den beiden anderen Quellen voran.

[236] Die betreffende Belegstelle lautet in der ‚*Epistola*'. (Glei, Petrus 26; vgl. auch Kritzeck, Peter, 213): *Specialiter autem vobis haec omnia notificavi, ut et tanto amico studia nostra communicarem et ad scribendum contra tam perniciosum errorem illam vestram, quam nostris diebus Deus vobis singulariter contulit, doctrinae magnificentiam animarem.* In ep 111. (Constable, Letters I, 298) schreibt Petrus: *Hoc ea de causa feci, ut et rem uobis notam facerem, et ad scribendum contra tam perniciosum errorem animarem.* Am Ende des Briefes (299) bittet Petrus um Antwort und stellt die Übersendung des betreffenden Buches in Aussicht. Eine Antwortschreiben Bernhards ist nicht erhalten. Hieraus sowie aus Peters Klage am Ende der redigierten Fassung der ‚*Summa*', daß er niemanden gefunden habe, der das Werk der Widerlegung des Islams hätte übernehmen wollen (vgl. Glei, Petrus XX u. Kritzeck, Peter 55f, gegen Leclercq, Pierre 243f, der den Brief Bernhards für verloren hält), ist zu schließen, daß Bernhard kein Interesse am Vorschlag des Petrus gezeigt hat.

[237] Petrus von Poitiers, der Sekretär des Petrus Venerabilis (vgl. Constable, Letters II, 331ff) hebt die Verdienste des Petrus wie folgt hervor: *Solus enim vos estis nostris temporibus, qui tres maximos sanctae Christianitatis hostes, Iudaeos dico et haereticos ac Saracenos, divini verbi gladio trucidastis . . .* (Glei, Petrus, 228; vgl. auch Klibansky, Peter, 216).

[238] Vgl. Daniel, Islam; u. a. 229f; Glei, Petrus XIIIf; Kritzeck, Peter 15ff; Southern, Das Islambild 30f.

[239] Vgl. 343f.

[240] Vgl. ep. 190, 13, VIII. 28. Bernhard erwähnt hier die Verstreutheit der Heiden, über ihre Anzahl jedoch gibt er keine Auskunft.

[241] Bernhards Einschätzung der Anzahl der Heiden entspräche somit geläufigen Vorstellungen im Mittelalter, die Southern (Das Islambild, 17) als „Unwissenheit eines be-

zung jedoch widerspricht die in beiden Briefen des Petrus an Bernhard getroffene Aussage, daß die gefährliche sarazenische Irrlehre bereits fast die halbe Welt befallen habe *(eius letali peste dimidius paene orbis infectus agnoscitur)*.[242] Welche der beiden Sichtweisen für Bernhard Gültigkeit besessen hat, wird kaum mit Gewißheit zu klären sein. Ein der Bibel entstammendes und daher in seiner wirklichkeitsstiftenden Kraft nicht zu unterschätzendes Motiv steht hier der Möglichkeit einer an der empirischen Realität gewonnenen Beurteilung gegenüber, die durch den Hinweis auf den stetigen Kontakt, in dem Bernhard durch sein Engagement für den Orden der Templer mit dem Hl. Land stand, gestützt werden kann. Den Eindruck eines dergestalt geöffneten Weltbildes hinterlassen die Ausführungen[243] im Traktat *‚De consideratione'*, welche letztlich die einzige Belegstelle bilden, in der sich Bernhard ernsthaft mit der Notwendigkeit zur Heidenbekehrung als sichtlich weitreichender Aufgabe auseinandersetzt. Diese Belegstelle entstammt freilich der Zeit nach dem Kreuzzug und kann, je nach der eingenommenen Grundposition, als bereits zuvor gültig oder aber als in der Erfahrung des Kreuzzuges gründende Abkehr von der früheren Haltung bewertet werden.

Auch in diesem Zusammenhang ist wiederum der besondere Charakter der Templerschrift und insbesondere der Kreuzzugsbriefe zu betonen,[244] die für Bernhards Heidenbild die Hauptquellen darstellen. Diese sind Werbeschreiben, in denen Bernhard seine Aussagen auf jenes unterste Niveau herabmindert, das er bezüglich des angesprochenen Personenkreises für angemessen hält. Diese Texte werben zum Krieg gegen die Heiden und stellen notwendigerweise Kampf- und Todesmotive in den Vordergrund. Das hier vermittelte Heidenbild ist in umfassender Weise Feindbild und entspricht in seiner undifferenzierten Sicht der Gesamtanlage von Texten, in denen Bernhard jede ihm nicht unbedingt notwendig erscheinende Differenzierung meidet, da sie der zu erzielenden Wirkung abträglich wäre. Positive Motivierung aus der Hoffnung auf das nunmehr wohlfeile Heil und negative Motivierung über die frevelhaften Untaten der Heiden ergänzen sich zu einer Wirkung, die in umfassender Hinsicht auf die Emotionalisierung des zu werbenden Personenkreises angelegt ist. Ob diese auf den Heidenkampf bezogenen Aussagen Bernhards Sicht der Heidenfrage erschöpfend wiedergeben, kann bezweifelt werden. Auch bezüglich der Hei-

grenzten Raumes" definiert. Von diesem begrenzten Weltbild geht Kahl aus (Die Ableitung, 130 u. 137).

[242] Glei, Petrus 24; vgl. auch Kritzeck, Peter, 213. Zur gleichlautenden Belegstelle in ep. 111, vgl. Constable, Letters I, 294.

[243] Vgl. 340f u. 344f.

[244] Vgl. 349ff.

denproblematik erscheint jene Diskrepanz zwischen den in der Laienpredigt vertretenen Inhalten und den persönlichen Positionen Bernhards möglich, die für den gesamten Problemkomplex kennzeichnend ist. Bezüglich der Heidenfrage entfallen jedoch weitgehend jene Parallelstellen, die zu einer ergänzenden Klärung notwendig wären.[245] Zugleich aber wird gerade dieser Sachverhalt in sich als aussagekräftig zu betrachten sein. In der Tat hat sich Bernhard der Heidenproblematik, die für ihn als eine die letzten Dinge betreffende Frage von brennendem Interesse gewesen sein muß, vornehmlich in Gestalt des Heidenkrieges zugewandt. Hinzu tritt, daß sich Vorformen der von Bernhard in Templerschrift und Kreuzzugsbriefen vertretenen Inhalte in seinen Schriften nachweisen lassen, so daß von einer weitreichenden Übereinstimmung mit Bernhards persönlicher Haltung ausgegangen werden muß.

Das in diesem Kapitel gewonnene Ergebnis des Überwiegens der Todesmotive fügt sich vor dem Hintergrund von Bernhards Äußerungen, die den Heidenkampf an heidnische Aggressivität binden, und somit im Rückgriff auf die Position Leclercqs zu einem sinnvollen Ganzen. Diese Position ist freilich durch das vorgefaßte mit den Zügen der Aggressivität versehene Feindbild des böswillig Außerhalbstehenden zu ergänzen, das sich im Augenblick seiner rational erscheinenden Bestätigung in seiner Irrationalität voll zu entfalten vermag. Das in dieser Hinsicht wohl bedrückendste Dokument ist Brief 457, in dem Bernhard auf das weltumspannende Widerspiel des Teufels mit der Forderung nach umfassender Vernichtung der aggressiv aufbegehrenden Heiden *(exstirpandos de terra christiani nominis inimicos)* reagiert. Zugleich stellt ep. 457 das einzige Zeugnis zum Heidenkampf dar, in das die Heidenbekehrung als in Zukunft zu verwirklichende Perspektive Eingang findet. Denn der Teufel fürchtet den ihm durch die endzeitliche Bekehrung der Heiden entstehenden Schaden:

Sed alium damnum veretur longe amplius de conversione gentium, cum audivit plenitudinem eorum introituram, et omnem quoque Israel fore salvandum.

Um dies zu verhindern, hetzt er die Heiden *(paganos)* gegen die Christenheit auf.[246] An dieser Stelle greift die terminologische Scheidung in *‚gentiles‘* und *‚pagani‘*, da im einen Fall über Röm 11,25–26 die Heiden als zu Bekehrende, im anderen Fall jedoch als böswillig und aggressiv ausgewiesen sind. Die Zielrichtung des Heidenkampfes gilt letztlich den zu Teufelswerkzeugen gewordenen Heiden, die nicht nur außerhalb, sondern auch im Weg stehen und daher rigoros zu bekämpfen

[245] Auch Leclercq (Saint Bernard's attitude, 33) weist auf „Bernard's lack of ‚missionary spirit‘" hin.
[246] Ep. 457, VIII. 432f.

sind. Den Heidenkrieg selbst dürfte Bernhard kaum den tauglichen Missionsmitteln zugezählt haben. Entsprechend entfällt das Bekehrungsmotiv bezüglich der zu bekriegenden Heiden in ep. 363 und Templerschrift und findet allein in der Alternative ‚Tod oder Taufe' Eingang, die nicht praktikabel ist und daher letztlich als Bemäntelung der Vernichtungsabsicht erscheinen muß. Ebenso wie der Heidenkrieg nicht der Ort der Mission, sondern der Schlacht ist, sind die Schriften zum Heidenkrieg nicht der Ort des Entwurfs von Missionsmodellen, sondern des emotionalisierenden Aufrufs zum Kampf. Im Kontext des Traktats an Papst Eugen ist ein solcher Entwurf möglich,[247] der jedoch die weitgehend isolierte Stellungnahme Bernhards zu einem Problem darstellt, dem er sich vornehmlich in Gestalt des Heidenkampfes gewidmet hat.

Machtvoll schreitet die Elite der Zisterzienser auf dem Weg zum Himmelreich voran[248] und scheint sich in der Tat im beeindruckenden Niveau an spiritueller Innerlichkeit vom Großteil der Zeitgenossen weit entfernt zu haben. Die letzte Erfüllung jedoch bedarf der die Zeiten, die Welt und die christlichen Stände umspannenden Gemeinschaft.[249] Der Einbindung der Außerhalbstehenden und Hintangehenden in ein umfassendes Zustreben muß folglich Bernhards Interesse gelten. An mehreren Stellen hinterläßt Bernhard jedoch den Eindruck, daß seine Toleranz bereits bezüglich der Laien an ihre äußerste Grenze getrieben ist, so daß für die Heiden kaum noch Kategorien zu einer positiven Integration bereitstehen.[250] Die Art und Weise, in der Bernhard die Kluft zum Laienstand zu überbrücken sucht, zeugt weniger von einem Mangel an den Weltmenschen als von einem Mangel an Bernhard. Bernhards tiefste persönliche Sorge und Furcht gilt der Befleckung durch den Staub Marthas.[251] Dem entspricht ein Einwirken auf die Welt, das jegliche Rückwirkung zu unterbinden, das den Geist der Weltüberwindung in der Welt aufrechtzuerhalten sucht. Von hier aus ist keine Hinwendung zur Welt möglich, die ihre Kategorien zur Besserung und Verchristlichung an der Welt selbst und den in ihr lebenden Menschen zu gewinnen vermag. Der statt dessen von Bernhard eingeschlagene Weg deformiert die dem klösterlichen Leben angehörenden Kategorien bis zur Unkenntlichkeit und trägt sie in ihrer vulgarisierten Form in die Welt hinein.

In Bernhard findet die das Erdreich des Leibes überwindende Spiritualität des Klosters ihre Entsprechung im weltüberwindenden Handeln.

[247] Vgl. 340f u. 344f.
[248] Vgl. 15f.
[249] Vgl. 11ff.
[250] Vgl. 373ff; 381ff; 387f.
[251] Vgl. 124ff; 148f; 308.

Notwendigerweise stehen diesem Wirken in der Welt keinerlei wertschätzende Kategorien für das Objekt seiner Überwindung bereit. Vor diesem Hintergrund wird diesseitiges Leben für das jenseitige Ziel einsetz- und verfügbar. Unter Einsatz ihres Lebens werden die Ritter im Heidenkampf um ihr ewiges Leben ringen. Verfügbar ist das Leben der aggressiv aufbegehrenden Heiden. Verfügbar ist auch - wie aus der Diskrepanz zwischen geringer Erwähltenzahl und der breiten Inaussichtstellung himmlischen Gewinns geschlossen werden muß[252] - das Leben von Teilen der in den Kampf ziehenden Ritterschaft. Unverkennbar nimmt der in die Welt getragene Geist der Weltüberwindung die Gestalt von Todesmotiven an, in denen Bernhard seine tiefste und drängendste Sehnsucht zum ungeduldigen Werk der gewaltsamen Zurichtung herabmindert.

[252] Vgl. 367.

ABKÜRZUNGSVERZEICHNIS DER WERKE BERNHARDS

abb.	Sermo Ad Abbates, V. 288–293.
adv.	In Adventu Domini, IV. 161–196.
ann. Dom.	In Annuntiatione Dominica, V. 13–42.
apol.	Apologia Ad Guillelmum Abbatem, III. 61–108.
asc.	In Ascensione Domini, V. 123–160.
assump.	In Assumptione Beatae Mariae, V. 228–261.
CC	Sermones Super Cantica Canticorum. I. u. II.
circum.	In Circumcisione Domini, IV. 273–291.
com. Mich.	In Commemoratione Sancti Michaelis, V. 294–303.
con. Paul.	In Conversione Sancti Pauli, IV. 327–334.
cons.	De Consideratione Ad Eugenium Papam, III. 379–493.
convers.	Ad Clericos De Conversione, IV. 59–116.
ded.	In Dedicatione Ecclesiae, V. 370–398.
die pent.	In Die Pentecostes, V. 160–176.
dilig.	Liber De Diligendo Deo, III. 109–154.
div.	Sermones De Diversis, VI.I. 57–406.
dom. inf.	Dominica Infra Octavam Assumptionis, V. 262–274.
dom. IV	Dominica IV Post Pentecosten, V. 202–205.
dom. kal.	Dominica in Kalendis Novembris, V. 304–326.
dom. VI	Dominica VI Post Pentecosten, V. 206–213.
ep.	Epistolae, VII. u. VIII.
epiph.	In Epiphania Domini, IV. 291–309.
fer. IV.	Feria IV Hebdomadae Sanctae, V. 56–67.
fest. Mart	In Festivitate Sancti Martini Episcopi, V. 399–412.
fest. omn. sanct.	In Festivitate Omnium Sanctorum, V. 327–370.
grad. hum.	De Gradibus Humilitatis Et Superbiae, III. 15–59.
grat.	Liber De Gratia et Libero Arbitrio, III. 155–203.
lab. mess.	In Labore Messis, V. 217–228.
laud. Virg.	In Laudibus Virginis Matris, IV. 13–58.
laude	Liber Ad Milites Templi De Laude Novae Militiae, III. 205–239.
Mal.	De Sancto Malachia, VI.I. 50–55.
nat. And.	In Natali Sancti Andreae, V. 427–440.
nat. B.M.	In Nativitate Beatae Mariae, V. 275–288.
nat. Ben.	In Natali Sancti Benedicti, V. 1–12.
nat. Dom.	In Nativitate Domini, IV. 244–270.
nat. Ioa.	In Nativitate Sancti Ioannis Baptistae, V. 176–184.
nat. Vict.	In Natali Sancti Victoris, VI.I. 29–37.
ob. Hum.	In Obitu Domni Humberti, V. 440–447.
oct. epi.	In Octava Epiphaniae, IV. 310–313.
oct. pasch.	In Octava Paschae, V. 112–121.
para.	Parabolae, VI.II. 259–303.
post. oct. epi.	Dominica Prima Post Octavam Epiphaniae, IV. 314–326.
prae.	Liber De Praecepto Et Dispensatione, III. 241–293.
pur.	In Purificatione Sanctae Mariae, IV. 334–344.
quad.	In Quadragesima, IV. 353–380.
qui hab.	Item In Quadragesima De Psalmo ‚Qui Habitat‘, IV. 383–492.

ram. palm.	In Ramis Palmarum, V. 42–55.
resur.	In Resurrectione Domini, V. 73–111.
sent.	Sententiae, VI.II. 3–255.
sept.	In Septuagesima, IV. 344–352.
sollem.	In Sollemnitate Apostolorum Petri Et Pauli, V. 188–201.
trans. S. Mal.	In Transitu Sancti Malachiae Episcopi, V. 417–423.
vig. apost.	In Vigilia Apostolorum Petri et Pauli, V. 185–187.
vig. nat.	In Vigilia Nativitatis Domini, IV. 197–244.
vig. S. And.	In Vigilia Sancti Andreae Apostoli, V. 423–426.
vol.	De Voluntate Divina, VI.I. 37–39.
VSM	Vita Sancti Malachiae, III. 295–378.

QUELLEN

Annales Augustani Minores, MGH SS 10, 8–11.
Annales Brunwilarenses, MGH SS 16, 724–728.
Annales Colonienses Maximi, MGH SS 17, 723–853.
Annales Corbeienses, MGH SS 3, 16, 1–18.
Annales Herbipolenses, MGH SS 16, 1–12.
Annales Magdeburgenses, MGH SS 16, 105–196.
Annales Rodenses, MGH SS 16, 688–723.
Annales S. Jacobi Leodiensis, MGH SS 16, 632–645.
Annales Scheftlarienses Maiores, MGH SS 17, 334–343.
Anselme de Havelberg, Dialogues, Livre I ‚Renouveau dans l'église', texte latin, note préliminaire, traduction, notes et appendice par Gaston Salet, Paris 1966 (Sources chrétiennes 118. Série des textes monastiques d'occident 18).
Berengar, Apologeticus, PL 178, 1857–1870.
Berengar, Epistola ad episcopum Mimatensem, PL 178, 1871–1874.
Berengar, Epistola contra Carthusienses, PL 178, 1875–1880.
Biblia Sacra, Iuxta Vulgatam Clementinam, Nova Editio, Logicis Partitionibus Aliisque Subsidiis Ornata A Alberto CoLunga Et Laurentio Turrado, Sexta Editio, Madrid 1982.
Die Benediktsregel, Eine Anleitung zum christlichen Leben, lateinisch-deutsch, übersetzt und erklärt von Georg Holzherr, 2. Aufl., Zürich, Einsiedeln, Köln 1982.
Eidelberg, Shlomo, The jews and the crusaders. The hebrew chronicles of the first and second crusades, Madison, Wisconsin 1977.
Epistola CCCXXXVII Ad Innocentium Pontificem, In Persona Franciae Episcoporum, PL 182, 540–542.
Eugen III., Epistola CLXVI, PL 180, 1203f.
Gaufridi Epistola ad Albinum cardinalem et episcopum Albanensem. De condemnatione errorum Gilberti Porretani, PL 185, 587–596.
Gerhoch von Reichersberg, Commentarius in Psalmum 39, ed. E. Sackur, MGH L.d.l.III. 434–438 (Auszug).
Gerhoch von Reichersberg, De investigatione Antichristi, ed. E. Sackur, MGH L.d.l.III. 304–395 (Auszug).
Helmold von Bosau, Chronica Slavorum, ed. Heinz Stoob, 2. verb. Aufl., Darmstadt 1973 (Ausgewählte Quellen zur deutschen Geschichte des Mittelalters. Freiherr vom Stein-Gedächtnisausgabe 19).
Hildegard von Bingen, Brief an Bernhard von Clairvaux, PL 197, 189f.
Johann von Salisbury, Metalogicon II PL 199, 823–946.
John of Salisbury, Historia Pontificalis, ed. and translated by Marjorie Chibnall, London 1956.
Konrad III., Epistola 184, MGH DD IX, 184, 332f.
Landulph junior, Historia Mediolanensis, ed. Muratori, Rerum italicarum scriptores, 5,3, Bologna 1934.
Map, Walter, De nugis curialium, MG SS 27, 61–74 (Auszug).
Odo von Deuil, De profectione Ludovici VII in orientem, ed. with an English translation by Virgina Gingerick Berry, New York 1948.

Otto von Freising und Rahewin, Gesta Frederici seu rectius Cronica, ed. Franz-Josef Schmale, Darmstadt 1974 (Ausgewählte Quellen zur deutschen Geschichte des Mittelalters. Freiherr vom Stein-Gedächtnisausgabe 17).
Otto von Freising, Chronica sive historia de duabus civitatibus, ed. Walther Lammers, Darmstadt 1980 (Ausgewählte Quellen zur deutschen Geschichte des Mittelalters. Freiherr vom Stein-Gedächtnisausgabe 16).
Peter von Celle, Epistola CLXXI, PL 202, 613–622.
Peter von Celle, Sermo LXXVI, De Sancto Bernardo Abbate Claravalle, PL 202, 873–875 u. Sermo LXXVII, De Eodem, 875–878.
Petrus Abaelardus, Epistula contra Bernardum abbatem, vgl. Klibansky, Peter Abailard and Bernard of Clairvaux.
Petrus Venerabilis, Liber Contra Sectam Sive Haeresim Saracenorum; vgl. Glei, Schriften, 30–225 u. Kritzeck, Peter the Venerable and Islam, 220–291.
Petrus Venerabilis, Summa Totius Haeresis Saracenorum; vgl. Glei, Schriften, 2–23 u. Kritzeck, Peter the Venerable and Islam, 204–211.
Petrus Venerabilis, The letters, edited, with an introduction and notes, by Giles Constable, 2 Bde. Cambridge, Massachusetts, 1967.
Petrus von Poitiers, Epistola, vgl. Glei, Schriften, 226–231 u. Kritzeck, Peter the Venerable and Islam, 215f.
Physiologus, Naturkunde in frühchristlicher Deutung, aus dem Griechischen übersetzt und herausgegeben von Ursula Treu, Hanau 1981.
Sancti Bernardi Abbatis Clarae-Vallensis Vita Et Res Gestae, Pl 185, 221–416.
Sancti Bernardi Opera, hrsg. v. J. Leclercq u. H.M. Rochais, 8 Bde. Editiones Cistercienses, Romae 1957–1977.
Sigeberti Auctarium Gemblacense, MGH SS, VI, 390–392.
Vincentii Pragensis Annales, MGH SS 17, 654–683.

ÜBERSETZUNGEN DER WERKE BERNHARDS

a. Deutsche Übersetzungen

Die Schriften des honigfließenden Lehrers Bernhard von Clairvaux. Übers. v. Agnes Wolters, 6. Bde. Wittlich 1934-38 (alle Predigten).
Gotteserfahrung und Weg in die Welt: Bernhard von Clairvaux. Herausgegeben, eingeleitet und übersetzt von Bernardin Schellenberg, Freiburg i. Brsg. 1982 (Auszüge).
Was ein Papst erwägen muß (De consideratione ad Eugenium papam), übertragen und eingeleitet von H.U. von Balthasar, Einsiedeln 1985.
Das Leben des heiligen Bernhard von Clairvaux (Vita Prima). Herausgegeben, eingeleitet und übersetzt von Paul Sinz, Düsseldorf 1963 (Heilige der ungeteilten Christenheit, hg. v. Walter Nigg und Wilhelm Schamoni).
Zu den verstreuten Übersetzungen einzelner Schriften bzw. von Auszügen der Schriften Bernhards, vgl. Bernart, Mechthild, Werke des hl. Bernhard in deutscher Übersetzung, 1800-1969, in: Cist. Chron. 1971–1972. Die Herausgeberin von Naszályi: ‚Mit Bernhard von Clairvaux ins Abenteuer der Liebe', weist auf die deutsch-lateinische Gesamtausgabe der Werke Bernhards in der Reihe *Fontes Christiani* hin (386), die ab 1990 im Verlag Herder, Freiburg i. Brsg. erscheint.

b. Englische Übersetzungen

The letters of St. Bernard of Clairvaux, newly translated by Bruno Scott James, London 1953.
The works of Bernard of Clairvaux. Treatises I (An apologia to abbot William); II (The steps of humility and pride; On loving God); III (On grace and free choice; In praise of the new knighthood), Massachusetts 1970, Washington DC 1974, Kalamazoo 1977 (Cistercian fathers Series 1, 13, 19).
Bernard of Clairvaux, The life and death of saint Malachy the irishman, translated and annotated by Robert T. Meyer, Kalamazoo 1978 (Cistercian fathers series 10).
Five books on consideration, advice to a pope, translated by John D. Anderson u. Elizabeth T. Kennan, Kalamazoo 1976 (Cistercian fathers series 37)

ABKÜRZUNGSVERZEICHNIS

Analecta	Analecta Cisterciensia.
AKG	Archiv für Kulturgeschichte.
Cist. Chron.	Cistercienserchronik.
Cîteaux	Cîteaux, Commentarii Cistercienses.
Coll. Cist.	Collectanea Cisterciensia, Revue de spiritualité monastique.
DA	Deutsches Archiv für Erforschung des Mittelalters.
HThG	Handbuch theologischer Grundbegriffe, hg. v. Heinrich Fries, 2 Bde. München 1962.
HZ	Historische Zeitschrift.
Jaffe	Jaffé-Löwenfeldt, Regesta Pontificum Romanorum ab condita Ecclesia ad annum post Christum natum MCXCVIII, Bd. 2, Lipsiae 1888
LdM	Lexikon des Mittelalters, München, Zürich 1980ff.
LThK	Lexikon für Theologie und Kirche, Sonderausgabe, Freiburg 1986.
MGH	Monumenta Germaniae Historica.
MGH DD	Diplomata.
MGH L.d.l.	Libelli de lite imperatorum et pontificum.
MGH SS	Scriptores (in Folio).
MIÖG	Mitteilungen des Instituts für österreichische Geschichtsforschung.
PL	Patrologiae cursus completus, series Latina, hg. v. Jacques-Paul Migne, Paris 1844ff.
RGG	Die Religion in Geschichte und Gegenwart, 3. Aufl. Tübingen 1957.
Stud. u. Mitt.	Studien und Mitteilungen aus dem Benediktinerorden zur Geschichte des Benediktinerordens und seiner Zweige.
ThW	Theologisches Wörterbuch zum neuen Testament, hrsg. v. G. Kittel, fortg. von G. Friedrich, Stuttgart 1933ff.
VP	Vita Prima, vgl. Sancti Bernardi Abbatis Clarae-Vallensis Vita.
WdF	Wege der Forschung.
WdM	Wörterbuch der Mystik, vgl. Dinzelbacher.

SAMMELBÄNDE

Bernard de Clairvaux *(BC),* Commission d'histoire de l'ordre de Cîteaux, Paris 1953.

Bernard of Clairvaux, Studies pres. to Jean Leclercq, Washington DC, 1973 (Cistercian studies series 23).

Bernhard von Clairvaux, Mönch und Mystiker. Internationaler Bernhardkongreß Mainz 1953, hg. v. Joseph Lortz, Wiesbaden 1955 (Veröffentlichungen des Instituts für europäische Geschichte, Mainz, Bd. 6).

Cistercian ideals and reality, hg. v. John R. Sommerfeldt, Kalamazoo 1978 (Cistercian studies series 60; Studies in medieval cistercian history III).

Cluny, Beiträge zur Gestalt und Wirkung der cluniazensischen Reform, hg. v. Helmut Richter, Darmstadt 1975, (WdF, Bd. 241).

Die Chimäre seines Jahrhunderts, hg. v. Johannes Spörl, Würzburg 1954.

Die Cistercienser, Geschichte-Geist-Kunst, hg. v. Ambrosius Schneider, Adam Wienand, Ernst Coester, 2., erw. Auflage, Köln 1977.

Die Zisterzienser, Ordensleben zwischen Ideal und Wirklichkeit, hg. v. Kaspar Elm, Köln 1980; Ergänzungsband, Köln 1982.

Erudition and God's service, hg. v. John R. Sommerfeldt, Kalamazoo 1987 (Cistercian studies series 98; Studies in medieval cistercian history XI).

Festschrift zum 800-Jahr-Gedächtnis des Todes Bernhards von Clairvauxs, hg. von der österreichischen Cistercienserkongregation vom Heiligsten Herzen Jesu, Wien, München 1953.

Geschichtsdenken und Geschichtsbild im Mittelalter, hg. v. Walther Lammers, Darmstadt 1965 (WdF, Bd. 21).

Goad and nail, hg. v. Rozanne Elder, Kalamazoo 1985, (Cistercian studies series 84; Studies in medieval cistercian history X).

Heidenmission und Kreuzzugsgedanke in der deutschen Ostpolitik des Mittelalters, hg. v. H. Beumann, Darmstadt 1963, (WdF, VII).

Mélanges Saint Bernard, XXIV[1e] Congrès de l'association Bourguignonne des sociétés savantes, Dijon 1953.

Petrus Venerabilis, 1156-1159, hg. v. Giles Constable u. James Kritzeck, Rom 1956 (Studia Anselmiana 40).

Pierre Abélard, Pierre le Vénérable, Les courants philosophiques, littéraires et artistiques en occident au milieu du XIIe siècle, publiés sous la direction de René Louis et Jean Jolivet, Paris 1975; (Colloques internationaux du centre national de la recherche scientifique, N° 546).

Recueil d'études sur Saint Bernard et ses écrits; Jean Leclercq, Bd I–III, Rom 1962, 1966, 1969 (Storia e letteratura 92, 104, 114).

Renaissance and renewal in the twelfth century, hg. v. Robert L. Benson u. Giles Constable, Oxford 1982.

Saint Bernard et son temps I u. II, Recueil de mémoires et communications présentés au congrès de Dijon en 1927, Association Bourguignonne des Sociétés Savantes, Dijon 1928 u. 1929.

San Bernardo di Chiaravalle, in occasione dell'VIII centenario della canonizzazione, Rom 1975 (Biblioteca Cisterciensis 6).

Schriften zur mittelalterlichen Bedeutungsforschung; Friedrich Ohly, Darmstadt 1977.

Simplicity and ordinariness, hg. v. John R. Sommerfeldt, Kalamazoo, Michigan 1980 (Cistercian studies series 61; Studies in medieval cistercian history IV).

Speculum Historiale, Geschichte im Spiegel von Geschichtsschreibung und Geschichtsdeutung; Festschrift Johannes Spörl zum 60. Geburtstag, hg. v. Clemens Bauer, Laetitia Boehm, Max Müller, Freiburg, München 1965.
Studies in medieval cistercian history I, presented to Jeremiah F. O'Sullivan, Shannon 1971 (Cistercian studies series, 13).
Studies in medieval cistercian history II, hg. v. John R. Sommerfeldt, Kalamazoo 1976 (Cistercian studies series, 24).
The chimaera of his age, Studies on Bernard of Clairvaux, hg. v. Rozanne Elder, John R. Sommerfeldt, Kalamazoo 1980 (Cistercian studies series 63; Studies in medieval cistercian history V).
The cistercian spirit, hg. v. M. Basil Pennington, Washington DC 1973 (Cistercian studies series 3).

LITERATUR

Adam, Alfred, Lehrbuch der Dogmengeschichte, Bd. 2, Mittelalter und Reformationszeit, Gütersloh 1968.

Allgaier, Karl, Der Einfluß Bernhards von Clairvaux auf Gottfried von Straßburg, Frankfurt a.M. 1983 (Europäische Hochschulschriften, I. Bd. 641).

Altermatt, Alberich, Christus Pro Nobis. Die Christologie Bernhards von Clairvaux in den *,Sermones per annum'*, in: Analecta 33 (1977), 4-176.

- Die Cistercienser in Geschichte und Gegenwart, Ein Literaturbericht 1970-1980, in: Cist. Chron. 1983, 77-120.

Aronius, Regesten zur Geschichte der Juden im fränkischen und deutschen Reiche bis zum Jahre 1273 (1902), Hildesheim, New York 1970.

Auer, Johann, Militia Christi, in: Geist und Leben 32 (1959), 340-351.

Auerbach, Erich, Figura (1938), in: Gesammelte Aufsätze zur romanischen Philologie, Bern 1967, 55-92.

- Passio als Leidenschaft (1941), in: Gesammelte Aufsätze zur romanischen Philologie, Bern 1967, 161-175.

- Sermo humilis, in: ders., Literatursprache und Publikum in der lateinischen Spätantike und im Mittelalter, Bern 1958, 25-63.

- Typologische Motive in der mittelalterlichen Literatur, Krefeld 1953 (Schriften und Vorträge des Petrarca-Instituts Köln, Heft 2).

Bach, Hedwig, Bernhard von Clairvaux (1090-1153). Ein bibliographischer Hinweis für den deutschsprachigen Raum, in: Cist. Chron. 1979, 129-132.

Bach, Josef, Die Dogmengeschichte des Mittelalters vom christologischen Standpunkt, Bd. I, Wien 1873; Bd. II, Wien 1975.

Baker, Derek, San Bernardo e l'elezione di York, in: San Bernardo di Chiravalle, 115-180.

Baron Wittmayer, Salo, A social and religious history of the Jews IV, New York 1957.

Barré, Henri, Saint Bernard, docteur marial, in: Analecta 9 (1953), 92-113.

Bauer, Gerhard, Claustrum animae, Untersuchungen zur Geschichte der Metapher vom Herzen als Kloster, Bd. I, München 1973.

Bauer, Johannes B., Bibeltheologisches Wörterbuch, 2. Bde. 2., erw. Aufl., Graz, Wien, Köln 1962.

Baumgardt, David, Mystik und Wissenschaft, Witten 1963.

Beinert, Wolfgang, Die Kirche - Gottes Heil in der Welt, Die Lehre von der Kirche nach den Schriften des Rupert von Deutz, Honorius Augustodunensis und Gerhoch von Reichersberg, Ein Beitrag zur Ekklesiologie des 12. Jahrhunderts, Münster 1973 (Beiträge zur Geschichte der Philosophie und Theologie des Mittelalters NF, Bd 13).

- (Hg.), Lexikon der katholischen Dogmatik, Freiburg, Basel, Wien 1987.

Bell, David N., The English cistercians and the practice of medicine, in: Analecta 1989, 139-174.

- The image and likenesse. The Augustinian spirituality of William of St. Thierry, Kalamazoo 1984.

Benton, John F., Consciousness of self and perceptions of individuality, in: Renaissance and renewal, 263-295.

- Suger's life and personality, in: Abbot Suger and Saint Denis, a symposium, ed. Paula Lieber Gerson, New York 1986, 3-15.

Bernard, Matthäus, Der Stand der Bernhardforschung, in: Bernhard von Clairvaux, Mönch und Mystiker, 3–43.

Bernhardi, Wilhelm, Konrad III., Jahrbücher der deutschen Geschichte 14, Berlin 1975 (Neudruck der ersten Auflage von 1883).

– Lothar von Supplinburg, Jahrbücher der deutschen Geschichte 16, Leipzig 1879.

Bernhart, Josef, Die philosophische Mystik des Mittelalters, München 1922.

Bernheim, Ernst, Mittelalterliche Zeitanschauungen in ihrem Einfluß auf Politik und Geschichtsschreibung, Teil I, Tübingen 1918.

– Politische Begriffe des Mittelalters im Lichte der Anschauungen Augustins, in: Deutsche Zeitschrift für Geschichtswissenschaft, 7 (1896/97), 1–23.

Berry, Virginia, The second crusade, in: A history of the crusades, hg. v. Kenneth M. Setton, Philadelphia 1959, Bd. I, 463–512.

– Peter the Venerable and the crusades, in: Petrus Venerabilis, 141–162.

Beumann, Helmut, Die Historiographie des Mittelalters als Quelle für die Ideengeschichte des Königtums (1955); in: ders., Ideengeschichtliche Studien zu Einhard und anderen Geschichtsschreibern des früheren Mittelalters, Darmstadt 1962.

– Kreuzzugsgedanke und Ostpolitik im hohen Mittelalter (1953), in: Heidenmission, 121–145.

– Methodenfragen der mittelalterlichen Geschichtsschreibung, in: Ausgewählte Abhandlungen zur Historiographie und Geistesgeschichte des Mittelalters, hg. von Helmut Beumann, 1961.

Beumer, Johannes, Die theologische Methode (unter Mitarbeit von Lodewijk Viischers), Handbuch der Dogmengeschichte, Bd. I,6 hg. von Michael Schmaus, Alois Grillmeier, Leo Scheffczyk, Freiburg, Basel, Wien 1972.

Bietenhard, Hans, Die himmlische Welt im Urchristentum und Spätjudentum, Tübingen 1951.

Binding, G., Art. Bernhard von Clairvaux, in: LdM Bd. 1. München, Zürich 1980, 1992–1998.

Bishko, Charles Julian, Peter the Venerable's journey to Spain, in: Petrus Venerabilis 163–175.

Blanchard, Pierre, Saint Bernard docteur de l'humilité, in: Revue d'ascétique et de mystique 29 (1953), 289–299.

Bloomfield, Morton W., The seven deadly sins. An introduction to the history of a religious concept, with special reference to medieval English literature, Michigan 1952.

Blumenberg, Hans, Licht als Metapher der Wahrheit, in: Studium Generale 10 (1957), 437–447.

Bodard, Claude, La Bible, expression d'une expérience religieuse chez S. Bernard, in: Analecta 9 (1953), 24–45.

Borst, Arno, Abälard und Bernhard, in: HZ 186 (1958), 497–526.

Bosch van den, Amatus, Christ and christian faith according to St. Bernard, in: Cîteaux, 12 (1961), 105–119 u. 193–210.

Bousset, Wilhelm, Der Antichrist in der Überlieferung des Judentums, des Neuen Testaments und der alten Kirche, Göttingen 1895.

Bouton, Jean de la Croix, Bernard et l'ordre de Cluny, in: BC, 193–217.

– Bernard et les chanoines réguliers, in: BC, 263–288.

– Bernard et les monastères bénédictins non clunisiens, in: BC, 219–249.

Böhner, Philotheus und Gilson, Etienne, Christliche Philosophie von ihren Anfängen bis Nikolaus von Cues, 2., neubearbeitete Auflage, Paderborn 1952.

Braceland, Lawrence C., Bernard et Aelred on humility and obedience, in: Erudition and God's service, 149–159.

Bredero, Adriaan H., Bernhard von Clairvaux im Widerstreit der Historie, Wiesbaden 1966 (Institut für europäische Geschichte, Mainz, Vorträge Nr. 44).

- Das Verhältnis zwischen Zisterziensern und Cluniazensern im 12. Jahrhundert: Mythos und Wirklichkeit, in: Die Zisterzienser (Ergänzungsband), 47-60.
- Études sur la Vita Prima de Saint Bernard, Rom 1960.
- La canonisation de Saint Bernard et sa Vita sous un nouvel aspect, in: Cîteaux 25 (1974), 185-198.
- The canonization of Saint Bernard and the rewriting of his life, in: Cistercian ideals, 80-105.
- The conflicting interpretations of the relevance of Bernard of Clairvaux to the history of his own time, in: Cîteaux 31 (1980), 53-81.
- The controversy between Peter the Venerable and Saint Bernard of Clairvaux, in: Petrus Venerabilis, 53-71.
- Cluny et Cîteaux au XII[1e] siècle: Les origines de la controverse, in: Studi Medievali, s. III,12 (1971), 135-175.

Brincken von den, Anna Dorothee, Die lateinische Weltchronistik, in: Mensch und Weltgeschichte, hg. v. Alexander Randa, München, Salzburg 1969, 41-58.
- Studien zur lateinischen Weltchronistik bis in das Zeitalter Ottos von Freising, Düsseldorf 1957.

Brinkmann, Hennig, Mittelalterliche Hermeneutik, Darmstadt 1980.

Briske, Wolfgang, Untersuchungen zur Geschichte des Lutizenbunden, Köln 1955.

Brundage, James A., A transformed angel (X 3.31.18): The problem of the crusading monk, in: Studies in medieval cistercian history I. 55-62.

Brunner, Otto, Abendländisches Geschichtsdenken (1956), in: Geschichtsdenken und Geschichtsbild im Mittelalter, 434-459.

Bulst-Thiele, Marie Luise, Sacrae Domus Militiae Hierosolymitani Magistrii, Untersuchungen zur Geschichte des Templerordens 1118/19-1314, Göttingen 1974 (Abhandlungen der Akademie der Wissenschaften Göttingen, Philologisch-Historische Klasse, 3. F. 86).

Bultmann, Rudolf, Geschichte und Eschatologie, Tübingen 1958.

Butler, Cuthbert, Western mysticism, 2nd. ed. London 1926.

Bünding-Naujoks, Margret, Das Imperium Christianum und die deutschen Ostkriege vom zehnten bis zum zwölften Jahrhundert (1940), in: Heidenmission, 65-120.

Campenhausen von, Hans, Die Entstehung der Heilsgeschichte. Der Aufbau des christlichen Geschichtsbildes in der Theologie des ersten und zweiten Jahrhunderts, in: Saeculum 21 (1970), 189-212.

Castrén, Olavi, Bernhard von Clairvaux. Zur Typologie des mittelalterlichen Menschen, Lund 1938.

Charrier, H., Le sens militaire chez Saint Bernard, in: Saint Bernard et son temps, Bd. 1, 5-12.

Chaume, A., Les origines familiales de Saint Bernard, in: Saint Bernard et son temps, Bd. 1, 75-112.

Chenu, Marie, Dominique, La théologie au douzième siècle, 2.Aufl. Paris 1966 (Etudes de philosophie médiévale 45).

Christiansen, Eric, The northern crusades. The Baltic and the catholic frontier, 1100-1525, London 1980.

Classen, Peter, Gerhoch von Reichersberg. Eine Biographie mit einem Anhang über die Quellen, ihre handschriftliche Überlieferung und ihre Chronologie, Wiesbaden 1960.
- Res gestae, universal history, apocalypse. Visions of past and future, in: Renaissance and renewal, 387-417.

Claude, Hubert, Autour du schisme d'Anaclet: Saint Bernard et Girard D'Angoulême, in: Mélanges, 80-94.

Cleland, John H., Bernardian ideas in Wolfram's Parzival about christian war and human development, in: The chimaera of his age, 39-55.

Coenen, Lothar, Theologisches Begriffslexikon zum Neuen Testament, Wuppertal 1971.

Congar, Yves, Die Ekklesiologie des Hl. Bernhard (Übersetzung von: L'ecclésiologie de S. Bernard, in: Analecta 9 (1953), 136–190), in: Bernhard von Clairvaux. Mönch und Mystiker, 76–119.

- Die Lehre von der Kirche, von Augustinus bis zum abendländischen Schisma, Handbuch der Dogmengeschichte III. 3c, Freiburg, Basel, Wien 1971.
- Église et cité de Dieu chez quelques auteurs cisterciens à l'époque des croisades (1959), in: ders., Études d'ecclésiologie médiévale, London 1983 (Collected studies series 168), 173–202.
- Henry de Marcy, abbé de Clairvaux, cardinal-évêque d'Albano et légat pontifical, in: Analecta Monastica, textes et études sur la vie des moines au moyen age 5, Rom 1958, (Studia Anselmiana 43, 1958), 1–90.
- L'église de saint Augustin à l'époque moderne, Paris 1970.
- Les laïcs et l'ecclésiologie des ‚ordines' chez les théologiens des XIe et XIIe siècles, in: I laici nella ‚societas christiana' dei secoli XI e XII, Milan 1968 (Pubblicazioni dell'università cattolica del sacro cuore. Miscellanea del centro di studi medioevali 5), 83–117.

Constable, Giles, A report of a lost sermon by St. Bernard on the failure of the second crusade, in: Studies in medieval cistercian history I. 49–54.

- Opposition to pilgrimage in the middle ages, in: Studia Gratiana 19 (1976), 123–146.
- Renewal and reform in religious life, concepts and realities, in: Renaissance and renewal, 37–67.
- Suger's monastic administration, in: Abbot Suger and Saint Denis, a symposium, ed. Paula Lieber Gerson, New York 1986, 17–32.
- The disputed election at Langres in 1138, in: Traditio 13 (1957), 119–152.
- The letters of Peter the Venerable, 2 Bde. Cambridge, Massachusetts, 1967.
- The second crusade as seen by contemporaries, Traditio 9 (1953), 213–279.
- The monastic policy of Peter the Venerable, in: Pierre Abélard, Pierre le Vénérable, 119–142.

Coulton, G. G., Saint Bernard, guerrier de Dieu, in: Saint Bernard et son temps, Bd. 1, 121–129.

Courcelle, Pierre, Tradition néo-platonicienne et traditions chrétiennes de la ‚région de la dissemblance', in: Archives d'histoire doctrinale et littéraire du moyen-âge, 32 (1957), 5–33.

Cousin, Patrice, Les débuts de l'ordre des Templiers et Saint Bernard, in: Mélanges, 42–52.

Cramer, Valmar, Kreuzpredigt und Kreuzzugsgedanke von Bernhard von Clairvaux bis Humbert von Romans, in: Das Heilige Land, Vergangenheit und Gegenwart, 79 (1935), 85–110, 132–153; 80 (1936), 11–23, 43–60, 77–98: 81 (1937), 103–111, 142–154; 82 (1938), 15–56; hg. v. Vlamar Cramer u. Gustav Meinertz, Köln 1939 (Palestinahefte des deutschen Vereins vom Heiligen Land).

Csányi, Daniel A., Optima pars: Die Auslegungsgeschichte von Lk 10,38–42 bei den Kirchenvätern der ersten vier Jahrhunderte, in: Studia monastica II (1960), 5–78.

Cullmann, Oscar, Das ausgebliebene Reich Gottes als theologisches Problem (1961); in: ders., Vorträge und Aufsätze 1925–1962, Tübingen, Zürich 1966, 445–455.

- Der eschatologische Charakter des Missionsauftrags und des apostolischen Selbstbewußtseins bei Paulus (1936); in: ders., Vorträge und Aufsätze 1925–1962, Tübingen, Zürich 1966, 305–336.
- Eschatologie und Mission im Neuen Testament (1941); in: ders., Vorträge und Aufsätze 1925–1962, Tübingen, Zürich 1966, 348–360.

- Parusieverzögerung und Urchristentum. Der gegenwärtige Stand der Diskussion (1958); in: ders., Vorträge und Aufsätze 1925-1962, Tübingen, Zürich 1966, 427-444.
Curtius, Ernst Robert, Devotionsformel und Demut, in: ders., Europäische Literatur und lateinisches Mittelalter, 2.Aufl. Bern 1948, 410-415.
Dalarun, Jacques, Erotik und Enthaltsamkeit (Robert d'Arbrissel, fondateur de Fontevraud), Frankfurt a. M. 1987.
Damme van, Jean Baptiste, Novum monasterium. Die Zisterzienserreform und die Regel des hl. Benedikt, in: Die Zisterzienser, Ergänzungsband, 39-45.
Daniel, Norman, Islam and the west; The making of an image, Edinburgh 1966
Daniel-Rops, Bernhard von Clairvaux und seine Söhne (Saint Bernard et ses fils, Tours 1962), Heidelberg 1964.
Davy, Marie-Magdeleine, Le thème de l'âme-epouse selon Bernard de Clairvaux et Guillaume de Saint-Thierry, in: Entretiens sur la renaissance du 12e siècle, Maurice de Gandillac u. Édouard Jeauneau, Paris 1968, 247-261.
Déchanet, J. M., La christologie de Saint Bernard, in: Bernhard von Clairvaux, Mönch und Mystiker, 63-65.
Delaruelle, Etiennes, L'idée de croisade chez Saint Bernard, in: Mélanges, 53-67.
- La piété populaire au moyen age, Turin 1975.
Delfgaauw, Pacifique, La doctrine de la perfection chez S. Bernard, in: Coll. Cist. 40 (1978), 111-127.
- La nature et les degrés de l'amour selon S. Bernard, in: Analecta 9 (1953), 234-252.
Delius, Walter, Geschichte der Marienverehrung, München, Basel 1963.
Dempf, Alois, Ethik des Mittelalters (Nachdruck 1931), München, Wien 1971.
- Metaphysik des Mittelalters (Nachdruck 1934), München, Wien 1971.
- Sacrum Imperium, Geschichts- und Staatsphilosophie des Mittelalters und der politischen Renaissance (1929), 3. Aufl. Darmstadt 1962.
Dérumaux, Pierre, Saint Bernard et les infidèles, in: Mélanges, 68-79.
Didier, Jean-Charles, Un scrupule identique de saint Bernard a l'égard d'Abélard et de Gilbert de la Porrée, in: Mélanges, 95-99.
Dietrich, Ernst L., Das Judentum im Zeitalter der Kreuzzüge, in: Saeculum 3 (1952), 94-131.
Dimier, Anselme, Der heilige Bernhard und die ‚conversio', in: Anima 8 (1953), 66-72.
- Le monde claravallien à la mort de saint Bernard, in: Mélanges, 248-253.
- Les fondations de saint Bernard en Italie, Analecta, 13 (1957), 63-68.
- Les fondations manquées de saint Bernard, in: Cîteaux 9 (1969), 5-13.
- Outrances et roueries de saint Bernard, in: Pierre Abélard, Pierre le Vénérable, 655-670.
- S. Bernard et le droit en matière de Transitus; in: Revue Mabillon 43 (1953), 48-82.
- Saint Bernard et ses abbayes-filles, in: Analecta 25 (1969), 245-268.
- Un premier témoin de l'influence de saint Bernard dans le nord de la France, in: Cîteaux 3 (1952), 249-251.
Dinzelbacher, Peter, Über die Entdeckung der Liebe im Hochmittelalter, Saeculum 32, Heft 2 (1981), 185-208.
- Vision und Visionsliteratur im Mittelalter, Stuttgart 1981 (Monographien zur Geschichte des Mittelalters 23).
- (Hg.), Wörterbuch der Mystik, Stuttgart 1989.
Dittrich, Ottmar, Geschichte der Ethik. Die Systeme der Moral vom Altertum bis zur Gegenwart, Bd. 3, Leipzig 1926.

Dresser, Robert M., Non-figural uses of Scripture in Saint Bernard's sermons on the Song of Songs, in: Goad and nail, 179–190.

Duby, Georges, Der heilige Bernhard und die Kunst der Zisterzienser (Saint Bernard, l'art cistercien, Paris 1979), Stuttgart 1981.

– Die drei Ordnungen (Le trois ordres ou l'imaginaire du féodalisme, Paris 1978), Frankfurt a. M. 1981.

– Die Zeit der Kathedralen (Le temps des cathédrales, l'art et la société, 1976), 2. Aufl. Frankfurt a. Main 1984.

Ehlers, Joachim, Geschichte Frankreichs im Mittelalter, Stuttgart, Berlin, Köln, Mainz 1987.

Eidelberg, Shlomo, The jews and the crusaders. The hebrew chronicles of the first and second crusades, Madison, Wisconsin 1977.

Elder, Rozanne, William of Saint Thierry's reading of Abaelard's christology, in: Cistercian ideals, 106–124.

Engels, Odilo, Die Staufer, 3. erweiterte Aufl. Stuttgart, Berlin, Köln, Mainz 1984.

Erdmann, Carl, Die Entstehung des Kreuzzugsgedankens, unverändert. Nachd. d. Ausg. Stuttgart 1935, Darmstadt 1980.

– Endkaiserglaube und Kreuzzugsgedanke im XI. Jahrhundert, in: Zeitschrift für Kirchengeschichte 51 (1932), 384–414.

Ernst, Josef, Die eschatologischen Gegenspieler in den Schriften des Neuen Testamentes, Regensburg 1967 (Biblische Untersuchungen, hrsg v. Otto Kuss, Bd. 3).

Evans, Gillian R., The classical education of Bernard of Clairvaux, Analecta 33 (1982), 121–134.

– The mind of St. Bernard of Clairvaux, Oxford 1983.

Eynde van den, Damian, La correspondance de S. Bernard de 1115 à 1126, in: Antonianum 1966, 189–256.

– Les premiers écrits de S. Bernard (1963); in: Recueil III. 343–422.

Farkasfalvy, Denis, The authenticity of Saint Bernard's letter from his death-bed, in: Analecta 36 (1980), 263–268.

– L'inspiration de l'Ecriture Sainte dans la theologie de Saint Bernard, Rom 1964 (Studia Anselmiana 53, 1964).

– St. Bernard's spirituality and the Benedict rule in the steps of humility, in: Cîteaux 36 (1980), 248–262.

– The role of the Bible in St. Bernards spirituality, Analecta 25 (1969), 3–13.

Fassetta, Raffaele, Le mariage spirituel dans les sermons de Saint Bernard sur le Cantique, in: Coll. Cist 48 (1986), 155–180 u. 251–265.

Faust, Ulrich, Bernhards liber de gratia et libero arbitrio, Bedeutung, Quellen und Einfluß, in: Analecta Monastica 6, Rom 1962 (Studia Anselmiana L), 35–51.

Fechner, Hilde, Die politische Tätigkeit des Abtes Bernhard von Clairvaux in seinen Briefen, Bonn und Köln 1933.

Fichtenau, Heinrich, Askese und Laster in der Anschauung des Mittelalters (1948); in: ders., Beiträge zur Mediävistik, Ausgewählte Aufsätze Bd. 1, Stuttgart 1975, 24–107.

Fina, Kurt, *‚Ovem suam requirere'*, Eine Studie zur Geschichte des Ordenswechsels im 12. Jahrhundert, Augustiniana 7 (1957), 33–56.

– Anselm von Havelberg, Untersuchungen zur Kirchen und Geistesgeschichte des 12. Jahrhunderts, in: Analecta Praemonstratensia 32 (1956), 69–101, 192–227; 33 (1957), 5–39, 268–301; 34 (1958), 13–41.

Flasch, Kurt, Einführung in die Philosophie des Mittelalters, Darmstadt 1987.

Fleckenstein, Josef, Die Rechtfertigung der geistlichen Ritterorden nach der Schrift ‚De laude novae militiae' Bernhards von Clairvaux, in: Die geistlichen Ritterorden Europas, hg. v. Josef Fleckenstein u. Manfred Hellmann, Sigmaringen 1980 (Vorträge und Forschungen 26), 9–22 .

Forest, Aimé, Das Erlebnis des consensus voluntatis beim heiligen Bernhard, in: Bernhard von Clairvaux, Mönch und Mystiker, 120–127.

Frank, Suso, Angelikos Bios, Begriffsanalytische und begriffsgeschichtliche Untersuchung zum ‚engelsgleichen Leben' im frühen Mönchtum. Münster 1964 (Beiträge zur Geschichte des alten Mönchtums und des Benediktinerordens 26).

– Grundzüge der Geschichte des christlichen Mönchtums, 4. Aufl. Darmstadt 1983 (Grundzüge, Bd. 25).

Frischmuth, Gertrud, Die paulinische Konzeption in der Frömmigkeit Bernhards von Clairvaux, Gütersloh 1933 (Beiträge zur Förderung der christlichen Theologie 37, Heft 4).

Frugoni, Arsenio, Arnaldo di Brescia nelle fonti del secolo XII, Rom 1954.

Fuhrmann, Horst, Deutsche Geschichte im hohen Mittelalter, Göttingen 1978 (Deutsche Geschichte 2).

Führkötter, Adelgundis, Hildegard von Bingen, Briefwechsel, Salzburg 1965.

Gammersbach, Suitbert, Benedikt von Nursia und die militia Christi nach dem Zeugnis mittelalterlicher Schriftsteller, in: Trierer Theologische Zeitschrift 63 (1954), 305–309.

– Gilbert von Poitiers und seine Prozesse im Urteil der Zeitgenossen, Köln, Graz 1959 (Neue Münsterische Beiträge zur Geschichtsforschung, hg. v. Kurt von Raumer, Bd. 5).

Ganzenmüller, Wilhelm, Das Naturgefühl im Mittelalter, Leipzig und Berlin 1914.

Gilson, Etienne, Der Geist der mittelalterlichen Philosophie (L'esprit de la philosophie médiévale, 1932), Wien 1950.

– Die Mystik des heiligen Bernhard von Clairvaux (La théologie mystique de saint Bernard), Wittlich 1936.

– Regio dissimilitudinis de Platon à saint Bernard de Clairvaux, in: Mediaeval Studies IX (1947), 108–130.

– La philosophie au moyen age, Paris 1962.

Giraudot, Francis u. Bouton, Jean de la Croix, Bernard et les Gilbertins, in: BC, 327–338.

Glaser, Hubert, Das Scheitern des zweiten Kreuzzuges als heilsgeschichtliches Ereignis, in: Festschrift für Max Spindler, hg. v. Dieter Albrecht, Andreas Kraus, Kurt Reindel, München 1969, 115–142.

Gleber, Helmut, Papst Eugen III. (1145–1153) unter besonderer Berücksichtigung seiner politischen Tätigkeit, Jena 1936 (Beiträge zur mittelalterlichen und neueren Geschichte).

Glei, Reinhold, Petrus Venerabilis, Schriften zum Islam, editiert, übersetzt und kommentiert von R. Glei, Altenberge 1985 (Corpus Islamo-Christanum, Series latina I).

Goetz, Hans Werner, Endzeiterwartung und Endzeitvorstellung im Rahmen des Geschichtsbildes des frühen 12. Jahrhunderts, in: The use and abuse of eschatology in the middle ages, ed. by Werner Verbeke, Daniel Verhels and Andries Walkenhuysen, Leuven 1988 (Medievalia Lovaniensia I, Studia XV), 306–332.

Goodrich, W. E., The reliability of the Vita Prima S. Bernardi, in: Analecta 43 (1987), 153–180.

Gössmann, Elisabeth, Glaube und Gotteserkenntnis im Mittelalter, Handbuch der Dogmengeschichte, Bd. I,2b, hg. von Michael Schmaus, Alois Grillmeier, Leo Scheffczyk, Freiburg, Basel, Wien 1971.

– Zur Auseinandersetzung zwischen Abaelard und Bernhard von Clairvaux um die Gotteserkenntnis im Glauben, in: Petrus Abaelardus (1079–1142), Person, Werk und Wirkung, hg. von Rudolph Thomas, Trier 1980 (Trierer Theologische Studien, Bd. 38), 233–242.

Grane, Leif, Peter Abaelard, Philosophie und Christentum im Mittelalter, Göttingen 1969.

Graus, František, Volk, Herrscher und Heiliger im Reich der Merowinger, Praha 1965.
Grässer, Erich, Das Problem der Parusieverzögerung in den synoptischen Evangelien und in der Apostelgeschichte, Berlin 1957.
Gräßler, Erich, Die Naherwartung Jesu, Stuttgart 1973 (Stuttgarter Bibelstudien 61).
Greenway, George William, Arnold of Brescia, Cambridge 1931.
Grill, Severin, Bernhard von Clairvaux als Exeget, in: Festschrift zum 800-Jahresgedächtnis, 9-21.
Grimm, Reinhold R., Paradisus Coelestis, Paradisus Terrestris. Zur Auslegungsgeschichte des Paradises im Abendland bis um 1200, München 1977 (Medium Aevum, Bd. 33).
Grousset, René, Histoire des croisades et du royaume Franc de Jérusalem 1-3, Paris 1934-36.
Gruendel, Johannes, Die Lehre des Radulfus Ardens von den Verstandestugenden auf dem Hintergrund seiner Seelenlehre, München, Paderborn, Wien 1976 (Veröffentlichungen des Grabmann-Institutes, N.F. 27).
Grundmann Herbert, Religiöse Bewegungen im Mittelalter (1935), Darmstadt 1977.
- Die Grundzüge der mittelalterlichen Geschichtsanschuungen (1934), in: Geschichtsdenken und Geschichtsbild, 418-433.
- Geschichtsschreibung im Mittelalter, Göttingen 1965.
- Ketzergeschichte des Mittelalters, Göttingen 1963 (Die Kirche in ihrer Geschichte, hg. v. Kurt Dietrich Schmidt und Ernst Wolf, Bd. 2, G/1).
- Studien über Joachim von Floris, Berlin 1927 (Beiträge zur Kulturgeschichte des Mittelalters und der Renaissance 32).
Guardini, Romano, Wunder und Zeichen, Würzburg 1959.
Gujewitsch, Aaron J., Das Weltbild des mittelalterlichen Menschen (Übersetzung der russischen Originalausgabe von 1972), München 1980.
- Mittelalterliche Volkskultur (Übersetzung der russischen Originalausgabe von 1981), München 1987.
Günther, Gerhard, Der Antichrist. Der staufische Ludus de Antichristo, Hamburg 1970.
Günther, Rudolf, Über die abendländische Heiligenlegende, in: Theologische Rundschau N.F. 3 (1931), 18-48.
Haas, Alois, M., Mors mystica (1976), in: ders., Sermo Mysticus. Studien zur Theologie und Sprache der deutschen Mystik, Freiburg, Schweiz 1979 (Dokimion, Bd. 4), 392-480.
Halász, Pius, Die geistliche Schule der Zisterzienser, in: Anima 8 (1953), 52-66.
Hallam, Elizabeth, M., Capetian France 987-1328, London und New York 1980.
Haller, Johannes, Das Papsttum, Idee und Wirklichkeit, Bd. III, Die Vollendung, 1962.
Haluska, Tezelin, Von den sieben Hauptsünden, in: Stud. u. Mitt. 30 (1909), 363-372.
Hampe, Karl, Das Hochmittelalter (1932), 5. Aufl.; Köln, Graz, 1963.
Hauck, Albert, Kirchengeschichte Deutschlands 4. Teil, 8. Aufl. Berlin 1954.
Häring, Nikolaus M., A latin dialogue on the doctrine of Gilbert of Poitiers, in: Medieval Studies 15 (1953), 243-289.
- Abelard yesterday and today, in: Pierre Abélard, Pierre le Vénérable, 341-403.
- Das sogenannte Glaubensbekenntnis des Reimser Konsistoriums von 1148, in: Scholastik XLV (1965), 55-90.
- Saint Bernard and the litterati of his days, in: Analecta 25 (1974), 199-222.
- The case of Gilbert de la Porrée bishop of Poitiers (1142-1154), in: Medieval studies XII (1951), 1-40.
Heaney, Columban, Aelred of Rievaulx: His relevance to the post-Vatican II age, in: The cistercian spirit, 166-189.
Heer, Friedrich, Der Aufgang Europas; Wien, Zürich 1949.

– Der Heilige der Kreuzzüge, in: Stimmen der Zeit, 152 (1952–1953), 321–331.

Hehl, Ernst Dieter, Kirche und Krieg im 12. Jahrhundert, Studien zu kanonischem Recht und politischer Wirklichkeit, Stuttgart 1980 (Monographien zur Geschichte des Mittelalters, 19).

Heitmann, Adelhard, Imitatio Dei. Die ethische Nachahmung Gottes nach der Väterlehre der zwei ersten Jahrhunderte, Rom 1940 (Studia Anselmiana 10).

Hempel, Wolfgang, Übermuot diu Alte ... Der Superbia-Gedanke und seine Rolle in der deutschen Literatur des Mittelalters, Bonn 1970 (Studien zur Germanistik, Anglistik und Komparatistik Bd. 1).

Herding, Otto, Bernhard von Clairvaux und die mittelalterliche Welt, in: Geist und Leben 24 (1951), 106–112.

Hiss, Wilhelm, Die Anthropologie Bernhards von Clairvaux, Berlin 1964.

Hödl, Ludwig, Bild und Wirklichkeit der Kirche beim Hl. Anselm, in: Les mutations socio-culturelles au tournant des XIe–XIIe siècles, études Anselmiennes IVe session (colloques internationaux de centre national de la recherche scientifique), Paris 1984, 667–688.

– Zur Entwicklung der frühscholastischen Lehre von der Gottebenbildlichkeit des Menschen (1960), in: Der Mensch als Bild Gottes, hg. v. Leo Scheffczyk, Darmstadt 1969 (WdF CXXIV), 193–205.

Hummel, Regine, Mystische Modelle im 12. Jahrhundert: ‚St. Trudperter Hohelied', Bernhard von Clairvaux, Wilhelm von St. Thierry, Göppingen 1989 (Göppinger Arbeiten zur Germanistik 522).

Hunkeler, Leodegar, St. Bernhard als Prediger, in: Anima 8 (1953), 17–23.

Hüffer, Georg, Der heilige Bernhard von Clairvaux, Vorstudien zu einer Darstellung des Lebens und Wirkens des heiligen Bernhard von Clairvaux, Münster 1886.

– Die Wunder des hl. Bernhard und ihre Kritiker, in: Historisches Jahrbuch der Görresgesellschaft X (1889), 23–46 u. 748–806.

Ivànka von, M. Endre, La structure de l'âme selon S. Bernard, in: Analecta 9 (1953), 202–208.

Jacqueline, Bernard, Papauté et épiscopat selon Saint Bernard de Clairvaux, Paris, 1963.

James, Bruno Scott, The personality of S. Bernard as revealed in his letters, in: Coll. Cist. 14 (1952), 30ff.

Javelet, Robert, Image et ressemblance au douzième siècle: De saint Anselme à Alain de Lille, 2 Bde. Straßburg 1967.

Jones, W. R., The image of the barbarian in medieval Europe, in: Comparative studies in society and history, 13 (1971), 376–407.

Jordan, Karl, Investiturstreit und frühe Stauferzeit, Stuttgart 1973 (Gebhardt, Handbuch der deutschen Geschichte Bd. 4).

Kahl, Hans Dietrich, Bausteine zur Grundlegung einer missionsgeschichtlichen Phänomenologie des Hochmittelalters, in: Miscellanea historiae ecclesiasticae. Congrès de Stockholm 1960, Louvain 1961 (Bibliothèque de la revue d'histoire ecclésiastique 38), 50–90.

– Bernhard von Fontaines, Abt von Clairvaux, in: Gestalten der Kirchengeschichte, hg. v. Martin Greschat, Stuttgart, Berlin, Köln, Mainz 1983 (Gestalten der Kirchengeschichte, Bd. 3), 173–191.

– Christianisierungsvorstellungen im Kreuzzugsprogramm Bernhards von Clairvaux, in: Przeglad historyczny, 75, (1984), 453–461.

– Compellere Intrare. Die Wendenpolitik Bruns von Querfurt im Lichte hochmittelalterlichen Missions- und Völkerrechts (1955), in: Heidenmission, 177–274.

– Die Ableitung des Missionskreuzzugs aus sibyllinischer Eschatologie. Zur Bedeutung Bernhards von Clairvaux für die Zwangschristianisierungsprogramme im Ostseeraum:

in: Die Rolle der Ritterorden in der Christianisierung und Kolonisierung des Ostseegebietes, hg. v. Z. H. Nowak (Universitas Nicolai Copernici. Ordines militares, Colloquia Torunensia Historica, I), Torun 1983, 129–139.
- Die ersten Jahrhunderte des missionsgeschichtlichen Mittelalters, Bausteine für eine Phänomenologie bis ca. 1050, in: Kirchengeschichte als Missionsgeschichte II, hg. v. Knut Schäferdiek, München 1978, 11–76.
- Die völkerrechtliche Lösung der Heidenfrage bei Paulus Vladimiri von Krakau (gest. 1435) und ihre problemgeschichtliche Einordnung, in: Zeitschrift für Ostforschung 7 (1958), 161–209.
- Einige Beobachtungen zum Sprachgebrauch von ‚natio' im mittelalterlichen Latein mit Ausblicken auf das neuhochdeutsche Fremdwort ‚Nation' in: Nationes. Historische und philologische Untersuchungen zur Entstehung der europäischen Nationen im Mittelalter, Bd. 1: Aspekte der Nationenbildung im Mittelalter, hg. v. H. Beumann u. W. Schröder, Sigmaringen 1978, 63–108.
- *Fides Cum Ydolatria,* Ein Kreuzfahrerlied als Quelle für die Kreuzzugseschatologie der Jahre 1146/1147, in: Festschrift für Berent Schwineköper, hg. v. Helmut Maurer und Hans Patze, Sigmaringen 1982, 291–307.
- Rezension Lotter, Die Konzeption des Wendenkreuzzuges, in: Jahrbuch für die Geschichte Mittel- und Ostdeutschlands 28 (1979), 322–324.
- Slawen und Deutsche in der brandenburgischen Geschichte des 12. Jahrhunderts, 2 Bde. Graz 1964.
- Wie kam es 1147 zum ‚Wendenkreuzzug'?, in: Europa Slavica- Europa Orientalis, Festschrift für Hubert Ludat, hg. v. Klaus Detlev Grothusen u. Klaus Zernack, Berlin 1980 (Osteuropastudien der Hochschule des Landes Hessen Reihe I, Giessener Abhandlungen zur Agrar- und Wirtschaftsforschung des europäischen Ostens 100), 286–296.
- Zum Ergebnis des Wendenkreuzzuges von 1147; Zugleich ein Beitrag zur Geschichte des sächsischen Frühchristentums (1957/58), in: Heidenmission, 99–120.
- Zum Geist der deutschen Slawenmission des Hochmittelalters (1953), in: Heidenmission 156–176.

Kahles, Wilhelm, Radbert und Bernhard, Zwei Ausprägungen christlicher Frömmigkeit; Emsdetten, Westfalen 1938.

Kedar, Benjamin Z., Crusade and mission, European approaches toward the Muslims, Princeton 1984.

Kennan, Elisabeth T., Antithesis and argument in the ‚De consideratione', in: Bernard of Clairvaux, 91–109.

Kern, Emmanuel, Das Tugendsystem des heiligen Bernhard von Clairvaux, Freiburg i. Brsg. 1934.

Kilga, Klemens, Der Kirchenbegriff des hl. Bernhard von Clairvaux, in: Cist. Chron. 54 (1947), 46–64, 149–179, 235–253.

Klauser, R., Zur Entwicklung der Heiligsprechungsverfahren bis zum 13. Jahrhundert, Zeitschrift für Rechtsgeschichte LXX (1954), Kanonistische Abteilung IX, 83–101.

Kleineidam, Erich, Die Nachfolge Christi nach Bernhard von Clairvaux, in: Amt und Sendung, Freiburg 1950, 432–460.
- Wissen, Wissenschaft, Theologie bei Bernhard von Clairvaux, in: Bernhard von Clairvaux, Mönch und Mystiker, 128–167.

Klibansky, Raymond, Peter Abailard and Bernard of Clairvaux, in: R. Hunt, R. Klibansky, L. Labowsky (ed.), Medieval and renaissance studies, London–Worcester 1961, 1–27.

Knotzinger, Kurt, Das Amt des Bischofs nach Bernhard von Clairvaux, Scholastik 38 (1963), 519–535.
- Hoheslied und bräutliche Christusliebe bei Bernhard von Clairvaux, in: Jahrbuch für mystische Theologie 7 (1961), 9–88.

Knowles, David, Cistercians and Cluniacs. The controversy between St. Bernard and Peter the Venerable, London 1955.
- The case of Saint William of York, in: The Cambridge historical journal V (1935–1937), 162–177.
- The humanism of the twelfth century, in: ders., The historian and character, and other essays, Cambridge 1963, 16–30.
- The monastic order in England, Cambridge 1963.
- The reforming decrees of Peter the Venerable, in: Petrus Venerabilis, 1–20.
Koch, Josef, Über die Lichtsymbolik im Bereich der Philosophie und Mystik des Mittelalters, in: Studium Generale 13 (1960), 653–670.
Koch, Robert, Das himmlische und das irdische Jerusalem im mittelalterlichen Denken, in: Speculum historiale, 523–540.
Kozlowski von, Jerzy, Kirche und Staat und Kirchenstaat nach dem hl. Bernhard von Clairvaux, Posen 1916.
Köhler, Erich, Ideal und Wirklichkeit in der höfischen Dichtung (1956), 2.Aufl. Tübingen, 1970.
Kölmel, Wilhelm, Typik und Atypik, Zum Geschichtsbild der kirchenpolitischen Publizisten, in: Speculum historiale, 277–302.
Köpf, Ulrich, Art. Bernhard von Clairvaux, in: WdMy, 53–55.
- Bernhard von Clairvaux in der Frauenmystik, in: Frauenmystik im Mittelalter, hg. v. Dieter R. Bauer und Peter Dinzelbacher, Ostfildern 1985, 48–77.
- Religiöse Erfahrung in der Theologie Bernhards von Clairvaux, Tübingen 1980.
Köster, Heinrich, Urstand, Fall und Erbsünde in der Scholastik, Freiburg, Basel, Wien 1979 (Handbuch der Dogmengeschichte, Bd. 2, Faszikel 3b).
Kraft, Heike, Die Bildallegorie der Kreuzigung Christi durch die Tugenden, Diss. Berlin 1972.
Kranz, Gisbert, Politische Heilige und katholische Reformatoren, Bd. 2, Augsburg 1959.
Kretzenbacher, Leopold, Zur Desperatio im Mittelhochdeutschen, in: Verbum und Signum II, Beiträge zur mediävistischen Bedeutungsforschung, Studien zur Semantik und Sinntradition im Mittelalter, hg. v. Hans Fromm, Wolfgang Harms, Ute Ruberg, München 1975, 299–310.
Krings, Hermann, Das Sein und die Ordnung, in: Deutsche Vierteljahresschrift für Literaturwissenschaft und Geistesgeschichte 18 (1940), 233–249.
- Ordo. Philosophisch-historische Grundlegung einer abendländischen Idee, Halle-Saale 1941 (Philosophie und Geisteswissenschaften, Bd. 9).
Kritzeck, James, Peter the Venerable and Islam, Princeton, New Jersey 1964 (Princeton oriental studies 23).
- Peter the Venerable and the Toledan Collection, in: Petrus Venerabilis 176–201.
Kugler, Bernhard, Geschichte der Kreuzzüge, Berlin 1880.
- Neue Analekten zur Geschichte des zweiten Kreuzzuges, Tübingen 1883 (Tübinger Universitätsschriften).
- Studien zur Geschichte des zweiten Kreuzzuges, Stuttgart 1866.
Kuhn, Hugo, Rittertum und Mystik, in: Münchner Universitätsreden, Neue Folge, Heft 33, 1963.
Kurze, Dietrich, Die Bedeutung der Arbeit im zisterziensischen Denken, in: Die Zisterzienser, 203–215.
Kümmel, Werner Georg, Das Problem von Römer 9–11 in der gegenwärtigen Forschungslage (1977), in: ders., Heilsgeschehen und Geschichte, Gesammelte Aufsätze 1965–1977, Bd. 2, 245–260.
- Verheißung und Erfüllung, Untersuchungen zur eschatologischen Verkündigung Jesu, 3. Aufl. Zürich 1956.

Lackner, Beda, The monastic life according to Saint Bernard, in: Studies in medieval cistercian history II. 42–62.
– Über das Priesterideal des heiligen Bernhard, in: Anima 8 (1953), 5–12.
Ladner, Gerhard B., Terms and ideas of renewal, in: Renaissance and renewal 1–33.
– The idea of reform, its impact on christian thought and action in the age of the fathers; Cambridge, Massachusetts 1959.
– Die mittelalterliche Reform-Idee und ihr Verhältnis zur Idee der Renaissance, in: MIÖG 60 (1952), 31–59.
Lais, Hermann, Das Wunder im Spannungsfeld der theologischen und profanen Wissenschaft, Münchner theologische Zeitschrift 12 (1961), 294–300.
Lampen, Willibrord, Mittelalterliche Heiligenleben, Liber Floridus, Festschrift für Paul Lehmann, St. Ottilien 1950, 121–129.
Landgraf, Artur, Michael, Der heilige Bernhard in seinem Verhältnis zur Theologie des 12. Jahrhunderts, in: Bernhard von Clairvaux, Mönch und Mystiker, 44–62.
– Dogmengeschichte der Frühscholastik, Bd. 2, Regensburg 1954.
Lang, Ann, Proulx, The friendship between Peter the Venerable and Bernard of Clairvaux, in: Bernard of Clairvaux, 35–53.
Läpple, Alfred, Ketzer und Mystiker, Extremisten des Glaubens, Versuch einer Deutung, München 1988.
Leclercq, Jean, Agressivité et répression chez Bernard de Clairvaux, in: Revue d'histoire ecclésiastique 52 (1976), 155–172.
– L'art de la composition dans les sermons de S. Bernard (1966), in: Recueil III, 137–162.
– Art. Bernhard von Clairvaux, in: Theologische Realenzyklopädie, Bd. 5, Berlin, New York 1980, 644–651.
– Aspects littéraires de l'œuvre de S. Bernard (1958), in: Recueil III, 13–104.
– Bernhard von Clairvaux, Stufen und Erfahrungen der Gottessehnsucht, in: Große Gestalten christlicher Spiritualität, hg. v. Josef Sudbrack, James Welsh, Würzburg 1969, 122–134.
– Christusnachfolge und Sakrament in der Theologie des heiligen Bernhard, in: Archiv für Liturgiewissenschaften VIII/I (1963), 58–72.
– Der heilige Bernhard und das Weibliche, in: Erbe und Auftrag 51 (1975), 161–179.
– Die Spiritualtät der Zisterzienser, in: Die Zisterzienser, 149–156.
– Documents sur les ‚fugitifs', in: Analecta Monastica, textes et études sur la vie des moines au moyen age 7, Rom 1965 (Studia Anselmiana 54, 1965), 87–145.
– Drogon et Saint Bernard (1953); in: Recueil I. 95–111.
– Essais sur l'esthétique de S. Bernard, in: Studi Medievali 9 (1968), 688–728.
– Études sur le vocabulaire monastique du moyen age, Rom 1961 (Studia Anselmiana XLVIII).
– Introduction à quelques études sur S. Bernard, in: Coll. Cist. 40 (1978), 139–149.
– L'encyclique de Saint Bernard en faveur de la croisade, in: Revue Bénédictine 81 (1971), 282–308.
– L'humanism des moines du moyen âge, in: Studi medievali 10 (1969), 69–113.
– La Bible dans les homélies de S. Bernard sur ‚Missus Est' (1964); in: Recueil III., 213–248.
– La nouveauté de l'édition critique de S. Bernard, in: Analecta 34 (1978), 7–26.
– Le mystère de l'ascension dans les sermons de S. Bernard, in: Coll. Cist. 15 (1953), 81–88.
– Le témoignage de Geoffry d'Auxerre sur la vie cistercienne, in: Analecta Monastica 2, Rom 1953 (Studia Anselmiana 31, 1953), 174–201.
– Le thème de la jonglerie dans les relations entre saint Bernard, Abélard et Pierre le Vénerable, in: Pierre Abélard, Pierre le Vénérable, Les courants philosophiques, litté-

raires et artistiques en Occident au milieu du XII[8e] siècle, hg. von René Louis et Jean Chatillion Paris 1975, 671–687.
- Les écrits de Geoffry d'Auxerre (1952), in: Recueil I. 27–46.
- Les sermons sur les Cantiques ont-ils éte prononcés? (1955), in: Recueil I. 193–212.
- Lettres de S. Bernard: Histoire ou littérature?, in: Studi medievali 12 (1971), 1–74.
- Monks and love in twelfth-century France, Oxford 1979.
- Nouveau visage de Bernard de Clairvaux. Approches psycho-historiques, Paris 1976.
- Otia monastica. Études sur le vocabulaire de la contemplation au moyen âge, Rom 1963 (Studia Anselmiana 51, 1963).
- Pierre le Vénérable, Abbaye S. Wandrille, 1946.
- Pour l'histoire de l'encyclique de St. Bernard sur la croisade, in: Études de civilisation médiévale (IXe–XIIe siècles), Festschrift R. Labande, Poitiers 1974, 479–490.
- S. Bernard parmi nous. Dix anneés d'études Bernardines, in: Coll. Cist. 36 (1974), 3–23.
- Saint Bernard et ses secrétaires (1951), in: Recueil I. 3–25.
- Saint Bernard écrivain (1960), in: Recueil I. 321–351.
- Saint Bernard mystique, Paris 1948.
- Saint Bernard's attitude toward war, in: Studies in medieval cistercian history II, 1–39.
- S. Bernard et la théologie monastique du XIIe siècle, in: Analecta 9 (1953), 7–23.
- St. Bernard et l'esprit cisterciens, Paris 1979 (Maîtres spirituels 36) .
- Sur le caractère littéraire des sermons de S. Bernard (1966), in: Recueil III, 163–210.
- The intention of the founders of the cistercian order, in: The cistercian spirit, 88–133.
- The renewal of theologie, in: Renaissance and renewal, 68–87.
- u. Foreville R., Un débat sur le sacerdoce des moines au XII[12e] siècle, in: Analecta Monastica, textes et études sur la vie des moines au moyen age 4, Rom 1957 (Studia Anselmiana 41, 1957), 8–118.
- Un document sur les débuts des Templiers (1957), in: Recueil II, 87–99.
- Wissenschaft und Gottverlangen (L'amour des lettres et le désir de Dieu, Paris 1957), Düsseldorf 1963.

Lehmann, Paul, Die Vielgestalt des 12. Jahrhunderts, in: HZ 178 (1954), 225–250.

Leisner, J. O., Um die Krankengeschichte des heiligen Bernhard, Cist. Chr. 60 (1953), 39–47.

Lekai, Ludwig J., Geschichte und Wirken der weißen Mönche (The white monks. A history of the cistercian order, 1953), Köln 1958.

Leloir, Louis, Bibliography of the works by Jean Leclercq, in: Bernard of Clairvaux, 215–264.

Léon-Dufour, Xavier, Wörterbuch zum neuen Testament (Dictionnaire du Nouveau Testament, 1975), München 1977.

Liebeschütz, Hans, Synagoge und Ecclesia, Religionsgeschichtliche Studien über die Auseinandersetzung der Kirche mit dem Judentum im Hochmittellater, Heidelberg 1983.

Löwith, Karl, Weltgeschichte und Heilsgeschichte. Die theologischen Voraussetzungen der Geschichtsphilosophie (1949–1953), in: Sämtliche Schriften Bd. 2, Stuttgart 1983, 158–172.

Lohfink, Gerhard, Zur Möglichkeit christlicher Naherwartung, in: Naherwartung, Auferstehung, Unsterblichkeit, Untersuchungen zur christlichen Eschatologie; 3. Aufl. Freiburg, Basel, Wien 1978 (Quaestiones Disputatae 71), 38–81.

Lortz, Josef, Einleitung, in: Bernhard von Clairvaux, Mönch und Mystiker, IX–LVI.
- Geschichte der Kirche in ideengeschichtlicher Betrachtung, Bd. 1, Münster 1962.

Lotter, Friedrich, Bemerkungen zur Christianisierung der Abodriten, in: Festschrift für Walter Schlesinger, hg. v. H. Beumann Bd. II, Köln, Wien 1974, 395–442.
– Die Konzeption des Wendenkreuzzugs. Ideengeschichtliche, kirchenrechtliche und historisch-politische Voraussetzungen der Missionierung von Elb- und Ostseeslawen um die Mitte des 12. Jahrhunderts, Sigmaringen 1977 (Vorträge und Forschungen, Sonderbd. 23).
– Die Vorstellungen von Heidenkrieg und Wendenmission bei Heinrich dem Löwen, in: Heinrich der Löwe, hg. v. W. D. Mohrmann, Göttingen 1980, 11–43.
– Legenden als Geschichtsquellen, DA 27 (1971), 195–200.
Lubac de, Henri, Exégèse médiévale. Les quatres sens de l'Ecriture, Paris 1959ff.
Lukes, Steven, Individualism, Oxford 1973.
Luscombe, David Edward, The school of Peter Abelard, Cambride 1970.
Lüers, Grete, Die Auffassung der Liebe bei mittelalterlichen Mystikern, in: Eine heilige Kirche 2 (1940/41), 110–118.
Maddux, J. S., St. Bernard as hagiographer, Cîteaux 27 (1976), 85–108.
Manitius, Max, Geschichte der lateinischen Literatur des Mittelalters, Bd. 3 (1931), München 1965.
Manselli, Raoul, Die Zisterzienser in Krise und Umbruch des Mönchtums im 12. Jahrhundert, in: Die Zisterzienser (Ergänzungsband), 29–37.
– La religion populaire au moyen age, problèmes de méthode et d'histoire, Conférence Albert-Le-Grand, Paris 1975.
Manz, Luise, Der Ordo-Gedanke. Ein Beitrag zur Frage des mittelalterlichen Ständegedankens, Stuttgart 1936 (Vierteljahresschrift für Sozial- und Wirtschaftsgeschichte, Beiheft 33).
Marcel, M., Les séjours de Saint Bernard a Langres, in: Saint Bernard et son temps, 224–233.
Mason, Mary Elizabeth, Active life and contemplative life. A study of the concepts from Plato to the present, Milwaukee 1961.
Mayer, Hans Eberhard, Bibliographie zur Geschichte der Kreuzzüge, Hannover 1960.
– Geschichte der Kreuzzüge, 6., überarb. Aufl.; Stuttgart, Berlin, Köln, Mainz 1985.
– Literaturbericht über die Geschichte der Kreuzzüge, 1958–1967; HZ, Sonderheft 3 (1969), 641–731.
Mähl, Sibylle, Quadriga Virtutum. Die Kardinaltugenden in der Geistesgeschichte der Karolingerzeit, Köln, Wien 1969 (Beiheft zum Archiv für Kulturgeschichte 9).
– Jerusalem in mittelalterlicher Sicht, in: Die Welt als Geschichte 22 (1962), 11–26.
McGinn, Bernard, Resurrection and ascension in the christology of the early cistercians, in: Cîteaux 30 (1979), 5–22.
– St. Bernard et eschatology, in: Bernard of Clairvaux, 161–185.
– Visions of the end, Apocalyptic traditions in the Middle Ages, New York 1979 (Records of civilization, sources and studies 96).
McGuire, Brian Patrick, Why Scandinavia? Bernard, Eskil and cistercian expansion in the north 1140–1180, in: Goad and nail, 251–281.
Mellot, Jean, Saint Bernard et la guérison des malades, in: Mélanges, 181–186.
Melville, Marion, Les débuts de l'ordre du Temple, in: Die geistlichen Ritterorden Europas, hg. v. Josef Fleckenstein u. Manfred Hellmann, Sigmaringen 1980 (Vorträge und Forschungen 26), 23–30.
Mensching, Gustav, Das Wunder im Glauben und Aberglauben der Völker, Leiden 1957.
Merton, Thomas, Action and contemplation in St. Bernard, in: Thomas Merton on Saint Bernard; Kalamazoo, Michigan, (Cistercian studies series 9), 23–104.
– St. Bernard on interior simplicity (1948), in: Thomas Merton on St. Bernard, Kalamazoo, Michigan 1980, (Cistercian studies series 9), 107–157.

Meuthen, Erich, Kirche und Heilsgeschichte bei Gerhoh von Reichersberg, Brill 1959 (Studien und Texte zur Geistesgeschichte des Mittelalters VI, hg. v. Joseph Koch).
Meyer, Heinz, Die Zahlenallegorese im Mittelalter. Methode und Gebrauch, München 1975 (Münstersche Mittelalterschriften Bd. 25).
Mieth, Dietmar, Die Einheit von vita activa und vita contemplativa in den Predigten und Traktaten Meister Eckharts und bei Johannes Tauler. Untersuchungen zur Struktur des christlichen Lebens, Regensburg 1969.
Miethke, Jürgen, Bernhard von Clairvaux, in: Die Zisterzienser, 45-55.
Mikkers, Edmond, Die Rolle der Benediktusregel im Orden von Cîteaux, in: Die Cistercienser und das benediktinische Mönchtum, hg. v. Ambrosius Schneider, Köln 1981, 25-34.
Mohrmann, Christine, Le style de saint Bernard, in: Études sur le latin des chrétiens II. Edizioni di storia et letteratura, Rom 1961, 247-267.
- Observations sur la langue et le style de S. Bernard, in: Sancti Bernardi opera II, Rom 1958, IX-XXXIII.
Moritz, Theresa, The church as bride in Bernard of Clairvaux's sermons on the Song of Songs, in: The chimaera, 3-11.
Morris, Colin, The discovery of the individual 1050-1200 (1972), Toronto, Buffalo, London 1987 (Medieval academy reprints for teaching 19).
Murray, Albert Victor, Abelard et St. Bernard. A study in 12th century ‚modernism', Manchester 1967.
Naszályi, Emil, Mit Bernhard von Clairvaux ins Abenteuer der Liebe (Übersetzung des ungarischen Originals 1982), hg. u. eingeleitet von Gertrude Sartory, St. Ottilien 1989.
Nigg, Walter, Vom Geheimnis der Mönche, Zürich und Stuttgart, 1953.
Noth, Albrecht, Heiliger Krieg und heiliger Kampf in Islam und Christentum, Bonn 1966 (Bonner historische Forschungen 28).
Ohly, Friedrich, Cor amantis non angustum. Vom Wohnen im Herzen (1970), in: Schriften zur mittelalterlichen Bedeutungsforschung, 128-155.
- Der Prolog des St. Trudperter Hohenliedes, in: Zeitschrift für deutsches Altertum 84 (1952/53), 198-232.
- Desperatio und Praesumptio. Zur theologischen Verzweiflung und Vermessenheit, in: Festschrift Otto Höfler zum 75. Geburtstag, hg. v. Helmut Birkhan, Wien 1976, 499-556 (Philologica germanica, Bd. 3).
- Halbbiblische und außerbiblische Typologie (1975), in: Schriften zur mittelalterlichen Bedeutungsforschung, 361-400.
- Hohelied-Studien, Grundzüge einer Geschichte der Hoheliedauslegung des Abendlandes bis um 1200, Wiesbaden 1958.
- Judas und Gregorius, in: ders., Der Verfluchte und der Erwählte. Vom Leben mit der Schuld. Opladen 1976, 7-36.
- Probleme der mittelalterlichen Bedeutungsforschung und das Taubenbild des Hugo de Folieto (1968), in: Schriften zur mittelalterlichen Bedeutungsforschung, 32-92.
- Synagoge und Ecclesia. Typologisches in mittelalterlicher Dichtung (1966), in: Schriften zur mittelalterlichen Bedeutungsforschung, 312-337.
- Vom geistigen Sinn des Wortes im Mittelalter (1958), in: Schriften zur mittelalterlichen Bedeutungsforschung, 1-31.
- Wolframs Gebet an den heiligen Geist im Eingang des ‚Willehalm' (1961/1962); in: Wolfram von Eschenbach, hg. v. Heinz Rupp, Darmstadt 1966 (WdF LVII), 455-518 .
Olwer de, Nicolau, Sur quelques lettres de saint Bernard. Avant ou après le concile de Sens, in: Mélanges, 100-108.
Opfermann, B., Art. Bernhard von Clairvaux, LThK Bd. 2, 239-242.

Ott, Ludwig, Untersuchungen zur theologischen Briefliteratur der Frühscholastik, Münster 1937 (Beiträge zur Geschichte der Philosophie und Theologie des Mittelalters XXXIV).

Pacaut, Marcel, La théocratie, l'église et le pouvoir au moyen age, Aubier 1957.

- Louis VII. et les élections épiscopales dans la royaume de France, Paris 1957 (Bibliothèque de la société d'histoire de la France).
- Louis VII. et son royaume, Paris 1964 (Bibliothèque général de l'école des hautes études VIe section).

Paulsell, William O., Saint Bernard on the duties of the christian prince, in: Studies in medieval cistercian history II, 36–74.

Pennington, Basil, The correspondence of William of St. Thierry, in: Simplicity and ordinariness, 188–213.

Pesch, Rudolf, Voraussetzungen und Anfänge urchristlicher Mission, in: Mission im Neuen Testament, hg. v. Karl Kertelge; Freiburg, Basel, Wien 1982 (Quaesiones Disputatae 93), 71–92.

Peterson, Richard M., Anthropology and sanctity in the Vita Prima Bernardi, in: Noble piety and reformed monasticism, ed. Rozanne Elder, Kalamazoo, Michigan 1981 (Cistercian studies series 65; Studies in medieval cistercian history VII), 40–51.

Petit, Francois, Bernard et l'ordre de Prémontré, in: BC, 289–307.

Pfeiffer, Eberhard, Die Stellung des hl. Bernhard zur Kreuzzugsbewegung nach seinen Schriften, in: Cistercienser-Chronik 46 (1934), 273–283, 204–311.

Pitsch, Wilhelm, Das Bischofsideal des hl. Bernhard von Clairvaux, Bottrop 1942.

Preuß, Hans, Der Antichrist, Berlin 1909 (Biblische Zeit- und Streitfragen V,4).

Prutz, Hans, Die geistlichen Ritterorden. Ihre Stellung zur kirchlichen, politischen, gesellschaftlichen Entwicklung des Mittelalters, Berlin 1908.

Radcke, Fritz, Die eschatologischen Anschauungen Bernhards von Clairvaux. Ein Beitrag zur historischen Interpretation aus den Zeitanschauungen, Diss. Langensalza 1915.

Rauh, Horst Dieter, Das Bild des Antichristen im Mittelalter: Von Tyconius zum deutschen Symbolismus, Münster 1973 (Beiträge zur Geschichte der Philosophie und Theologie des Mittelalters, NF, 9).

- Eschatologie und Geschichte im 12. Jahrhundert. Antichrist-Typologie als Medium der Gegenwartskritik, in: The use and abuse of eschatology in the middle ages, ed. by. Werner Verbeke, Daniel Verhels and Andries Walkenhuysen, Leuven 1988 (Medievalia Lovaniensia I, Studia XV), 333–358.

Rassow, Peter, Die Kanzlei St. Bernhards von Clairvaux, Stud. u. Mitt. 34 (1913), 63–103; 243–293.

Renna, Thomas, Abelard versus Bernard: an event in monastic history, in: Cîteaux 27 (1976), 189–202.

- St. Bernard and Abelard as hagiographers, Cîteaux 29 (1978), 41–59.
- St. Bernard and the pagan classics: An historical view, in: The chimaera of his age, 122–131.
- The city in the early cistercian thought, in: Cîteaux 34 (1983), 5–19.
- The idea of Jerusalem: monastic to scholastic; in: From cloister to classroom, monastic and scholastic approaches to truth. The spirituality of western christendom III, ed. Rozanne Elder, Kalamazoo, Michigan 1986 (Cistercian studies series 90), 96–109.
- The idea of the city in Otto von Freising and Henry of Albano, Cîteaux 35 (1984), 55–72.

Reuter, Hans, Georg, Die Lehre vom Ritterstand. Zum Ritterbegriff in Historiographie und Dichtung vom 11. bis zum 13. Jahrhundert; Köln, Wien 1971.

Richstaetter, Carl, Christusfrömmigkeit in ihrer historischen Entfaltung, Köln 1949.

Riedlinger, Helmut, Die Makellosigkeit der Kirche in den lat. Hoheliedkommentaren des Mittelalters, Münster 1958 (Beiträge zur Geschichte der Philosophie und Theologie des Mittelalters Bd. 38,3).
Riegler, Josef, Die Bedeutung der marianischen Symbolik in den Ansprachen Bernhards von Clairvaux, in: Cist. Chron. 1983, 12–21.
Ries, Joseph, Das geistliche Leben in seinen Entwicklungsstufen nach der Lehre des Hl. Bernhard, Freiburg i. Brsg. 1906.
Roby, Douglass, Chimaera of the north: The active life of Aelred of Rievaulx, in: Cistercian ideals and reality, 152–169.
Rochais Henri u. E. Manning, Bibliographie générale de l'ordre cistercien, Saint Bernard, 2 Bde. Rochefort 1979, 1980.
– A literary journey. The new edition of the works of St. Bernard, in: Bernard of Clairvaux, 19–33.
– L'édition critique des oeuvres de S. Bernard. Cronique des recherches et des travaux, in: Studi medievali, 3 Series 1 (1960), 701–719.
– u. Jean Figuet, Le jeu biblique de Bernard, in: Coll. Cist. 47 (1985), 119–128.
Roscher, Helmut, Papst Innozenz III. und die Kreuzzüge, Göttingen 1969 (Forschungen zur Kirchen und Dogmengeschichte).
Rosenkranz, Gerhard, Die christliche Mission, Geschichte und Theologie, München 1977.
Rossano, Pietro, Theologie der Mission, in: Mysterium Salutis, Grundriß heilsgeschichtlicher Dogmatik, Bd. IV/I Das Heilsgeschehen in der Gemeinde, hg. v. Johannes Feiner und Magnus Löhrer, Zürich, Einsiedeln, Köln 1972, 503–534.
Rousset, Paul, Histoire d'une idéologie, la croisade, Lausanne 1983.
– Histoire des croisades, Paris 1957.
– Les laïcs dans la croisade, in: I laici nella ‚societas christiana' dei secoli XI e XII, Milan 1968 (Pubblicazioni dell'università cattolica del sacro cuore, Miscellanea del centro di studi medioevali 5), 428–447.
Rudolph, C., The scholarship on Bernard of Clairvaux's Apologia, in: Cîteaux 40 (1989), 69–111.
Runciman, Steven, Geschichte der Kreuzzüge (A history of the crusades, 1951–1954), München 1968.
Russel, Frederick H., The just war in the middle ages, Cambridge 1975.
Ryan, Patrick, The witness of William of St. Thierry to the spirit and aims of the early cistercians, in: The cistercian spirit, 224–253.
Sabersky-Bascho, Dorette, *Nam iteratio, affectionis expressio est.* Zum Stil Bernhards von Clairvaux, in: Cîteaux 36 (1985), 5–20.
– Studien zur Paronomasie bei Bernhard von Clairvaux, Freiburg, Schweiz 1979 (Dokimion 5).
– Zum Aufbau der 85. Hoheliedpredigt Bernhards von Clairvaux, in: Variorum munera florum, Festschrift Hans H. Haefele, hg. v. A. Reinle, L. Schmugge u. P. Stotz, Sigmaringen 1985, 169–192.
Schaffner, Otto, Die ‚nobilis Deo creatura' des hl. Bernhard von Clairvaux, in: Geist und Leben 23 (1949), 43–57.
Scheffczyk, Leo (Hg.), Der Mensch als Bild Gottes, Darmstadt 1969 (WdF CXXIV).
Schelkle, Karl Hermann, Neutestamentliche Eschatologie, in: Mysterium Salutis, Grundriß heilsgeschichtlicher Dogmatik, Bd. V Zwischenzeit und Vollendung der Heilsgeschichte, hg. v. Johannes Feiner und Magnus Löhrer, Zürich, Einsiedeln, Köln 1976, 723–778.
– Paulus, Leben-Briefe-Theologie, Darmstadt 1981 (Erträge der Forschung 152).
Schellenberger, Bernardin, Bernhard von Clairvaux, in: Große Mystiker, Leben und Wirken, hg. v. Gerhard Ruhbach, Josef Sudbrack, München 1984, 107–121.

- Ein Lied, das nur die Liebe lehrt, Texte der frühen Zisterzienser, Freiburg, Basel, Wien 1981.

Schindele, Pia, Das monastische Leben nach der Lehre des hl. Bernhard von Clairvaux, in: Cist. Chron. 1988, 46–52; 89, 33–69; 90, 10–27.

Schleusener-Eichholz, Gudrun, Das Auge im Mittelalter, Bd. 1, München 1985 (Münstersche Mittelalterschriften 35).

Schlier, Heinrich, Der Römerbrief, 2. Aufl. Freiburg, Basel, Wien 1979.

Schmale, Franz Josef, Studien zum Schisma des Jahres 1130, Köln, Graz 1961 (Forschungen zur kirchlichen Rechtsgeschichte und zum Kirchenrecht Bd. 3).

Schmaus, Michael, Katholische Dogmatik, 2. Bd. Teil 1, Gott der Schöpfer, 5. Aufl. München 1954.

- Von den letzten Dingen; Münster 1948.

Schmeidler, Bernhard, Antiasketische Äußerungen aus Deutschland im 11. und beginnenden 12. Jahrhundert, in: Kultur und Universalgeschichte, Festschrift Walter Goetz, Leipzig und Berlin 1927.

Schmidt, Karl-Ludwig, Jerusalem als Urbild und Abbild, in: Eranos-Jahrbuch XVIII, Zürich 1950, 207–248.

Schmidt, Margot, Regio dissimilitudinis. Ein Grundbegriff mittelhochdeutscher Prosa im Licht seiner lateinischen Bedeutungsgeschichte, in: Freiburger Zeitschrift für Philosophie und Theologie 15 (1968), 63–108.

Schmidtke, Dietrich, Geistliche Tierinterpretation in der deutschsprachigen Literatur des Mittelalters, Berlin 1968.

- Studien zur dingallegorischen Erbauungsliteratur des Spätmittelalters. Am Beispiel der Gartenallegorese, Tübingen 1982 (Hermaea, germanistische Forschungen, Neue Folge Bd. 43).

Schmugge, Ludwig, Zisterzienser, Kreuzzug und Heidenkrieg, in: Die Zisterzienser, 57–68.

Schnackenburg, Rudolf, Die Kirche im neuen Testament, Freiburg, Basel, Wien (Quaestiones Disputatae 14).

- Gottes Herrschaft und Reich, Eine biblisch-theologische Studie, 2.Aufl.; Freiburg, Basel, Wien 1961.

Schneider, Ambrosius, Die Geistigkeit der Zisterzienser, in: Die Cistercienser, 118–156.

Schneider, Arthur, Der Gedanke der Erkenntnis des Gleichen durch Gleiches in patristischer Zeit, in: Abhandlungen zur Geschichte der Philosophie des Mittelalters, Festschrift Clemens Baeumker, 1923, 65–76.

Schneider Gerhard, Der Missionsauftrag Jesu in der Darstellung der Evangelien, in: Mission im Neuen Testament, hg. v. Karl Kertelge; Freiburg, Basel, Wien 1982 (Quaestiones Disputatae 93), 71–92.

Schnith, Karl, England von der normannischen Eroberung bis zum Ende des hundertjährigen Krieges 1066–1435, in: Handbuch der europäischen Geschichte, hg. v. Theodor Schieder, Bd. 2, hg. v. Ferdinand Seibt, Stuttgart 1987, 778–883.

Schreiner, Klaus, „Discrimen veri ac falsi“. Ansätze und Formen der Kritik in der Heiligen- und Reliquienverehrung des Mittelalters, AKG 48 (1966), 1–53.

- Zum Wahrheitsverständnis im Heiligen- und Reliquienwesen des Mittelalters, in: Saeculum 17 (1966), 131–169.

Schulze, Paul, Die Entwicklung der Hauptlaster- und Haupttugendlehre von Gregor dem Großen bis Petrus Lombardus und ihr Einfluß auf die frühdeutsche Literatur, Greifswald 1914.

Schumacher, Bruno, Die Idee der geistlichen Ritterorden im Mittelalter; in: Heidenmission, 364–388.

Schütz, Christian, Die Wunder Jesu, in: Mysterium Salutis III/2, Grundriss heilsgeschichtlicher Dogmatik, hg. von Johannes Feiner u. Magnus Löhrer; Einsiedeln, Zürich, Köln 1969.

Schwarz, Marianne, Heiligsprechungen im 12. Jahrhundert und die Beweggründe ihrer Urheber, AKG 34 (1957), 43–62.

Schwerin, Ursula, Die Aufrufe der Päpste zur Befreiung des Heiligen Landes von den Anfängen bis zum Ausgang Innozenz IV. Ein Beitrag zur Geschichte der kurialen Kreuzzugspropaganda und der päpstlichen Epistolographie, Berlin 1936.

Schwietering, Julius, Die Demutsformel mittelhochdeutscher Dichter, Göttingen 1921 (Abhandlungen der Akademie der Wissenschaften in Göttingen. Philologisch-Historische Klasse NF, Bd. 17, No. 3).

– Der Tristan Gottfrieds und die bernhardische Mystik (1943), in: ders., Mystik und höfische Dichtung, Tübingen 1960, 1–35.

Schwinges, Rainer Christoph, Die Kreuzzugsbewegung, in: Handbuch der europäischen Geschichte, hg. v. Theodor Schieder, Bd. 2, hg. v. Ferdinand Seibt, Stuttgart 1987, 181–198.

– Kreuzzugsideologie und Toleranz im Denken Wilhelms von Tyrus (1974), in: Ideologie und Herrschaft im Mittelalter, hg. v. Max Kerner, Darmstadt 1982 (WdF 530), 356–384.

– Kreuzzugsideologie und Toleranz, Studien zu Wilhelm von Tyrus, Stuttgart 1977 (Monographien zur Geschichte des Mittelalters, 15).

Seguin, André, Bernard et le seconde croisade, in: BC 379–409.

Seibel, Wolfgang, Der Mensch als Gottes übernatürliches Ebenbild und der Urstand des Menschen, in: Mysterium Salutis, Grundriss heilsgeschichtlicher Dogmatik, Bd. II. Die Heilsgeschichte vor Christus, hg. v. Johannes Feiner, Magnus Löhrer; Einsiedeln, Zürich, Köln 1967.

Selzer, Alois, Zur kritischen Analyse der Legende, in: Studia Instituti Anthropos 18, Festschrift für Paul Schebesta, Wien Mödling 1963.

Severus von, Emmanuel, Angelikos Bios. Zum Verständnis des Mönchslebens als ‚Engelleben' in der christlichen Überlieferung, in: Die Engel in der Welt von Heute, hg. v. Theodor Bogler (Liturgie und Mönchtum 21, 1957), 56–70 .

Seward, Desmond, The monks of war: The military religious orders, London 1972.

Sikes, J. G., Peter Abailard, Cambridge 1932.

Sinz, Paul, Bernhard von Clairvaux, Vollmensch oder Chimäre, in: Cist. Chron. 60 (1953), 16–38.

– Die Naturbetrachtung des hl. Bernhard, in: Anima 8 (1953), 30–51.

– Vorwort zu: Das Leben des heiligen Bernhard von Clairvaux, Düsseldorf 1963, 7–30.

Sommerfeldt, John R., Charismatic and Gregorian leadership in the thought of Bernard of Clairvaux, in: Bernard of Clairvaux, 73–90.

– The chimaera revisited, in: Analecta 38 (1987), 5–13.

– The educational theory of St. Bernard: The role of humility and love, in: Benedictine review XX (1965), 25–31 u. 46–48.

– The intellectual life according to Saint Bernard, Analecta 25 (1974), 23–32.

– The social theory of Bernard of Clairvaux, in: Studies in medieval cistercian history I. 35–54.

Southern, Richard W., Das Islambild des Mittelalters (Western views of Islam in the middle ages, 1962), Stuttgart, Berlin, Köln, Mainz 1981.

– Gestaltende Kräfte des Mittelalters. Das Abendland im 11 und 12. Jahrhundert (The making of the middle ages), Stuttgart 1960.

– Medieval Humanism and other studies, Oxford 1970.

Söll, Georg, Mariologie, Handbuch der Dogmengeschichte III,4, Freiburg, Basel, Wien 1974.

Spahr, Columbanus, Die ‚lectio divina‘ bei den alten Cisterciensern, eine Grundlage des cisterciensischen Geisteslebens, in: Analecta 34 (1978), 27-39.

- Die Regelauslegung im ‚Neukloster‘, in: Festschrift zum 800-Jahre-Gedächtnis, 22-30.

Spitz, Hans-Jörg, ‚Spiegel der Bräute Gottes‘. Das Modell der vita activa und vita contemplativa als strukturierendes Prinzip im St. Trudperter Hohen Lied, in: Abendländische Mystik im Mittelalter, Symposium Kloster Engelberg 1984, hg. v. Kurt Ruh, Stuttgart 1986 (Gemanistische Symposien, Berichtsbände VII), 480-493.

Spörl, Johannes, Bernhard von Clairvaux oder das Problem historischer Größe, in: Die Chimäre seines Jahrhunderts, 71-95.

- Das Alte und das Neue im Mittelalter, Studien zum Problem des mittelalterlichen Fortschrittsbewußtsein, München 1930 (Sonderdruck aus dem historischen Jahrbuch der Görresgesellschaft, Bd. 50).

- Grundformen hochmittelalterlicher Geschichtsanschauung, Studien zum Weltbild der Geschichtsschreiber des 12. Jahrhunderts. München 1935.

Staendert, Maurice, La doctrine de l'image chez S. Bernard, in: Ephemerides theologicae Lovanienses 23 (1947), 70-129.

- Das Prinzip der ‚Ordinatio‘ in der geistlichen Theologie des Hl. Bernhard (1946), in: Cist. Chron. 90, 1-2, 28-57.

Stebler, Vinzenz, Bernhards Marienminne, in: Anima 8 (1953), 12-17.

Steiger, Augustin, Der heilige Bernhard von Clairvaux. Sein Urteil über die Zeitzustände, seine geschichtsphilosophische und kirchenpolitische Anschauung, in: Stud. u. Mitt. 28 (1907), 346-355.

Steinbüchel, Theodor, Christliches Mittelalter, Leipzig 1935.

Steinen von den, Wolfram, Bernhard von Clairvaux, Leben und Briefe, Breslau 1926 (Heilige und Helden des Mittelalters 1).

- Heilige als Hagiographen, HZ 143 (1931), 229-256.

- Humanismus um 1100, in: ders., Menschen im Mittelalter, Bern 1967, 196-214.

- Vom Heiligen Geist des Mittelalters, Breslau 1926.

Stemberger, Brigitte, Zu den Judenverfolgungen in Deutschland zur Zeit der ersten beiden Kreuzzüge, in: Kairos NS 20 (1978), 53-72, 151-157.

Stiegman, Emero, Humanism in Bernard of Clairvaux; beyond litterary culture, in: The chimaera of his age, 23-38.

Suraci, Antonio, San Bernardo e Arnaldo da Brescia, Analecta 13 (1957), 83-91.

Talbot Hugh, Die Entstehung der Predigten über Cantica Canticorum, in: Bernhard von Clairvaux, Mönch und Mystiker, 202-214.

- New documents in the case of Saint William of York, in: The Cambridge historical journal, X (1950-52), 1-15.

- Die cluniazensische Spiritualität (1945), in: Cluny, 43-49.

Tellenbach, Gerd, Das Reformmönchtum und die Laien im 11. und 12. Jahrhundert (1968), in: Cluny, 371-400.

Thomas, Rudolf, Die Persönlichkeit Peter Abaelards im *Dialogus inter Philosophum, Iudaeum et Christianum* und in den *Epistulae* des Petrus Venerabilis: Widerspruch oder Übereinstimmung, in: Pierre Abélard, Pierre le Vénérable, 255-269.

Thoss, Dagmar, Studien zum locus amoenus im Mittelalter; Wien, Stuttgart 1972 (Wiener romanistische Arbeiten 10).

Tillmann, Fritz, Die Idee der Nachfolge Christi, Handbuch der katholischen Sittenlehre Bd. 3 (1934ff.), 3. Aufl. Düsseldorf 1949.

Tillmanns, Barbara, Die sieben Gaben des Hl. Geistes in der deutschen Literatur des Mittelalters, Diss. Kiel 1963.

Timmermann, Waltraud, Studien zur allegorischen Bildlichkeit in den Parabolae Bernhards von Clairvaux, Frankfurt a. M., Bern 1982 (Mikrokosmos, Beiträge zur Literaturwissenschaft und Bedeutungsforschung, Bd. 10).

Torre de la, Jean Maria, Le charisme cistercien et Bernardin, in: Coll. Cist 47 (1985), 192–212, 281–300, u. 48 (1986), 131–154.

Tüchle, Hermann, Ein Hildegard- und ein Bernhardbrief aus der ehemaligen Ochsenhausener Klosterbibliothek, in: Stud. u. Mitt. 79 (1968), 17–22.

Ullmann, Walter, The individual and society in the middle ages, Baltimore 1966, London 1967.

Vacandard, Elphegius, Leben des Heiligen Bernhard von Clairvaux (Vie de saint Bernard, abbé de Clairvaux), 2. Bde. Mainz 1897/1898.

Veit, Otto, Ordo und Ordnung. Versuch einer Synthese, in: Ordo, Jahrbuch für Ordnung von Wirtschaft und Gesellschaft 5 (1953), 3–47.

VerBust, Richard, Papal ministry: A source of theology, the letters of Bernard of Clairvaux, in: Heaven on earth, hg. E. Rozanne Elder, Kalamazoo 1983 (Cistercian studies series 68; Studies in medieval cistercian history IX), 55–61.

Vicedom, Georg F., Missio Dei. Einführung in eine Theologie der Mission, München 1958.

Vogüe de, Adalbert, ‚Memorare novissima tua'. Sur la pensée de la mort chez Saint Bernard et ses devanciers, in: Coll. Cist 52 (1990), 54–65.

Waas, Adolf, Volk Gottes und Militia Christi – Juden und Kreuzfahrer, in: Judentum im Mittelalter, Beiträge zum christlich-jüdischen Gespräch, hg. v. Paul Wilpert, Berlin 1966 (Miscellanea Mediaevalia 4).

Waddell, Chrysogonus, The two St. Malachy offices from Clairvaux, in: Bernard of Clairvaux, 123–159.

Walter, Emil H., Hagiographisches in Gregors Frankengeschichte, in: AKG 48 (1966), 291–310.

Wang, Andreas, Der ‚Miles Christianus' im 16. und 17. Jahrhundert und seine mittelalterliche Tradition; Frankfurt a. M., Bern 1975 (Mikrokosmos, Beiträge zur Literaturwissenschaft und Bedeutungsforschung, Bd. 1).

Ward, Benedicta., Miracles and the medieval mind, theory, record and event, 1000–1250, London 1982.

Warner, Maria, Maria, Geburt, Triumph, Niedergang – Rückkehr eines Mythos? (Alone of all her sex, 1976), München 1982.

Warren de, Henry-Bernard, Bernard et l'ordre de Saint-Victor, in: BC, 309–326.

Wattenbach, Wilhelm u. Schmale, Franz Josef, Deutschlands Geschichtsquellen im Mittelalter. Vom Tode Heinrichs V. bis zum Ende des Interregnums. Bd. 1–2, Darmstadt 1976.

Wechßler, Eduard, Deutsche und französische Mystik: Meister Eckehart und Bernhard von Clairvaux, in: Euphorion 30 (1929), 40–93.

Wendelborn, Gert, Gott und Geschichte. Joachim von Fiore und die Hoffnung der Christenheit, Wien, Köln 1974.

Wennemer, Karl, Die heilige Stadt Jerusalem, in: Geist und Leben, 31 (1958), 331–340.

Werli-Johns, Martina, Maria und Martha in der religiösen Frauenbewegung, in: Abendländische Mystik im Mittelalter, Symposium Kloster Engelberg 1984, hg. v. Kurt Ruh, Stuttgart 1986 (Gemanistische Symposien, Berichtsbände VII), 354–367.

Werner, Martin, Mystik im Christentum und in außerchristlichen Religionen. Ein Überblick, Tübingen 1989.

White, Hayden V., The Gregorian ideal and Saint Bernard of Clairvaux, Journal of the history of ideas, 21 (1960), 321–348.

Willems, E., Cîteaux et le seconde croisade; in: Revue d'histoire ecclésiastique 49 (1954), 116-151.

Williams, Watkin W., Studies in St. Bernard of Clairvaux, London 1927.

Winkler, Gerhard B. Die Ausbreitung des Zisterzienserordens im 12. und 13. Jahrhundert, in: Die Zisterzienser, 87-92.

Wisser, Karl, Individuum und Gemeinschaft in den Anschauungen des hl. Bernhard von Clairvaux, in: Cist. Chron. 49 (1937), 257-263.

Wittmann, Leopold, Ascensus. Der Aufstieg zur Transzendenz in der Metaphysik Augustins, München 1980.

Wollschläger, Hans, Die bewaffneten Wallfahrten gen Jerusalem, Geschichte der Kreuzzüge, Zürich 1973.

Wolter, Hans, Bernhard von Clairvaux und die Laien, Aussagen der monastischen Theologie über Ort und Berufung des Laien in der Welt, in: Scholastik 34 (1959), 161-189.

- Die Reformorden des 12. Jahrhunderts - Bernhard von Clairvaux, in: Handbuch der Kirchengeschichte III.2, Freiburg, Basel, Wien 1968, 14-29.

- Menschtum und Heiligkeit, in: Geist und Leben 26 (1953), 254-267.

Zeller, Dieter, Juden und Heiden in der Mission des Paulus, Studien zum Römerbrief, Stuttgart 1973 (Forschung zur Bibel 8).

- Theologie der Mission bei Paulus, in: Mission im Neuen Testament, hg. v. Karl Kertelge; Freiburg, Basel, Wien 1982 (Quaesiones Disputatae 93), 164-189.

Zerbi, Piero, Remarques sur L'epistola 98 de Pierre le Vénérable, in: Pierre Abélard, Pierre le Vénérable, 215-234.

- San Bernardo e il concilio di Sens, in: S. Bernardo di Chiravalle, 49-74.

- William of Saint Thierry and his dispute with Abelard, in: William, abbot of St. Thierry, Kalamazoo, Michigan 1987 (Cistercian studies series 94), 181-203.

Zimmermann, Gerd, Ordensleben und Lebensstandard. Die Cura Corporis in den Ordensvorschriften des abendländischen Hochmittelalters; Münster, Westfalen 1973 (Beiträge zur Geschichte des alten Mönchtums und des Benediktinerordens, Heft 32).

Zoepf, Ludwig, Das Heiligenleben im 10. Jahrhundert, Leipzig, Berlin 1908.

Zöckler, Otto, Das Kreuz Christi. Religionshistorische und kirchlich-archäologische Untersuchung, Gütersloh 1875.

- Das Lehrstück von den sieben Hauptsünden, in: ders., Biblische und kirchenhistorische Studien, München 1893, S. III,1-III,118.

- Die Tugendlehre des Christentums geschichtlich dargestellt in der Entwicklung ihrer Lehrformen, Gütersloh 1904.

Zöllner, Walter, Geschichte der Kreuzzüge, Berlin 1977

Register